行政書士

しっか
講義エ中継

民法

第3版

JN029990

TAC出版
TAC PUBLISHING Group

はじめに

　行政書士試験において民法は、行政書士試験全体の約25％、法令科目の約31％の配点を占める重要科目です。民法を攻略すれば、あなたの合格可能性が大きく高まります。

　民法というルールは、法律を学習されたことがない方にとっては難解な科目だといわれています。一朝一夕にマスターできるものではありません。それを独学しようとすれば、多くの時間を費やすことになってしまいます。しかし、私たちの目的となる行政書士試験に合格するために使える時間は多くはありません。限られた時間の中で、無駄なく、試験合格に必要な民法知識を獲得すること。これが私たちの民法学習の至上命題です。そして、この命題を実現するのが本書です。

　私が普段、講義させていただいている民法を、学習を始めたばかりの方にもわかりやすく、＜事例で理解＞と（具体例）をふんだんに盛り込み、平易な言葉を使用して解説しています。最小限の時間で効率的に民法が理解できるように工夫しました。

　行政書士受験生だけでなく、民法学習を始める多くの方々に本書を手にしていただき、民法の理解の一助となれば幸いです。

　それでは一緒に、民法の講義を始めていきましょう。

ＴＡＣ行政書士講座　講師　小池昌三

CONTENTS

第 1 編　民法という法律

第 2 編　総則

第3編　物権

第5編　債権総論

第6編　契約総論

第 10 編　相続

第**1**編

民法という法律

　私たちは、この社会で、他人とかかわりあいながら生活しています。家族と楽しい時間を過ごしたり、一生懸命仕事をしたり、幸せに生きるための活動を行っています。共同生活を営む以上、自分だけが幸せであればよいというものではありません。他人の迷惑にならないように、お互いに気配りをしながら、社会生活を送っていく必要があります。

　しかし、時として、他人と争いごとが起こる場合もあります。買った物を引き渡してくれない。代金を払わない。自分の土地を誰かが勝手に使っている。隣人が騒音を出している。相続争いなどなど。

　このように、私たちの間で起こった**紛争を解決してくれるルール**が「**民法**」という法律なのです。民法があることで、私たちの間の紛争を解決できますし、事前に紛争が起こらないように手を打つこともできます。

　行政書士試験で重要な科目であることはもちろん、争いごとがない社会をつくるために、このすばらしきルール・**民法**を学習しましょう。

1　民法の形式的意義

　民法とは、「私法の一般法」です。「私法」とは「私たち一般人の間で働くルール」、「一般」とは、「全体に共通のこと」です。「一般法」とは、私たち全体に共通して適用されるルールということになります。

2　民法が規定するルール

　まずは、民法全体に通ずるルールを定めているのが「総則」です。

　次に、「一般人同士の衣食住に関連するルール分野」として「財産法」があり、「財産法」はさらに「物に対する権利関係」について定めた「**物権**」

と、「人に対する権利関係」について定めた「**債権**」に分かれます。

　これに対して、「人の身分に関連するルール分野」として「**家族法（身分法）**」があり、「**家族法**」はさらに「**親族**」「**相続**」に分けられます。

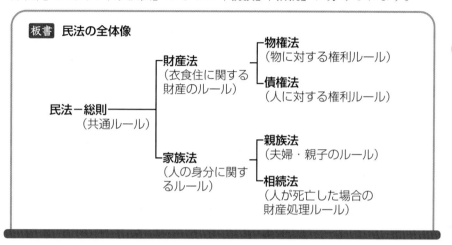

板書 民法の全体像

```
                              ┌─ 物権法
                  ┌─ 財産法 ─┤  （物に対する権利ルール）
                  │  （衣食住に関する  │
                  │  財産のルール）   └─ 債権法
民法 ─ 総則 ──────┤                  （人に対する権利ルール）
（共通ルール）     │
                  │           ┌─ 親族法
                  └─ 家族法 ─┤  （夫婦・親子のルール）
                     （人の身分に関す  │
                     るルール）     └─ 相続法
                                    （人が死亡した場合の
                                     財産処理ルール）
```

1
民法という法律

---

3 民法の基本概念

　民法の学習を始めるにあたって大切なのは、基本的な条文の意味を押さえることです。民法の条文を正しく理解して、実際に使うことができるようになるためには、その条文が、具体的にどのような場面で使われることになるのか、具体的事案を想定しながら理解することです。具体的事案を想定する際には、言葉だけで理解するのではなく、実際にその事案を図に落とし込んでいくと、理解が早く進みます。本書では、条文の意味内容をできるかぎり図案化していきますので、まずは、本書での図案の書き方もお伝えしておきます。民法の得意不得意は、図の書き方でわかるというぐらいですので、図の書き方もマスターしましょう。

（1）物権

　物に対する直接的な支配権を「**物権**」といいます。

＜事例で理解＞

ＡがＢに土地を売り、ＢがＣに土地を転売しました。

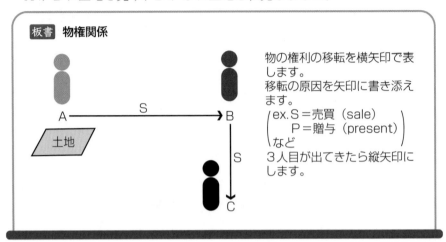

板書　物権関係

A ——S——> B

S

C

物の権利の移転を横矢印で表します。
移転の原因を矢印に書き添えます。
$\left(\begin{array}{l}\text{ex.S＝売買（sale）}\\\text{　　P＝贈与（present）}\\\text{など}\end{array}\right)$
3人目が出てきたら縦矢印にします。

（2）債権

人に対する請求権を「債権」といいます。請求権を負っていることを「債務」といいます。

＜事例で理解＞

ＡがＢに貸したお金を返してもらう権利を有し、ＢがＣに売買代金を支払ってもらう権利を有しています。

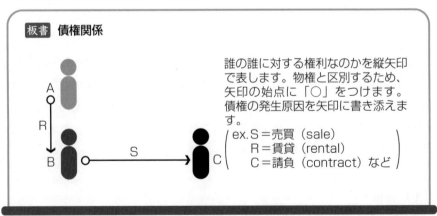

板書　債権関係

A
R
B ——S——> C

誰の誰に対する権利なのかを縦矢印で表します。物権と区別するため、矢印の始点に「○」をつけます。債権の発生原因を矢印に書き添えます。
$\left(\begin{array}{l}\text{ex.S＝売買（sale）}\\\text{　　R＝賃貸（rental）}\\\text{　　C＝請負（contract）など}\end{array}\right)$

（3）担保権

＜事例で理解＞

債権を確実に回収する方策として、借金のカタを取る場合があります。

「物」を借金のカタとする場合を「**担保物権**」といいます。例えば、A がBにお金を貸し、Bが返せなくなった場合に、Bの土地を売って、貸金の返済に充てる場合です。

「人」に借金のカタ替わりをさせることを「**保証**」といいます。例えば、AがBにお金を貸し、Bが返せなくなった場合に、CがBの代わりに返済する場合です。

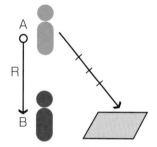

板書　担保権

〈担保物権〉　　　　　　　　　　〈保証〉

担保となっている物に向けて矢印を引きます。
担保であることがわかるように、矢印に横線を数本引いておきます。

保証をしてくれている人に向けて矢印を引きます。
保証に関する債権だとわかるように、矢印に横線を数本引いておきます。債権なので始点に「○」をつけます。

（4）法律要件と法律効果

　民法の条文は「Ａということがあれば、Ｂという結果が生じる」という形で規定されます。ここで、「Ａということがあれば」の部分を**法律要件**、「Ｂという結果が生じる」の部分を**法律効果**といいます。

（5）善意と悪意

　「**善意**」とは、ある事実を「知らない」こと、「**悪意**」とは、ある事実を「知っている」ことをいいます。道徳的・倫理的な「良し」「悪し」という要素は含みません。

（6）無効と取消し

　「**無効**」とは、法律的には意味がないこと、何もないことです。

　「**取消し**」とは、当初は法的に意味のあったことが、事後的に何もなかったことになることです。いったんは有効に成立しますが、それを維持しておくことができない場合に、「取り消します」と意思表明をすると、最初から何もなかったことになります。

　法律行為が無効な場合や、取り消された場合、無効な行為や、取り消された行為によって生じた状態を、それがなかった時の状態に戻さなければなりません。これを**原状回復義務**といいます。原状回復義務については121条の２で、以下のようなルールを定めています。

① 　無効な行為に基づく給付（１項）

　原状回復義務が生じます。つまり、無効な法律行為がなされる前の状態に戻さなければならないことになります。

② 　無効な無償行為の場合の返還義務の制限（２項）

　無償行為、たとえば、ダダで財産をあげる行為（贈与）の場合、贈与によって生じたのは、物をあげた人（贈与者）が、物をあげるということだけを行ったわけです。したがって、その贈与が無効で、もとの状態に戻すというのは、物をもらった人（受贈者）だけが、もらった物を返さなければならない、ということになります。

　しかし、その贈与が無効だと知らなかった場合、受贈者は、もらった物
は、もう自分の物になったと思っています。もう使って手元にないかもし
れません。そうであるのに、あとから、「贈与は無効だから全部返して！」
というのはかわいそうです。そこで、返還すべきなのは、もらった物で、
いま手元に残っているもの（現に利益を受けている限度）とされています。

③　意思無能力者、制限行為能力者の返還義務の制限（3 項）

　自分でいろいろな判断ができない人（意思無能力者）がしたことが無効
とされたり、自分 1 人で行動できない人（制限行為能力者）の行為が取り
消されて、それらの者に原状回復義務が生じた場合には、いま手元に残っ
ている利益を返還すればよいとされています。

民法には、さまざまなルールの出発点となる大原則が3つあります。

> **レジュメ**　**民法の三大原則**
>
> （1）　所有権絶対の原則
> （2）　契約自由の原則（私的自治の原則）
> （3）　過失責任の原則

これらは民法521条や、近代法の自由・平等の原則から導かれます。

ただし、現代社会のニーズ（取引の安全、経済的弱者救済）に合わせてそれぞれが修正されています。

（1）　所有権絶対の原則

物を所有することを、国家は侵害できないという原則です。

→修正）所有権にも一定の制限が生じています。

例・公共事業のための土地の収用

（2）　契約自由の原則（私的自治の原則）

契約するかどうか、するとしたらその内容やルールは、当事者が自由に決めることができるという原則です（521条）。自分の生活関係は自分で決められるという「私的自治の原則」と同じ意味です。

→修正）契約自由の原則にも例外があります。

例・雇用契約における最低賃金

（3）　過失責任の原則

わざと（故意）や、うっかりミス（過失）があった場合だけ、損害賠償

責任を負うとする原則です。

→修正）被害者保護の観点から過失がなくても責任を負うという「無過
　　　　失責任論」が生まれています。

　　　　例・土地工作物の所有者の責任

　これらの大原則が直接試験で問われることはほとんどありません。しか
し、民法の規定を理解したり、分からない問題が出たときに現場思考をす
る際の出発点になる概念です。常に、念頭において民法を学習すると、民
法的な思考力を育ててくれます。

第１編　第１章・第２章　確認テスト

問1　権利には、物に対する権利である物権と、人に対する権利である債
　　　権がある。

問2　所有権絶対の原則とは、物を所有することを、国家は侵害できない
　　　という原則であるが、公共事業のために土地を収用することまで否定
　　　する原則ではない。

問3　私的自治の原則とは、契約するかどうか、するとしたらその内容や
　　　ルールは、当事者が自由に決めることができるという原則であるが、
　　　現代では必ずしもその原則は貫徹されておらず、雇用契約における最
　　　低賃金など、修正されているところもある。

問4　過失責任の原則とは、故意や、過失がなければ、処罰されることは
　　　ないとする原則である。

解答

問1　○　権利には、物に対する権利である物権と、人に対する権利である債権があります。

問2　○　所有権絶対の原則とは、物を所有することを、国家は侵害できないという原則ですが、現代では修正され、公共事業のために土地を収用することは肯定されます。

問3　○　私的自治の原則とは、契約するかどうか、契約するとすれば、その内容やルールは、当事者が自由に決めることができるという原則です。現代では修正され、雇用契約における最低賃金など、私的自治が貫徹されないところもあります。

問4　×　過失責任の原則とは、故意や、過失がなければ、損害賠償責任を負うことはないという原則です。

総則

ここからは、民法の共通ルールとなる総則の勉強を始めます。

勉強のメインとなるのは、以下の３つです。

> **レジュメ** 　**総則で取り扱う事項**
>
> （１）　権利の主体（自然人・法人）
> （２）　権利の客体（物）
> （３）　権利の変動（法律行為・時効）

権利の主体というのは、権利を持つことができるのはだれか？ということです。権利を持つことができるのは「人」です。人とは、生身の人間（自然人）と、法が認めた人（法人）のことを指します。

権利の客体というのは、何に権利が成立するか？ということです。総則では、物に対する権利について規定を置いています。

権利の変動というのは、権利がどのように発生し、移転し、消滅するか？ということです。権利が変動する原因には、法律行為と時効があります。

まずは、民法の基本原則から勉強していくことにしましょう。

第2編
第1章　民法の基本原則

民法では、権利や義務に関するルールがたくさん出てきます。

権利の行使については、1条で重要規定を置いています。

▼第1条〔基本原則〕

1項　私権は、公共の福祉に適合しなければならない。

2項　権利の行使及び義務の履行は、信義に従い誠実に行わなければならない。

3項　権利の濫用は、これを許さない。

1　私権の公共性の原則（1項）

私権の内容・行使は、社会共同生活の利益に反してはならない、つまり、権利といっても人の迷惑にならないように使いましょう、ということです。

2　信義誠実の原則（信義則）（2項）

相手の信頼を裏切らないように誠実な態度で権利を行使し、義務を果たさなければならないということです。言い換えれば、相手の信頼を裏切るような不誠実な態度をとってはいけないということです。もっと簡単に言えば、約束はちゃんと守りましょう、という原則です。

この条文は、民法全体に通じる特に重要な条文です。民法は、相手を信じた人を大切にします。誠実な態度をとった人を有利に扱います。「信じる者は救われる」。これが民法の考え方の出発点です。条文を理解しようとするとき、争いごとを解決するとき、この考え方を常に念頭に置いておいてください。どちらが誠実な態度をとっているのか、どちらが相手のことを信頼しているのか。その視点が、民法の理解をスムーズにします。

3 権利濫用禁止の原則（3項）

　権利があるといっても、権利の使い方が、みんなの迷惑になっているような場合には、そのような使い方は許さないとする原則です。

　権利行使によって権利者が受ける利益と、相手方が受ける損害を比較します。損害が利益を上回るときに「権利濫用」になるとされます。

　有名な判例をご紹介します。富山の宇奈月温泉での事件です。

判　例　権利の濫用・宇奈月温泉事件（大判昭 10.10.5）

● 事　案

　湯元から、富山県宇奈月温泉に温泉を引く引湯管が、Ａの土地（3000坪）の一部（2坪）を通過していました。引湯管がこの土地を通過するための権利が設定されていなかったため、ＸがＡからこの土地を安く買い取り、引湯管の所有者Ｙに対して引湯管の撤去を求めました。もし、撤去しないなら、この土地を高額で買い取るよう要求しました。Ｙが拒絶したため、ＸがＹに対して、「私の所有物を勝手に使うな、引湯管を撤去しろ」ということを求めて訴えを提起した事件です。

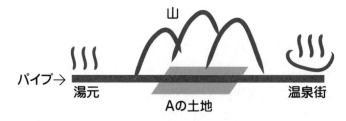

● 判　旨

　所有権の侵害による損失が軽微で、しかも侵害の除去が著しく困難で多大な費用を要する場合に、土地所有者が不当な利益を得る目的で、その除去を求めることは、権利の濫用にあたり許されない。

※大判とは大審院の判決のことで、大審院とは明治憲法下の裁判
所で現在の最高裁判所にあたります。

● **解　説**

　土地の所有者 X にとって、引湯管が通っていても、不都合はないし、
実害もありません。なのに、二束三文の土地を、高額で買い取らせる
ために自分の所有権を行使してきた事情があります。

　形式的に考えると、自己所有の物を勝手に使われているわけですか
ら、それを撤去させることは正当な権利行使です。しかし、実質的に
は、権利を振りかざして、権利以上の暴利を得てやろうという行為と
いえます。そのため、権利の濫用とされ、X の請求は認められません
でした。

2

総則

4　自力救済の禁止

　民法に規定はありませんが、「自力救済の禁止」という原則があります。
自分の権利を実現するには裁判所に協力してもらうことが必要で、自分自
身で実力を行使して権利を実現すること（自力救済）はできないというも
のです。これを許すと、本当は権利がなくても、強者が弱者を力でねじ伏
せて、権利を実現することができてしまうからです。そうならないように
するため、権利の実現には、その権利があるかどうかをきちんと裁判所に
判断してもらった上で実現しなければならないこととするわけです。実現
の方法も、裁判所が間に入って法秩序を守ります。

第2編 第1章 確認テスト

問1 民法上の基本原則として、私権の公共性の原則、信義誠実の原則、権利濫用禁止の原則があるが、これは明文では定められていない。

問2 信義誠実の原則は、略して信義則という。

問3 形式的には、権利の行使にあたるとしても、権利濫用として権利行使が認められない場合がある。

解答

問1 ×　民法上の基本原則は1条にそれぞれ規定があります。私権の公共性の原則（1項）、信義誠実の原則（2項）、権利濫用禁止の原則（3項）で明記されています。

問2 ○　信義誠実の原則のことを、略して信義則といいます。

問3 ○　古い判例（大判昭10.10.5）では、所有権に基づく妨害排除請求に対して、「所有権の侵害による損失が軽微で、しかも侵害の除去が著しく困難で多大な費用を要する場合に、土地所有者が不当な利益を得る目的で、その除去を求めることは、権利の濫用にあたり許されない。」として、権利行使を認めない場合があります。

第2章　権利の主体

　民法で私法上の権利を持つことができるのは、生身の人間（自然人）と、法が認めた人（法人）です。ここでは自然人を中心にみていきましょう。

　まず、法律上、意味のある行為をするには、一定の資格、「能力」が必要です。能力には、「権利能力」「意思能力」「行為能力」があります。

レジュメ　**権利能力・意思能力・行為能力**

	定　義	認められる者・要件	能力がない場合の効果
権利能力	私法上の権利・義務の主体となる資格	自然人および法人	権利・義務の帰属主体になれない
意思能力	行為の結果を弁識するに足りるだけの精神能力	7～10歳の子どもの精神能力	無効
行為能力	単独で、有効な法律行為をなし得る能力	未成年者、成年被後見人、被保佐人、被補助人について制限	取消しできる

1　権利能力

　権利能力とは、権利義務の主体となる能力です。権利を取得したり、義務を負ったり、たとえば、家を売ったり買ったりする能力です。

（1）権利能力の始期

　権利能力が始まる時期は「出生」のときです。

▼第３条〔権利能力〕
１項　私権の享有は、出生に始まる。

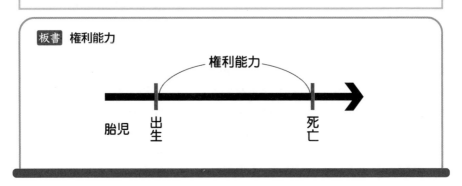

（２）胎児について

　３条１項によれば、胎児は出生前の子ですから権利能力はありません。ここで、誰かが亡くなったときに、その財産を親族が引き継ぐ制度として相続という制度があります。理屈からすれば、胎児の時に父が死亡した場合には、胎児には権利能力はありませんから相続できませんが、反対に、出生後に父が死亡した場合には、相続できることになります。このように、父が死亡した時に出生していたかどうかという何か月かの違いで相続できるかどうかが決まるのは妥当ではありません。

　＜事例で理解＞

　Ａが1000万円遺して死亡しました。Ａには相続人である妻Ｂがいます。Ｂのお腹の中には５月13日出産予定の胎児Ｃがいます。

①　５月10日にＡが死亡した場合

　Ｃには権利能力がなく、相続できず、1000万円はＢが相続します。

②　５月20日にＡが死亡した場合

　Ｃには権利能力があり、相続でき、1000万円をＢとＣで２分の１ずつ相続します。

　出生が10日間異なるだけで、これだけの差が出るのは妥当ではありません。そこで、胎児Ｃにも権利能力を認め、相続できるようにしています。

胎児に権利能力を認めるものが相続も加えて３つあります。

レジュメ　胎児でも権利能力が認められる場合

① 不法行為に基づく損害賠償請求権（721条）
② 相続を受ける権利（886条１項）
③ 遺贈を受ける権利（965条）

2

相続・遺贈に関しては、胎児が死体で生まれたときは、適用しません（886条２項、965条）。また、胎児を「すでに生まれたものとみなす」のは、生きて生まれた場合に限られるという判例があります（大判昭7.10.6・阪神電鉄事件）。

（３）権利能力の終期

権利能力がなくなるのは死亡したときだけです。

2 意思能力

意思能力とは、自分がやった行為がどのような結果になるのか、それを認識することができるだけの精神能力のことです。いうなれば、正常な判断能力です。

▼第３条の２〔意思能力〕
　法律行為の当事者が意思表示をした時に意思能力を有しなかったときは、その法律行為は、無効とする。

意思能力がない者のした法律行為は無効です。
（具体例）極度の泥酔者が時価100万円の時計を３万円で売るという売買契約を締結しても、意思能力を欠く行為として無効となります。売買契約は不成立となり、買主から時計を渡せといわれても拒否できます。

3 行為能力

　意思能力があれば、完全に有効な法律行為ができるかといえば、そうではありません。意思能力があっても、正常な判断能力が劣っていると、複雑な取引関係が多くある現代社会において、自分が損をすることが分からず契約を締結してしまうことも考えられます。そこで、それらの人が損をしないようにサポートする仕組み。それが制限行為能力者の制度です。

　制限行為能力者の行為は、後で取り消すことができます。元の状態に戻させることで、制限行為能力者の財産を保護します。

　制限行為能力者とされる、未成年者、成年被後見人、被保佐人、被補助人の4者についてみていきましょう。

（1）未成年者（4条）

　未成年者は判断能力が未熟です。そこで、未成年者がやってしまったことが未成年者にとって不利益であれば、それを本人や保護者が取り消せるようにして、未成年者の財産を守ります。

① 定義

　未成年者とは、18歳未満の者をいいます。

② 保護者

　未成年者を保護するのは、一次的には親権者です。親権者がいなければ未成年後見人が保護者になります。

　親権者・未成年後見人は法定代理人です。未成年者に代わって法律行為ができます。その他、未成年者の法律行為に対して事前に OK を出す同意権や、未成年者がした法律行為をなかったことにする取消権、未成年者がした法律行為を事後的に有効に確定させる追認権があります。

③ 未成年者がした法律行為

　原則として、未成年者が法律行為をするには、親権者や未成年後見人の同意が必要です。同意なく行った行為は取り消すことができます。

　例外的に、同意がなくても未成年者が単独でできる行為があります。

> **レジュメ** 未成年者が単独でできる行為
>
> ① **単に権利を得、または義務を免れる法律行為**
>
> たとえば、贈与を受ける行為、借金を帳消しにしてもらう行為です。ただし、貸したお金を返してもらうことのような弁済の受領は、債権を失うことになるので単独ではできません。
>
> ② **処分を許された財産の処分**
>
> たとえば、おこづかい、旅費、学費など、「使っていいよ」と言われて、使うような行為です。ただし、法定代理人が目的を定めて処分を許した財産は、その目的の範囲内でしか処分できません。学費は学費でしか使えません。
>
> ③ **法定代理人から営業の許可を受けた場合の、その営業に関する行為**
>
> たとえば、親に書店経営を許可された未成年者が、お店で本を売る行為です。
>
> ※ なお、遺言は、15歳になれば、単独ですることができます。

2

総則

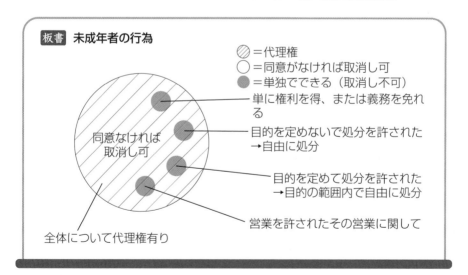

板書 未成年者の行為

○ = 代理権
○ = 同意がなければ取消し可
● = 単独でできる（取消し不可）

同意なければ取消し可

全体について代理権有り

単に権利を得、または義務を免れる

目的を定めないで処分を許された
→自由に処分

目的を定めて処分を許された
→目的の範囲内で自由に処分

営業を許されたその営業に関して

　未成年者以外の制限行為能力者は、物事を判断する能力（事理弁識能力）があるかどうか、家庭裁判所がそれぞれの人について判断して、審判しま

す。制限行為能力者の財産は、民法で守られます。

（2）成年被後見人
① 要件（7条）

> **▼第7条〔後見開始の審判〕**
> 　精神上の障害により事理を弁識する能力を欠く常況にある者については、家庭裁判所は、本人、配偶者、4親等内の親族、未成年後見人、未成年後見監督人、保佐人、保佐監督人、補助人、補助監督人又は検察官の請求により、後見開始の審判をすることができる。

　成年被後見人となるためには、実質的要件と形式的要件の2つが必要です。実質的要件は、精神上の障害により事理を弁識する能力を欠く常況にあることです。つまり、精神障害によって、正常な判断能力がない状態がずっと続いている状態にあることです。形式的要件は、家庭裁判所が**後見開始の審判**をすることです。

② 保護者

　保護者は、**成年後見人**です。成年後見人は法定代理人です。したがって、成年後見人は、すべての法律行為を本人に代わってすることができます。また、取消権、追認権もあります。しかし、同意権はありません。なぜなら、成年被後見人は、事理弁識能力を欠く常況にあるので、成年後見人の同意を得ても、同意の通りに動くかどうか疑問だからです。

③ 成年被後見人の法律行為

（原則）取り消すことができます。

（例外）日用品の購入その他日常生活に関する行為は単独でできます。

　（具体例）コンビニで弁当を買う行為です。財産的にも小さく、これも全部、法定代理人がやってもらうのは、逆に成年被後見人にとって不便になってしまうからです。

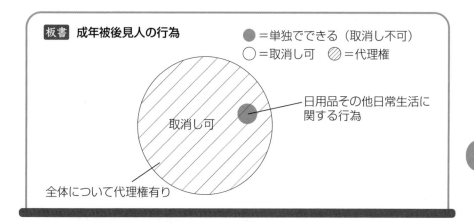

（3）被保佐人

① 要件

> ▼第11条〔保佐開始の審判〕
> 　精神上の障害により事理を弁識する能力が著しく不十分である者については、家庭裁判所は、本人、配偶者、４親等内の親族、後見人、後見監督人、補助人、補助監督人又は検察官の請求により、保佐開始の審判をすることができる。ただし、第７条に規定する原因がある者については、この限りでない。

　被保佐人となるためには、実質的要件と形式的要件の２つが必要です。実質的要件は、精神上の障害により事理を弁識する能力が**著しく不十分**であることです。つまり、精神障害の程度は、「欠く常況」よりは軽くなります。中程度の精神障害というイメージです。形式的要件は、家庭裁判所が**保佐開始の審判**をすることです。

② 保護者

　保護者は**保佐人**です。保佐人は、13条１項に規定している、一定の重要な財産行為についてのみ、同意権、取消権、追認権を持ちます。保佐人は、法定代理人ではないので、代理権が当然に発生するわけではありません。ただ、ケースバイケースで、特定の法律行為については、保佐人に代理権を付与する旨の審判ができます。その審判を受けたものについては、代理

することができるようになります。

③　被保佐人の法律行為

13条1項に掲げられた行為をする場合、保佐人の同意または、それに代わる許可が必要で、それを得ていない法律行為は取り消せます。

▼第13条1項〔保佐人の同意を要する行為等〕

被保佐人が次に掲げる行為をするには、その保佐人の同意を得なければならない。ただし、第9条ただし書に規定する行為については、この限りでない。

1号　元本を領収し、又は利用すること。

2号　借財又は保証をすること。

3号　不動産その他重要な財産に関する権利の得喪を目的とする行為をすること。

4号　訴訟行為をすること。

5号　贈与、和解又は仲裁合意（仲裁法（平成15年法律第138号）第2条第1項に規定する仲裁合意をいう。）をすること。

6号　相続の承認若しくは放棄又は遺産の分割をすること。

7号　贈与の申込みを拒絶し、遺贈を放棄し、負担付贈与の申込みを承諾し、又は負担付遺贈を承認すること。

8号　新築、改築、増築又は大修繕をすること。

9号　第602条に定める期間を超える賃貸借をすること。

10号　前各号に掲げる行為を制限行為能力者（未成年者、成年被後見人、被保佐人及び第17条第1項の審判を受けた被補助人をいう。以下同じ。）の法定代理人としてすること。

いずれも自己の財産に大きな影響がある重要な法律行為です。

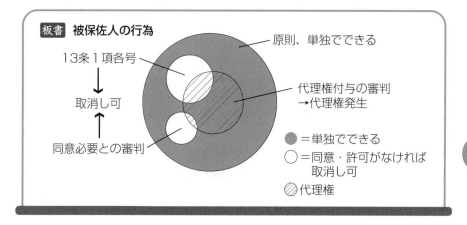

板書 被保佐人の行為

13条１項各号
↓
取消し可
↑
同意必要との審判

原則、単独でできる

代理権付与の審判
→代理権発生

● ＝単独でできる
○ ＝同意・許可がなければ
　　取消し可
▨ ＝代理権

（４）被補助人

① 要件

▼第15条１項〔補助開始の審判〕
　精神上の障害により事理を弁識する能力が不十分である者については、家庭裁判所は、本人、配偶者、４親等内の親族、後見人、後見監督人、保佐人、保佐監督人又は検察官の請求により、補助開始の審判をすることができる。ただし、第７条又は第11条本文に規定する原因がある者については、この限りでない。

　被補助人となるためには、実質的要件と形式的要件の２つが必要です。実質的要件は、精神上の障害により事理を弁識する能力が**不十分**であることです。軽度の精神障害というイメージです。形式的要件は、家庭裁判所が**補助開始の審判**をすることです。

② 保護者

　保護者は**補助人**です。補助人は、13条１項に規定している、一定の重要な財産行為の中の**一部についてのみ**、補助人の同意を得なければならない行為については同意権を持ちます。また、取消権、追認権も持ちます。補助人は、法定代理人ではないので、代理権が当然には発生しません。ただ、ケースバイケースで、特定の法律行為については、補助人に代理権を付与する旨の審判ができます。その審判を受けたものについては、代理するこ

とができるようになります。

③　被補助人の法律行為

　補助人に同意権が付与された13条１項に掲げられた行為の一部をする場合には、補助人の同意または、それに代わる許可が必要です。それを得ないでした法律行為は取り消すことができます。

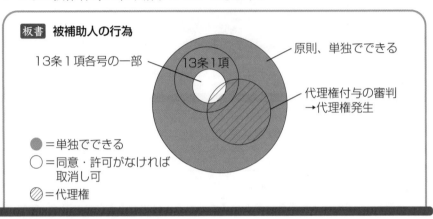

板書　被補助人の行為

13条１項各号の一部

13条１項

原則、単独でできる

代理権付与の審判
→代理権発生

●＝単独でできる
○＝同意・許可がなければ
　　取消し可
⊘＝代理権

レジュメ　制限行為能力者の保護者の権限

保護者の権限		親権者 未成年後見人	成年後見人	保佐人	補助人
保護者の権限	代　理　権	○	○	△	△
	同　意　権	○	×	○	△
	取　消　権	○	○	○	
	追　認　権	○	○	○	

○ …… 有り
△ …… 家庭裁判所の審判により、権限を与えることが可能
× …… 無し

（5）制限行為能力者の相手方の保護

　制限行為能力者は、保護者にサポートしてもらいながら、自己の財産が不当に減らないように保護されています。自分のしたことを「やっぱりや

めた！」といって、一方的に取り消すことまで認められており、非常に強く保護されています。

　しかし、考えてみると、取り消すことができるのは、制限行為能力者にはメリットですが、取引の相手方からすれば、いつ取り消されるか分からない状況におかれることになります。払ったお金を返せとか、買った商品を返せといわれるかもしれません。そんな不安な状況に置かれる相手方も保護する必要はあります。そこで、民法は、不安定な地位に置かれる相手方を保護する制度を設けています。それが、①相手方の催告権と、②詐術による取消権の否定です。

① 相手方の催告権

　相手方は、1か月以上の期間を定めて、「追認するかどうかはっきりしてください！」という催告ができます。催告する相手方と、催告した時の効果は以下の通りです。

レジュメ　催告の相手方

行為をした者	催告の時期	催告すべき相手方
未成年者 成年被後見人	行為能力者となった後	本人
	制限行為能力者である間	法定代理人
被保佐人 被補助人	行為能力者となった後	本人
	制限行為能力者である間	本人（追認を得るべき旨）
		保佐人・補助人

　ポイントは、催告の意味を理解できる者に対して催告しなければならないということです。

催告の効果

催告の相手方		催告の効力	期間内に確答がなかった場合の効力
受領能力なし	・未成年者 ・成年被後見人	無効	特になし （催告がないのと同じ）
受領能力あり 単独で追認不可	・被保佐人 ・被補助人	有効	取り消したものとみなされます
単独で追認可	・法定代理人 ・保佐人　・補助人 ・制限行為能力者が行為能力者となった後	有効	追認したものとみなされます

　判断できる者が、催告に対して何も言わないということは、現状のままでいいと考えていると捉え、**追認**したものとして扱います。

　それに対して、1人では判断できない者が、催告に対して何も言わないという場合には、最初の状態に戻すことが、制限行為能力者にとって不利益は少ないと考えて、**取り消した**ものと扱います。

② 　制限行為能力者の詐術の場合の取消権の否定

▼第21条〔制限行為能力者の詐術〕
　制限行為能力者が行為能力者であることを信じさせるため詐術を用いたときは、その行為を取り消すことができない。

　詐術とは、嘘をついたり、だましたりすることです。詐術を用いることは誠実な態度とは言えませんから、未成年者が「自分はもう大人です。」と相手をだまして取引行為をすると、その行為は取り消せなくなります。

　ここで、単に未成年者であることを「黙秘」していた場合にも、詐術に該当するかという問題があります。

> ### 判　例　制限行為能力者の詐術に黙秘が含まれるか（最判昭44.2.13）
>
> ● **判　旨**
>
>   無能力者であることを黙秘していた場合でも、それが、無能力者の他の言動などと相俟って、相手方を誤信させ、または誤信を強めたものと認められるときは、なお、詐術に当たるというべきであるが、単に無能力者であることを黙秘していたことの一事をもって、右にいう詐術に当たるとするのは相当ではない。
>
> ● **解　説**
>
>   黙秘するだけでは、詐術には該当しませんが、他の言動などによって相手方を誤信させたような場合は、詐術に該当することになります。

4　失踪宣告

　自然人については、死亡だけが権利能力の消滅原因です。

　この死亡に関する特殊なケースとして、失踪宣告があります。これは、ある人が生死不明となり、しかも死亡の可能性が高いにも関わらず、死亡がはっきりしないからといって、その者の財産上・身分上の法律関係をそのまま置いておくことは、家族や利害関係人にとって負担を強いることになります。

　（具体例）夫が行方不明となり死亡の可能性が高いのに、残された妻や子が夫の
　　財産をずっと保存管理しなければならない場合です。

　そこで、そのような状態が一定の期間続いた場合には、その者を**死亡したものとみなして**、法律関係に決着をつける失踪宣告の制度を用意しました。種類は、普通失踪と、特別失踪の２つです。

（1）普通失踪

　不在者の生死が**７年間**明らかでないときは、家庭裁判所は、利害関係人の請求により、失踪の宣告をすることができます。失踪宣告されると、**７年間の期間満了時に死亡したものとみなされます**。

（2）特別失踪

　戦地に臨んだ者、沈没した船舶の中に在った者その他死亡の原因となるべき危難に遭遇した者の生死が、それぞれ、戦争が止んだ後、船舶が沈没した後又はその他の危難が去った後**1年間**明らかでないときは、家庭裁判所は、利害関係人の請求により、失踪の宣告をすることができます。この場合、失踪の宣告を受けた者は、**危難が去った時**に死亡したものとみなされます。

（3）失踪宣告の取消しとその効果

　失踪宣告の後、失踪者の生存が分かった場合や、死亡とみなされた時と異なる時に死亡したことが証明された場合には、家庭裁判所は、本人や利害関係人の請求で、失踪宣告を取り消さなければなりません。

　失踪宣告が取り消されても、失踪宣告後その取消前に善意でした行為の効力に影響を及ぼしません。

　なお、失踪宣告を受けた者の配偶者が再婚していた場合、再婚当事者双方が善意の場合には、前婚は復活せず、後婚のみが存続します。再婚当事者のどちらかが悪意の場合には、前婚が復活します。そうすると、重婚状態になりますが、**後婚は取消原因**（744条、732条）、**前婚は離婚原因**（770条1項5号）になると考えます（通説）。

　失踪宣告により直接財産を得た者は、宣告の取消しで権利を失いますが、現に利益を受けている限度で返還することになります（32条2項）。

5　法人

　自然人（生身の人間）以外に権利を持つことができるのが法人です。

　法律によって認められた権利の帰属主体です。自然人のように生身の肉体があるわけではなく、あくまでも法が認めた観念的な存在です。

　典型的には会社です。会社には肉体はありませんが、自然人と同じように権利を持つことができます。自社ビルを所有したり、ビルの中で使うデ

スクや椅子を所有したりすることができます。

（1）種類

①　構成要素による分類

社団法人 ＝ 一定の目的のもとに結合した人の団体である法人

財団法人 ＝ 一定の目的のために捧げられた財産の集合である法人

「人の集まり」を法人として認めたものを社団法人といいます。ここでの「人」は、出資者を指します。この人を「社員」といいます。

「財産の集まり」を法人として認めたものを財団法人といいます。

②　目的による分類

公益法人　　＝ 不特定多数人の利益を目的とする法人

営利法人　　＝ 営利事業を営むことを目的とする法人

非営利法人 ＝ 営利事業を営むことを目的としない法人

何を目的とするかによる分類です。

③　民法上の法人のルール

法人の規定は５つのみです。

（a）法人の成立等

　法人は民法の規定によらなければ成立しません。法人の設立、組織、運営、管理は、民法その他の法律の定めるところによります。

（b）法人の能力

　法人は、法令や、会社の根本規則である定款、その他の基本約款などで定められた目的の範囲内で、権利を有し、義務を負います。逆の言い方をすれば、目的によって権利能力が制限されます。

（具体例）その会社の目的が「本の売買」であれば、その会社は、「本の売買」に関することしかできないということです。

（ｃ）外国法人

外国法人は、国、国の行政区画および外国会社を除き、その成立を認許しないのが原則です。ただし、法律または条約の規定により認許された外国法人は、例外となります。

（ｄ）登記

法人は、民法その他の法令の定めるところにより、登記します。登記とは、登記所（法務局）という公の機関で、登記簿という名簿に名称を書いたりすることです。

④　権利能力なき社団

社団であっても法人でないものを権利能力なき社団と呼びます。たとえば、同窓会や、同級会、商店会などです。

（ａ）要件（最判昭39.10.15）

権利能力なき社団として認められるための要件です。

- ・団体としての組織を備えていること
- ・多数決の原理が行われていること
- ・構成員の変更にかかわらず団体が存続すること
- ・代表の方法、総会の運営、財産管理等、団体としての主要な点が確定していること

（ｂ）権利能力なき社団と認められた場合の効果

- ・権利能力なき社団の財産は、実質的には構成員の総有に属するものですから、構成員全員の同意をもって、総有の廃止その他当該財産の処分に関する定めがなされない限り、構成員は、当該財産につき持分権または分割請求権を有しません（最判昭32.11.14）。
- ・権利能力なき社団の債務も構成員に総有的に帰属し、各構成員は直接には個人責任を負いません（最判昭48.10.9）。
- ・権利能力なき社団名義の登記や社団の代表者である旨の肩書きを付した代表者名義の登記は認められず、社団の代表者が社団の構成員

全員の受託者としての地位において個人名義で登記するほかありません（最判昭47.6.2）。

第2編　第2章　確認テスト

問1　意思能力を欠く者がした行為は取り消すことができる。

問2　自然人の権利能力は出生に始まる。

問3　Aが胎児のときに、Aの父が死亡した。この場合、Aが出生すれば、父が死亡した時にさかのぼって相続することができる。

問4　行為能力を制限されている者の行為は無効である。

問5　未成年者が親の同意を得ずにした行為は、本人も親も取り消すことができる。

問6　事理を弁識する能力を欠く常況にある者は、その事実のみで成年被後見人となる。

問7　制限行為能力者が行為能力者であることを信じさせるため詐術を用いたときは、その行為を取り消すことができない。

問8　不在者の生死が7年間明らかでないときは、家庭裁判所は、利害関係人の請求により、失踪の宣告をすることができ、失踪宣告されると、生死不明になった時点で死亡したものとみなされる。

解答

問1 ×　意思能力を欠く者がした行為は「無効」となります（3条の2）。

問2 ○　自然人の権利能力は出生に始まります（3条1項）。

問3 ○　胎児は相続についてはすでに生まれたものとみなされますが、生きて生まれた場合にさかのぼって効力が生ずるとされています（886条2項）。したがって、Aが胎児のときに相続原因が生じても、Aが出生したときに、父が死亡した時点にさかのぼって相続することになります。

問4 ×　行為能力を制限されている者の行為は「取り消す」ことができます（5条2項、9条本文、13条4項、17条4項）。

問5 ○　未成年者が保護者である親の同意を得ずにした行為は、本人も親も取り消すことができます（120条1項）。

問6 ×　事理を弁識する能力を欠く常況にある者は、その事実のみで成年被後見人とはならず、家庭裁判所による後見開始の審判が必要となります（7条）。

問7 ○　制限行為能力者が行為能力者であることを信じさせるため詐術を用いたときは、その行為を取り消すことができません（21条）。

問8 ×　不在者の生死が7年間明らかでないときは、家庭裁判所は、利害関係人の請求により、失踪宣告ができ、失踪宣告されると、7年の期間が満了した時に死亡したものとみなされます（31条）。

第３章 権利の客体

権利の客体とは、何に権利が成立するかという問題です。権利の客体は、さまざまです。総則では、物権の客体である物の規定を置いています。

1 物の定義

「物」とは、有体物をいいます。有体物とは、固体、液体、気体という物体として存在しているものをいいます。

2 物の分類

（1）不動産と動産

土地およびその定着物を「不動産」といいます（86条１項）。土地には、一定の空中と地中を含みます。

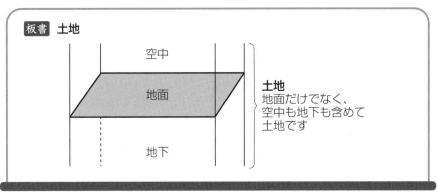

板書 土地

空中

地面

地下

土地
地面だけでなく、
空中も地下も含めて
土地です

建物は土地の定着物ですが、土地とは別個の不動産です。

（2）不動産以外の物はすべて「動産」です（86条２項）。

3 主物と従物

（1）意義

従物とは、他の物に従属してその効用を助ける独立した物をいいます。

（具体例）家屋とその中にある畳です。Aが建物を所有していてその中に畳があれば、建物が主物、畳が従物となります。畳は、建物の一部ではなく独立した物ですから、畳だけを売買することができます。

（2）効果（87条2項）

従物は独立した物ですが、特約のない限り、主物の処分に従います。

（具体例）建物を売却した場合には、畳だけを残すということは通常考えられませんので、売られた家屋の中にあった畳も当然売られたことになるとする規定です。

4 元物と果実

物から生ずる経済的収益を**果実**、果実を生ずる物を**元物**といいます。果実には、**天然果実**と**法定果実**があります。

天然果実とは、物の用法に従って自然に産出される物をいいます。

（具体例）ミカンの木から収穫するミカン、水田から収穫するコメや、牛からとれる牛乳などです。

法定果実とは、物の使用の対価として受ける金銭その他の物をいいます。

＜事例で理解＞

土地を貸した場合の地代や、家屋を貸した場合の家賃です。

果実の収取権については、天然果実の場合には、元物から果実を分離するときに果実を収取する者に帰属する（89条1項）のに対し、法定果実の場合には、収取権の存続期間に従って日割り計算します（89条2項）。

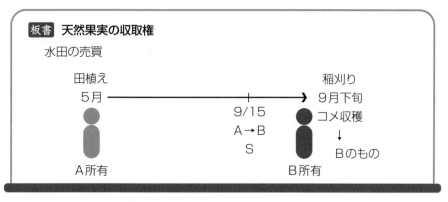

板書 天然果実の収取権

水田の売買

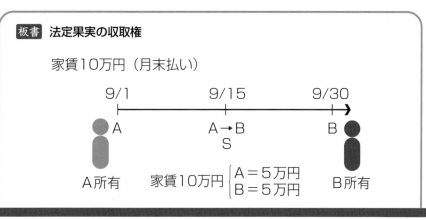

板書 法定果実の収取権

問1　有体物とは、固体、液体、気体という物体として存在しているものである。

問2　土地およびその定着物を不動産といい、建物は土地の定着物として土地の一部として扱われる。

問3　果実の収取権については、天然果実の場合には、元物から果実を分離するときに果実を収取する者に帰属するのに対し、法定果実の場合には、収取権の存続期間に従って日割り計算する。

解答

問1　○　有体物とは、固体、液体、気体という物体として存在しているものをいいます（85条）。

問2　×　土地およびその定着物を不動産といい（86条1項）、建物は土地の定着物ですが、土地とは別個の不動産として取り扱われます。

問3　○　果実の収取権については、天然果実の場合には、元物から果実を分離するときに果実を収取する者に帰属する（89条1項）のに対し、法定果実の場合には、収取権の存続期間に従って日割り計算します（89条2項）。

第2編
第4章　権利の変動1（法律行為と準法律行為）

1　法律行為

　法律行為とは、当事者の意思に基づいて、当事者が思い描いている通りの権利の変動を起こさせる行為をいいます。法律行為には、成立の態様によって、①単独行為、②契約、③合同行為の3種類に分類されます。

（1）単独行為

　単独行為とは、効力を発生させようとする者の単独の意思で第三者にも効力を及ぼすような法律行為のことです。

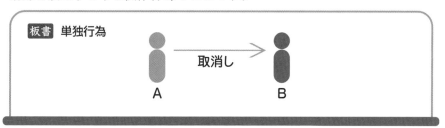

　（具体例）取消しの意思表示、契約解除の意思表示、転貸の承諾、遺言などです。

（2）契約

　契約とは、2人の者の意思の合致による法律行為です。

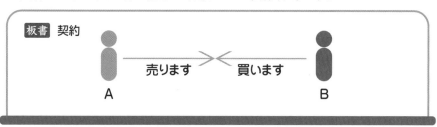

　（具体例）売買や賃貸借、請負などです。

（3）合同行為

　合同行為とは、多数の者が一定の目的のためになす意思の合致による法律行為のことです。

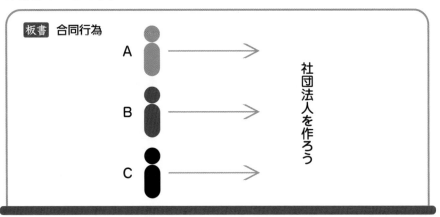

（具体例）会社などの団体を設立する行為などです。

2　準法律行為

　準法律行為とは、一定の法律効果は生ずるものの、当事者が思い描いている効果とは別の効果が発生するものをいいます。法律行為とは区別され、「意思の通知」と「観念の通知」があります。

（1）意思の通知

　意思の通知とは、**意思を伝える**ものですが、その意思が法律効果の発生を内容としないもののことです。

　（具体例）「貸したお金を返してください」（時効完成猶予のための催告）などです。
　　　これは、「お金を返してください」という意思を伝えていますが、それをしたからといって、それだけでお金が返ってくる（弁済）という効果が発生するわけではありません。単に時の経過によって権利が消えてしまうこと（時効の完成）をしばらく猶予させるという効果が発生することになります。

（２）観念の通知

　観念の通知とは、一定の**事実を通知**するだけですが、法がこれらの通知に一定の法的効果を発生させるものです。

　（具体例）ＡがＢからお金を返してもらう権利をＣに譲渡したことをＢに伝えること（債権譲渡の通知）などです。「お金を返してもらう権利を譲渡しました」という事実を伝えるだけですが、そのことによって、権利を譲り受けたＣが、Ｂに対してお金を返してといった場合に、Ｂが拒否できないという効果が付与されることになります。

レジュメ　**法律行為と準法律行為**			
		意義	具体例
法律行為	単独行為	効力を発生させようとする者の単独の意思で第三者にも効力を及ぼすような法律行為	①取消し ②解除 ③遺言など
	契約	２人の人間の意思の合致による法律行為	①売買 ②賃貸借 ③請負など
	合同行為	多数の者が一定の目的のためになす意思の合致による法律行為	会社などの団体を設立する行為など
準法律行為	意思の通知	意思を伝えるものではあるが、法律効果を発生させるものではないもの	①時効完成猶予のための催告 ②受領の拒絶など
	観念の通知	一定の事実の通知にすぎないが、法がこれらの通知に付与した効果を発生させるもの	①権利の承認 ②債権譲渡の通知など

2

総則

3 法律行為の有効要件

法律行為が有効とされるための要件は以下の通りです。

（1）公序良俗違反がないこと

公の秩序または善良の風俗（公序良俗）に反する法律行為は無効です（90条）。

(具体例) 賭博に負けた者が金を支払う契約や、犯罪行為に対して報酬を支払う契約などです。

動機が不法な行為は、その動機が表示されて法律行為の内容になった場合には無効です。

(具体例) ギャンブルに使われることを知って行うお金の貸し借りは、ギャンブルを助長することになるので公序良俗に反し無効とされます（大判昭13.3.30）。

ここで、「無効」の意味ですが、借主が返さない場合に、貸主が裁判所に訴えても、裁判所は手を貸してくれないことを意味します。つまり、法的にはその金銭の貸し借りの存在はないことになるので、「貸したから返せ」といっても、返してもらえないということになります。

（2）強行法規違反がないこと

法律行為の当事者が法令中の公の秩序に関しない規定（任意規定）と異なる意思を表示したときは、その意思に従うとされています。この反対解釈から、公の秩序に関する規定（強行規定）と異なる意思を表示したときは、その意思表示は無効となるものとされています。

第２編　第４章　確認テスト

問1　効力を発生させようとする者の単独の意思で第三者にも効力を及ぼ
すような法律行為を単独行為といい、取消しや解除がその例である。

問2　時効完成猶予のための催告は、観念の通知である。

問3　債権譲渡の通知は、意思の通知である。

解答

問1　○　単独行為とは、効力を発生させようとする者の単独の意思で第
三者にも効力を及ぼすような法律行為をいいます。その例は、取消し
や解除です。

問2　×　時効完成猶予のための催告は、意思を伝えるものではありま
すが、その意思が法律効果の発生を内容としないものですので、意思の
通知です。

問3　×　債権譲渡の通知は、一定の事実を通知するだけですが、法がこ
れらの通知に一定の法的効果を発生させるものですので、観念の通知
です。

1　意思表示の意義

　法律行為は意思表示を要素とします。意思表示とは、簡単にいえば「思っていることを表明すること」ですが、難しくいえば当事者が法律効果を欲し（効果意思）、それを発表しようと思い（表示意思）、そのことを発表する行為（表示行為）を意味します。

　法律効果は、意思表示を要素とするので、意思表示が理解できれば、法律行為も理解できます。効果意思から表示行為に至る意思表示の過程を分析的に見てみましょう。

板書 意思表示

　　　　　　　　　　　　　　　　　意思表示

動機 ──→ （効果意思 ──→ 表示意思 ──→ 表示行為）

新路線開通情報　土地を買おう　「土地を買います」「土地を買います」
土地値上がり見　と思う　　　　と言おうと思う　と言う
込み

- ●効果意思　＝　法律効果の発生を欲する意思
- ●表示意思　＝　効果意思を外部に発表しようとする意思
- ●表示行為　＝　表示意思の下、効果意思を外部に発表する行為

　この意思表示に問題がなければ、法律行為はスムーズに行われます。

　しかし、表示行為に対応した効果意思が存在しない場合（→「土地を売ります」と言っているのに、本心は、土地を売る気がない、という場合）、効果意思がない以上、意思表示がないから、土地の売買契約は不成立でよいのか問題となります。これを**意思の不存在**といいます。

　また、効果意思を形成する段階に欠陥があった場合（→土地が値上がりするというのはウソで、その情報にだまされて「土地を買おう」と思って

しまったという場合）でも、土地の売買契約を成立させてもよいのか問題となります。これを**瑕疵ある意思表示**といいます。

　意思表示に問題がある場合を、民法では5つに類型化します。

　レジュメ　**意思表示に問題がある場合**

　意思の不存在（表示行為に対応する効果意思がない場合）
　（1）　心裡留保　＝　思ってもないのに表示
　（2）　虚偽表示　＝　お互い本心でないことが分かっているのに表示
　（3）　錯誤　＝　思ってもないことを表示していることに気付かない
　瑕疵ある意思表示（効果意思の形成過程に問題がある場合）
　（4）　詐欺　＝　だまされて意思表示をする
　（5）　強迫　＝　おどされて意思表示をする

2　心裡留保（93条）

（1）意義

　心裡留保とは、表示者が、思ってもいない（真意でない）ことを、さも思っているように表示することをいいます。端的に言えば「ウソをついて」「冗談のつもりで」表示することをいいます。

　ここで、心裡の文字に注意しましょう。「心理」ではなく、「心裡」です。ころもへんの「裡」です。衣の中の胸のうち、という意味です。

▼第93条〔心裡留保〕
　1項　意思表示は、表意者がその真意ではないことを知ってしたときであっても、そのためにその効力を妨げられない。ただし、相手方がその意思表示が表意者の真意ではないことを知り、又は知ることができたときは、その意思表示は、無効とする。
　2項　前項ただし書の規定による意思表示の無効は、善意の第三者に対抗することができない。

（2）効果

①　原則－有効

　「表意者がその真意でないことを知ってしたとき」（→売るつもりもない
のに、冗談のつもりで、「売ります」といった場合）です。「そのために、
効力を妨げられない」ということは、冗談で言ってもその行為は有効にな
るということです。

　この趣旨は、冗談でも、言ったことに責任を持ちなさい、ということで
す。冗談を冗談として無効とするのは、冗談を信じた相手方がバカを見て
しまいますし、冗談を言うことは誠実な態度とはいえません。そこで、相
手方を保護して、その意思表示を有効とします。

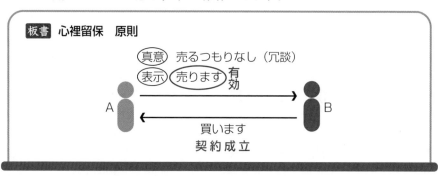

②　例外－無効になる場合があります

　「相手方がその意思表示が表意者の真意ではないことを知り、又は知る
ことができたとき」は無効です。

＜事例で理解＞

　Ａが「売ります」と言ったことに対して、Ｂは「それ冗談でしょ！」と
わかっている場合（**悪意の場合**）、あるいは、ちょっと注意すれば冗談だ
ってわかったでしょ！という場合（**有過失の場合**）には、冗談は冗談と
して処理して、契約は成立させない（効力を発生させない）ことになります。

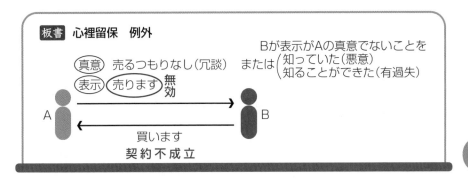

③　善意の第三者の保護

＜事例で理解＞

Aが冗談で「土地を売る」と言い、Bは冗談だとわかって買いその土地を第三者Cに転売しました。この場合、そもそもABの売買契約は無効ですから、Bは土地の所有権を取得できず無権利者となり、そのBからCが土地を買っても、Cは所有権を取得できず、AはCに「それは私の土地だから返してください」と言えそうです。

しかし、Cが、AB間の売買契約が無効だと知らなければ、CはBが正当な権利者だと信じて買っているわけです。それなのに、冗談で言ったAを保護して、CからAに土地を返還させるのは、信じている人Cを保護せず、不誠実な人Aを保護することになってしまいます。

そこで民法では、**善意の第三者**が現れた場合には、表意者は無効をその善意の第三者に**対抗できない**として、善意の第三者を保護しました。

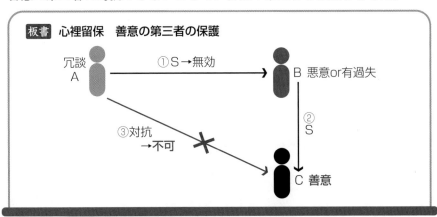

3 | 虚偽表示（94条）

（1）意義

　虚偽表示とは、表意者と相手方でお互いにウソだと分かっていながら、相通じてウソの意思表示をする場合をいいます。

　（具体例）借金を抱え込んだＡが、借金のカタとして自分の土地を取られてしまうのを恐れて、Ｂに事情を話し、Ｂに売ったことにして、名義を書き換えてしまうというような、財産隠しのために行う仮装譲渡が典型例です。

▼第94条〔虚偽表示〕
　1項　相手方と通じてした虚偽の意思表示は、無効とする。
　2項　前項の規定による意思表示の無効は、善意の第三者に対抗することができない。

（2）効果

① 当事者との関係 − 無効

　当事者には、売るつもりも買うつもりもなく、効果意思がないわけですから、その意思表示を有効にする必要はありません。

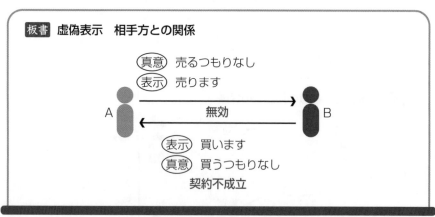

板書 **虚偽表示　相手方との関係**

真意 売るつもりなし
表示 売ります

Ａ ──── 無効 ────> Ｂ

表示 買います
真意 買うつもりなし
契約不成立

②　善意の第三者の保護

＜事例で理解＞

AB 間の土地の売買が虚偽表示で無効なのに、B は土地が自分名義になっていることをいいことに、その土地を第三者 C に転売しました。

この場合、AB 間の契約は無効ですから、土地について無権利である B から土地を買っても、C は所有権を取得できないはずです。

しかし、AB 間の虚偽の表示が有効であると信じて C が土地を買っていた場合に、C が土地の所有権を取得できないとすると、虚偽の表示を作り出した A を保護して、それを信じた C から A に土地を返還させるのは、相手を信じた C を保護せず、不誠実な A を保護することになってしまい、「信じる者は救われる」という民法のルールに反してしまいます。

そこで民法では、**善意の第三者**が現れた場合、表意者は無効であることを善意の第三者に**対抗できない**として、善意の第三者を保護しました。善意かどうかは個別に判断しますので、悪意の第三者からの善意の転得者には対抗できません。

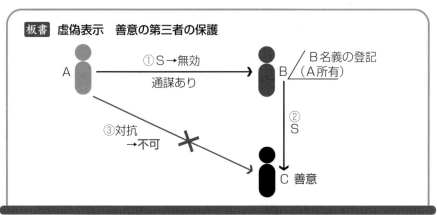

③　94条２項類推適用

虚偽表示でなくても、94条２項が類推適用される場合があります。

＜事例で理解＞

つくり出された表示は虚偽だけれども、通謀がなかったという場合です。

たとえば、Aが勝手に土地の登記をB名義にした場合です。この場合、虚偽の登記などの外形があり、それをわかっていて放置していた権利者は、その外形を信頼して取引をした善意の第三者に、「その表示は無効だから、権利は自分にある」ということを主張できなくなります。

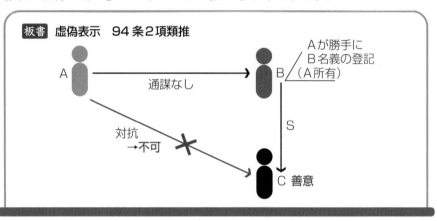

レジュメ 94条2項類推適用の要件

① 虚偽の外観の存在（ex.B名義の登記）
② 真実の権利者の帰責性（ex.Aが登記を移転）
③ 相手方（第三者）の外観への信頼（ex.Bの所有と第三者が信じた）

4 錯誤（95条）

（1）意義

錯誤とは、簡単に言えば「勘違い」のことです。表示行為の内容が、効果意思とズレていることを表意者自身が気づいていない場合です。

（具体例）Aが自己所有の土地を100万円で売るつもりで申込書を書いたけれども、売却金額の「万」の文字を書き忘れ、「100円で売ります」と書いてしまい、それをAが気づいていない場合です。

　錯誤は、改正により条文が詳細になりました。原則、例外、例外の例外を、条文で整理しておきましょう。

▼第95条〔錯誤〕

１項　意思表示は、次に掲げる錯誤に基づくものであって、その錯誤が法律行為の目的及び取引上の社会通念に照らして重要なものであるときは、取り消すことができる。

　１号　意思表示に対応する意思を欠く錯誤

　２号　表意者が法律行為の基礎とした事情についてのその認識が真実に反する錯誤

２項　前項第２号の規定による意思表示の取消しは、その事情が法律行為の基礎とされていることが表示されていたときに限り、することができる。

３項　錯誤が表意者の重大な過失によるものであった場合には、次に掲げる場合を除き、第１項の規定による意思表示の取消しをすることができない。

　１号　相手方が表意者に錯誤があることを知り、又は重大な過失によって知らなかったとき。

　２号　相手方が表意者と同一の錯誤に陥っていたとき。

４項　第１項の規定による意思表示の取消しは、善意でかつ過失がない第三者に対抗することができない。

2

総則

（２）錯誤の種類

①　表示行為の錯誤（95条１項１号）

　意思表示に対応する意思を欠く錯誤、つまり、表示した内容の意思を持っていないという錯誤です。上記の例が典型例です。

②　動機の錯誤（95条１項２号）

　動機の錯誤は、その事情が法律行為の基礎とされていることが表示されているときに限って、取消しできます。

　（具体例）新路線ができるという情報があり、土地が値上がりすると考えて土地を買ったけれども、新路線の建設がガセネタだったような場合です。

　これが動機の錯誤です。通常は、動機の錯誤があっても、「買おう！」という効果意思と、「買います！」という表示行為は一致しているので、

錯誤とはなりません。しかし、「そのような事情があるから買うんです」という動機が相手方に示されていた場合には、錯誤として取消しできることになります。

（3）効果

① 原則 – 取り消すことができます

ただし、錯誤があれば、どのような場合でも取り消せるわけではなく、錯誤が、法律行為の目的および取引上の社会通念に照らして**重要なもの**でなければなりません（95条１項柱書）。つまり、その勘違いがなければ、そもそも意思表示しなかったというように、客観的に重要なものでなければならないということです。

＜事例で理解＞

甲土地を、乙土地と勘違いして「買います」と言った場合、そもそも目的物が違いますから、通常は重要なものといえます。また、100万円で売るつもりで、「100円で売ります」と言った場合も、通常は重要なものといえます。

これに対して、100万円で買いますと書いたつもりが、100万１円と書いていた場合、通常は重要とはいえませんので、取り消すことはできません。重要かどうかは、ケースバイケースで判断します。

② 例外（95条３項柱書）

錯誤に陥っている表意者に**重大な過失**があった場合には、**取り消すこと**

ができなくなります。

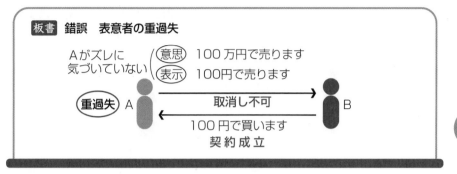

③ 例外の例外（95条3項1号・2号）

表意者に重大な過失があっても、相手方がそれを知っているか（悪意）、もしくは**重過失**によって知らなかった場合には、取り消すことができることになりますし（95条3項1号）、また、相手方が同じように錯誤に陥っていた場合（同一の錯誤）にも**取り消すことができます**（95条3項2号）。

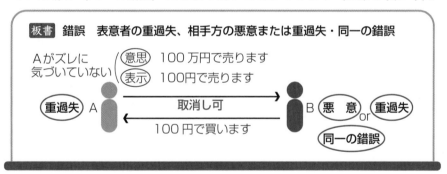

④ 善意・無過失の第三者の保護（95条4項）

＜事例で理解＞

AB間の売買を錯誤で取り消した場合、Bは土地については無権利者ですから、そのBから土地を買っても、Cは所有権を取得できません。

しかし、錯誤に基づいてなされた行為が有効であると信じ、また、そう信じることに何の落ち度もなかったような場合にまで、Aの錯誤を理由に、CからAに土地を返還させるのは、信じているCを保護しないことにな

りかわいそうです。

　そこで民法では、**善意・無過失**の第三者が現れた場合には、錯誤による取消しを**対抗できない**として、善意・無過失の第三者を保護しました。

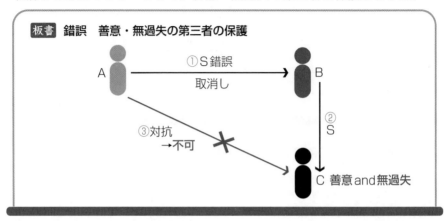

　ここで、心裡留保や虚偽表示の場合と異なり、なぜ錯誤の場合には、善意に加えて無過失まで要求されるかと言えば、心裡留保や虚偽表示はその原因を、表意者本人が作り出していて、責められても仕方がない事情があります。これに対して、錯誤は、その原因を表意者自身が知らない場合ですから、責められるべき事情が大きいとはいえませんし、表意者を保護してあげる必要もあります。そのため、第三者保護のためには、善意に加えて無過失まで要求されるわけです。

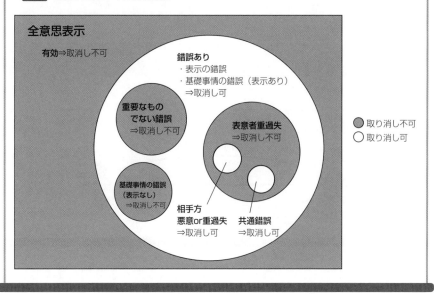

2

5 詐欺・強迫（96条）

（1）意義

人を欺き錯誤に陥れることを**詐欺**、他人に害意を示し恐怖の念を生じさ
せる行為を**強迫**といいます。ここでは、「詐欺」や「強迫」による意思表
示の効力を見ていきましょう。

▼第96条〔詐欺または強迫〕
1項　詐欺又は強迫による意思表示は、取り消すことができる。
2項　相手方に対する意思表示について第三者が詐欺を行った場合において
　　　は、相手方がその事実を知り、又は知ることができたときに限り、その意
　　　思表示を取り消すことができる。
3項　前二項の規定による詐欺による意思表示の取消しは、善意でかつ過失が
　　　ない第三者に対抗することができない。

（2）効果

① 原則（96条1項）−取り消すことができます

＜事例で理解＞

AがBにだまされて、1000万円の土地を10万円で売ってしまった場合、Aは売買契約を取り消し、代金を返して、土地を取り戻すことができます。Bから強迫された場合も同じです。

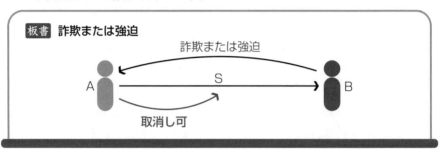

板書 詐欺または強迫

強迫の場合には、誰から強迫を受けても売買契約を取り消せますし、売った物が転売されても、売買契約を取り消せます。

これに対して、詐欺の場合には、取り消せない場合があります。

② 第三者詐欺の場合（96条2項）

第三者が表意者をだまして意思表示をさせた場合には、詐欺されていることを知らず（**善意**）、知らないことに過失もない（**無過失**）相手方に対しては**取消しを主張できません**。自ら虚偽の表示をしている心裡留保と異なり、詐欺の場合は、相手方にだまされて意思表示をしています。この点で、表意者を強く保護する必要があり、相手方が保護されるためには、善意だけでは足らず、無過失まで必要とされました。

しかし、表意者が詐欺されていることを相手方が知っている（**悪意**）、または、知らないことに過失がある（**有過失**）場合には、相手方を保護する必要はありませんから、表意者は相手方に対して**取消しを主張できます**。つまり、だまされて取られた土地を返してもらえます。

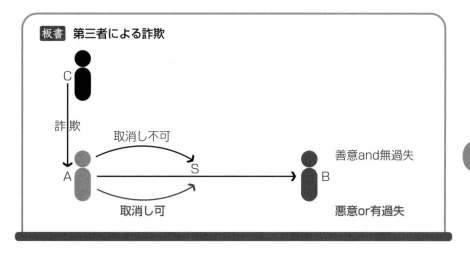

板書　**第三者による詐欺**

C
詐欺
A　　取消し不可　→　S　　→　B　善意and無過失
　　　取消し可
　　　　　　　　　　　　　　　　　悪意or有過失

2

総
則

③　善意・無過失の第三者の保護（96条3項）

<事例で理解>

　AB間の売買契約を、AがBの詐欺を理由に取り消した場合、Bは土地については無権利者になります。したがって、Bから土地を買ったCは所有権を取得できないことになります。

　しかし、Cが、AはBにだまされていることを知らず、また、Bが有効に土地の所有権を取得したと信じることに何の落ち度もなかった場合にまで、Aが詐欺されたことを理由に、CからAに土地を返還させるのはCにかわいそうです。

　そこで民法では、**善意・無過失の第三者**が現れた場合には、詐欺による取消しを**対抗できない**として、善意・無過失の第三者を保護しました。

　ここで、第三者に「無過失」まで要求するのは、錯誤の場合と同じように、詐欺について、表意者の責められるべき事情は小さいからです。

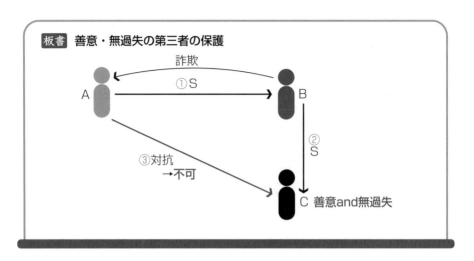

板書 善意・無過失の第三者の保護

詐欺
A ①S B
②S
③対抗 →不可
C 善意and無過失

96条3項で保護される第三者とは、**取消前の第三者**をいいます。また、保護されるためには、**対抗要件は不要**とされています（最判昭49.9.26）。

レジュメ 意思表示まとめ

種 類	効 果	
心裡留保 （93条）	原 則	有効
	例 外	相手方が悪意、有過失のときは無効
	対第三者	善意の第三者に対しては無効主張不可
虚偽表示 （94条）	当事者間	無効
	対第三者	善意の第三者に対しては無効主張不可
錯 誤 （95条）	原 則	法律行為の目的および取引上の社会通念に照らして重要なものであれば取消し可
	例 外	表意者に重過失があったときは取消し不可
	例外の例外	以下の場合は取消し可 ・相手方が悪意または重過失のとき ・相手方が同一の錯誤に陥っているとき

	相手方による詐欺	取消し可
詐　欺 **（96条）**	第三者詐欺	第三者による詐欺の場合には、意思表示の相手方が悪意または有過失のときに限り、取り消すことができる
	対第三者	善意・無過失の第三者には取消しを対抗できない
強　迫 **（96条）**	――	取り消すことができる（善意・無過失の第三者にも取消しを対抗できる）

2

総則

レジュメ　第三者が保護される主観的態様

（1）　もとの権利者が、わざとやったといえる場合（故意責任あり）
　　→　第三者は善意で保護（ex. 心裡留保・虚偽表示）
（2）　もとの権利者が、わざとやったといえない場合（故意責任なし）
　　→　第三者は善意・無過失で保護（ex. 錯誤・詐欺）

6　意思表示の効力の発生

（1）効力の発生時期

　意思表示は**到達した時**から効力が発生します（97条1項）。

　ただし、意思表示の到達を、相手方が正当な理由なく妨げた場合は、その通知は到達すべきときに到達したものとみなされます（97条2項）。

　さらに、意思表示を発した時には、その意思が確定的になっていますから、発信後の死亡や、意思能力の喪失、行為能力の制限を受けたとしても、その効力は有効のままです（97条3項）。

（2）受領能力（98条の2）

　意思表示を受け取る側の問題として、相手方が意思能力を有していなか

ったり、未成年者や成年被後見人だったりした場合には、「あなたに意思表示したじゃないか！」という主張はできません。意思表示が到達しても、その意味を理解しているかどうかは甚だ疑問だからです。そうであるにもかかわらず、効力を発生させてしまうと、それらの者が不当に不利益を被ることにもなりかねないからです。

　ただし、相手方の法定代理人や、相手方が意思能力を回復したり、行為能力者となった場合には、意思表示を対抗することができます。

第2編　第5章　確認テスト

問1　表意者が真意でないことを知りながら表示をすることを心裡留保というが、心裡留保による意思表示は原則有効だが、相手方がその意思表示が表意者の真意でないことを知り、または知ることができたときは無効となるが、善意の第三者にはその無効を対抗できない。

問2　通謀して行う虚偽の意思表示は無効であり、無効である以上、当事者以外の第三者に対しても主張することができる。

問3　甲土地がAからBに仮装譲渡され、それをBから悪意のCが譲り受け、さらにCから善意のDが譲り受けた場合、AはAB間の仮装譲渡の無効をDに対抗することができる。

問4　A名義の甲土地を、Bが勝手に自己名義にしたが、Aはそれを知りつつ放置していたところ、Bは甲土地を事情を知らないCに売却した。この場合、AはCから甲土地を取り戻すことができる。

問5　Ａが自己所有の甲土地を1000万円で売却しようとＢに手紙を送ったところ、間違えて100万円で売却する旨の表記をしていた。それを信じたＢが100万円で買うという意思表示をした場合、原則として100万円の売買契約は取り消すことができない。

問6　ＡはＢに騙されて自己所有の甲土地を300万円でＢに売却した。Ｂはその事情を知っているＣに転売した。その後、Ａが甲土地を売るという意思表示を詐欺により取り消した場合、ＡはＣから甲土地を取り戻すことができる。

問7　ＡはＢに強迫されて甲土地をＢに贈与した。Ｂは、その事情を知らず、知らないことに過失もないＣに甲土地を売却した。その後、Ａは甲土地の贈与の意思表示を強迫により取り消した場合、ＡはＣから甲土地を取り戻すことができない。

問8　意思表示は発信した時から効力が生ずる。

解答

問1　○　心裡留保による意思表示は原則有効です（93条１項本文）。相手方が表意者の真意につき悪意または有過失の場合には無効（93条１項ただし書）ですが、善意の第三者にはその無効を対抗できません（93条２項）。

問2　×　通謀して行う虚偽の意思表示は無効ですし、当事者以外の第三者に対しても主張できます（94条１項）が、ただし、当該第三者が善意である場合には無効を対抗できません（94条２項）。

問3　×　甲土地がＡからＢに仮装譲渡された場合、善意の第三者には仮装譲渡による無効を対抗できません（94条２項）。この善意かどうかは、個別に判断しますので、Ｃが悪意であっても、転得者Ｄが善意であれば保護されます。したがって、Ｄには対抗できません。

問4 ×　B名義という虚偽の表示にABに通謀はありませんから、虚偽表示ではないですが、虚偽の表示を知りつつ放置している点で、虚偽表示に類似します。そのため、この事例では虚偽表示の規定が類推適用され、したがって、Aは善意のCから甲土地を取り戻すことはできません（最判昭45.7.24）。

問5 ×　1000万円で売却しようと思い、間違えて100万円で売却する旨の表記をしていた場合、意思表示に対応する意思を欠く錯誤となり、原則として100万円の売買契約を取り消すことができます（95条1項1号）。

問6 ○　Aの300万円で売却するという意思表示は詐欺による意思表示です。この意思表示は善意・無過失の第三者には対抗できません（96条3項）。しかし、Cは悪意ですから、Cに対しては意思表示の取消しを対抗できます。したがって、Aが甲土地売却の意思表示を詐欺により取り消した場合には、悪意のCから甲土地を取り戻すことはできます。

問7 ×　強迫による意思表示は、第三者が善意・無過失であっても、取り消すことができます（96条3項反対解釈）。したがって、Aが甲土地の贈与の意思表示を強迫により取り消した場合、AはCから甲土地を取り戻すことができます。

問8 ×　意思表示は到達した時から効力が生じます（97条1項）。

第6章　権利の変動3（代理）

1 代理制度の意義

　代理とは、「代わりに行うこと」です。代わって行う人を代理人といい、代理人がした行為は、法的には、本人がやったことになります（99条）。

　（具体例）不動産相場に詳しくないAが、不動産に詳しいBに頼んで、自分好みの不動産を見つけて、契約してもらう場合です。

　このような代理制度が利用される場面は、専門的知識・技術を有する者の助力・協力を必要とする場面です。これを**私的自治の拡張**といいます。また、行為能力が不十分な人を保護するために代わって行為するという場面です。これを**私的自治の補充**といいます。

2 代理の三面関係

　代理の法的関係は、本人と代理人と相手方という**三面関係**になります。

＜事例で理解＞

　不動産を買いたい本人A、Aの代わりに売買契約を締結する代理人B、不動産を売ってくれる相手方Cという関係になります。

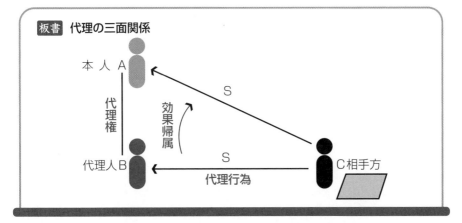

板書　代理の三面関係

「本人と代理人」「代理人と相手方」「本人と相手方」それぞれの法律関係についてみていきましょう。

3　代理権－「本人 A と代理人 B」の関係

（1）法定代理と任意代理

①　法定代理

法律によって代理権が与えられる場合です。

（具体例）未成年者の親権者や、成年被後見人の成年後見人です。

②　任意代理

代理権授与行為によって代理権が発生する場合です。

（具体例）土地所有者 A が不動産業者 B に不動産売買の代理権を授与する場合です。

（2）代理人の権限（103条）

①　原則

　法定代理人の権限は法律の規定で定まりますが、任意代理人の権限は代理権授与行為によって定まります。つまりケースバイケースです。

②　代理権の範囲が不明な場合や定めなかった場合（103条）

▼第103条〔権限の定めのない代理人の権限〕
　権限の定めのない代理人は、次に掲げる行為のみをする権限を有する。
　　1 号　保存行為
　　2 号　代理の目的である物又は権利の性質を変えない範囲内において、その利用又は改良を目的とする行為

レジュメ	権限の定めのない代理人の権限・管理行為	
	意義	具体例
保存行為	現状維持行為	家屋の修繕、時効完成猶予
利用行為	収益を図る行為	金銭を利息付きで貸し付け
改良行為	経済的価値を増加させる行為	家屋に造作を設置 無利息債権を利息付に改める

（3）代理権の濫用（107条）

　代理人の行為は代理権の範囲内ですが、代理人の意図は、**代理人自身または第三者の利益を図る目的**で行っていたという場合です。この行為が有効とされると、本人は自分の利益にならない代理行為を認めなければならないことになります。反対に、これが無効だと、取引をした相手方の利益を害することになります。そこで、代理行為を有効とするかどうか問題となります。

　この問題は、代理権の濫用といい、民法107条で規定しています。

▼第107条〔代理権の濫用〕
　代理人が自己又は第三者の利益を図る目的で代理権の範囲内の行為をした場合において、相手方がその目的を知り、又は知ることができたときは、その行為は、代理権を有しない者がした行為とみなす。

　代理権の濫用に関しては、相手方が代理人の意図を知っている（**悪意**）または知ることができた（**有過失**）場合には、無権代理人の行為として扱うこととしています。

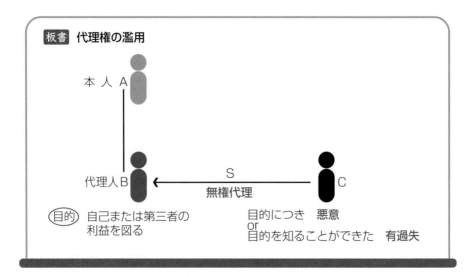

（4）代理権の制限

①　共同代理

　複数の代理人すべてが共同してのみ代理行為をなしうる場合です。たとえば、未成年者の親権者としての父母共同親権（818条3項本文）などです。

②　自己契約・双方代理（108条1項）

> ▼第108条〔自己契約および双方代理等〕
> 1項　同一の法律行為について、相手方の代理人として、又は当事者双方の代理人としてした行為は、代理権を有しない者がした行為とみなす。ただし、債務の履行及び本人があらかじめ許諾した行為については、この限りでない。

　同一の法律行為の当事者の一方が相手方の代理人となることを**自己契約**といいます。

　（具体例）Aが土地を買いたいと言って、Bに土地の売買契約の代理権を授与した場合に、B自身が売主となって、Aの代理人Bと契約を締結する場合です。

　また、同一人が同一の法律行為の当事者双方の代理人となることを**双方代理**といいます。

（具体例）Ａが土地を買いたい、Ｃが土地を売りたいと言っていて、Ａからは土地を買う代理権を、Ｃからは土地を売る代理権を授与された場合に、ＢがＡＣ双方の代理人として一人で売買契約を締結する場合です。

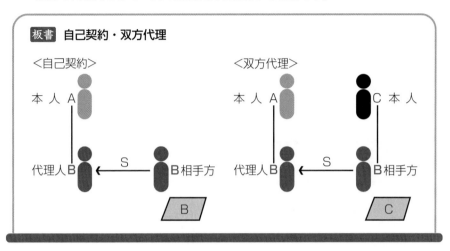

板書　自己契約・双方代理

＜自己契約＞　　　　　　　　＜双方代理＞

自己契約の場合には、代理人自身に有利な契約、つまり本人に不利な契約を締結できてしまいます。また、双方代理の場合には、Ｂの心づもり一つで、契約をＡに有利にも、Ｃに有利にも締結できてしまいます。これでは、**本人の利益**のために認められている制度である代理の制度趣旨を害してしまいます。そこで、自己契約や双方代理は**無権代理**として扱われることとされました。

③　利益相反行為（108条２項）

> ▼第108条〔自己契約および双方代理等〕
> ２項　前項本文に規定するもののほか、代理人と本人との利益が相反する行為については、代理権を有しない者がした行為とみなす。ただし、本人があらかじめ許諾した行為については、この限りでない。

代理人の利益にはなるけれども、本人の不利益になるような代理行為（**利益相反行為**）も無権代理行為とされました。

（具体例）ＢがＣから金銭を借り受けるにあたり、Ａの代理人として、Ｃとの間

でBの債務を保証する契約を締結する場合です。これも無権代理となります。

④　自己契約、双方代理、利益相反行為が有効になる場合

本人があらかじめ許諾しているような場合には、有効な代理行為となります。これらの行為によって不利益を受ける可能性のある本人が許諾している場合にまで無権代理行為とする必要はないからです。

（5）代理権の消滅

代理権は以下の場合に消滅します。

レジュメ　代理権の消滅事由			
		法定代理	任意代理
本人	死亡	消滅する	
	破産手続開始の決定	消滅しない	消滅する
代理人	死亡、破産手続開始の決定 後見開始の審判	消滅する	

4　代理行為－「代理人Bと相手方C」の関係

代理行為が有効であれば、その効果は**本人**に帰属します（99条1項）。代理行為が有効に成立するための要件を見ていきましょう。

（1）顕名（100条）

代理人が本人のためにすることを示すことを**顕名**といいます。

（具体例）Aから不動産の売買の代理権を受けたBが代理行為をする場合には、「私はAの代理人として行為していますよ。」ということを示さなければなりません。相手方Cは、Bと契約をしていると勘違いしてしまうからです。具体的には、「A代理人B」のように表示します。

では、Bがうっかり言い忘れたり、顕名しなかった場合にはどうなるの

でしょうか。顕名がなければ、通常は、相手方は、Bと取引していると思いますよね。そこで、顕名しなかった場合には、BはB自身のために契約をしているとみなして、**契約をBC間で成立**させます（100条本文）。

　ただし、Cが、BがAの代理人として行動していることを知っていたり（**悪意**）、あるいは知ることができた（**有過失**）場合には、CはAとの間に契約が成立することを認識していますから、有効な代理行為を成立させます（100条ただし書）。

2

（2）代理行為の瑕疵（101条）

① 能動代理（代理人の行為に問題あり）の場合（101条1項）

> ▼第101条〔代理行為の瑕疵〕
> 1項　代理人が相手方に対してした意思表示の効力が意思の不存在、錯誤、詐欺、強迫又はある事情を知っていたこと若しくは知らなかったことにつき過失があったことによって影響を受けるべき場合には、その事実の有無は、代理人について決するものとする。

　代理人の意思表示に、錯誤や詐欺、強迫などで影響を受けるような場合には、そのような事実があったかどうかは**代理人について決める**ことになります。したがって、代理人が相手方を強迫して、売買契約を締結した場合には、本人が知らなくても、強迫による意思表示ということになり、相手方からその契約を取り消される可能性があります。

② 受動代理（代理人の相手方の行為に問題あり）の場合（101条2項）

> ▼第101条〔代理行為の瑕疵〕
> 2項　相手方が代理人に対してした意思表示の効力が意思表示を受けた者がある事情を知っていたこと又は知らなかったことにつき過失があったことによって影響を受けるべき場合には、その事実の有無は、代理人について決するものとする。

　相手方が代理人に対してした意思表示が、ある事情を知っていたことで

影響を受ける場合には、その事実があったかどうかは**代理人について決め**
ます。

　（具体例）相手方が冗談で土地を売ると言い、代理人がその土地を買うと意思表
　　　示した場合、代理人がそれが冗談だと知っていれば、本人が冗談だと知らな
　　　くても、その行為は無効です。

③　例外的に本人が基準となる場合（101条3項）

　特定の法律行為を委託されて代理人がその行為をした場合には、本人が
悪意や有過失ならば、代理人が善意・無過失でもそれを主張できません。

（3）代理人の行為能力（102条）

① 原則

▼第102条〔代理人の行為能力〕
　制限行為能力者が代理人としてした行為は、行為能力の制限によっては取り
消すことができない。ただし、制限行為能力者が他の制限行為能力者の法定代
理人としてした行為については、この限りでない。

　代理人に**行為能力がなくても**、代理行為は**有効**です。

　あれ⁉ 代理人が後見開始の審判を受けて行為能力が制限されると代理
権が消滅することになっているのに、代理人に行為能力がいらないって矛
盾するんじゃないの？と思った方もいらっしゃいますよね。でも、矛盾は
ありません。具体的に見てみましょう。

　（具体例）Aが土地を欲しいと思っています。そこで成年被後見人Bを代理人に
　　　選任しました。BがAの代理人として、Cと売買契約を締結しました。

　　　たしかに、成年被後見人Bは、事理弁識能力を欠く常況にあります。そう
　　　すると、もしかしたら相場よりもずいぶん高い金額で土地を買ってくるかも
　　　しれません。しかし、**A**はそのリスクを重々承知の上で**B**を選任しています。
　　　したがって、もしかしたらBが高い値段でCから土地を買ってくるかもしれ
　　　ないというAの不利益は考慮する必要がありません。相手方Cは、Bと締結
　　　した契約内容で納得しているはずです。したがって相手方Cの不利益も考慮

する必要がありません。問題はＢに不利益がないかどうかですが、代理行為によって生じた効果はすべて本人Ａに帰属します。したがって、Ｂが代理権の範囲内で契約を結べば、Ｂが責任を負うことはなく、Ｂにも不利益はありません。

　　誰も、不合理な不利益を被らないので、行為能力の制限を理由に、代理行為を取り消せなくても、特に不都合は生じません。

これに対して、代理権の消滅事由に後見開始の審判があることについてです。これは、代理人を選任した**当初は行為能力を有していた**のに、**その後、行為能力を喪失**した場合です。この場合にまで、代理人のしたことの責任を本人に負わせるのはかわいそうです。そこで事後的な行為能力喪失の場合は代理権を消滅させることとしたわけです。

② **例外**

　制限行為能力者が他の制限行為能力者の法定代理人としてした行為については、取り消すことができます（102条ただし書）。

　<事例で理解>

　未成年者Ａの法定代理人である親Ｂが被保佐人である場合に、ＢがＡの法定代理人として、Ａ所有の土地をＣに売ったような場合です。このような場合には、代理行為を取り消すことができます。

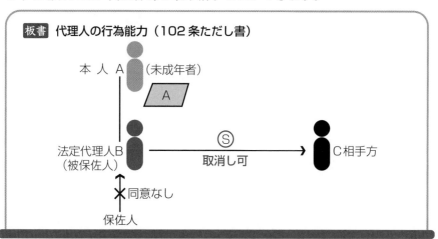

板書　代理人の行為能力（102条ただし書）

本　人　Ａ　（未成年者）

Ａ

法定代理人Ｂ　　　　　Ⓢ　　　　　Ｃ相手方
（被保佐人）　　　取消し可

同意なし

保佐人

なぜなら、法定代理の場合には、任意代理の場合のように、リスクを承知で選任するわけではありませんから、制限行為能力者である代理人の行う行為のリスクを本人に負担させるのは妥当でないからです。

5　代理行為の効力−「本人Aと相手方C」の関係

　代理人と相手方の間で結ばれた契約は、すべてAC間の契約として成立します（99条1項）。また、取消権などもすべて**本人**に**帰属**します。

＜事例で理解＞

　代理人Bが相手方に強迫されて契約を締結した場合、取消権を持つのは代理人Bではなく本人Aということになります。つまり、法律行為の効果は、すべて直接本人に帰属することになります。

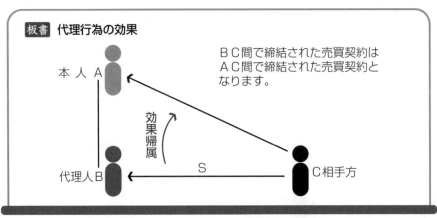

板書　代理行為の効果

本人A

BC間で締結された売買契約は
AC間で締結された売買契約と
なります。

効果帰属

代理人B　　　　S　　　　C相手方

6 復代理

復代理とは、代理人がさらに代理人を選任する形態です。

＜事例で理解＞

AがBを代理人に選任し、BがさらにDに本人を代理する権限を授与することです。この場合のBがさらに代理人を選任する権限を**復任権**といい、Dを**復代理人**といいます。

DC間で締結された土地の売買契約の効果は、**本人Aに帰属**します。

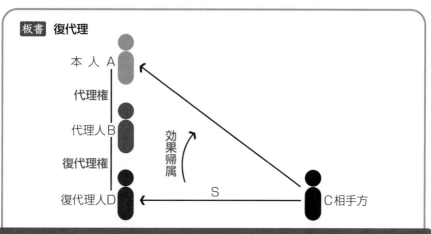

（1）任意代理の場合の復代理（104条）

任意代理の場合には、そもそもその代理人が信頼できるから選任した、という事情があるのが通常です。ですから、Bが勝手にDを復代理人として選んでしまうと、本人にとっては、「え?!Bを代理人にしたのに、なんでDを復代理人に選任するの?!」となります。そこで、任意代理の場合には、復任することができる場合が以下の場合に限られます。

- **・本人の許諾を得たとき**
- **・やむを得ない事由があるとき**

復代理人を選んだ代理人の本人に対する責任は、**債務不履行の一般原則**に従って規律されます。

（2）法定代理の場合の復代理（105条）

　法定代理の場合には、法定代理人の責任で復代理人を選任できます。その代わり、選任したことによる**全責任**を負います。ただし、**やむを得ず選任**した場合には、その**選任監督についてのみ**責任を負います。

（3）復代理人の権限（106条）

　復代理人は、直接本人を代理します。復代理人も**本人の代理人**です。

　復代理人の代理権は、代理人の代理権を前提としますので、その権限も代理人の代理権の範囲に限られます。したがって、代理人が代理権を失えば、復代理人も代理権を失います。しかし、代理人は、復代理人選任後も代理権を失いません。代理人と復代理人で本人を代理します。

　復代理人は、本人および第三者に対して、その権限の範囲内において、代理人と同一の権利を有し、義務を負います。

7 　無権代理

　無権代理とは、代理権が与えられていないのに代理行為が行われることです。代理権を有しない者がした代理行為の効果は本人に帰属しません（113条1項）。

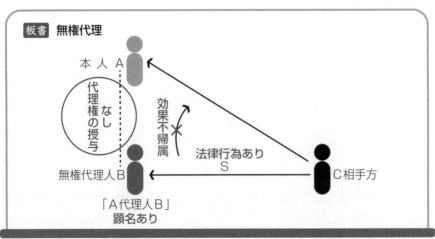

（1）本人の権利（追認権または追認拒絶権）

①　本人が追認した場合（追認権の行使）

　本人の追認により、有効な代理行為として確定します。**契約の時にさかのぼって本人に効果が帰属します**（113条1項、116条本文）。

　追認は、相手方・無権代理人のどちらにしてもかまいませんが、無権代理人に対してした場合は、相手方がその事実を知るまでは、相手方に対して追認したことを主張できません（113条2項）。

　追認には遡及効がありますが、別段の定めをしてもかまいません。ただし、第三者の権利を害することはできません（116条）。

②　本人が追認を拒絶した場合（追認拒絶権の行使）

　本人は追認を拒絶すると（113条2項）、無効な代理行為として確定します。したがって、契約の効力は本人に効果帰属しません。

（2）無権代理人の相手方の保護

　勝手に無権代理行為をされたのに、その効果を本人に帰属させられたのでは、本人はたまったものではありません。自分の知らないところで、自分の土地が勝手に売られていて、自分の土地を手放さなければならなくなるというのは、どう考えてもおかしいでしょう。もちろん、本人がそれでもいいと思うのであれば、有効でもかまいませんが、それを追認するかどうかは、本人に与えられるべき権利です。

　ただし、本人が追認するかどうかはっきりしない間は、無権代理行為の相手方は、追認されるかどうかわからない状態のまま、放置されることになります。そこで、相手方の地位を早期に安定させるため、本人の不利益とならない範囲で、以下のような相手方を保護する制度があります。

2

総則

板書 **無権代理の相手方の保護**

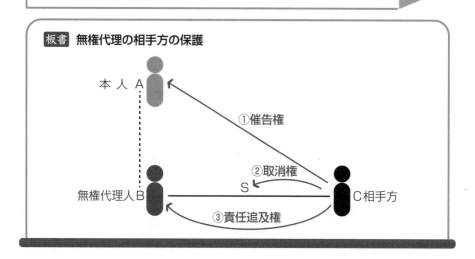

① 催告権（114条）

　無権代理の場合、相手方は、本人に対し、相当の期間を定めて、その期間内に追認をするかどうかを確答すべき旨の**催告**をすることができます。この場合において、本人がその期間内に確答しないときは、**追認を拒絶し**たものとみなされます。

　この催告権は、相手方が、無権代理行為だということを知っていても（悪意でも）することができます。なぜなら、催告権を認めても、本人が追認を拒絶すれば、無権代理行為は本人に効果帰属しないことに確定しますし、また、催告に対して何ら反応しなくても、追認を拒絶したことになるので、本人に不利益になることはないからです。

　この趣旨は、相手方が主導権を握って、追認するかしないか、その効果を確定させることができる点にあります。

②　取消権

　無権代理人がした契約は、本人が追認をしない間は、相手方が**取り消す**ことができます（115条本文）。

　もっとも、本人が追認したあとは取り消すことはできませんし、契約の時に無権代理行為だということを相手方が知っていたとき（悪意のとき）は、取り消しできません（115条ただし書）。つまり、相手方が無権代理であることについて**善意**でなければ取消権は行使できないということです。

　この趣旨は、相手方が契約時に無権代理であると知っていたときまで、取消権を認めて、本人から追認の機会を奪う必要はないからです。

　取消権が行使されると、契約は初めからなかったことになります。契約の存在を前提とする催告や無権代理人の責任追及もできません。

③　無権代理人の責任（117条）

　無権代理人は、**相手方の選択**にしたがって、**履行責任**または**損害賠償責任**を負います。ただし、無権代理人が自己の代理権の存在を証明した場合や、本人の追認を得られた場合は、有効な代理行為として本人に効果帰属し、無権代理人は責任を負いません。

　また、相手方が、無権代理行為であることにつき、悪意または有過失の場合には、責任追及できません（117条2項2号本文）。つまり、**相手方は善意かつ無過失**でなければ責任追及できません。しかし、**無権代理人が自分に代理権がないことを知っていた**場合は、相手方を保護すべき要請が強くなるので、無権代理人の責任を**追及できます**（117条2項2号ただし書）。

　さらに、他人の代理人として契約をした者が行為能力の制限を受けていたときにも、無権代理人の責任を追及できません（117条2項3号）。この場合には、制限行為能力者の制度で処理します。

2

総則

レジュメ	相手方の保護まとめ		
	善意無過失	善意有過失	悪意
催告権	○	○	○
取消権	○	○	×
無権代理人の責任追及	○	×	×

○：行使できる　×：行使できない

（3）無権代理と相続

　相続人は、相続開始の時から、被相続人の財産に属した一切の権利義務を承継するものとされています。そうすると、無権代理人と本人の間で相続が生じた場合、被相続人の地位が相続人に帰し、追認と似た状況が生まれるのではないかという疑問が生じます。

①　無権代理人が本人を単独相続した場合

　無権代理人が本人を相続し、本人と代理人の資格が同一人に帰属した場合には、本人が自ら法律行為をしたのと同様な法律上の地位を生じ（最判昭40.6.18）、追認があった場合と同様に、無権代理が**有効に確定**します。

　（具体例）父Ａの土地を、子Ｂが代理権もないのにＡの代理人と称して、勝手に他人Ｃに譲渡しました。その後、Ａが死亡し、Ａの地位をＢが相続しました。この場合に、Ｂの追認拒絶を認めると、Ｂは自分で土地を売却しておいて、あとからそれを翻すことになります。しかし、これは誠実な態度とは言えません。そこで、Ｂは当然に追認拒絶をすることはできず、有効になると考えます。

②　無権代理人が本人を共同相続した場合

　無権代理人が本人を共同相続した場合には、共同相続人**全員が共同して**無権代理行為を**追認しない限り**、無権代理人が相続した部分についても**当然には有効にはなりません**（最判平5.1.21）。なぜなら、無権代理行為の追認は相続人全員に帰属するので、共同相続人全員が共同してこれを行使しない限り、無権代理行為だけを有効にはできないとされています。ただし、他の共同相続人**全員**が無権代理行為の**追認をしている**場合は、無権代理人

の追認拒絶は信義則上許されません。

③　本人の追認拒絶後の場合

　本人が無権代理行為を追認拒絶した場合、その後、無権代理人が本人を相続しても、無権代理行為は**有効になりません**（最判平10.7.17）。

④　本人が無権代理人を相続した場合

　本人が無権代理人を相続した場合、被相続人の無権代理行為は、相続により**当然には有効になりません**（最判昭37.4.20）。なぜなら、相続人たる本人が被相続人の無権代理行為の追認を拒絶しても、何ら信義に反しないからです。もっとも、無権代理人を相続した本人は、無権代理人が117条により相手方に債務を負担していたときには、無権代理行為について追認を拒絶できる地位にあったことを理由としてこの債務を免れることはできません（最判昭48.7.3）。

⑤　無権代理人と本人の双方を相続した場合

＜事例で理解＞

　Aの無権代理人BがA所有の土地をCに譲渡した後、Bが死亡してAとABの子Dがこれを相続しました。その後、Aも死亡し、Dがこれを相続しました。この場合、Dは、Cに対して、本人Aの地位で追認を拒絶して、土地の返還を請求することができるかという問題です。

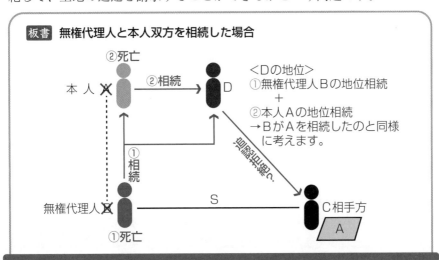

板書　無権代理人と本人双方を相続した場合

判例は、Dは、本人の資格で無権代理行為の追認を拒絶する余地はなく、本人自らが法律行為をしたのと同様の法律上の地位ないし効果を生ずるものと解するのが相当としています（最判昭63.3.1）。

無権代理人が本人を相続した場合と同様、**追認拒絶できません**。

8 表見代理

表見代理とは、無権代理行為につき本人にも責められるべき事情があり、相手方が、有効な代理行為であると信じるのも仕方ないような場合に、無権代理行為の効果を本人に帰属させて相手方を保護する制度です。

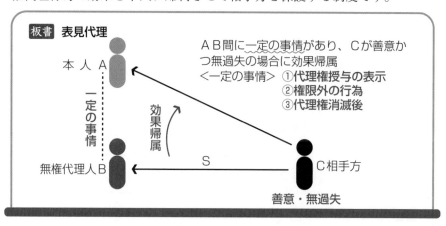

（1）代理権授与の表示による表見代理（109条1項）

第三者に対して代理権を与えた旨を表示した者は、その代理権の範囲内においてその他人が第三者との間でした行為について、その責任を負います（109条1項本文）。もっとも、第三者が、その他人が代理権を与えられていないことを知り（**悪意**）、または知ることができた（**有過失**）ときは、この限りでない（109条1項ただし書）、つまり、表見代理が成立するためには、相手方は**善意かつ無過失**でなければなりません。

（具体例）AがBに代理権を与えていないのに、Cに対して、「Bに私の土地を売却する代理権を与えたから」と伝えていて、BがAの代理人としてAの土

地を売った場合です。この場合、CがBに代理権がないことにつき善意かつ無過失の場合には表見代理が成立します。BC間の売買契約はAC間に帰属し、CはAに対し土地の引渡しを請求できます。

（2）権限外の行為の表見代理（110条）

何らかの権限（**基本権限**）が与えられている代理人が、その権限外の行為をした場合に、第三者が代理人の権限があると信ずべき**正当な理由がある**ときは、本人はその責任を負うものとされています。「正当な理由」とは、「**善意かつ無過失**」のことを指します。

（具体例）AがBに対して、A所有の土地を1000万円以上で売却する代理権を付与しました。ところが、Bはこの土地を500万円でCに売却してしまったような場合です。この場合、CがBに500万円でA所有の土地を売ると信じる正当な理由がある場合には、表見代理が成立します。BC間の500万円の売買契約は有効にAC間に帰属するので、CはAの土地を500万円で購入することができることになります。

ここで、どのような権限が基本権限たりうるかという問題があります。

これについては、①「事実行為の代行権限」は基本権限になりません。また、②「夫婦の日常家事連帯責任」について、一般的には110条所定の表見代理の成立は否定されます。しかし、第三者がその行為がその夫婦の日常の家事に関する法律行為に属すると信じることに、正当な理由があれば、同条の趣旨を類推して第三者の保護をはかります（最判昭44.12.18）。さらに、③「公法上の行為の代理権」も、原則として基本代理権になりません（最判昭39.4.2）。しかし、私法上の契約による義務の履行としてなされるときは表見代理が成立します（最判昭46.6.3）。

（3）代理権消滅後の表見代理

代理権の消滅は、善意の第三者に対抗することができません（112条1項本文）。もっとも、第三者が過失によってその事実を知らなかった（**有過失**）ときは対抗できます（112条1項ただし書）。

（4）重畳適用①109条＋110条のパターン

> ▼第109条２項〔代理権授与の表示による表見代理等〕
>
> 　第三者に対して他人に代理権を与えた旨を表示した者は、その代理権の範囲内においてその他人が第三者との間で行為をしたとすれば前項の規定によりその責任を負うべき場合において、その他人が第三者との間でその代理権の範囲外の行為をしたときは、第三者がその行為についてその他人の代理権があると信ずべき正当な理由があるときに限り、その行為についての責任を負う。

　代理権授与の表示があり、その表示された権限を越えて無権代理行為を行った場合も、相手方が**善意無過失**であれば、表見代理が成立します。

　（具体例）ＡがＢに代理権を授与していないのに、Ｃに対して「私はＢに、私の土地を1000万円以上で売却する権限を与えている。」と表示していたところ、ＢがＡの土地を500万円で売却したような場合です。

（5）重畳適用②110条＋112条のパターン

> ▼第112条２項〔代理権消滅後の表見代理等〕
>
> 　他人に代理権を与えた者は、代理権の消滅後に、その代理権の範囲内においてその他人が第三者との間で行為をしたとすれば前項の規定によりその責任を負うべき場合において、その他人が第三者との間でその代理権の範囲外の行為をしたときは、第三者がその行為についてその他人の代理権があると信ずべき正当な理由があるときに限り、その行為についての責任を負う。

　代理権が消滅しているのに、与えられた権限の範囲外の無権代理行為を行った場合も、相手方が**善意無過失**であれば、表見代理が成立します。

　（具体例）ＡがＢにＡの土地を８月までに1000万円以上で売却する代理権を授与しました。ところが、Ｂは９月になってから、Ａの土地をＣに500万円で売却したような場合です。

レジュメ　表見代理の種類

	代理権授与の表示による表見代理（109条1項）	権限外の行為の表見代理（110条）	代理権消滅後の表見代理（112条1項）
要件	①本人の第三者への代理権授与表示 ②第三者が表示された代理権の範囲内で代理行為 ③相手方が代理権不存在につき善意無過失	①本人が代理人に基本代理権を授与 ②代理人が代理権の範囲を越えて代理行為 ③相手方が権限外の行為につき善意無過失（＝正当な理由）	①代理人の有していた代理権が消滅 ②代理人がその代理権の範囲内で代理行為 ③相手方が代理権消滅につき善意無過失

109＋110重畳適用

110＋112重畳適用

2

総則

問1　代理人が自己又は第三者の利益を図る目的で代理権の範囲内の行為をした場合において、相手方がその目的を知っていた場合に限り無権代理行為となる。

問2　同一の法律行為について、相手方の代理人としてした行為は、原則として無権代理行為とみなされる。

問3　無権代理行為の相手方は、本人に対し、相当の期間を定めて、その期間内に追認をするかどうかを確答すべき旨の催告をすることができ、本人がその期間内に確答しないときは、追認したものとみなされる。

問4　無権代理人がした契約は、本人が追認をしない間は、相手方は、契約の時に、それが無権代理行為であることについて悪意であっても取り消すことができる。

問5　第三者に対して代理権を与えた旨を表示した者は、第三者が、無権代理について善意かつ無過失であれば、表見代理が成立し、有効に本人に効果が帰属する。

問6　かつての代理人が、代理権消滅後に、代理権の範囲外の代理行為を行った場合、その相手方が代理権の消滅について善意かつ無過失であれば、表見代理が成立し、有効に本人に効果が帰属する。

解答

問1 × 代理人が自己又は第三者の利益を図る目的で代理権の範囲内の行為をした場合において、相手方がその目的を知り、又は知ることができたときは、その行為は、代理権を有しない者がした行為とみなされます（107条）。

問2 ○ 同一の法律行為について、相手方の代理人としてした行為は、原則として代理権を有しない者がした行為とみなされます（自己契約・108条1項）。なお、自己契約だとしても、それが債務の履行および本人があらかじめ許諾していた場合には、有効な代理行為となります（108条2項ただし書）。

問3 × 無権代理行為の相手方は、本人に対し、相当の期間を定めて、その期間内に追認をするかどうかを確答すべき旨の催告をすることができます。催告に対し、本人がその期間内に確答しないときは、追認を拒絶したものとみなされます（114条）。

問4 × 無権代理人がした契約は、本人が追認をしない間は、相手方が取り消すことができます（115条本文）。しかし、契約の時に無権代理行為だということについて、相手方が悪意のときには、取り消すことができません（115条ただし書）。

問5 ○ 第三者に対して代理権を与えた旨を表示した者は、その代理権の範囲内においてその他人が第三者との間でした行為について、その責任を負います（109条1項本文）。もっとも、表見代理が成立するためには、相手方は善意かつ無過失でなければなりません（109条1項ただし書）。

問6 ○ 代理権の消滅後に、かつての代理人が第三者との間でその代理権の範囲外の行為をしたときは、第三者がその行為についてその他人の代理権がないことについて善意かつ無過失であれば、その行為についての責任を負います（112条2項）。

2

総則

1 条件

（1）意義

　条件とは、契約の効力を、発生するかどうか分からない事実にかからせる特約のことです。たとえば、「資格試験に合格したら、旅行に連れて行ってあげる」という場合です。

（2）種類

　条件には、効力の**発生**に付けられる**停止条件**と、効力の**消滅**に付けられる**解除条件**があります。

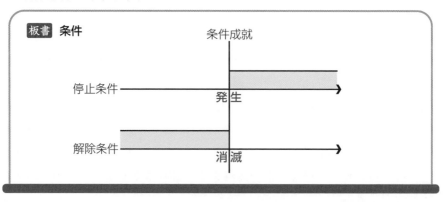

　停止条件付法律行為は、停止条件が成就した時からその**効力を生じ**（127条 1 項）、解除条件付法律行為は、解除条件が成就した時からその**効力を失い**ます（127条 2 項）。

　当事者が条件が成就した場合の効果をその成就した時以前にさかのぼらせる意思を表示したときは、その意思に従います（127条 3 項）。

（3）条件の成否未定の間における期待権

　条件付法律行為の各当事者は、条件の成否が未定である間は、条件が成就した場合にその法律行為から生ずべき相手方の利益（期待権）を害することができません（128条）。したがって、条件の成否が未定である間に、当事者が条件の成就を故意に妨げた場合には、期待権侵害による不法行為（709条）が成立します。

（4）条件の成否未定の間における権利の処分

　条件の成否が未定である間における当事者の権利義務は、一般の規定に従い、処分し、相続し、もしくは保存し、またはそのために担保を供することができます（129条）。

（5）条件成就の妨害等

　条件が成就すると不利益を受けることになる当事者が、故意にその条件の成就を妨害したときは、相手方は、その条件が成就したものとみなすことができます（130条 1 項）。条件が成就すると利益を受ける当事者が、不正にその条件を成就させたときは、相手方は、条件が成就しなかったものとみなすことができます（130条 2 項）。

（6）その他の条件

　その他、既成条件、不法条件、不能条件、随意条件があります。それぞれ、停止条件だった場合と、解除条件だった場合で、無効となるのか、条件がないことになるのかが分かれます。

		停止条件	解除条件
既成条件 （131条）	条件成就が既に確定している場合	無条件	無効
	条件不成就が既に確定している場合	無効	無条件
不法条件 （132条）	不法な条件、不法行為しないことが条件の場合	無効	
不能条件 （133条）	社会通念上実現が不可能な条件の場合	無効	無条件
随意条件 （134条）	条件が債務者の意思のみに係る場合	無効	有効
	条件が債権者の意思のみに係る場合	有効	

2　期限

（1）意義

　期限とは、契約の効力を、発生するかどうかが確実な事実にかからせる特約のことです。たとえば、「5月13日になったら、会いに行く」という場合です。

（2）種類

　期限には、到来する時期が確定している**確定期限**と、到来する時期が確定していない**不確定期限**があります。

　（具体例）「5月13日になったら、会いに行く」というのは確定期限です。これに対して「私が死んだら、この土地をあげる」というのは、発生は確実ですが、その時期がいつ来るか分からないので、不確定期限となります。

　　「出世したら払う」という債務は、一見停止条件のようにも思えますが、判

例は不確定期限としています（大判大4.3.24）。つまり、出世するかしないか確定したところで、返済しなければなりません。

（3）期限の到来の効果

　法律行為に**始期**を付した場合、その法律行為の履行は、期限が到来するまで、これを請求できません（135条 1 項）。

　また、法律行為に**終期**を付したときは、その法律行為の効力は、期限が到来した時に消滅します（135条 2 項）。

（4）期限の利益

　期限は、「**債務者の利益のため**」に定めたものと推定されます（136条 1 項）。つまり、期限をつけるのは、「債務者がそれまで待ってもらえる」ということに意味があるということです。

　期限の利益は、放棄できますが、これによって相手方の利益を害することはできません（136条 2 項）。

（具体例）11月 1 日を弁済期限として利息付きで金銭の貸し借りが行われた場合、借主は、期限が到来する前に弁済できますが、11月 1 日の期限までに発生するはずだった利息も併せて弁済する必要があるということです。

　債務者が、期限の利益を主張できなくなるのは、以下の場合です。

レジュメ　期限の利益が喪失する場合

① 債務者が破産手続開始の決定を受けた場合

② 債務者が担保を滅失させ、損傷させ、または減少させた場合

③ 債務者が担保を供する義務を負っているにもかかわらず、これを供しない場合

2

総則

3 期間

（1）意義

期間とは、ある時点から他の時点までの時間的長さのことです。

（2）期間の計算方法

① 時・分・秒を単位とする場合の起算点

時間で期間を定めたときは、期間は即時から起算されます（139条）。

② 日・週・月・年を単位とする場合の起算点

日・週・月または年によって期間を定めたときは、期間の初日は算入しないのが原則です（初日不算入の原則・140条本文）。ただし、期間が午前零時から始まるときは、初日算入です（140条ただし書）。

（具体例）4月1日の正午に「今日から1か月」と定めても、「明日から1か月」と定めても、いずれも起算点は4月2日になります。

　年齢の計算については、「年齢計算ニ関スル法律」が民法の特則を定めています。そのため、初日（出生の日）が算入されます。つまり、5月13日に生まれた場合には、その日を1日と考えますので、翌年の5月13日午前零時に、生まれてから1年となり、1つ歳を取ります。

③ 期間の満了点

期間は、その末日の終了（午後12時＝翌午前零時）で満了します（141条）。

週・月または年によって期間を定めたときは、その期間は、暦に従って計算します（143条1項）。つまり、1か月を30日、1年を365日と計算するのではなく、30日の月も31日の月も1か月として計算しますし、平年も、うるう年も1年として計算します。

週・月または年の初めから期間を起算しないときは、その期間は、最後の週・月または年においてその起算日に応当する日の前日に満了します（143条2項本文）。つまり、4月1日の正午に「今日から3か月」と定めた場合、初日は算入されず起算点は4月2日となりますから、7月1日に満了することになります。

　月または年によって期間を定めた場合において、最後の月に応当する日がないときは、その月の末日に満了します（143条２項ただし書）。つまり、５月30日の正午に「今日から４か月」と定めた場合、初日は算入されず起算点は５月31日となります。しかし、９月31日というのは存在しないので、９月の末日、９月30日に満了することになります。

2

総則

第２編　第７章　確認テスト

問1　停止条件付法律行為は、停止条件が成就した時からその効力を失い、解除条件付法律行為は、解除条件が成就した時からその効力を生ずる。

問2　条件が成就すると不利益を受けることになる当事者が、故意にその条件の成就を妨害したときは、相手方は、その条件が成就したものとみなすことができる。

問3　「出世したら払う」という債務は、判例によれば停止条件付債務である。

問4　期限は、「債務者の利益のため」に定めたものと推定される。

解答

問1　×　停止条件付法律行為は、停止条件が成就した時からその効力を生じます（127条1項）。解除条件付法律行為は、解除条件が成就した時からその効力を失います（127条2項）。

問2　○　条件が成就すると不利益を受けることになる当事者が、故意にその条件の成就を妨害したときは、相手方は、その条件が成就したものとみなすことができます（130条1項）。なお、条件が成就すると利益を受ける当事者が、不正にその条件を成就させたときは、相手方は、条件が成就しなかったものとみなすことができます（130条2項）。

問3　×　「出世したら払う」という債務は、一見停止条件のようにも思えますが、判例は不確定期限と解しています（大判大4.3.24）。

問4　○　期限は、「債務者の利益のため」に定めたものと推定されます（136条1項）。

第８章　権利の変動５（時効）

1　時効の一般原則

（１）意義

　ある状態がずっと続く場合に、その状態が真実の権利と一致しているかどうかに関係なく、その事実状態が安定して続いているのだから、その事実状態を壊さずに、逆に、法律関係を事実状態に近づけていく方がよいと考えられる場合があります。このような場合に、事実状態に合わせて、権利を取得したり、消滅させたりする制度が**時効制度**です。

　権利の取得を生ずるものを**取得時効**、権利の消滅をもたらすものを**消滅時効**といいます。

　（具体例）自分の土地でもないのに、自分の土地として使い続けた場合に、それを使っていた人のものにしてしまうのが「取得時効」です。これに対して、お金を貸した人が、借りた人に、「お金返して」とずっと言わない場合には、お金を返してもらえなくなるのが「消滅時効」です。

　時効制度の制度趣旨ですが、取得時効は**社会の法律関係の安定**、消滅時効は**権利の上に眠るものは保護せず**といわれます。また、いずれも、時間の経過で、権利があることを証明することが難しくなってしまうという**裁判上の立証の困難からの救済**という要求もあります。

2

総則

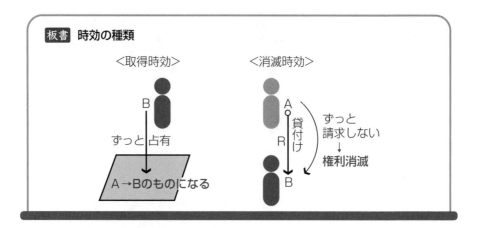

板書 時効の種類

<取得時効>

B

ずっと占有

A→Bのものになる

<消滅時効>

A
貸付け
R

ずっと
請求しない
↓
権利消滅

B

（2）時効の効力（144条）

時効の効果は**遡及効**があり、起算日にさかのぼります。

① 取得時効の場合の例

（a） 時効期間進行中に目的物から生じた果実は、時効取得者に帰属します。

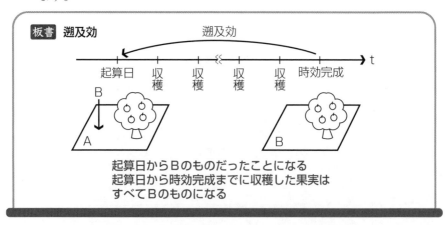

板書 遡及効

遡及効

起算日 収穫 収穫 収穫 収穫 時効完成 t

B

A

起算日からBのものだったことになる
起算日から時効完成までに収穫した果実は
すべてBのものになる

（b） 時効期間進行中に目的物を傷つけた者は、時効取得者に対して損害賠償しなければなりません。

② 消滅時効の場合の例

時効期間中の利息の支払いを免れます。

（３）時効の援用（145条）と時効利益の放棄（146条）

①　時効の援用

　時効の援用は、時効の効果を確定させる意思表示です。

> **▼第145条〔時効の援用〕**
> 　時効は、当事者（消滅時効にあっては、保証人、物上保証人、第三取得者その他権利の消滅について正当な利益を有する者を含む。）が援用しなければ、裁判所がこれによって裁判をすることができない。

　時効を援用できる人（**援用権者**）は当事者です。当事者とは「**正当な利益を有する者**」です（145条かっこ書）。具体例も条文に置かれています。

（具体例）保証人や物上保証人は、主債務者の債務が時効によって消滅すれば、保証債務も消滅するという正当な利益を有しているので時効を援用できます。

　また、当事者が時効を援用しなければ、裁判所は取得時効や消滅時効はないものとして裁判します。

（具体例）貸金返還請求訴訟において、原告も被告も時効の主張をしていないのに、裁判所が勝手に、「この債権は、借りてからもう15年経ってるから、時効で消滅しています。ですから、原告の貸金返還請求は認めません」という判決は出しません。時効の援用をしていない以上、お金の貸し借りがあったか、あれば返したかどうか、請求が認められるかどうか判決を下します。

②　時効の利益の放棄

　時効の利益の放棄は、読んで字のごとく、時効による利益を放棄することです。「時効の援用はしないよ」という意思表示です。

> **▼第146条〔時効の利益の放棄〕**
> 　時効の利益は、あらかじめ放棄することができない。

　あらかじめ放棄する、つまり、**時効完成前に放棄**することはできません。ひるがえって、時効完成後に放棄することはできます。

（具体例）ＡがＢに100万円を貸し付けます。時効期間が経過する前に、Ｂに時

2

総則

効の利益を放棄させることが禁止されます。なぜなら、貸す方は、当然時効なんて来てほしくないわけですから、必ず時効の利益を放棄させることになります。Bが「放棄なんてしない！」って頑張ってみたところで、Aは、「放棄するのが嫌なら貸さない」と言えばそれまでです。Bがどうしてもお金を借りたければ、時効の利益を放棄せざるを得ないことになります。このように貸主Aと借主Bでは、圧倒的にAの立場が強いわけです。そうであるのに、あらかじめの時効の放棄を認めると、ほとんどの場合に時効の利益を放棄させることとなり、時効を制度として認めた意味がなくなります。したがって、それを禁止するわけです。

　逆に、時効完成後であれば、時効の援用をするかどうかは、Bがイニシアティブをとれます。B自身で、援用したいと思えばすればいいし、放棄しようと思えば放棄する。Bが自由に決められますから、Bが放棄するといえば、それはそれで認めていいということです。

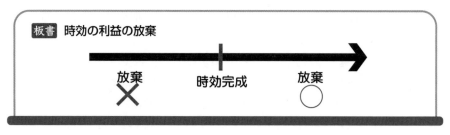

（4）時効完成の猶予と更新

　時効完成の猶予とは、時効が完成すべき時が到来しているとしてもその完成が猶予されることをいいます。一般的には、権利行使の意思が明確になったときに、時効の完成が猶予されます。

　時効の更新とは、進行してきた時効期間の経過が振り出しに戻り、またゼロから時効期間のカウントが始まることをいいます。一般的には、権利自体が確実に存在することが認められれば、時効は更新されます。

　時効完成が猶予されたうえで更新されるパターン（**完成猶予・更新型**）と、時効完成が猶予されても更新されずに、さらなる時の経過で時効が完成するパターン（**完成猶予型**）、時効の完成が猶予されず更新のみ行われ

るパターン（更新型）があります。具体的に見ていきましょう。

① 完成猶予・更新型

（a）裁判上の請求等による時効の完成猶予・更新（147条）

> ▼第147条〔裁判上の請求等による時効の完成猶予及び更新〕
> 1項　次に掲げる事由がある場合には、その事由が終了する（確定判決又は確
> 　　　定判決と同一の効力を有するものによって権利が確定することなくその事
> 　　　由が終了した場合にあっては、その終了の時から6箇月を経過する）まで
> 　　　の間は、時効は、完成しない。
> 　1号　裁判上の請求
> 　2号　支払督促
> 　3号　民事訴訟法第275条第1項の和解又は民事調停法若しくは家事事件手
> 　　　　続法による調停
> 　4号　破産手続参加、再生手続参加又は更生手続参加
> 2項　前項の場合において、確定判決又は確定判決と同一の効力を有するもの
> 　　　によって権利が確定したときは、時効は、同項各号に掲げる事由が終了し
> 　　　た時から新たにその進行を始める。

　裁判上の請求等がある場合には、その事由が終了する（確定判決また
は確定判決と同一の効力を有するものによって**権利が確定すること**なく
その事由が終了した場合にあっては、その**終了の時から6か月**を経過
する）までの間は、時効は完成しません（147条1項）。

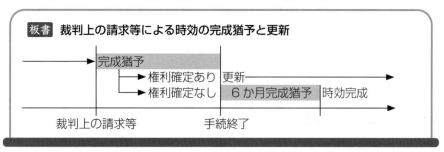

板書　**裁判上の請求等による時効の完成猶予と更新**

ⓐ　確定判決等によって**権利が確定**した場合には**更新**されます。

ⓑ　訴えの却下・取下げ等、確定判決等によって**権利が確定すること**

2

総則

なく終了した場合には、**時効の完成が猶予**されます。

（ｂ）強制執行等による時効の完成猶予・更新（148条）

▼第148条〔強制執行等による時効の完成猶予及び更新〕
１項　次に掲げる事由がある場合には、その事由が終了する（申立ての取下げ
　　　又は法律の規定に従わないことによる取消しによってその事由が終了した
　　　場合にあっては、その終了の時から６箇月を経過する）までの間は、時効は、
　　　完成しない。
　１号　強制執行
　２号　担保権の実行
　３号　民事執行法195条に規定する担保権の実行としての競売の例による競
　　　　売
　４号　民事執行法196条に規定する財産開示手続
２項　前項の場合には、時効は、同項各号に掲げる事由が終了した時から新た
　　　にその進行を始める。ただし、申立ての取下げ又は法律の規定に従わない
　　　ことによる取消しによってその事由が終了した場合は、この限りでない。

　強制執行等がある場合には、その事由が終了する（申立ての取下げま
たは法律の規定に従わないことによる取消しによってその事由が終了し
た場合にあっては、その**終了の時から６か月**を経過する）までの間は、
時効は完成しません。

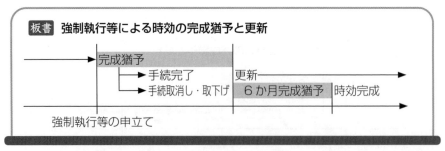

板書　**強制執行等による時効の完成猶予と更新**

　ⓐ　本来の**目的を達して**手続が完了した場合には**更新**されます。
　ⓑ　**申立ての取下げ**等により手続が終了した場合には、**時効の完成が**
　　　猶予されます。

② 完成猶予型

（ a ） 仮差押え・仮処分による時効の完成猶予（149条）

　債権者が強制執行によって満足を得るまでの期間、債務者の財産を確保するための手段として、仮差押え・仮処分があります。これがある場合には、その事由が**終了した時から 6 か月**を経過するまでの間は、時効は完成しません。

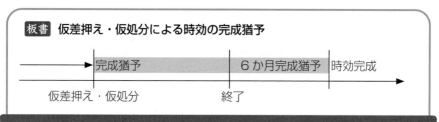

板書 **仮差押え・仮処分による時効の完成猶予**

完成猶予　　　　　　　　　6 か月完成猶予　時効完成

仮差押え・仮処分　　　　　終了

（ b ） 催告による時効の完成猶予（150条）

▼第150条〔催告による時効の完成猶予〕
1 項　催告があったときは、その時から 6 箇月を経過するまでの間は、時効は、完成しない。
2 項　催告によって時効の完成が猶予されている間にされた再度の催告は、前項の規定による時効の完成猶予の効力を有しない。

　催告（**裁判外の請求**）があったときは、その時から 6 か月を経過するまでの間は、時効は、完成しません（150条 1 項）。催告をしてから 6 か月以内に**裁判上の請求**を行うと、裁判上の請求による完成猶予・更新の流れ（147条 1 項 1 号）となります。

2

総則

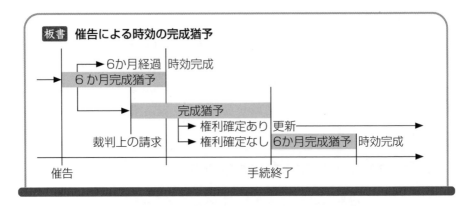

催告で時効の完成が猶予されている間に催告したとしても、再度、時効の完成が猶予されることにはなりません（150条2項）。

（c）協議を行う旨の合意による時効の完成猶予（151条）

協議を行う旨の**合意が書面**でなされたとき、次のア～ウに掲げる時の**いずれか早い時**までの間は時効は、**完成しません**（151条1項）。

- ⓐ その合意があった時から**1年**を経過した時
- ⓑ その合意において当事者が協議を行う期間（1年に満たないものに限る。）を定めたときは、その期間を経過した時
- ⓒ 当事者の一方から相手方に対して協議の続行を拒絶する旨の通知が書面でされたときは、その**通知の時から6か月**を経過した時

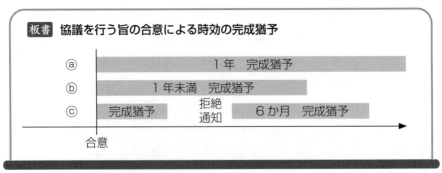

- ⓓ 再度の合意（151条2項）

協議を行う旨の合意によって時効の完成が猶予されている間に、**再**

度の**合意**がなされた場合には、再度、時効の完成が猶予されます。ただし、その効力は、時効の完成が猶予されなかったとすれば時効が完成すべき時から通じて**5年**を超えることができません。

ⓔ　催告と協議を行う旨の合意（151条3項）

　催告によって時効の完成が猶予されている間に、協議を行う旨の合意をしても、協議を行う旨の合意による時効の完成猶予の効力は生じません。反対に、協議を行う旨の合意により時効の完成が猶予されている間に、催告がされたとしても、催告による時効の完成猶予の効力は生じません。

③　更新型（152条）

▼第152条〔承認による時効の更新〕
1 項　時効は、権利の承認があったときは、その時から新たにその進行を始める。
2 項　前項の承認をするには、相手方の権利についての処分につき行為能力の制限を受けていないこと又は権限があることを要しない。

　権利の**承認**があると、時効期間は更新され、その時から新たにその進行を始めます（152条1項）。この承認には、相手方の権利についての処分につき行為能力の制限を受けていないこと、または権限があることは必要とされません（152条2項）。

2

総則

時効の完成猶予事由と更新事由

事由	完成猶予	更新
裁判上の請求 支払督促 裁判上の和解 民事調停・家事調停 破産・再生・更生各手続参加	左の事由が終了するまでの間完成猶予（権利が確定することなく事由が終了した場合には、終了時から6か月完成猶予）	確定判決・それと同一の効力を有するもので権利確定したときは、当該事由の終了時から更新
強制執行 担保権実行 形式的競売 財産開示手続	左の事由が終了するまでの間完成猶予（申立ての取下げ・法律に従わないことによる取消しでその事由が終了した場合には、終了時から6か月完成猶予）	その事由の終了時から更新（申立ての取下げまたは法律に従わないことによる取消しで、当該事由が終了した場合は除かれる）
仮差押え 仮処分	左の事由の終了から6か月を経過するまで完成猶予	更新なし
催告	催告時から6か月を経過するまで完成猶予	更新なし
協議を行う旨の合意	下記のいずれか早いときまで完成猶予 ①合意時から1年経過時 ②合意で1年未満の協議期間を定めたときは、その期間経過時 ③協議続行拒絶の通知がされたときは、その通知時から6か月経過時	更新なし
承認	完成猶予なし	承認時から更新

④　その他の完成猶予

（a）未成年者・成年被後見人と時効の完成猶予

　時効の期間の満了前6か月以内の間に、未成年者または成年被後見人に法定代理人がないときは、その未成年者もしくは成年被後見人が行為能力者となった時、または**法定代理人が就職した時から6か月**を経過するまでの間は、その未成年者または成年被後見人に対して、時効は完成しません（158条1項）。

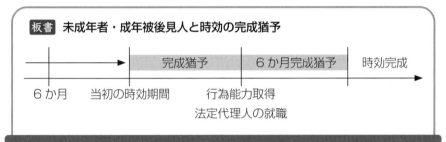

| 板書 | 未成年者・成年被後見人と時効の完成猶予 |

（b）夫婦間の権利の時効の完成猶予

　夫婦の一方が他の一方に対して有する権利は、**婚姻の解消の時から6か月**を経過するまでの間は、時効は完成しません（159条）。

（c）相続財産に関する時効の完成猶予

　相続財産に関しては、**相続人が確定した時**、**管理人が選任された時**または**破産手続開始の決定があった時から6か月**を経過するまでの間は、時効は完成しません（160条）。

（d）天災等による時効の完成猶予

　時効の期間の満了の時に当たり、天災その他避けることのできない事変のため147条1項各号または148条1項各号に掲げる事由に係る手続を行うことができないときは、その**障害が消滅した時から3か月**を経過するまでの間は、時効は完成しません（161条）。

事由	時効の完成猶予
未成年者または成年被後見人に法定代理人がいないとき	時効期間満了前6か月以内に未成年者または成年被後見人に法定代理人がいないときは、それらの者が行為能力者となった時または、法定代理人が就職してから6か月を経過するまでは完成猶予
夫婦の一方が他の一方に対して有する権利	婚姻解消の時から6か月は完成猶予
相続財産に関する権利	相続人確定時、管理人選任時、破産手続決定時から6か月は完成猶予
天災等により裁判の請求等、強制執行等の手続を行えないとき	天災等による障害が消滅したときから3か月は完成猶予

⑤　時効の完成猶予・更新の効果

　時効の完成猶予・更新は、完成猶予・更新の事由が生じた**当事者**および、その**承継人の間においてのみ**効力を有します（相対的効力・153条）。

2　取得時効

（1）意義

　取得時効とは、所有権など一定の財産権について、占有や権利行使という事実状態が一定期間継続した場合に、事実上権利者であるような状態を継続する者に権利を取得させる制度です。

（2）所有権の取得時効の要件（162条）

①　「**所有の意思**」をもってする占有（**自主占有**）であること。

　「所有の意思」があるかどうかは、占有を始めた原因によって、外形的・

客観的に判断します（最判昭45.6.18）。

　（具体例）賃借人には所有しているという意思はありませんから、賃借人は何十
　　年借り続けていても、その物を時効取得することはありません。

② 「平穏に、かつ、公然と」占有すること。

　「平穏」とは穏やかに、「公然」とは「堂々と」という意味です。

③ 「他人の物」の占有であること。

　（a）自己の物

　　自己の物も時効取得の対象となります（最判昭42.7.21）。

　（具体例）確かに自分が買った時計だけど、もう10年以上前のこと。レシートも
　　ないし自分の物だって立証できない。でも、10年以上、自分の所有物だと思
　　って所持しているから、自分の時計であろうがなかろうが、取得時効が完成
　　しているから、これは自分の時計です、という主張ができるということです。

　（b）動産

　　即時取得の制度もありますが、時効取得もできます。

④ 「占有」すること。

　占有者は、所有の意思をもって、善意で、平穏に、かつ、公然と占有す
るものと推定されます。

⑤ 占有期間

　占有の開始時に善意・無過失なら「10年」、それ以外は「20年」。

　占有の開始時に善意・無過失であれば、途中から悪意に転じても「10年」
の占有でよいとされます。

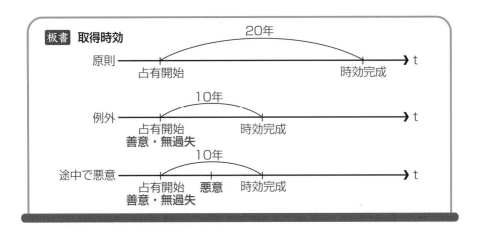

（3）所有権以外の財産権の取得時効の要件（163条）

① 自己のためにする意思があること

② 平穏に、かつ公然と行使すること

③ 時効期間が経過すること

　権利の行使開始時に善意・無過失なら**10年**、それ以外なら**20年**。

④ 対象となる権利

　時効取得が認められる「所有権以外の財産権」には、地上権、永小作権、地役権（継続的に行使され、かつ、外形上認識できるもの：283条）、質権、不動産賃借権等があります。

　土地賃借権の時効取得は、「土地の**継続的な用益**という外形的事実が存在し、かつ、それが**賃借の意思**に基づくことが**客観的に表現**されているときは、民法163条に従い土地賃借権の時効取得が可能」（最判昭43.10.8）と判示しています。

（4）占有の中止等による取得時効の更新（164条、165条）

　取得時効について、占有者が任意にその占有を中止し、または他人によってその占有を奪われたときは、時効は更新します。

3　消滅時効

（1）意義

　消滅時効とは、一定の財産権について、権利不行使という事実状態が一定期間継続した場合に、権利不行使の状態を継続する者の権利を消滅させる制度です。「権利を使わないなら、もういらないよね」ということで、債権者に対する義務によって縛られている人を解放してあげる。そんな制度が消滅時効です。

▼第166条〔債権等の消滅時効〕
　1項　債権は、次に掲げる場合には、時効によって消滅する。
　　1号　債権者が権利を行使することができることを知った時から5年間行使しないとき。
　　2号　権利を行使することができる時から10年間行使しないとき。
　2項　債権又は所有権以外の財産権は、権利を行使することができる時から20年間行使しないときは、時効によって消滅する。

　時効消滅の対象となる権利は**債権**と**所有権以外の財産権**です（166条）。これらの権利を一定期間行使しないと時効にかかります。

　権利のうち、**占有権**や**所有権は消滅時効にかかりません**。ただし、所有権が時効取得されると、その結果として（反射的効果として）所有権を失うことはあります。

　（具体例）Aの土地をXが占有していて、XがAの土地の所有権を時効取得した場合には、その結果としてAが土地の所有権を失うことになります。決して、Aが土地を使っていなかったから、所有権が消滅時効にかかって消滅したわけではありません。

（2）債権等の消滅時効の起算点（166条1項）

　消滅時効は、権利を一定期間行使しないと時効で消滅することになりますが、ではその「一定期間」とはどのような期間を指すのでしょうか。条文にあるように、一定期間をカウントし始める起算点には2パターンあり、

それを起算点として一定期間が計算されます。

この 2 つの期間のいずれかが到来した場合に、債権が時効消滅します。

板書　**債権等の消滅時効のパターン**

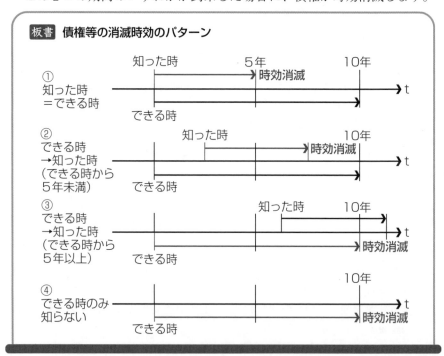

（3）債権または所有権以外の消滅時効の起算点（166条 2 項）

> **レジュメ**　債権または所有権以外の消滅時効の起算点と消滅時効期間
>
> 客観的起算点　＝　客観的に権利行使できる時
> 　→　これを起算点として20年間が消滅時効期間

（4）判決などにより確定した権利（169条）

　確定判決または確定判決と同一の効力を有するものによって確定した権利（確定の時に弁済期が到来していない債権は除く）については、10年より短い時効期間の定めがあっても、その時効期間は**10年**です。

　主観的起算点からの期間と、客観的起算点からの期間、いずれか早い方が到来した時に、権利は時効消滅します。

> **レジュメ**　消滅時効の起算点と時効期間
>
> | 債権の種類 | 主観的起算点
（知った時） | 客観的起算点
（権利行使できる時） |
> |---|---|---|
> | 確定期限のついた債権 | 知った時から
5 年 | 期限到来の時から10年 |
> | 不確定期限のついた債権 | | 期限到来の時から10年 |
> | 期限の定めのない債権 | | 債権成立の時から10年 |
> | 債務の履行不能による
損害賠償請求権 | | 本来の債務の履行を請求できる時から10年 |
> | 契約の解除による
原状回復請求権 | | 解除の時から10年 |

レジュメ 消滅時効期間のまとめ

債権の種類	主観的起算点	客観的起算点
一般の債権 （166条1項）	知った時から5年	行使できる時から10年
債務不履行に基づく人の生命・身体侵害による損害賠償請求権（167条）	知った時から5年	行使できる時から20年
不法行為に基づく損害賠償請求権（724条）	被害者またはその法定代理人が損害および加害者を知った時から3年	不法行為の時から20年
不法行為に基づく人の生命・身体侵害による損害賠償請求権（724条の2）	被害者またはその法定代理人が損害および加害者を知った時から5年	不法行為の時から20年
定期金債権 （168条1項）	知った時から10年	行使できる時から20年
確定判決等によって確定した権利 （169条1項）	－	裁判上の請求等が終了した時から10年
債権・所有権以外の財産権 （166条2項）	－	行使できる時から20年

第2編　第8章　確認テスト

問1　債権が時効によって消滅した場合であっても、時効期間中に生じた利息は消滅しない。

問2　時効期間が経過すれば、当事者が時効を援用していなくても、裁判所は時効の効力が発生したものとして裁判することができる。

問3　時効の利益は、時効完成前でも時効完成後でもいずれも放棄することはできない。

問4　AがBに対して100万円の甲債権を有しており、Aがその支払いを求めて訴えを提起した場合には、甲債権の時効の完成が猶予される。

問5　AがBに対して100万円の甲債権を有しており、AがBの財産に対して仮差押えを行った場合には、甲債権の時効の完成が猶予され、仮差押えが終了した時に時効が完成する。

問6　権利の承認があると、時効の完成が猶予され、6か月以内に裁判上の請求等が行われた場合に時効は更新される。

問7　債権の消滅時効の起算点は、権利発生時から進行を開始する。

問8　確定判決または確定判決と同一の効力を有するものによって確定した権利については、原則として、10年より短い時効期間の定めがあるものであっても、その時効期間は10年となる。

問9　不法行為に基づく人の生命・身体侵害による損害賠償請求権については、被害者またはその法定代理人が損害および加害者を知った時から3年、もしくは不法行為の時から20年で時効によって消滅する。

2

総則

解答

問1 ✕　時効の効果には遡及効があり、起算日に遡って消滅します。したがって、時効期間中に生じた利息も消滅します。

問2 ✕　時効は、当事者が援用しなければ、裁判所はこれによって裁判をすることができません（145条）。

問3 ✕　時効の利益は、あらかじめ放棄することはできません（146条）が、時効完成後に放棄することはできます。

問4 ◯　裁判上の請求等がある場合には、その事由が終了する（確定判決または確定判決と同一の効力を有するものによって権利が確定することなくその事由が終了した場合にあっては、その終了の時から6か月を経過する）までの間は、時効は、完成せずに猶予されます（147条1項）。

問5 ✕　AがBに対して100万円の甲債権を有しており、AがBの財産に対して仮差押えを行った場合、時効の完成が猶予され、さらに仮差押えが終了した時から6か月を経過するまでの間は、時効は完成しません。

問6 ✕　権利の承認があると、時効期間は更新され、その時から新たにその進行を始めることになります（152条1項）。

問7 ✕　債権の消滅時効の起算点は、権利者が権利行使できることを知った時、または、客観的に権利行使できる時から進行を開始します。

問8 ◯　確定判決または確定判決と同一の効力を有するものによって確定した権利（確定の時に弁済期が到来していない債権は除く）については、10年より短い時効期間の定めがあるものであっても、その時効期間は10年となります（169条）。

問9 ✕　不法行為に基づく人の生命・身体侵害による損害賠償請求権については、被害者またはその法定代理人が損害および加害者を知った時から「5年」、もしくは不法行為の時から20年で時効によって消滅します（724条の2）。

第3編

物権

1 物権と債権の意義

　民法上の権利は、大きく分けると、物権と債権に分かれます。この２つの概念を、まずは捉えてみましょう。

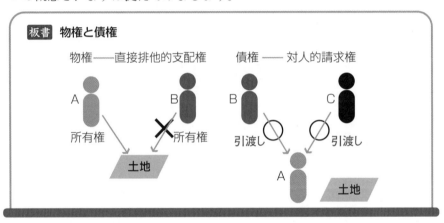

板書　**物権と債権**

物権——直接排他的支配権　　　債権——対人的請求権

A　　　　　B　　　　　　B　　　　　C

所有権　　×所有権　　引渡し　　　引渡し

土地　　　　　　　　　　　　A
　　　　　　　　　　　　　　　　土地

　物権は物に対する権利、債権は人に対する権利です。

　そして、物権の典型例として、所有権があります。Aが土地を所有しているとしましょう。「所有」とは持ち主のことですね。この所有権の対象（客体）は土地という物です。このような所有権など、つまり物に対する権利を総称して物権と呼びます。厳密には、物権とは、特定の物を直接支配してそこから生ずる利益を自分だけが享受する権利、すなわち、**直接排他的支配権**と定義されます。たとえば土地を直接支配できるわけです。使用したければ使えばよいし、処分したければ売ればよいというように自分の思いどおりに直接支配できます。人間を直接支配することはできませんが、物であれば直接支配できるという極めて強力な権利です。

　これに対して、債権とは、人に対する権利です。人に対して一定の行為

を請求する権利にすぎません。

　（具体例）BがAから土地を買ったとします。すると、BはAという人にだけこ
　　の土地を引き渡せと請求できます。権利の対象（客体）はAになります。

　このように人に対する権利、そして行為を請求する権利を債権といいます。厳密には、債権とは、特定人（債務者という）に対して、一定の行為をすることを請求する権利、すなわち、対人的請求権と定義されます。人に対して何々してくれといえるだけの権利にすぎません。あくまでも、この例ですとAに対してのみ、この土地の引渡しを請求できるだけの権利です。

3

物権

2 物権と債権の違い

　両者を比較すると、強弱というイメージになります。物権は、物を自分の思いどおりにすることができます（直接支配できます）から、非常に強力な強い権利ですが、債権は、単に人に対して請求できるだけで、いきなり強制させることはできませんから弱い権利といえます。

　そして、物権と債権の大きな違いは、排他性の有無です。**排他性**、つまり他者を排除する力があるかないかということです。

　物権は、直接排他的支配権という強力な権利ですので、ある土地にAの所有権が成立している場合、他人が同じ内容の物権、つまりBの所有権は絶対に成立しません。このように他者を排する力があります。また、1つの物には同じ内容の物権は1個だけしか成立しません。これを**一物一権主義**ともいいます。

　これに対して、債権は、単なる対人的な請求権にすぎないので、物権と異なり排他性はありません。したがって、同一内容の債権が同一債務者に対して2つ以上併存して成立できます。

　＜事例で理解＞

　Aが同じ土地をBに売却し、さらにCにも売却したら、BもCもAに対して同じ土地の引渡しを請求できます。

ＢのＡに対する土地の引渡し請求権と全く同じ内容の、ＣのＡに対する土地の引渡し請求権が成立します、他者を排する力がないからです。

　ただ、最終処理について、少し説明を続けます。

　債権は、排他性がないので、同一内容の債権が幾つでも成立します。しかし、現実には、土地は１個しかありません。そこで、ＡはＢに引き渡したとします。すると、Ｃの引渡し請求権は、別の請求権に変化します。後で説明する損害賠償の請求権に変わります。これはどういうことでしょう。無から有は生じません。もともとＢのＡに対する土地の引渡し請求権と同じ内容の、ＣのＡに対する土地の引渡し請求権が成立していたけれども、それが不可能になったので損害賠償という、お金を払えという請求権に変わったんですね。「変わった」という以上、もともと同一内容の請求権が成立していることが前提です。つまり、排他性はないのです。

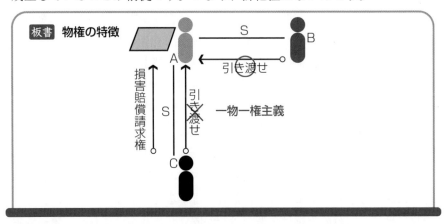

　さらに、排他性から生じるその他の違いを見てみましょう。

レジュメ　排他性

　物権
　　排他性あり　→　物権法定主義
　債権
　　排他性なし　→　契約自由の原則

　物権は排他性がありますので、ある土地にＡの所有権が成立していれば、ＢとかＣの所有権は成立しません。そこで、他者が生じないように、間違えてその土地を買う人が現れないようにするために、物権は、民法その他の法律が定めるもの以外、当事者が創設することはできないとされています(175条)。私人が勝手に物権を新しくつくり出すことは認められません。これが175条の**物権法定主義**です。民法では10種類の物権が法定されています。

　これに対して、債権は排他性がありません。物権のように強力な権利ではないので、私人が原則的には自由に契約してかまいません。民法には13種類の契約が規定されていますが、それ以外の契約であっても、原則的には私人が自由につくり出していいという**契約自由の原則**がとられています。たとえば、プロ野球選手やＪリーガーの契約など、民法に書いてない契約もＯＫです。

3

物権

第3編　第1章　確認テスト

問1　物権は物に対する排他的な支配権であり、債権は人に対して一定の行為を請求する権利である。

問2　物権には、1つの物には同じ内容の物権は1個しか成立しないという原則があり、これを物権法定主義という。

解答

問1　○　物権は物に対する排他的な支配権であり、債権は人に対して一定の行為を請求する権利です。

問2　×　物権には、1つの物には同じ内容の物権は1個しか成立しないという原則があり、これを一物一権主義といいます。

1　物権の種類

　物権は民法その他の法律に定めるもののほか、創設できません。物権法定主義ですね。それでは、民法が規定している、民法が書いている、物権は何かというと、計10種類あります。物権の体系図をご覧ください。

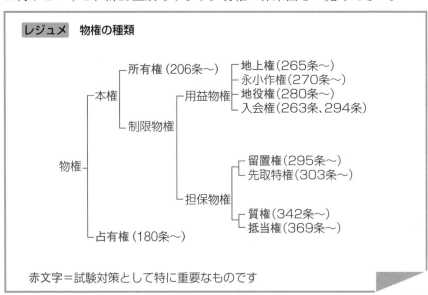

レジュメ　物権の種類

```
                              ┌ 地上権（265条〜）
            ┌ 所有権（206条〜） │ 永小作権（270条〜）
      ┌ 本権 │           用益物権 ┤ 地役権（280条〜）
      │    │           │      └ 入会権（263条、294条）
      │    └ 制限物権 ┤
物権 ┤              │           ┌ 留置権（295条〜）
      │              │           │ 先取特権（303条〜）
      │              └ 担保物権 ┤
      │                         │ 質権（342条〜）
      └ 占有権（180条〜）         └ 抵当権（369条〜）
```

赤文字＝試験対策として特に重要なものです

　計10個というのは、民法の条文に規定があるものです。

（1）占有権と本権

　まず、占有権（180条〜）と本権に分かれます。**占有権**というのは、所持している状態があるだけで、所持していることを裏づける権利がなくても、所持している状態を権利として認めたものです。つまり「事実上の支配」を物権として認めたものです。占有権が事実上のものなのに対し、そ

れ以外を本来の権利、本来の物権というニュアンスで**本権**といいます。占有を正当化し、裏づける本来の権利といえます。

（2）所有権と制限物権

　本権は、さらに２つに大きく分かれます。所有権とそれ以外です。これは次の観点からの分類です。物の価値は３つあると考えられます。まずは「使用」と「収益」という２つの価値です。略して用益といいます。つまり物を使ったり、貸して利益をあげたりという価値です。残りの１つは、売ったりして「処分」できるという価値です。このように物には、使用・収益・処分できる価値があります。

　所有権のみがこのすべての価値をもっています。これに対して、所有権以外はいずれかの価値が欠けています（制限されています）。そこで、これを**制限物権**といいます。そして、制限物権のうちで、所有権の持つ使用・収益できる価値だけを持つものを**用益物権**、所有権の持つ処分できる価値だけを持つものを**担保物権**というようにさらに２分されます。用益物権は、４つ。担保物権も４つです。

　物権は、計10個になりますね。なお、試験によく出るのは、占有権・所有権・抵当権です。この３つが特に重要です。

2　物権の特徴

（1）客体

　物権の客体は、原則として特定の独立した物です。物とは**有体物**を指します。例えば、甲土地などです。

（2）一物一権主義

　物権は、物を直接支配する権利ですから、同一物の上に同一の内容の物権が２つ以上成立することはありません。排他性ともいいます。

3

物権

（3）物権的請求権

　物を盗まれた場合に「私の物を返してくれ」とか、勝手に自分の土地を使われた場合に「私の土地を勝手に使うな」というような権利を、物権的請求権といいます。民法に直接の規定はありませんが、物権が直接排他的支配権であることから、物権の円滑な実現が妨げられることで当然に発生する権利です。

　物権的請求権には次の3種類があります。

①　物権的返還請求権

　物権の目的物の占有が侵奪された場合に、その返還を求める権利です。

　（具体例）物を盗まれた場合、所有者は、自分の所有物だから返せと当然いえますね。「返せ」といえるので返還請求権です。

②　物権的妨害排除請求権

　物権が権限なく妨害されている場合に、その排除を求める権利です。請求権の内容は、妨害状態除去のための積極的行為や原状回復など、妨害の態様に応じて多様です。

　（具体例）隣の家の木が自分の家の庭に倒れてきたとします。そういう場合に隣人に「木を除いてくれ」といえます。

③　物権的妨害予防請求権

　将来、物権妨害の生ずるおそれがある場合に、妨害の防止を請求する権利です。

　（具体例）隣の家の木が自分の家の庭に倒れてきそうな場合に、「倒れないように直してくれ」といえます。現実に侵害が生じる前の予防になります。

レジュメ　物権的請求権

	具体例	要　件	請求の相手方
物権的返還請求権	Ａの車をＢが奪った場合	物権の権利者が占有を侵害されていること	現に目的物を占有している者
物権的妨害排除請求権	Ａの土地にＢが自動車を不法投棄していった場合	物権の行使が妨害されていること	現に妨害状態を生じさせている者
物権的妨害予防請求権	Ｂの土地の塀が隣のＡの土地に今にも崩れ落ちそうになっている場合	物権の行使が妨害されるおそれがあること	将来、物権を侵害するおそれのある者

3

物権

第３編　第２章　確認テスト

問1　占有権とは、事実上の支配権をいう。

問2　本権には、所有権と制限物権がある。

問3　物権を有する場合、当然に発生する権利として、物権的請求権があるが、これは物権的返還請求権、物権的妨害排除請求権、物権的妨害予防請求権がある。

解答

問1　○　占有権とは、事実上の支配権をいいます。

問2　○　本権には、所有権と制限物権があります。

問3　○　物権を有する場合に発生する権利として、物権的返還請求権、物権的妨害排除請求権、物権的妨害予防請求権があります。

1 物権変動の意義

物権の発生・変更・消滅を総称して物権変動といいます。

＜事例で理解＞

Aが自己所有の土地に建物を建設しました。これにより建物の所有権が「発生」します。この建物をBに売りました。これにより建物の所有権が移転します。これが建物の所有権の「変更」です。さらに、Bがこの建物を火事で焼失させました。これが、建物の所有権の「消滅」です。

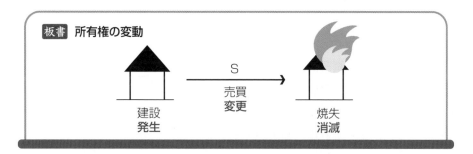

板書 所有権の変動

S
売買
変更

建設
発生

焼失
消滅

2 物権変動の要件

レジュメ　物権変動の要件

意思主義
　　物権変動を生じるためには、意思表示だけで足りるとする考え
形式主義
　　意思表示の他に一定の形式的行為（登記等）を必要とする考え

　次に、物権変動が生ずるためには何が必要となるのかが問題となります。Ａの所有権がＢに移転するためには何が必要なのかということです。

　これには２つの考え方があり、まずは、当事者が意思表示さえすればいいとする考え方です。つまり、Ａの売ります、Ｂの買います、という意思表示の合致だけで物権も変動する、所有権も移転すると考えます。次に、当事者の意思表示にプラスして、外から見てわかる形式も必要であるとする考え方です。たとえば、登記簿に登記する、あるいは物を引き渡すなどの形式までないと物権変動は完全でないとします。前者はフランスの考え方で意思主義、後者はドイツの考え方で形式主義と呼ばれます。

　では、日本民法はどうかというと、176条に「物権の設定及び移転は、当事者の意思表示のみによって、その効力を生ずる」と規定されています。つまり、物権変動を生ずるためには、売ります、買います、という意思表示だけで足りるという**意思主義**を採用しています。

　したがって、ＡとＢという売買契約の当事者間では、意思表示だけで十分です。意思表示の合致だけで、ＡからＢへ所有権が移転します。

3

物権

３　物権変動の時期

　物権の設定および移転は当事者の意思表示のみで効力が生じます。では、その効力がいつの時点で生じるのかという問題です。つまり、所有権はいつ移転するかです。

　判例は、特約のない限り、**意思表示（契約等）と同時に生じる（移転する）**としています（大判大2.10.25、最判昭33.6.20等多数）。つまり、売ります、買いますというように意思表示が合致した時点で、Ａの所有権がＢに移るということです。ここで注意すべきは、引渡しがなされたからとか、代金が支払われたからということで所有権が移転するわけではないということです。もちろん、契約自由の原則がありますから、特約がある場合は別です。

　（具体例）代金全額支払い時に所有権が移転するなどの特約をしている場合には、

特約で定めた時に移転します。現実の社会では、特約をする場合が多いです。

第3編　第3章　確認テスト

問1　日本の民法では、物権変動については、意思表示だけで足りるとする意思主義を採用している。

問2　物権変動がいつ生じるかについては、意思表示の時点で生ずる。

解答

問1　○　日本の民法では、物権変動については、意思表示だけで足りるとする意思主義を採用しています。

問2　○　物権変動がいつ生じるかについては、意思表示の時点で生ずるとされています（大判大2.10.25、最判昭33.6.20等）。

1　不動産物権変動の意義

（1）　不動産物権変動の対抗要件（177条）

民法で最も重要なテーマの１つです。判例も多く、試験にもよく出るところです。

まず、出発点として条文を見ましょう。

> ▼第177条〔不動産に関する物権の変動の要件〕
>
> 　不動産に関する物権の得喪及び変更は、不動産登記法その他の登記に関する法律の定めるところに従いその登記をしなければ、第三者に対抗することができない。

土地・建物など不動産に関する物権の得喪変更、つまり物権変動は、**登記をしなければ第三者に対抗できない**、という条文です。条文にある「不動産登記法」は、登記のやり方など登記のルールについて定めた法律です。登記はその法律にしたがって行うことになりますが、大切なのは、登記所に行って登記をしないと第三者には対抗、主張できないとする部分です。

なお、登記について少しだけ知っておきましょう。法務局という役所に土地・建物の帳簿（不動産登記簿といいますが、イメージとしては、住民票や戸籍の不動産版だと思ってください。）が置いてあります。登記簿には、「甲土地の所有者はＡ」という内容が分かる記載がされています。その土地をＢが買った場合には、法務局に行って、「所有者Ｂ」と書き直します。このようなことを登記を経る・経由する・備えるなどといいます。

3

物権

<＜事例で理解＞

Aがその所有の土地をBに売り渡した場合を考えてみましょう。

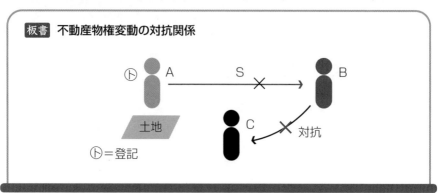

板書 不動産物権変動の対抗関係

176条によりAB間で物権変動が生じ、Bが新所有者になります。この
ことはAとBとの当事者間では妥当します。当然、買主Bは売主Aに対し
ては、自分がその土地の新所有者だと主張できます。物権変動は意思表示
のみで効力を生じるのですから、AB間では意思表示だけで十分です。

しかし、問題となるのは、Bから見て当事者Aではない他人Cに対して
です。第三者Cに対してはどうなのか。Bがその土地の新所有者であるこ
とを第三者Cにも対抗するためには、登記をしなければならないと規定し
ているのが、177条なのです。したがって、まだ登記名義がAのまま、つ
まり登記簿の所有者欄にAと書いてあれば、Bは登記をしていないので、
自分がその土地の新所有者だということを第三者Cには主張できません。
177条の条文に当てはめてみましょう。Bがその土地の新所有者になった
ことは、登記をしなければ第三者Cに対抗できない、ということになりま
すね。

すなわち、不動産物権変動を第三者に対抗するための要件として登記が
必要なのです。

（2） 二重譲渡

登記がない場合には、A以外の第三者に、土地の所有権がBにあること

を主張できないとすると、Bにとっては、最悪、次の事態が生じてしまうと考えられます。

＜事例で理解＞

Aがその所有する土地をBに売り渡した場合を考えてみましょう。

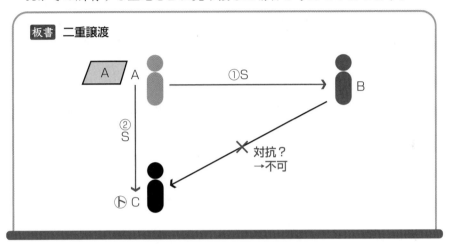

板書　二重譲渡

これが第一譲渡です（①）。ところが、Aはまだ登記がA名義であることを利用して、同一土地をCにも売り渡します。これが第二譲渡です（②）。同じ土地を二重に売っているわけです。このような場合を二重譲渡といいます。そして、Cが先に登記をしました。つまり、Cが先に法務局へ行ってその土地の所有者の名義をAからCと書き換えたわけです。するとどうなるのか。Bは登記がありませんから、第三者Cには、この土地の所有権がBにあることを主張（対抗）できません。Bは負けます。結果、時間的には後に譲り受けても、**先に登記をしたCの勝ち**です。土地はCのものになります。

このように、第三者Cが、Aから当該土地を譲り受け、Bより先にCが登記をすると、当該土地は、後から譲り受けたCのものとなってしまうのです。このように二重譲渡の場合には、譲受人の優劣を登記で決めます。先に登記した者が勝ちます。もちろんAはBに土地を売るという約束を破っていますので、それによってBが損害を被っていれば、BはAに対して

損害賠償の請求はできます。

2　177条の「第三者」

（1）　177条の「第三者」の意味

　177条の条文にいう「第三者」とは誰か、第三者の範囲に関するテーマです。

　ある法律関係について直接関与する者が当事者ですから、それ以外の者は本来すべて第三者です。それでは、すべての第三者に対して登記を備えないと物権変動を対抗できないのでしょうか。

　判例（大連判明41.12.15）は、「177条の登記を備えないと物権変動を対抗しえない第三者とは、当事者もしくはその包括承継人以外の者で、不動産に関する物権の得喪・変更の登記の欠缺（不存在の意味）を主張するにつき正当な利益を有する者をいう」として、すべての第三者を177条の第三者だとは考えていません。すべての他人ではなくて、一定の絞り込みをかけています。絞り込みをする結果、登記を備えなくても物権変動を対抗できる第三者もいることになります。

レジュメ　177条の「第三者」

①当事者、その包括承継人以外の者で、

　かつ

②登記の欠缺を主張する正当な利益を有する者

　判例は、この2段階で絞り込みをします。

　①については、先ほどのBから見ると、**当事者**というのは売主Aですので、まずA以外の者だということです。次に、その**包括承継人**です。典型例として、Aが死亡した場合にAを相続したDという相続人がわかりやすいです。相続人は被相続人の地位を包括的に承継しますので、**第三者とは**いえず、むしろ当事者です。当事者と同視されます。このD以外の者だと

いうことです。

　②については、判例のキーワードが出てきます。不動産に関する物権の得喪・変更の**登記の欠缺を主張する正当な利益を有する者**、つまり、権利を争っている相手方に「あなた、登記がないですよね。」ということを主張することで相手の権利が否定されれば、自分に権利の芽が出てくるような人が、正当な利益がある者ということになります。典型例は、二重譲渡の場合の第二譲受人です。先ほどのＣですね。同一土地の所有権をめぐって争っていますので、Ｃは、Ｂに「あなた、登記がないですよね。」ということを主張することで、Ｂの権利が否定されれば、Ｃが権利を取得できる可能性が出てきます。したがって、Ｃは第三者に該当することになりますので、ＢがＣに自己の権利を主張するには、登記が必要となります。裏返せば、正当な利益がない者に対しては、Ｂは、登記がなくても自分の権利を主張（対抗）できることになります。正当な利益のない者は、177条の第三者には当たらないからです。

（２）　登記をしなくても対抗できる第三者

　では、登記をしなくても物権変動を対抗できる第三者とはどのような者かといえば、相手方に登記がないことを主張して相手の権利が否定されても、自分が権利を取得できる可能性のない人です。

3

物権

> ### レジュメ　177条の「第三者」
>
> #### 「第三者」に該当しない者
>
> ①背信的悪意者
> ②詐欺又は強迫によって登記申請を妨げた者（不登法5条1項）
> ③実質的無権利者とその譲受人（最判昭34.2.12）
> ④不法行為者・不法占拠者（最判昭25.12.19）
> ⑤差押えを行っていない一般債権者
> ⑥順次譲渡の前主（最判昭39.2.13）
>
> #### (参考)「第三者」に該当する者
>
> ①二重譲渡の譲受人
> ②差押債権者（最判昭39.3.6）
> ③共有者の一人が自己の持分を譲渡した場合における他の共有者（最判昭46.6.18）
> ④対抗要件を具備した賃借人（最判昭49.3.19）

①　背信的悪意者

　判例は、第三者の善意・悪意は問わないとしています（大判明38.10.20）が、登記の欠缺を主張することが信義に反すると認められるような背信的悪意者は、177条の第三者には当たらないとしています（最判昭43.8.2）。

＜事例で理解＞

　二重譲渡の場合の第二譲受人Ｃで考えます。このＣが単に第一譲渡があったことを知っていただけの単純な悪意者の場合には第三者に当たり、勝ちます。しかし、背信的な悪意者である場合には第三者に当たらず、負けるということです。背信的悪意者には正当な利益がないからです。

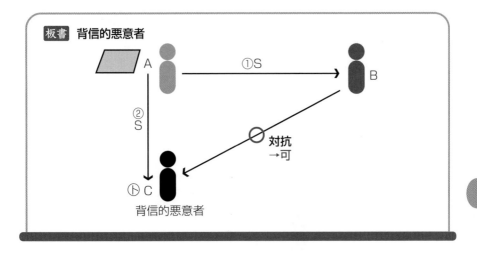

　二重譲渡の場合、Cが単に悪意なら保護されます。不動産取引において、登記が対抗要件というのは取引常識です。そうだとすれば、先にBが買っていたとしても、まだ登記していない以上、Cがより有利な条件を提示してAから第二譲渡を受けるというのは、自由競争の範囲内と考えられます。ここまでは、典型的な二重譲渡の事例です。

　ところが、次のような事件が起きました。まず、BがAから土地を買いました。ここに、Cという人物がいます。Cは何らかの理由でBを憎んでいます。何かチャンスがあったら復讐したいと思っています。そのCが、BがAから買った土地について、登記がまだA名義だということを発見します。そこでCは、執拗に迫ってAから、その土地を買いました。そして、C名義に登記します。これで二重譲渡の形になりましたね。その後、Cは、Bに対して、「177条から土地は自分のものだ。よって土地を明け渡せ。それが嫌だったら、高額で買い取れ」という請求をしました。どうでしょうか。結局、Cは、嫌がらせをしているだけですね。正当な取引関係に立とうとは思っていませんし、誠実な態度とはいえません。

　この事件を解決するために、条文がないので、判例は、１条２項の信義則を使いました。本件のCは、取引における信義に背くような背信的悪意者です。さすがに背信的悪意者までは177条の第三者に含まれないとしま

した。したがって、Bは、登記がなくても当該土地の所有権をCに対抗
できます。Bが勝ちます。

さらに、以上の応用として、背信的悪意者からの転得者の問題がありま
す。

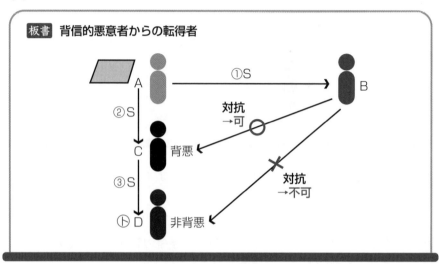

板書 背信的悪意者からの転得者

判例は、次のように判示しています。転得者であるDとの関係では、背
信的悪意者であるCにも、Aから所有権が移転しているという考えを前提
としたものです。

判 例 **背信的悪意者からの転得者（最判平8.10.29）**

● **判 旨**

　A所有の甲土地をAがBに譲渡しましたが、B名義の所有権移転
の登記が行われていません。この状況で、当該甲土地をAがCに譲
渡し、C名義の所有権移転登記が行われても、Cが背信的悪意者の場
合には、Bは登記がなくても、Cに対して、自分が所有権者であるこ
とを対抗できます。しかし、当該甲土地をCがDに譲渡しD名義の
所有権移転登記が行われた場合、Dが背信的悪意者でない限り、B
は登記がなければ、Dに対して自分が所有権者であることを対抗で
きません。

　途中までは前記と同様ですが、本件ではさらに譲渡が行われて、ＣからＤへ譲渡されます。Ｄが登場します。この場合に、Ｄが背信的悪意者でない場合には、ＢはＤには対抗できないとして、Ｄが勝つとします。すると、理論的に考えた場合、土地の所有権は、背信的悪意者Ｃにも移転していたことになります。だから、ＣはＤに土地を売れたということです。無から有は生じない、つまり無い物は売れないからです。

② **詐欺または強迫によって登記申請を妨げた者**

　これについては、背信的悪意者の明文上の具体例と考えてください。

　（具体例）Ｃは、ＡからＢへの登記移転、つまりＢの登記申請を騙したり、おどかしたりして妨げていた。それにもかかわらずＡから第二譲渡を受けたというケースです。ひどいですね。取引の信義に背きますので、これは不動産登記法という法律が、別途、具体例として規定しています。Ｃには正当な利益がありません。

③ **実質的無権利者とその譲受人**

＜事例で理解＞

　Ａ所有の土地につき、登記書類を偽造して登記簿上は名義人になったＣや、そのＣから譲り受けたＤに対しては、Ａからの譲受人Ｂは登記がなくても所有権の取得を対抗できます。

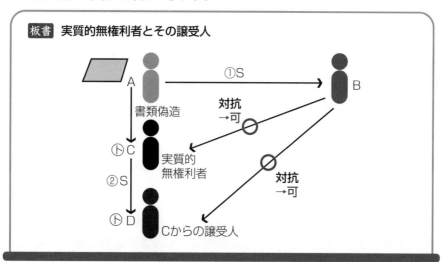

板書　**実質的無権利者とその譲受人**

悪人Cが登場します。Cが登記書類を偽造して自分名義に書き換え、Dに土地を売ったというケースです。つまりCは、偽造して勝手に書き換えただけで、本当は何ら権利がない実質的には無権利者です。さらにDは、そのCから買っただけです。無から有は生じませんので、Dも実質的には無権利者です。そして、Aから土地を譲り受けたBは、登記のしようがないですね。偽造されていますので。したがって、Bには登記がありませんが、CあるいはDに対して、自分の所有権を対抗できます。実質的無権利者Cや、Cからの譲受人Dは、Bに対して、いくら「あなたには登記ないですよね。」とBの所有権を否定してみたところで、CやDが所有権を取得できる可能性はないので、CやDは、登記の欠缺を主張する正当な利益がなく、177条の第三者には該当しないからです。

④　不法行為者・不法占拠者

＜事例で理解＞

　建物を譲り受けた者が未登記であっても、この建物を不法に壊した者C、または、この建物を不法占拠している者Dに対しては、この建物の所有権を対抗できます。

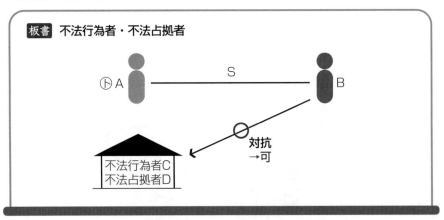

　土地でもよいのですが、建物の方がわかりやすいので、建物で見てみます。Aが建物を所有しています。AからBが建物を買いました。しかし、登記名義はまだAのままです。この段階で、Cがこの建物を壊した場合、

あるいはＤが勝手に住みついた場合です。つまり、壊したという不法行為者Ｃとか、勝手に住みついたという不法占拠者Ｄに対して、登記が必要かということです。常識的に考えても、ＣやＤには正当な利益はありませんね。そこでＢは、不法行為者や不法占拠者に対しては、登記なしに所有権を対抗できます。勝てます。結果はどうなるかというと、Ｃに対しては、自分の建物を壊されているので、損害賠償請求ができます。Ｄに対しては、自分の建物を不法占拠されているので、明渡し請求ができます。以上の最終結果である損害賠償請求、明渡し請求を導く前提として、Ｂは、自分の建物だと主張する必要があるので、所有権の対抗が問題になるということです。

⑤　差押えを行っていない一般債権者

＜事例で理解＞

Ａから土地を譲り受けたＢは、差押えを行っていないＡの債権者Ｃに対しては、未登記でもこの土地の所有権を対抗できます。差押えとは、簡単にいうと、債務者がお金を払わない場合に、債務者から強制的にお金を取り立てる手続の１つで、差し押さえられた財産は、債務者が勝手に処分することはできなくなります。

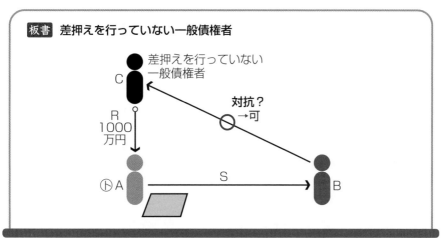

板書 差押えを行っていない一般債権者

このような差押えをまだ行っていない債権者とは、ただ、お金を貸して

いる人だと考えてください。お金を貸しているだけで、まだ土地を差し押さえるといったことをしていないCを、普通の債権者というニュアンスで一般債権者といいます。

　Aが所有土地をBに売りましたが、登記はAのままです。それとは全く別の話で、CがAに1000万円貸しているとします。この場合、Bはまだ登記していませんが、この土地について、Bの権利が否定されたら、Cの権利が肯定されるというような関係（対抗関係）にあるとはいえません。したがって、Bは、差押えを行っていない一般債権者Cに対しては、登記なしにこの土地の所有権を対抗できます。勝てます。差押えを行っていない一般債権者には、まだ正当な利益がないと考えるからです。

　以上が、登記の欠缺を主張する正当な利益がない方のグループでした。

⑥　順次譲渡の前主
　＜事例で理解＞
　土地がA→B→Cと順次譲渡され、まだ登記がAにある場合、Cは登記なしに、Aに対してこの土地の所有権を対抗できます。

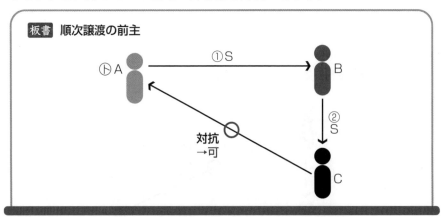

　最後は、順次譲渡の前主の場合です。土地がAからBへ、BからCへと順次転々譲渡されましたが、まだ登記がAにあるという場合です。この場合には、Cは登記なしに、売主の前の人であるAに対しても、この土地の所有権を対抗できます。この場合は、Aを基点とするA→B、A→Cとい

う形の二重譲渡ではありません。Ａ→Ｂ→Ｃという一直線です。すると、ＡがＣに対して「あなた登記ないですよね。」とＣの権利を否定したところで、Ａに権利の芽が出てくるわけではないので、Ａには登記の欠缺を主張する正当な利益はありません。したがって、177条の第三者には該当せず、Ｃは登記がなくても所有権をＡに対抗できます。

3　契約に基づかない物権変動と177条

176条は、物権変動は当事者の契約のみによって生ずると規定していますが、取消しや取得時効など、契約以外の事情によっても物権変動は生じます。このような、本来の177条が予定していない場面、「取消しと登記」、「取得時効と登記」といわれる２つの論点を見ていきます。

（１）　取消しと登記

取消しと登記といわれる論点です。第三者の登場の時期によって、**取消し前の第三者**と**取消し後の第三者**という２つの場面に分かれます。

①　取消し前の第三者

＜事例で理解＞

Ｃが、Ａ・Ｂ間の売買を取り消す前に土地を取得した場合です。これを、学問上、取消し前の第三者といいます。なお、取消し原因は、Ａの制限行為能力、Ａの錯誤、Ｂの詐欺、Ｂの強迫のいずれかです。

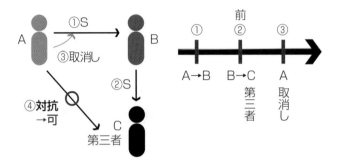

板書 取消し前の第三者

原則
  遡及的に無効となる（121条）。土地はAのもの
例外
  取消し原因が「錯誤・詐欺」で、第三者が「善意・無過失」のときは、
  取消しを第三者に対抗できない（95条4項・96条3項）。土地は
  Cのもの

　Aが所有土地をBに売りました。Bはその土地をCに転売しました。ここで第三者Cが登場します。その後、AがBに対する売買契約を取り消しました。第三者Cの登場時期がAによる取消しより前です。この場合どうなるのか。特に難しい問題はありません。取消しには遡及効があります。Aが取り消すと、AB間の売買の時にさかのぼってAB間の売買の効力がなくなります。すると、無から有は生じない、つまりA→BがないのならB→Cもないことになり、Cは保護されません。この場合には、土地は取り消したAのものになります。以上が原則です。

　ただし、2つの例外があります。95条4項・96条3項で、錯誤や詐欺による取消しは善意・無過失の第三者には対抗できない、とする条文です。したがって、取消しの原因が錯誤や詐欺で、かつCが善意・無過失の場合には、95条4項・96条3項によって、Cが保護されます。Aは取消しをCには対抗できないから、土地はCのものとなります。

② 取消し後の第三者

＜事例で理解＞

　Cが、A・B間の売買を取り消した後に土地を取得した場合です。これを、学問上、取消し後の第三者といいます。なお、取消し原因は、Aの制限行為能力、Aの錯誤、Bの詐欺、Bの強迫のいずれかです。

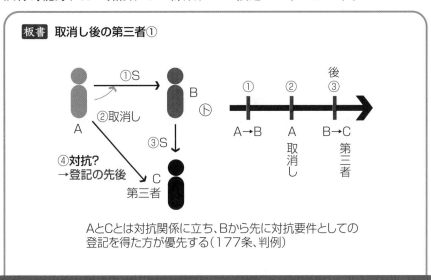

板書 **取消し後の第三者①**

AとCとは対抗関係に立ち、Bから先に対抗要件としての
登記を得た方が優先する（177条、判例）

3

物権

　Aは、所有土地をBに売った後、売買契約を取り消しました。ところが、まだ土地の登記がB名義のままでした。これに乗じて、悪人Bが土地をCに転売してしまったという、第三者Cが取消しの後に登場する場合です。この場合には、判例は、上記法律関係を二重譲渡と理論構成し直します。二重譲渡の形に持っていきます。結果、177条、つまり登記で決します。

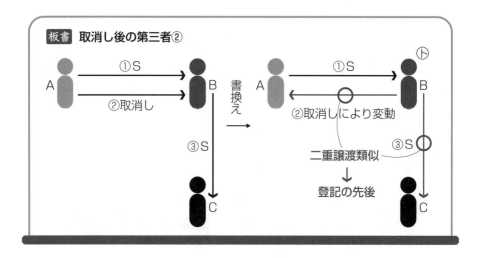

板書 取消し後の第三者②

書換え

①S
②取消し
③S

二重譲渡類似
↓
登記の先後

　最初の図を書きかえました。すると、まず、①AがBに売りました。ポイントはこの後です。次に、②Aは取り消しました。この取消しによって、いったんAからBに行った所有権が、BからAに戻ってくるというように考えます。このように所有権が戻ることを、一種の物権変動だと判例は考えます。この理論を**復帰的物権変動論**といいます。簡単にいえば、巻き戻しの理論です。所有権が復帰するから復帰的物権変動とか、巻き戻ってくるので巻き戻しの理論と呼びます。→で表した2番目のものです。後はそのまま当てはめるだけです。その後、③BはCに売りました。

　するとどうなるでしょう。①の売買を消して、②と③をそのまま繰り上げます。結果、Bを基点としたB→A、B→Cという二重譲渡の形になりますね。このように判例は考えるのです。したがって、AとCは対抗関係に立ちますので、登記の先後で勝ち負けを決めます。先に登記した方が勝ちです。

　以上、取消し後の第三者については、復帰的物権変動論、巻き戻しの理論を使って二重譲渡と理論構成することによって、177条の問題にします。このように、本来の対抗問題でない場面でも、判例は、対抗問題にしています。

　大切なところなので、少しコメントをつけます。参考程度です。

　有力学説は、判例を批判して、この取消し後の第三者の問題を94条２項の類推適用で処理します。すると結果、第三者Ｃの善意・悪意で勝ち負けが決まります。しかし、裁判というのは実務ですね。善意とか悪意では場合によっては水かけ論になってしまいます。判例のように登記で勝ち負けを決めるとすれば、登記所に行けばはっきりします。ＡとＣのどちらに登記があるのか、という客観的な解決になります。したがって、判例の理論は、実務ということを考えれば、説得的であり妥当だと思います。

レジュメ　取消しと第三者		
第三者の登場＼取消原因	取消し前の第三者	取消し後の第三者
制限行為能力取消し	第三者は一切保護されない	177条の対抗問題として処理する
強迫取消し	第三者は一切保護されない	
錯誤取消し	善意無過失の第三者は95条4項により保護される	
詐欺取消し	善意無過失の第三者は96条3項により保護される	

3

物権

（２）　取得時効と登記

　時効と登記ともいわれる論点です。第三者の登場の時期によって、**時効完成前の第三者**と**時効完成後の第三者**という２つの場面に分かれます。

① 時効完成前の第三者

＜事例で理解＞

　Ｃが、取得時効完成の前に土地を取得した場合です。

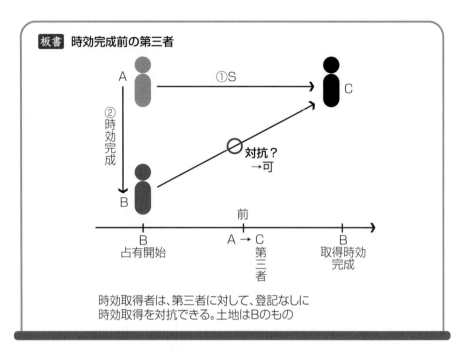

　Ａが土地の所有者ですが、不在でした。Ｂが占有して、20年たつと取得時効が完成しますね。Ｂが土地の所有権を時効取得します。

　問題は、まず、その時効完成の前に原権利者Ａが、この土地をＣに売却していたという場合です。第三者Ｃが時効完成前に登場する場合です。Ｃ登場の後に時効が完成する場合です。この場合はどうなるのか。

　本件における所有権の動きを見てみましょう。まず、最初のＢの占有開始時点ではＡの所有物です。次に、ＡがＣに売ったことで、Ｃの所有物になります。さらに、時効完成によってＢの所有物になります。Ａ→Ｃ→Ｂという流れです。つまり、時効完成によって、今までＣのものだった土地が、譲渡したわけではありませんが、Ｂのものになりました。すると、このＣとＢの関係は、形の上では通常の売買、つまり普通にＣがＢに売ったのと変わりませんね。そこで、判例は、このＣとＢの関係を当事者と同視できると考えます。Ｃを通常の売買の売主と同視します。当事者に対して登記は不要でした。このように時効完成前に登場したＣは当事者と同視で

きるという理由から、Ｂは登記なしにＣに所有権を対抗できる。Ｂが勝ち
ます。

　そして、この判例の結論は、価値判断的にも妥当です。時効完成前の第
三者の場合には、結果的にＢが勝ちます。それは、Ｃは負けてもしかたな
いからです。すなわち、Ｃは時効完成前に登場している以上、本来、Ｂに
対して土地の明渡し請求ができたはずです。にもかかわらず、それをせず
に漫然とＢの時効を完成させてしまったのだから、負けてもしようがない
という価値判断です。

② 　時効完成後の第三者

　＜事例で理解＞

　Ｃが、取得時効完成の後に土地を取得した場合です。

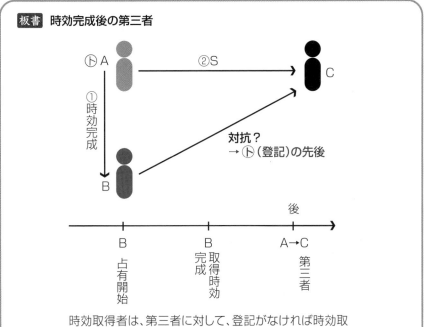

| 板書 | 時効完成後の第三者 |

時効取得者は、第三者に対して、登記がなければ時効取
得を対抗できない。ＢとＣは対抗関係に立ち、Ａから先に
対抗要件としての登記名義を得た方が優先する（177
条、判例）

時効完成の後、原権利者AがCにこの土地を売ったという、第三者Cの登場が時効完成後の場合です。この場合どうなるのか。判例は、二重譲渡と理論構成し直します。結果、177条、つまり登記で決します。

Aの土地について、Bの時効が完成しました。時効によって、Bが土地の所有権を取得しました。譲渡したわけではありませんが、判例はこれを、第一譲渡とみなします。時効完成によって、Aの土地がBの土地になるので、これを第一譲渡と考えます。後はそのままです。Aはその後、Cに売りました。これが第二譲渡になります。つまり、Aを基点としたA→B、A→Cという二重譲渡と理論構成できるとします。よって、BとCの優劣は登記で決する、先に登記した方が勝ちです。

価値判断的にも妥当です。Cは時効完成後に登場しています。だとすると、Bは時効完成の時点で登記所に行って登記できたわけです。それをしない場合に、先に登記をしたCに負けてもしかたがないと考えられます。

以下に、まとめ表と判例をあげておきます。

レジュメ　**取得時効と登記**

時効完成前の第三者	時効完成後の第三者
第三者は一切保護されない	177条の対抗問題として処理する

判　例　**最判昭 41.11.22**

● **判　旨**

不動産の取得時効が完成しても、その登記がなければ、その後に登記を経由した第三者に対しては時効による権利取得を対抗できないが、第三者のなした登記の後に時効が完成した場合は、その第三者に対しては、登記なくして時効取得を対抗できる。

（3）　その他

　取消しと登記、時効と登記という２つの論点で、第三者の登場時期が、取消し「後」の場合と時効完成「後」の場合には、判例は、二重譲渡と構成して、177条の登記で決着をつけます。まったく同じですね。

　判例は、ほかにも、契約解除と登記という論点における契約解除「後」の第三者の問題でも、まったく同じです。二重譲渡と構成して、177条の登記で決着をつけます。まだ契約解除は学習していませんが、一応知っておいてください。試験問題の解法のテクニックとして役立ちますので。

3

物権

> **板書** **～後の第三者**
>
> 　登記で決する（判例）
> 　＊～には、取消し・時効完成・契約解除が入る。

> **レジュメ** **契約に基づかない物権変動の場合の第三者の保護**
>
> | | ○○前の第三者 | ○○後の第三者 |
> |---|---|---|
> | 取消し | 原則：保護されません
例外：**錯誤・詐欺**の場合、**善意・無過失**の第三者は保護されます（95条４項・96条３項） | 対抗関係（177条） |
> | 解除 | 保護されます（登記が必要） | |
> | 時効完成 | 保護されません | |
> | 相続放棄 | 保護されません（939条）
→相続人が常に保護されます | 保護されません（939条）
→相続人が常に保護 |

問1　不動産に関する物権の得喪変更は、登記をしなければ第三者に対抗できない。

問2　Aが自己所有の甲土地をBとCに二重に譲渡した場合、甲土地の所有権は、先に契約した方が取得する。

問3　177条にいう「第三者」とは、当事者もしくはその包括承継人以外の者で、不動産に関する物権の得喪・変更の登記の欠缺を主張するにつき正当な利益を有する者をいう。

問4　Aが自己所有の甲土地をBに譲渡したがいまだ所有権移転登記がなされていない。その後、CがBに嫌がらせ目的で甲土地をAから二重に買い受け所有権移転登記を備えた場合、Bは登記なくして自己の所有権をCに対して対抗することができる。

問5　Aが自己所有の甲土地をBに譲渡したが、甲土地をCが不法に占拠している場合であっても、BがCに対して甲土地の明け渡しを請求するには、甲土地の所有権移転登記が必要である。

問6　土地がAからB、BからCと譲渡され、登記はいまだAにある場合、Cは登記なくして、Aに対して土地の所有権を対抗することができる。

問7　Aが自己所有の甲土地をBに譲渡し、BはCに転売した。その後AはAB間の売買契約をBによる強迫を理由に取り消した場合、AはCに対して、登記なくしてAの所有権を対抗することができる。

問8　Ａが自己所有の甲土地をＢに譲渡し所有権移転登記も経たが、Ｂからの詐欺を理由に、ＡはＢとの売買契約を取り消した。その後、Ｂは甲土地の所有権登記が自己に残っていることを利用して、甲土地をＣに転売し、所有権移転登記を経た。この場合、ＡはＣに対して、登記なくしてＡの所有権を対抗することができる。

解答

問1　○　不動産に関する物権の得喪変更は、登記をしなければ第三者に対抗できません（177条）。

問2　×　Ａが自己所有の甲土地をＢとＣに二重に譲渡した場合、甲土地の所有権は、先に所有権移転登記を備えた方が取得します（177条）。

問3　○　177条にいう「第三者」とは、「当事者もしくはその包括承継人以外の者で、不動産に関する物権の得喪・変更の登記の欠缺（不存在の意味）を主張するにつき正当な利益を有する者をいいます（大連判明41.12.15）。

問4　○　このようなＣは背信的悪意者といえ、ＢはＣに対して登記がなくても、自己の所有権を対抗することができます（最判昭43.8.2）。

問5　×　Ａが自己所有の甲土地をＢに譲渡したが、甲土地をＣが不法に占拠している場合には、Ｂは甲土地の所有権移転登記がなくても、Ｃに対して甲土地の明け渡しを請求できます（最判昭25.12.19）。

問6　○　ＡとＣは順次譲渡の前主後主の関係にあります。この場合、二重譲渡の関係ではなく、ＡはＣに対する売主Ｂと同視でき、当事者的地位にあるといえます。したがって、第三者に該当せず、Ｃは登記なくしてＡに所有権を対抗することができます。

問7　○　強迫による取消しをする前に登場した第三者Ｃに対しては、Ａは登記がなくても取消しを対抗することができます。

問8　×　詐欺による取消し後に登場した第三者ＣとＡは二重譲渡類似の関係となり、Ａは登記なくしてＣに甲土地の所有権を対抗することはできません（177条、大判昭17.9.30）。

第3編
第5章　動産物権変動

1　動産物権変動の対抗要件

> ▼第178条〔動産に関する物権の譲渡の対抗要件〕
> 　動産に関する物権の譲渡は、その動産の引渡しがなければ、第三者に対抗することができない。

　次は、動産の物権変動です。不動産以外の動産です。普通に考えると、不動産に比べると経済的価値は劣ります。また、何といっても数が無限です。そこで、178条は、登記に変えて**引渡し**を対抗要件としました。

　＜事例で理解＞

　Aが所有している時計を、Bに譲渡しました。第一譲渡です（①）。同じ時計をCにも譲渡しました。第二譲渡です（②）。その時計をCに現実に引き渡しました。結果、Bは、第三者Cには時計所有権を対抗できません。Bが負けてCが勝ちます。その動産はCのものになります。

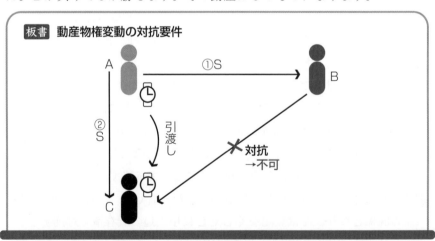

第三者の範囲についても、正当な利害関係を要求しています。

（具体例）動産の寄託を受け、一時これを保管しているにすぎない者は、当該動産の譲渡につき正当の利害関係がなく、178条の第三者に当たりません。

2　引渡しの類型

動産物権変動の対抗要件は178条で「引渡し」とされ４種類あります。

現実の引渡しは簡単でわかりやすいです。動産を手渡しする場合と考えてください。前述の例では見た目にもＡからＣに動産が動きます。

これに加えて、民法は現実の引渡し以外の**観念的引渡し**というものを３つ認めています。つまり、意思表示だけで行う引渡し、傍らから見ると動産が全く動いていないのに、引渡しを認めています。**簡易の引渡し、占有改定、指図**による**占有移転**です。これについては占有権で説明します。

3

物権

第3編　第5章　確認テスト

問1　動産物権変動の対抗要件は引渡しである。

問2　現実の引渡し以外の引渡しを観念的引渡しといい、簡易の引渡し、占有改定の２種類が民法上規定されている。

解答

問1　○　動産物権変動については登記制度がないので、引渡しが対抗要件とされます（176条）。

問2　×　現実の引渡し（182条１項）以外を観念的引渡しといいますが、民法上規定されているのは、簡易の引渡し（182条２項）、占有改定（183条）に加えて、指図による占有移転（184条）という引渡し方法もあります。

　物権が消滅する場合としては、所有物が焼失してしまった場合のような目的物の滅失、所有物を捨てた場合のような放棄などがありますが、民法は、混同についてしか規定していません。混ざって同じになるという文字通りの混同です。

　すなわち、所有権と制限物権が同一人に帰した場合は、制限物権は消滅するのが原則です。

（具体例）AがBの土地を使う権利（地上権）を持っている場合に、AがBからその土地を買って、所有権を取得しました。この場合、Aが自分の土地について、自分に使わせる権利を別に設定することは無意味です。所有権自体に、その所有物を使う権利は含まれているからです。そこで、このような場合には、地上権を消滅させることになります。大は小を兼ねるという発想です。

　以上で物権の総論は終わりです。この後は、物権の各論、つまり個別の10種類について見ていきます。

第3編　第6章　確認テスト

問1　A所有の甲土地にBが地上権を設定して使用していたが、Aが死亡し、BがAを相続した場合には、原則として、Bの地上権は、混同によって消滅する。

解答

問1　○　所有権以外の物権及びこれを目的とする他の権利が同一人に帰属したときは、当該他の権利は、消滅します（179条1項本文）。

第3編
第7章　占有権

1　占有権の意義

　占有権は、人が現実に物を支配している場合に、この支配状態そのものを権利として保護する制度です。

　あくまでも**事実上の支配権**です。そのため、たとえば、所有者でなくても、物を現実に所持している人がいれば、その人に占有権が成立します。

3

物権

2　占有権の取得

（1）　占有権の成立

　占有権は、**自己のためにする意思**をもって、物を**所持**することにより成立する権利です（180条）。

> **レジュメ　占有権の成立**
>
> 　自己のためにする意思　＋　所持　＝　占有権

①　自己のためにする意思

　主観的には、自己のためにする意思が必要です。物の所持による事実上の利益を自分が受けようとする意思のことです。

　たとえば、本であれば読んで知識を得よう、時計であれば時間を知ろう、家であれば住もう、家具であれば洋服を入れようなど様々です。

②　所持

　客観的には、所持が必要です。物が人の事実的支配関係にあると認められる客観的関係をいいます。

　たとえば、今、現実に手に持っている状態です。ただし、必ず「手で」

持っていなければならないわけではありません。今、使用している本書を机の上に置いてください。この状態でも、もちろんみなさんの事実的支配内にあります。さらに、距離が離れても、たとえば、留守宅に置いてあってもみなさんの事実的支配が及んでいると考えます。このように、事実的支配関係にあるか否かは、社会通念（一般常識の意味）で考えます。

③　占有権

①自己のためにする意思と、②所持によって成立する権利です。事実上の支配権です。

所有権があるかないかはケースバイケースになります。自分の所有物を占有している場合のように、所有者で、かつ占有者という場合が一般的には多いですが、借りている場合や預かっている場合など、所有権がなくても占有権は認められますし、さらには、泥棒のように、人から盗んできた場合でも、自己のためにする意思と所持があれば成立します。あくまでも、事実上の支配にすぎないものを物権として認めたという意味で、所有権などの本権とは区別されます。

（2）　占有権の取得方法

この占有権はどのように取得され譲渡されるのか。その前提として、まず、**代理占有**について確認します。

　＜事例で理解＞

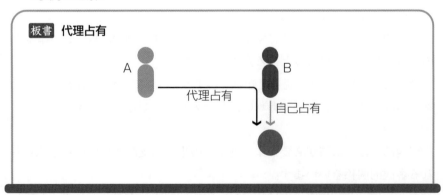

　AがBに自分の物を貸しているとします。すると、借りたBが当該物を事実上支配することになります。

　このように直接自ら所持する占有を、**自己占有**といいます。

　次に民法は、占有権は代理人によって取得することができると規定しています（181条）。つまり、貸したAも、Bを通して占有している、占有権があると考えます。このような場合に、Bのことを占有代理人といいますが、占有代理人の所持によって本人が占有している関係を、**代理占有**といいます。

　したがって、借主Bと貸主Aの両方に占有権が認められることになりますので、自分の所有物を他人に貸して引き渡しても、貸主Aはその物の占有権を失いません。

　これを踏まえた上で、取得方法・譲渡方法を4つ見ていきます。換言すれば**引渡し**です。現実の引渡しと、観念的引渡し、つまり、意思表示のみによる引渡しがあります。観念的引渡しは、外形的には占有状態に変化がなく、外から見たら何ら変わらないので「観念的」という言い方をします。

① 現実の引渡し

＜事例で理解＞

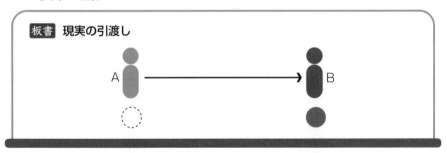

板書　現実の引渡し

　手渡しです。AからBに物を売って、その物を手渡しします。そうすると、Aの占有権がBへ譲渡され、Bは占有権を取得します。文字通り、現実に引き渡すということです。外から見て、AからBへというように占有状態に変化があります。

② 簡易の引渡し

＜事例で理解＞

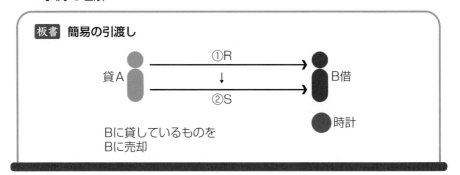

板書 簡易の引渡し

貸A ①R → B借

↓

②S →

時計

Bに貸しているものを
Bに売却

　貸している物を売るという場合がこれにあたります。AがBに時計を貸しています。この場合、AはBを通しての代理占有をしている状態、占有権を持っている状態です。この状態で時計をBに売るとします。その結果、現実には物の移転は生じませんが、Aの占有は失われ、Bのみが占有することになります。したがって、Bから見ると占有権を取得した、Aから見ると占有権を譲渡した、つまり引渡しが行われたということになります。

　このように当事者の意思表示のみで行われる観念的引渡しの1つ目が、簡易の引渡しです。

③ 占有改定

＜事例で理解＞

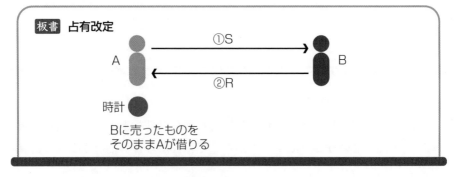

板書 占有改定

A ①S → B

← ②R

時計

Bに売ったものを
そのままAが借りる

　占有改定は、形式としては簡易の引渡しの裏返しです。

　AがBに時計を売り、その後も、時計をそのまま借り続けるという場合です。Aが物を占有しています。占有改定によって、BがAを通しての占有権を取得することになります。

　これを占有改定といいます。占有改定は、他の制度や論点でもまた出てきますので、よく理解しておきましょう。

　なお、占有改定については、183条の内容が、占有改定が行われた後の登場人物の名称で書いてあるのでわかりづらい条文になっていますので、見ておきます。「代理人（これは、占有代理人を指します。上記の例でいうと、譲渡人Aです。総則で学習した、代理権を付与された代理人とは異なります）が、自己の占有物を以後本人（上記の例でいうと譲受人B）のために占有する意思を表示したときは、本人は、これによって占有権を取得する」というようになっています。

④　指図による占有移転

＜事例で理解＞

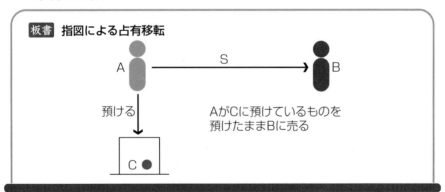

板書　指図による占有移転

A —— S ——> B

預ける

AがCに預けているものを
預けたままBに売る

C

　観念的引渡しの3つ目が指図による占有移転です。

　メーカーAが倉庫業者Cに商品を預けています。AはCを通して代理占有をしている状態、占有権を持っている状態です。これを、Cに預けたままBに売る場合に行われます。結果、BがCを通した代理占有を取得します。

　このように、代理人Cが占有している場合で、本人Aがその代理人Cに

3

物権

対し、以後、第三者Bのために占有するように命じ、第三者Bがこれを承諾したときは、その第三者は占有権を取得するとされます。本人Aが代理人Cに命じるので指図による占有移転といいます。

　ここで注意しなければならないのは、承諾するのは「B」であって、「C」ではないことです。なぜなら、上記の例でいえば、売主Aは、本来、売った商品を買主Bに引き渡す義務があります。ところが、現実に引き渡さずに、「倉庫に置いたままでよいですか」ということをAが言うわけですから、「倉庫に置いたままでいいよ」と承諾するのは、当然買主「B」ということになります。ここで「C」としてしまうと、買主Bは、自分のところに納品してほしいのに、Cが「Bのところに持って行かなくてもいいよ」と言ったら、Bのところに持って行かなくてもよいということになります。これはおかしいですね。

（3）　占有に関する推定
　民法は、占有に関して次のような推定規定をおいています。

> ▼第186条〔占有の態様等に関する推定〕
> 　1項　占有者は、所有の意思をもって、善意で、平穏に、かつ、公然と占有をするものと推定する。
> ▼第188条〔占有物について行使する権利の適法の推定〕
> 　占有者が占有物について行使する権利は、適法に有するものと推定する。

　ここでポイントとなるのは、「推定」という法律用語の意味です。**推定するとは**、たとえば、「AならばBと推定する」のように使いますが、この場合「A」という事実があったら、ほぼ100％で「B」という事実が認められるので、法律上もそのように扱ってしまうということです。ただ、完全に100％ではないので、ごくまれに、そうでないことがあります。ですので、そうでないことが証明されたときに限りその取り扱いを改め、証明された通りの取り扱いをする場合をいいます。

　188条で考えると、占有者の権利は適法であると推定されています。つ

まり、物を占有している人がいれば、その占有は、所有者や賃借人のように、何かしら正当な権原を持って占有している場合がほぼ100%なので、「占有していたら、それは適法です」と推定するわけです。しかし、ごくまれに、泥棒が盗んだ物を占有している場合のように、占有に正当な権原がない場合があります。この場合には泥棒だ、盗んだといった反証があれば、当然適法ではなくなります。

（4）　占有の承継

　BがAから物を買ったような場合です。前の占有者Aの占有が、Bに引き継がれるのかというテーマです。

　まずAが占有しており、それからBが占有するという流れになりますが、民法は、占有者の承継人は、**その選択に従い**、**自己の占有のみ**を主張し、または、自己の占有に**前の占有者の占有を併せて**主張することができるとしています（187条1項）。ただし、前の占有者の占有を併せて主張する場合には、その**瑕疵も承継**します（187条2項）。

　まず、Bは、自分の占有だけを主張することができます。

　または、Aの占有を併せて主張することもできます。足し算もできるということです。ただし、Aの占有に瑕疵がある場合、たとえば悪意占有などの場合（Bの占有が善意占有でも）、この瑕疵もBが引き継ぐということになります。つまり、Aの占有とBの占有を併せた全体が悪意占有になります。足し算する場合には、マイナスも引き継ぐということです。

3　占有権の効力

（1）　占有権の一般的効力

①　占有者の果実収取権

　占有物から果実が産出された場合に、その果実を収取する権利です。

　（a）善意の占有者

　　占有物から生ずる**果実を取得**することができます（189条1項）。なぜ

なら、たとえば、所有権がないのに、あると思って占有していれば、通常は、果実を取得し消費してしまいます。それを、後から所有者に返還させるのはかわいそうだからです。

（ｂ）悪意の占有者

悪意の占有者は、**果実を返還**し、かつ、既に**消費**し、過失によって**損傷**し、または**収取を怠った果実の代価を償還する**義務を負います（190条1項）。自分の物でないことが分かっていて占有していますから、果実も自分のものではないと分かっています。それを本来の所有者に返還させても、かわいそうとは言えないからです。

② **占有物の滅失・損傷に対する責任**

占有物を占有者がなくしてしまったり、傷つけたりしたときは、その回復者に対し、悪意の占有者および所有の意思のない占有者はその損害の全部の賠償をする義務を負います。また、所有の意思のある善意の占有者はその滅失または損傷によって現に利益を受けている限度において賠償をする義務を負います（191条）。

③ **占有者の費用償還請求権（196条）**

（ａ）必要費

占有者が占有物を返還する場合、その物の保存のために支出した**必要費を回復者から償還させる**ことができます（196条1項本文）。

（具体例）固定資産税や家屋の修繕費などです。

もっとも、占有者が果実を取得したときは、通常の必要費は、占有者が負担します（196条1項ただし書）。果実分で、通常の必要費は賄ってくださいという趣旨です。ここにいう「通常の必要費」には、たとえば、家屋の修繕費のうち、大修繕費は入りません。果実分で賄うことはできないからです。

（ｂ）有益費

占有者が占有物の改良のために支出した**有益費**については、その価格の**増加が現存する場合**に限り、**回復者の選択**に従い、その支出した**金額または増価額**を償還させることができます（196条2項本文）。

（具体例）通路舗装や店舗の内装替え費用です。

　もっとも、悪意の占有者に対しては、裁判所は、回復者の請求により、その償還について**相当の期限を許与**できます（196条 2 項ただし書）。つまり、悪意の占有者が「有益費を返還してくれるまでは、占有物を返さない」という主張をできないようにする趣旨（留置権の行使を排除する趣旨）です（295条 1 項ただし書）。

レジュメ 占有権の一般的効力		
	善意占有	悪意占有
果実収取権	あり	なし
損害賠償義務	自主占有者は**現存利益のみ**賠償義務 他主占有者は**損害の全部**につき賠償義務	**損害の全部**につき賠償義務
必要費償還請求権	<原則>回復者に対し**費用全額**の償還を請求できる <例外>果実を取得した占有者は通常の必要費を償還請求できない	
有益費償還請求権	その価格の**増加が現存**する場合に限り、回復者の選択に従い、**支出した額**または**増価額**について、償還請求できる	
	———	裁判所が回復者の請求により相当の期限を許与した場合、留置権を主張できない

物権 3

（2）　即時取得（192条）
①　意義
　動産取引において占有を信頼して取引をした者は、譲渡人に権利がなくても、権利を取得できるという制度です。つまり、所有者でない人から買っているのに、所有権を取得できるという特殊な制度です。

　192条は、**取引行為**によって、平穏に、かつ、公然と動産の占有を始め

た者は、善意・無過失であるときは、即時にその動産について行使する権利を取得するとしています。これを即時取得といいます。

＜事例で理解＞

AがカメラをBに貸しています。

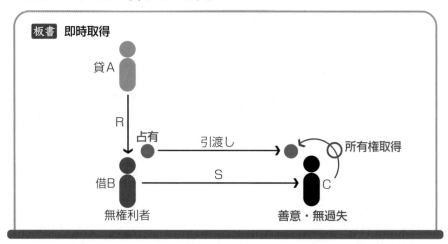

カメラは動産です。したがって、現在、Bが占有していることになります。しかし、Bは借主にすぎず、Bは処分権のない無権利者です。それにもかかわらず、BがそのカメラをCに売り、引き渡しました。

Cは、誰かに隠れてコソコソと買うわけではありませんので、平穏、公然は、通常認められ、問題になりません。重要なのは善意かつ無過失であるかどうかです。Cは、そのカメラがAの所有物であること、つまりBは無権利だということを知りません。善意です。かつ不注意もなかった。無過失です。この場合、Cの立場になって考えると、カメラを買ったのだから所有者になったと思っています。民法は、そう**信じているCを保護**します。したがって、無権利者の動産占有を信用して購入し、現実の引渡しを受けた**Cは、本件カメラの所有権を取得**できます。

本来は、Bは無権利者ですから無から有は生じないはずです。それにもかかわらず、Cのところで、突然パッと権利が生ずるという制度が即時取得です。動産取引の安全のための制度です。動産はその数が無限で、また

取引が頻繁に行われます。取引のたびにいちいち本当にＢの所有物なのか
を調べていたら取引が停滞します。円滑にいきません。そういうことがな
いように、動産占有を信じた人、つまりＢがカメラを占有しているのだか
ら、Ｂが所有者だろうと思ったＣを保護するという制度です。

　こう考えても、ほぼ問題は起こりません。先ほど、適法性の推定のとこ
ろで見たように、占有者は、ほぼ100％で、占有する正当な権原を持って
います。占有している動産のほとんどが、通常は、その占有者の所有物で
す。みなさんも、いま身の周りにある動産が誰の所有か考えてみてくださ
い。ほぼ100％自分の物ですよね。借り物も、ほぼないですよね。ですので、
動産に関しては、このように処理しても、ほぼ問題は起きません。万が一、
他人の物の可能性は残りますが、即時取得がありますので、その万が一の
ことも考える必要はなく、安心して動産取引ができるわけです。

② 要件

レジュメ　**即時取得の要件**

（ａ）　動産であること
（ｂ）　取引行為による取得であること
（ｃ）　前主が動産につき無権利であること
（ｄ）　取得者が平穏・公然、善意・無過失であること
（ｅ）　占有を取得したこと

では、具体的に、どういう場合に即時取得が成立するのでしょうか。

（ａ）**動産**だけです。不動産には、この制度はありません。

（ｂ）**取引行為**による取得だけです。たとえば、売買などです。

（ｃ）**前主が無権利、無権利者**の場合です。たとえば、借りていたにす
　　ぎない、預かっていたにすぎないということです。そうではない別の
　　ケース、たとえば、Ｂが未成年者などの制限行為能力者であるとか、
　　Ｂが無権代理人であるという場合には、即時取得は適用されません。
　　もし、制限行為能力とか無権代理の場合にまで即時取得の制度を適用

したら、目的物が動産であれば、ほとんどCが保護されます。すると、民法の他の制度が完全に没却されます。民法は、制限行為能力者制度を定めて、未成年者Bなどを保護したり、あるいは、無権代理という制度を定めて本人を保護しています。それにもかかわらず、即時取得を適用したら、他の制度が無になってしまうからです。

（d）平穏・公然であることと、Cが、Bの所有物ではないことを知らず（善意）、かつ不注意もない（無過失）ことです。

（e）占有取得したことです。典型例は、現実の引渡しを受けた場合です。現実の引渡しなど、動産の引渡しを受けることが必要です。

　　ここで問題は、占有改定でも即時取得が成立するのか否かです。

＜事例で理解＞

　　BのCに対する引渡し、Cの占有権の取得が、占有改定で行われたという場合です。BがCに売った後も、そのまま借り続けるという意思表示だけで引き渡したことにする占有改定です。

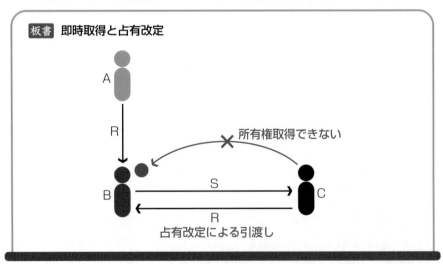

板書 **即時取得と占有改定**

A

R

所有権取得できない

B

S

C

R

占有改定による引渡し

判例（最判昭35.2.11）は、否定説をとっています。**占有改定による場合は、即時取得は成立しない**とします。次のように考えます。即時取得とは、そもそもどういう制度か。動産取引の安全を図るために、

Cを保護する制度です。しかし、真実の権利者Aは犠牲になります。Aは、そのカメラの所有権を失います。すると、A側から見てどうかということです。占有改定は、外から見てまったく占有状態が変わりません。Bは、そのままAのカメラを占有しています。よって、Aは自分が害されたことがわかりません。仮に現実の引渡しであれば、Aから見て、Bがカメラを占有していないので、害されたとわかり、Bに対して損害賠償請求ができます。しかし、占有改定ではそれができません。このように客観的・外形的に認識不可能な占有改定によって、Aが権利を失いAを犠牲にするのはあまりに酷だという理由で、判例は否定します。

3

物権

レジュメ　即時取得の要件（具体例）		
	該当例	**非該当例**
(a) 目的物が動産であること	道路運送車両法による登録を受けていない自動車（最判昭45.12.4）	道路運送車両法による登録を受けている自動車（最判昭62.4.24）
(b) 有効な取引行為が存在すること	①執行債務者の所有に属さない動産が強制競売に付された場合（最判昭42.5.30）②質権が設定された場合	①相続などの包括承継の場合②山林を自己の物と信じて伐採した場合（大判大4.5.20）③遺失物を拾得した場合
(c) 前主が無権利者であること	前主が無権利者	前主が所有者であるが、行為能力の制限・錯誤・無権代理などにより後主が権利を取得できない場合
(e) 占有取得したこと	現実の引渡し・簡易の引渡し・指図による占有移転の場合（最判昭57.9.7）	占有改定による場合（最判昭35.2.11）

③　盗品または遺失物についての例外

　民法は、即時取得について例外を定めています。**盗品・遺失物の場合**です。

　＜事例で理解＞

　先ほどの例と違ってAのカメラがBに盗まれたり、あるいはAが落としたものをBが拾ったような場合で、BがそれをCに売ったような場合についてです。

　すなわち、即時取得の要件をみたした場合でも、占有物が盗品または遺失物であるときは、被害者または遺失主は、盗難または遺失の時から2年間は、占有者に対してその動産の回復請求をすることができます（193条）。

　ただし、盗品・遺失物の場合でも、占有者が競売（裁判所の手続を介して買うこと）もしくは公の市場（お店のこと）において、または同種の物を販売する商人（行商人のこと）から善意で買い受けたときは、被害者・遺失主は、占有者が払った代価を弁償しなければ、回復請求をすることはできません（194条）。

　これらの場合には、いわば被害者に当たるAがかわいそうだと考え、取戻しを認めています。Aは、Cに対してカメラを返してくれといえます。

　まず193条によって、2年間は無償での回復の請求ができます。Aは、タダで返せといえます。

　ただし、194条から、Cがたとえばリサイクルショップで買ったといった場合には、Cは、まさか、そのお店で買った物が盗品だとは思わないのが当たり前ですから、少しCの保護の度合いを強めて、有償でないと回復請求ができないとしました。Aが取り戻すにはお金を払う必要があります。リサイクルショップなどで、信じて買ったCを保護するために、購入代金は返してあげようという趣旨です。

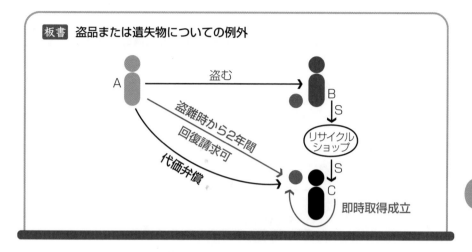

板書 盗品または遺失物についての例外

（3）　占有の訴え

①　意義

占有という事実的支配が侵害された場合に、所有権などの本権の有無に関係なく、その侵害を排除する権利です。自力救済を禁止して、社会の秩序を維持するものともいえます。盗まれたからといって盗み返すわけにいかないので、占有の訴えによる権利行使が必要になります。

②　占有の訴えの主体

占有者です。占有者であれば、自己占有者、代理占有者、さらに占有代理人にも認められます。

③　占有の訴えの種類

次の3種類です。大切なのは、（c）占有回収の訴えです。

（a）占有保持の訴え（198条）

占有が妨害されているときは、**妨害の停止**および**損害賠償の請求**ができます。

（b）占有保全の訴え（199条）

占有が妨害されるおそれがあるときは、**妨害の予防**または**損害賠償の担保を請求**できます。

（c）占有回収の訴え（200条）

占有が奪われたときは、その**物の返還**および**損害賠償の請求**ができます。

＜事例で理解＞

盗まれたような場合です。Aが物を占有していたところ、Bに盗まれました。

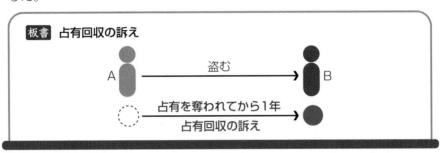

この場合、AはBにその物を返せといえますね。これを占有回収の訴えといいます。「奪われた」とは、盗まれた場合のように、占有者の意思に基づかずに所持を失うことで、だまされて任意に引き渡した場合などは含みません。だまされた場合は、瑕疵はあっても意思に基づくからです。

④ **占有の訴えの提起期間**

占有保持の訴えは、妨害の存する間またはその消滅した後1年以内に提起しなければなりません（201条1項本文）。

占有保全の訴えは、妨害の危険の存する期間は提起できます（201条2項前段）。

占有回収の訴えは、占有を奪われた時から**1年以内**です（201条3項）。ただし、善意の特定承継人（買主等）に対しては、占有回収の訴えを提起できません。BがCに売ってしまったような場合です。Bが盗んだことを知らない買主には、行使できません。

⑤ **本権の訴えとの関係**

占有の訴えを提起したとしても、別途本権に基づく訴えを提起できます（202条1項）。逆もしかりです。また、占有の訴えについては、本権に関する理由に基づいて裁判できません（202条2項）。つまり、Aが所持して

いた物をBに奪われたときにAがその物の占有を返してほしいという占有
回収の訴えを提起した場合に、Bが「これは私の所有物だから返さない」
という主張をしても、通らないことになります。なぜなら、占有は必ずし
も所有に基づくわけではなく（たとえば借りていた場合）、占有が正当か
どうかと所有が誰にあるかは関係がないからです。

レジュメ	占有の訴え		
	占有保持の訴え	**占有保全の訴え**	**占有回収の訴え**
要件	占有者がその占有を**妨害されたこと**（198条）	占有者がその占有を**妨害されるおそれがあること**（199条）	占有者がその**占有を奪われたこと**（200条1項）
請求内容	**妨害の停止および損害の賠償**（198条）	**妨害の予防**または損害賠償の担保（199条）	**物の返還および損害の賠償**（200条1項）
提訴期間	＜原則＞妨害の存する間または妨害が消滅した後1年以内（201条1項本文）＜例外＞工事による占有物の妨害は、工事着手の時から1年以内または工事完成まで（201条1項ただし書）	＜原則＞妨害の危険が存する間（201条2項前文）＜例外＞工事による占有物の妨害のおそれがあるときは、工事着手の時から1年以内または工事完成まで（201条2項後段）	占有が奪われた時から1年以内（201条3項）

3

物権

4 占有権の消滅

最後に、占有権の消滅を見ます。

（1） 自己占有の消滅原因

占有の意思を放棄することと、占有物の所持を失うことです。

ただし、占有回収の訴えを提起したときは消滅しなかったものと認められます。

（2） 代理占有の消滅原因（204条）

本人が代理人をして占有をさせる意思を放棄したこと（今後代理人によって占有しないという意思を表示すること）（1項1号）、代理人が本人に対して以後自己または第三者のために占有物を所持すべき意思を表示したこと（1項2号）、代理人が占有物の所持を失ったこと（1項3号）です。

ただし、代理権が消滅しただけでは占有権は消滅しません（2項）。

（具体例）AがBに代理権を与えていて、Aが占有代理人Bを通して物を代理占有していた場合に、AB間の代理権が消滅したとしても、なおAがBを通して物を事実上支配していると見られる関係にあれば、Aの代理占有権は消滅しないということです。

占有権は事実上の支配権ですので、代理権という法的権限とは無関係に認められるからです。

第3編　第7章　確認テスト

問1　占有権は物を所持することのみによって成立する物権である。

問2　Aが占有している時計をBに貸した場合には、Aは占有権を失うことになる。

問3　占有者は、所有の意思をもって、善意、無過失で、平穏に、かつ公然と占有するものと推定されます。

問4　占有者が支出した有益費については、その価格の増加が現存する場合に限り、回復者の選択に従い、その支出した金額または増価額を償還させることができる。

問5　Aがその所有する建物をBに賃貸していたところ、Bがその建物を自己の所有する建物としてCに売却した場合、Cが即時取得によりその所有権を取得できる可能性がある。

問6　AはBにA所有の絵画を預けた。Bがこの絵画を自己のものだと偽ってCに売却した場合、Cが、Bにこの絵画の所有権がないことにつき善意・無過失であれば、占有改定によってBから引渡しを受けたときでも、Cはこの絵画の所有権を取得することができる。

問7　盗品については、即時取得の要件をみたした場合でも、被害者は、盗難の時から2年間は、占有者に対して返還を請求することができる。

解答

問1 ×　占有権が成立するためには、「物を所持すること」と、物の所持による事実上の利益を自分が受けようとする「自己のためにする意思」が必要となります（180条）。

問2 ×　Aが所持している時計を貸して引き渡しても、他人である占有代理人の所持によって本人が占有することが認められます。したがって、占有を失うわけではありません（181条）。

問3 ×　占有者は、所有の意思をもって、善意で、平穏に、かつ公然と占有するものと推定されます（186条1項）。無過失までは推定されません。

問4 ○　占有者が支出した有益費については、その価格の増加が現存する場合に限り、回復者の選択に従い、その支出した金額または増価額を償還させることができます（196条2項本文）。

問5 ×　即時取得は、目的物が動産である場合の制度です。したがって、売買の目的物が不動産の場合には即時取得の余地はありません（192条）。

問6 ×　即時取得は、占有改定では成立しません（最判昭35.2.11）。したがって、本問では、即時取得は成立せず、Cは絵画の所有権を取得することはできません。

問7 ○　盗品については、即時取得の要件をみたした場合でも、被害者は、盗難の時から2年間は、占有者に対して返還を請求することができます（193条）。

持ち主だという権利が所有権です。

1 　所有権の意義

　所有権とは、法令の制限内において、自由にその所有物の使用、収益および処分をする権利です。

　（具体例）Aが土地を所有していれば、Aは土地を使うことができます。土地を
　　貸して地代を取るなど、収益を得ることもできます。Bに売却するなど、処
　　分することもできます。

　なお、土地の所有権は、法令の制限内において、その土地の上下に及ぶとする注意規定もあります。土地を所有している場合、その地表面すれすれだけの権利というわけではないからです。

2 　相隣関係

　まず、相隣という文字の通り、近所の土地の関係に関する相隣関係の規定があります。相隣関係とは、隣接する不動産の所有者相互の利用権の調節を図るものです。法律上当然に認められるもので、所有権の制限、拡大とみることができます。そのため、これらの権利を行使する場合、所有権を取得したという登記は不要です（最判昭47.4.14）。

（1）　隣地使用権（209条）
①　隣地使用権を行使できる場合（1項）

　土地の所有者が、必要な範囲で、隣地の所有者の承諾がなくても、隣の土地を使える権利が認められています。それが隣地使用権です。使えるの

は以下の場合になります（1項本文）。

（a）境界またはその付近における障壁や建物その他の工作物の築造・収去・修繕する場合（1項1号）

（b）境界標の調査または境界に関する測量をする場合（1項2号）

（c）越境した枝の切り取りをする場合（1項3号、233条3項）

ただし、もちろんですけれども、隣家に住家がある場合には、その居住者の承諾がないと使用できません（209条1項ただし書）。

② **隣地使用権の行使方法等（2項）**

隣地を使用する場合、使用の日時、場所、方法は、隣地の所有者や隣地を現に使用している者のために損害が最も少ないものを選ぶ必要があります。

③ **隣地使用権の事前通知（3項）**

あらかじめ、その目的、日時、場所、方法を隣地の所有者や隣地を使用している者に通知することが必要です（本文）。ただし、あらかじめの通知が困難な場合には、使用開始後に、遅滞なく通知すればよいとされています（ただし書）。

④ **償金請求権（4項）**

隣地所有者または隣地使用者が、隣地使用によって損害を受けたときは、その償金を請求することができます。

（2） 隣地通行権（公道に至るための他の土地の通行権・210条～213条）

＜事例で理解＞

他の土地に囲まれて公道に通じない土地の所有者をAとします。その土地を囲んでいる他の土地の所有者をBとします。

板書　**隣地通行権（公道に至るための他の土地の通行権）**

3

物権

　Aは、公道に出るためには、自分の土地を囲っているBの土地を通らざるを得ません。そこで、AはBの土地を通行できるということです。

① **隣地通行権を行使できる場合（210条）**

　他人の土地に囲まれて公道に通じない土地、または、池沼、河川、水路もしくは海を通らなければ公道に出ることができない土地、または、公道との間が非常に高い崖になっている土地の所有者は、公道へ出るためにその土地を囲んでいる他の土地を通行できます（210条1項）。

② **隣地通行権の行使方法（211条）**

　通行の場所および方法は、通行権者（他の土地に囲まれて公道に通じない土地の所有者）が、その所有地を利用するのに必要で、かつ、その土地を囲んでいる他の土地にとって損害が最も少ないものでなければなりません（211条1項）。

③ **通路の開設**

　通行者は、必要があれば、通路を開設することもできます。

④ **償金請求権（212条）**

　通行権者は通行する土地に生じた損害に対して償金を払わなければなりません（212条本文）。

（3）ライフライン設置権（継続的給付を受けるための設備の設置権）等 （213条の2）

① ライフライン設置権を行使できる場合

電気・ガス・水道水の供給その他これらに類する継続的給付を受けることができないときは、継続的給付を受けるために必要な範囲内で、他の土地に設備を設置し、または他人が所有する設備を使用することができます（1項）。

② ライフライン設置権の行使方法等（2項）

設備の設置・使用の場所、方法は、他の土地等のために、損害が最も少ないものを選ぶ必要があります。

③ 隣地使用権の事前通知（3項）

あらかじめ、その目的、場所、方法を他の土地等の所有者と他の土地を現に使用している者に通知することが必要です。

④ 償金請求権（5項・6項）

ライフライン設置権を有する場合には、ライフラインを設置するために、他の土地または他人が所有する設備がある土地を使用することができ、またライフラインを設置することによって生じた損害に対して償金を支払う必要があります（5項）。

また、他人が所有する設備を使用する場合には、その設備の使用を開始するために生じた損害に対して償金を支払う必要があります（6項）。

⑤ 設備使用の費用負担（7項）

他人が所有する設備を使用する場合には、利益を受ける割合に応じて、その設置、改築、修繕、維持に要する費用を負担しなければなりません。

（4）境界（223条～238条）

境界に関しても多くの規定がありますが、主なものを見ていきましょう。

① 境界付近の竹木の枝の切除（233条1項～3項）

土地所有者は、隣地の竹木の枝が境界線を越えてきたときには、その竹木の所有者に対して、その枝を**切除させる**ことができます（1項）。また、

越境してきた枝が数人の共有に属するときは、各共有者は、その枝を切り取ることができます（2項）。さらに、越境してきた場合で、(a) 切除するよう催告したのに竹木所有者が相当の期間内に切除しない場合、(b) 竹木の所有者がいるのかわからない場合や、どこにいるのかわからない場合、(c) 急迫の事情がある場合には、土地所有者は枝を**切除できます**（3項）。

② 　境界付近の竹木の根の切除（233条4項）

　隣地の竹木の**根**が越境してきた場合には、その根を**切除できます**。根を切除する場合には、①の (a)(b)(c) のような事情は不要です。

3 　共有

次は、共有です。共同所有を略して共有と考えるとわかりやすいです。

＜事例で理解＞

A・B・C 3人で、3000万円の不動産を1000万円ずつ出して買いました。

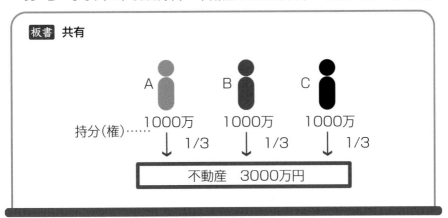

各自の所有割合は3分の1になります。その不動産の3分の1の所有権ということになります。

このように共有とは、**1個の所有権を数人が共同して有すること**をいいます。

そして、各共有者が目的物に対して持っている権利やその割合を、**持分**

ないし持分権といいます。持分は、法律の規定や当事者の合意によりますが、不明な場合は均等と推定されます（250条）。例では、3分の1ずつでした。

（1）共有目的物の使用（249条）

① 持分に応じた使用（1項）

各共有者は、持分に応じて共有物の全部について使用することができます。

（具体例）ABの2人で自動車を1台共有している場合（持分は各2分の1）には、Aが車の前部分、Bは車の後ろ部分しか使えない、というわけではなく、1台全部使用できるけれども、月の前半はAが使用し、月の後半はBが使用するという形で使用できるということです。

② 自己の持分を超える使用の対価の償還（2項）

共有物を使用する共有者は、他の共有者に対して、自己の持分を超える使用の対価を償還する義務を負います。

（具体例）ABが2人で自動車を共有している場合（持分は各2分の1）に、Aがずっと単独で使用しているような場合には、AはBが持分に応じて使用できる使用相当額について、Bに支払わなければなりません。ただし、AB間で、「Aは使用料を払わずにしばらくの間、単独使用してよい」、というような合意がある場合には、対価を償還する義務はありません。

③ 善管注意義務（3項）

共有者は、善良な管理者の注意をもって、共有物を使用しなければなりません。なぜなら、他の共有者の持分に相当する部分については、他人の物を管理しているのと同じだからです。

（2）共有目的物の変更（251条）・管理（252条）

① 共有目的物の変更・管理の決定方法

改正によって、変更行為の中でも、軽微なものについては利用・改良行為と同じように扱われるようになったことは注意しましょう。

レジュメ　共有目的物の変更・管理の決定方法

	種類	意義	決定方法
変更行為	著しい変更行為	共有物の形状または効用の著しい変更を伴う行為	共有者全員の同意が必要（251条1項）
	軽微な変更行為	共有物の形状または効用の著しい変更を伴わない行為	各共有者の持分価格に従い、その過半数で決定する（252条1項前段）。
管理行為	利用行為	共有物の性質に従って使用収益を図る行為	
	改良行為	共有物の性質を変更しない範囲で交換価値を増加させる行為	
	保存行為	共有物の現状維持行為	各共有者が単独でできる（252条5項）

3

物権

② 共有物を使用する共有者がある場合

（a）原則（252条1項後段）

共有物を使用する共有者がいても、管理行為や軽微な変更行為を行う場合には、承諾は不要です。

（b）例外（252条3項）

共有者の決定に基づいて共有物を使用する共有者に特別の影響を及ぼすべきときは、その承諾が必要となります。

③ 管理行為に関する裁判（252条2項）

所在等不明・賛否不明の共有者がいる場合に、それ以外の共有者だけで管理行為や軽微な変更行為ができるようにするため、裁判所は、その共有者以外の共有者の請求により、管理行為および軽微な変更行為について、その共有者以外の共有者の持分の価格にしたがって、その過半数で決定できる旨の裁判を行うことができるとしました。

（具体例）ABCDE5人で1台の車を共有しており、ABCDがそれぞれ10分の1ずつ、Eが10分の6の持分だったとします。この場合、通常であれば、Eがいないと、管理行為も、軽微な変更行為もできないことになります。しかし、

そうすると、Eが行方不明になってしまった場合には、ABCDでできるのは保存行為のみになり、管理行為も軽微な変更行為もできないことになってしまいます。これでは、E以外のABCDが共有物についてできることが限られてしまいます。そこで、裁判所は、E以外のABCDの請求があれば、Eを除いたABCD4人の持分の価格にしたがって、ABCDの持分価格の過半数の決定で、共有物の管理行為や軽微な変更行為を決定できるという裁判をすることができます。

④ 共有物に対する賃借権等の設定（252条4項）

共有者は、各共有者の**持分価格**に従い、その**過半数**の決定によって、共有物に**一定期間の賃借権等を設定**することができます。

レジュメ 共有物に設定できる賃借権の期間		
1号	樹木の栽植または伐採を目的とする山林の賃借権等	10年
2号	1号以外の土地賃借権等	5年
3号	建物の賃借権等	3年
4号	動産の賃借権等	6か月

⑤ 共有物の管理者（252条の2）

共有物の管理者は、共有物の**管理に関する行為**をすることができます（1項本文）。ただし、**著しい変更行為**は、共有者**全員の同意**が必要となります（1項ただし書）。

共有物の管理者が共有者を知ることができない場合や、その所在が分からない場合には、裁判所は、管理者の請求で、当該共有者以外の共有者の同意を得て共有物に著しい変更を加えることができる旨の裁判をすることができます（2項）。

共有物の管理者は、共有者が共有物の管理に関する行為について決した場合は、それに従って職務を行わなければなりません（3項）。決定事項

に違反して行った共有物の管理者の行為は、共有者に対しては無効ですが、善意の第三者に対抗することはできません（4項）。

（3）　共有物の管理費用の負担（253条）

①　共有物の持分に応じた管理費用の負担

　管理費用などの費用は、各共有者がその持分に応じて負担します（1項）。費用も、持分に応じるということで、3分の1の持分であれば、費用も3分の1払うということになります。

②　管理費用を負担しない共有者がいる場合

　共有者の1人が費用を支払ったときは、他の共有者に対し償還請求ができますが、共有者が1年以内に費用負担などの義務を履行しない場合は、他の共有者は相当の償金を支払ってその者の持分を取得することができます（2項）。

（4）　持分の処分、放棄・共有者の死亡（255条）など

　持分権の処分は、**各共有者が自由に**できます。明文はありませんが当然とされています。持分はいわば制限された所有権ともいえます。したがって、所有物を処分できるのと同じように、持分権を処分するのも自由です。

　（具体例）ＡＢＣ3人の共有物につき、Ａが3分の1の持分をＤに売るのは単独でできるといえます。

　共有者の1人が、その持分を放棄したとき、または死亡して相続人がないときは、その持分は他の共有者に帰属します（255条）。

　（具体例）Ｃが持分を放棄、つまり、自分の3分の1は要らないとしました。または、Ｃが身寄りのない人で、死亡して相続人がいません。こういう場合に、Ｃの3分の1の持分は、他の共有者にいきます。つまり、ＡとＢのものになります。最初に出した数字で考えると、結果、Ａが2分の1、Ｂが2分の1の持分になりますね。

3

物権

（5） 共有物の分割

　共有状態は、1つの所有権を複数人で持つことになる、複雑な権利関係の典型といえます。民法は複雑な権利関係を嫌うので、なるべく共有関係は解消してもらうような形になります。つまり、分割の方法は様々なものがあり、いつでも、どのような方法でも、共有関係を解消しやすくしています。

　共有者は、原則として、いつでも共有物の分割を請求できます。

（具体例）共有物を土地だとすると、この土地をABCで3つに分けるという請求ができます。

①　分割の手続

　（a）各共有者の権利

　まずは、各共有者の協議が行われます。協議が整わないときや、協議できないときには、裁判所に対して分割を請求することができます（共有物分割訴訟・258条1項）。

　（b）各共有者の義務

　分割によって取得した物・権利に不適合がある場合には、他の共有者は売主と同様の担保責任を持分に応じて負うことになります（261条）。

②　協議分割（256条1項本文）

　各共有者は、いつでも共有物の分割を請求することができます（共有物分割請求権）。

　ただし、例外として、5年以内の不分割特約を結ぶことができ、更新する場合も5年が限度となります（256条1項ただし書）。

＜事例で理解＞

　共有物の分割方法については、ABCの共有土地を3つに割るというような**現物分割**ができます。また、ABCの共有土地をDに売り、その代金をABC3人で分けるというような**代価分割**もできます。さらに、ABCの共有土地につきCが分割請求をした場合に、AB共有土地とC単独所有の土地に分割するように、分割請求者に対してのみ持分の限度で現物を分割し、それ以外は他の者に共有として残す分割方法や、時価300万円の

ABCの共有土地（持分はそれぞれ3分の1）につき3分の2、6分の1、6分の1の3等分とし、Aが3分の2の部分を取得する場合、Aの持分の超過分3分の1（時価100万円）の対価100万円を払わせ、それをBCが取得するような、自己の持分価格以上の現物を取得する共有者に超過分の対価を支払わせる**価格賠償**の方法もあります。加えて、ABCの共有土地（時価300万円）につきAが単独の所有権を取得し、他のBCは持分価格100万円ずつの賠償を受ける**全面的価格賠償**による方法も許されます。

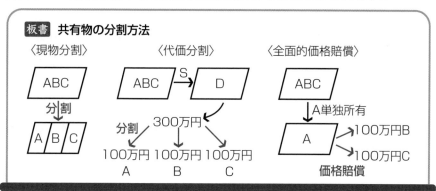

板書　共有物の分割方法

〈現物分割〉　　　〈代価分割〉　　　〈全面的価格賠償〉

3

物権

③　**裁判分割（共有物分割訴訟・258条）**

（a）裁判分割ができる場合（1項）

共有物分割について共有者間の**協議が調わない**とき、または共有者間で**協議をすることができない**ときです。

（b）裁判分割の方法（2項・3項）

原則として、**現物分割**（2項1号）または**価格賠償**（2項2号）の方法になります。しかし、この方法を**使えない**場合や、分割によってその**価格を著しく減少**させるおそれがあるときは、裁判所は、その**競売を命**ずることができます（3項）。

④　**共有物が相続財産の場合の特則（258条の2）**

（a）裁判分割の禁止（1項）

共有物の全部またはその持分が相続財産に属する場合で、共同相続人間で当該共有物の全部またはその持分について**遺産分割をすべきとき**

は、当該共有物または持分につき、**共有物分割訴訟を提起することは認められません。**

(具体例) ABC の共有土地につき、C が死亡し、C には相続人 XY がいるとしましょう。この場合、XY が C の持分を分割しようとする場合には、遺産分割すべき財産です。したがって、C の持分の分割について XY で協議が調わない場合には、共有物分割訴訟の方法を使うのではなく、遺産分割の調停や審判をすることになります。

（ｂ）共有物の持分が相続財産に属する場合の例外

共有物の持分が相続財産に属する場合で、**相続開始時から10年を経過したときは、**相続財産に属する共有物の持分について、**共有物分割訴訟による分割をすることができます**（2項本文）。ただし、当該共有物の持分について遺産分割の請求があった場合において、相続人が当該共有物の持分について共有物分割訴訟による分割をすることに異議の申出をしたときは、**共有物分割訴訟を提起することができません**（2項ただし書）。

（6）所在等不明共有者の持分の取扱い

従来から、土地の共有者の一部に、特定不能者・所在不明者がいると、共有者が共有物分割訴訟をできず、その土地がずっと放置されてしまうという問題点が指摘されてきました。この点を解決するために、裁判所が、このような土地を処分できるようにするための制度がおかれました。そのうちの、1つが、**所在等不明共有者の持分を共有者が取得する旨の裁判で**す（262条の2第1項前段）。もう1つが、**他人に持分を譲渡する権限を付与する旨の裁判**（262条の3第1項）です。

① 裁判の要件

不動産が数人の共有に属する場合、共有者が他の共有者を知ることができず、またはその所在を知ることができないときに、裁判所に対して、共有者が請求をすることです（262条の2第1項前段、262条の3第1項）。

② 裁判の内容

（ａ）所在等不明共有者の持分取得の裁判

所在等不明共有者の持分を**請求した共有者に取得**させることができます（262条の2第1項前段）。請求した共有者が2人以上の場合には、請求した各共有者に、所在等不明共有者の持分を、請求した**各共有者の持分の割合で按分**して、**それぞれに取得**させることになります（262条の2第1項後段）。

所在等不明共有者が共有物の権利を失ってしまうことから保護するため、所在等不明共有者には、所在等不明共有者の持分を取得した共有者に対して、**取得した持分の時価相当額の支払を請求する権利**が認められます（262条の2第4項）。

（ｂ）所在等不明共有者の持分譲渡権限付与の裁判

所在等不明共有者以外の**共有者全員が特定の者**に対して、その有する持分の全部を譲渡することを停止条件として所在等不明共有者の**持分を当該特定の者に譲渡する権限を付与**することができます（262条の3第1項）。

付与された権限に基づいて共有者が所在等不明共有者の持分を**第三者に譲渡**したときは、所在等不明共有者は、当該譲渡をした共有者に対し、不動産の時価相当額を所在等不明共有者の**持分に応じて按分**して得た額**の支払いを請求**することができます（262条の3第3項）。

3

物権

---

4 所有権の取得方法

所有権の最後に、取得方法を見ます。大きく2つに分かれます。

> **レジュメ** 所有権の取得方法
>
> **承継取得**
> 　特定承継（譲渡等）
> 　包括承継（相続等）

```
原始取得
    無主物の帰属
    遺失物の拾得
    埋蔵物の発見
    添付（付合等）
    その他（取得時効、即時取得）
```

第1は、BがAから物を買うように、前主の権利を承継するという**承継取得**です。承継取得は特定承継と包括承継に分かれます。

（具体例）譲渡

特定承継とは、Aの物をBが買ったというように、特定の権利を引き継ぐものです。また、包括承継とは、相続、つまり親が死亡して、その財産を子どもがもらうように、包括的に権利を引き継ぐものです。

第2は、**原始取得**です。前主の権利を承継しない取得形態です。ある者のところにパッと所有権が生じます。なお、学習済みの取得時効と即時取得も原始取得です。前主の権利を承継するのではなく、時効取得者や即時取得者のところにパッと所有権が生じますね。

民法が特に規定を置いている、これら以外の4つを見てみます。

（1） 無主物の帰属（239条）

所有者のない動産は、所有の意思をもって占有した者が所有者となれます。これに対し、所有者のない不動産は、国庫に帰属します。国のものになるということです。動産と不動産で異なるのがポイントです。

（具体例）動産について考えましょう。皆さんも見たことがあると思いますが、駅のホームなどのごみ箱から雑誌を拾っている人がいます。この場合、雑誌は動産です。ごみ箱に捨てた以上、所有者はいません。拾った人のものになります。所有の意思をもって占有した人、つまり、雑誌を拾った人の所有物になります。民法が認めた適法な所有権取得形態です。身近な例なので、見たら思い出してください。

（2） 遺失物の拾得（240条）

　遺失物は、遺失物法の定めるところに従い公告をした後3か月以内にその所有者が判明しないときは、これを拾得した者が所有者となれます。

　（具体例）お財布などを拾った場合にお財布を交番に届けて3か月たっても持ち主が現れない場合、拾った人のものになるという話です。

（3） 埋蔵物の発見（241条）

　埋蔵物は、遺失物法の定めるところに従い公告をした後6か月以内にその所有者が判明しないときは、これを発見した者が所有者となれます。ただし、発見した場所が他人の土地であったときなどは、発見者とその土地の所有者が折半して所有者となります。

　夢があっていいですね。埋蔵金発見のような話です。

（4） 添付（242条〜248条）

① 付合

　不動産に従属して付合した物の所有権は、その不動産の所有者が取得します。ただし、他人が、地上権や賃借権などのように、権原（その行為を正当化する原因のこと）に基づいてその物を附属させた場合は、不動産の所有者の物にはなりません。

　所有者の異なる動産が、壊さなければ分離できないほどに付合した場合、もとの動産のうちの主な動産の所有者がその合成物の所有者となります。主な動産かどうかが判断できないときは、付合当時の価格の割合で共有となります。

　ここでは、付合物の意味と具体例を知っておきましょう。

　付合物とは、壊さなければ分離できないほどに接着した物をいいます。

　（具体例）家屋に対する増築部分です。増築部分は、壁が接している以上、壁を壊さないと離せませんね。なお、付合物は抵当権のところでまた出てきます。

② 混和

　混和とは、別々の所有者に属する物が識別することができなくなること

です。

　（具体例）Aさんの水と、Bさんの水が混ざり合った場合などです。この場合、
　　動産の付合の規定が準用されます。

③　加工

　　加工とは、他人の動産に工作を加え、新たな物を製作することです。

　（具体例）他人の和紙に、著名な書家が書を書いた場合などです。

　　加工者があるときは、その加工物の所有権は、材料の所有者に帰属する
のが原則ですが、①工作によって生じた価格が材料の価格を著しく超える
場合や、②加工者が材料の一部を供し、その価格に工作によって生じた価
格を加えたものが他人の材料の価格を超える場合には、加工者が所有権を
取得します。

レジュメ 添付			
	不動産の付合	動産の付合・混和	加　工
結合物	不動産＋動産	動産＋動産	動産＋労力
所有権取得者	原則 　不動産所有者 例外 　動産所有者が権原を有し、附属物に独立性があれば、動産につき動産所有者	主従の区別可能 　主たる動産の所有者 主従の区別不可能 　付合当時の動産の価格割合に応じ共有	原則：材料の所有者 例外：加工者 ①工作によって生じた価格が著しく材料の価格を超える場合 ②加工者が材料の一部を提供し、その材料の価格に工作によって生じた価格を加えたものが他人の材料の価格を超えるとき

5　所有者不明・管理不全不動産の管理命令

（1）所有者不明土地・建物の管理制度

①　制度の趣旨

　所有者が不明の不動産がある場合に、裁判所が管理人を選任して、管理人による管理命令ができる制度です。この制度は改正で新たに導入された制度ですが、その趣旨は、所有者不明の不動産が多く存在していることから、公共事業、災害復興、私的取引などの点で支障をきたしているという実態があり、それを解消する必要が生じていました。従来人単位で行われていた管理を、効率化・合理化するために所有者不在不動産に特化したこの制度が設けられました。

②　管理命令

　この制度によって、所在者不明の土地と建物について、裁判所により管理命令が発せられることになります。そのための要件は、

- ・**所有者不明**の土地建物であること
- ・**管理の必要性**があること
- ・**利害関係人の申立て**があること

の３つです（264条の２第１項、264条の８第１項）。

③　管理命令の発令と管理人の選任

　上記要件を満たすと、裁判所は管理命令を発し、土地については所有者不明土地管理人（264条の２第４項）、建物については所有者不明建物管理人（264条の８第４項）が必ず選任されます。

④　管理命令の効力が及ぶ範囲

（a）所有者不明土地管理命令の場合（264条の２第２項）

　　管理命令の**対象土地以外**にも効力が及びます。

　　・管理命令の**対象土地にある動産**

　　・共有持分が管理命令の対象の場合は、共有物である**土地にある動産**

（b）所有者不明建物管理命令の場合（264条の８第２項）

　　管理命令の**対象建物以外**にも効力が及びます。

・管理命令の対象建物にある動産・敷地利用権

・共有持分が管理命令の対象の場合は、共有物である建物にある動産・敷地利用権

⑤ 管理人の権利義務等

（ａ）管理権・処分権（264条の３）

　所有者不明土地等の**管理権・処分権**は、**所有者不明土地管理人に専属**します（１項）。ただし、所有者不明土地管理人が**保存行為または利用改良行為**（所有者不明土地等の性質を変えない範囲内に限る）の範囲を超える行為をするには、**裁判所の許可**が必要です。裁判所の許可を得ないでなされた場合、許可がないことをもって**善意の第三者に対抗する**ことはできません（２項）。

（ｂ）訴訟の当事者（264条の４）

　管理命令が発せられたときは、所有者不明土地等に関する訴えの当事者は、**所有者不明土地管理人**が**原告**または**被告**になります。

（ｃ）善管注意義務（264条の５）

　所有者不明土地管理人は、所在者不明土地等の所有者のために、**善良な管理者の注意**をもって、その権限を行使しなければなりません（１項）。また、当該管理命令が発せられたときは、所有者不明土地管理人は、当該所有者不明土地管理の対象とされた共有持分を有する者**全員のため**に、**誠実かつ公平**にその権限を行使しなければなりません（２項）。

（ｄ）解任・辞任（264条の６）

　所有者不明土地管理人がその任務に違反して所有者不明土地等に著しい損害を与えたこと、その他の重要な事由があるときは、裁判所は、**利害関係人の請求**により、所有者不明土地管理人を**解任**することができます（１項）。また、所有者不明土地管理人は、正当な事由があるときは、**裁判所の許可を得て**、**辞任**できます（２項）。

（ｅ）費用・報酬（264条の７）

　所有者不明土地管理人は、所有者不明土地等から裁判所が定める額の費用の前払および報酬を受けることができます（１項）。必要な費用・

報酬は所有者不明土地等の所有者の負担となります（2項）。

　　以上の所有者不明土地管理人の権利義務の規定が、所有者不在建物管理人に準用されます（264条の8）。

（2）管理不全土地・建物の管理制度

①　制度の趣旨

　管理ができていない不動産は、所有者に対してちゃんと管理するように是正を求めていくことはできます。しかし、所有者が遠方に居住しているような場合のように継続的に管理することが難しい場合や、どのように管理をすればよいか対応が難しい場合も考えられます。そうすると不動産の管理が行き届かず、周辺の不動産所有者に迷惑をかける場合も考えられます。そこで、管理不全の土地・建物について、裁判所が管理人を選任し、管理人による管理命令をすることができる制度です。

②　管理命令

　この制度によって、管理不全の土地と建物について、裁判所により管理命令が発せられることになります。そのための要件は

- ・管理不全の土地建物であること
- ・管理の必要性があること
- ・利害関係人の申立てがあること

の3つです（264条の9第1項、264条の14第1項）。

③　管理命令の発令と管理人の選任

　上記要件を満たすと、裁判所は管理命令を発し、土地については管理不全土地管理人（264条の9第3項）、建物については管理不全建物管理人（264条14第3項）が必ず選任されます。

④　管理命令の効力が及ぶ範囲

　（a）管理不全土地管理命令の場合（264条の9第2項）

　　管理命令の**対象土地以外**にも効力が及びます。

- ・管理命令の対象土地にある**動産**
- ・共有持分が管理命令の対象の場合は、共有物である土地にある**動産**

3

物権

（b）管理不全建物管理命令の場合（264条の14第2項）

管理命令の**対象建物以外**にも効力が及びます。

・管理命令の対象建物にある**動産・敷地利用権**

・共有持分が管理命令の対象の場合は、共有物である建物にある**動産・敷地利用権**

⑤　管理人の権利義務等

（a）管理権・処分権（264条の10）

管理不全土地管理人は、管理不全土地等の**管理権・処分権**を有します（1項）。ただし、管理不全土地管理人が**保存行為**または**利用改良行為**（管理不全土地等の性質を変えない範囲内に限る）の範囲を超える行為をするには、**裁判所の許可**が必要です。裁判所の許可を得ないでなされた場合、許可がないことをもって**善意の第三者に対抗**することは**できません**（2項）。また、管理命令の対象土地の**処分**について裁判所が許可をするには、その**所有者の同意**がなければなりません（3項）。

なお、管理不全土地管理人に管理権・処分権が専属するわけではないので、管理不全土地等に関する訴訟の当事者となる資格はありません。

（b）善管注意義務（264条の11）

管理不全土地管理人は、管理不全土地等の所有者のために、**善良な管理者の注意**をもって、その権限を行使しなければなりません（1項）。また、管理不全土地等が数人の共有に属する場合には、管理人は、その共有持分を有する者**全員のために**、**誠実かつ公平**にその権限を行使しなければなりません（2項）。

（c）解任・辞任（264条の12）

管理不全土地管理人がその任務に違反して管理不全土地等に著しい損害を与えたこと、その他の重要な事由があるときは、裁判所は、**利害関係人の請求**により、管理不全土地管理人を**解任**することができます（1項）。また、管理不全土地管理人は、正当な事由があるときは、**裁判所の許可**を得て、**辞任**できます（2項）。

（d）費用・報酬（264条の13）

管理不全土地管理人は、管理不全土地等から裁判所が定める額の**費用の前払**および**報酬**を受けることができます（１項）。必要な費用・報酬は管理不全土地等の所有者の負担となります（２項）。

以上の管理不全土地管理人の権利義務の規定が、管理不全建物管理人に準用されます（264条の14）。

第3編　第8章　確認テスト

問1　他の土地に囲まれて公道に通じない土地の所有者は、公道に至るため、その土地を囲んでいる他の土地を通行することができる。

問2　隣地の竹木の枝が境界線を越えるときは、その竹木の所有者に、その枝を切り取らせることができ、さらに枝を切除できる場合もあるが、隣地の竹木の根が境界線を越えるときは、その根を切除させることができるだけである。

問3　共有家屋を賃貸することは管理行為であるから、各共有者の持分の過半数で決められる。

問4　共有物に変更を加える場合や処分する場合は、共有者全員の同意が必要である。

問5　各共有者の持分権は、他の共有者の過半数の同意がなければ譲渡できない。

問6　共有物の分割方法については、現物分割、代価分割、価格賠償などの方法がある。

3

物権

|問7| 所在がわからない共有者がいる場合には、その共有者の持分を処分することはできない。

|問8| 所有者のない動産は、国庫に帰属する。

|問9| 所有者不明土地管理命令、管理不全土地管理命令の効力は、その対象とされた土地のみに及ぶ。

|問10| 所有者不明土地管理人も、管理不全土地管理人も、正当な理由があり、かつ、裁判所の許可がないと辞任することはできない。

|問11| 管理不全建物の管理権・処分権は、管理不全建物管理人に専属する。

解答

|問1| ○　他の土地に囲まれて公道に通じない土地の所有者は、公道に至るため、その土地を囲んでいる他の土地を通行できます（210条1項）。

|問2| ×　隣地の竹木の枝が境界線を越えるときは、その竹木の所有者に、その枝を切除させることができます（233条1項）。また切除の催告をしても切除しない場合等は、枝を切除することもできます（233条3項）。隣地の竹木の根が境界線を越えるときは、その根を切り取ることができます（233条4項）。

|問3| ○　共有家屋を賃貸することは管理行為ですから、各共有者の持分の過半数で決めることができます（252条1項）。

|問4| ×　共有物を処分する場合は、共有者全員の同意が必要です（251条1項）。しかし、変更を加える場合は、それが著しい変更であれば共有者全員の同意が必要ですが、軽微な変更であれば持分価格の過半数でできます（252条1項前段）。

問5　×　各共有者の持分権は、自由に譲渡できます。

問6　○　共有物の分割方法については、現物分割が原則ですが、その他にも、代価分割や、価格賠償の方法もあります。

問7　×　所在等不明者がいる場合には、裁判所が他の共有者からの請求により、他の共有者に所在等不明共有者の持分を取得させたり、他人に持分を譲渡する権限を付与することによって、処分できるようにすることができます（262条の2、262条の3）。

問8　×　所有者のない動産は、所有の意思をもってした占有者が所有者となります（239条1項）。なお、所有者のない不動産は、国庫に帰属します（239条2項）。

問9　×　管理命令の効力は、対象土地のみでなく、その土地上の動産や敷地利用権にも及びます。また、共有持分が対象の場合には、共有土地上の動産にも及びます（264条の2第2項）。

問10　○　（264条の6、264条の12）

問11　×　管理不全建物の管理権・処分権は、管理不全建物管理人に専属しません（264条の10第2項参照）。所有者不明建物管理人の場合は、管理権・処分権が専属する場合とは異なります（264条の3第1項）。

3

物権

第3編
第9章　用益物権

　用益物権とは、他人の土地を一定の限られた目的のために使用・収益することが認められた物権です。所有権のもつ使用収益権能の方のみもっている物権です。地上権、永小作権、地役権、入会権の4つがあります。出題されづらいところなので、簡単に見ておきましょう。

---

1 ｜ 地上権

　他人の土地において、工作物（建物など）または竹木を所有するために土地を使用する権利です（265条）。

＜事例で理解＞

　Aが土地を所有しています。BがAとA所有土地の上に「建物を建てていいよ」という契約をして、Bがその土地に建物を建てます。

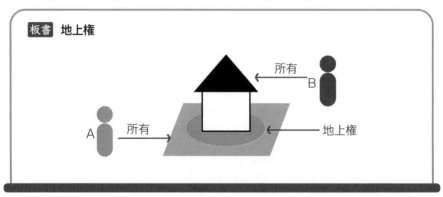

　Bの建物を所有するためにAの土地を利用する物権が、地上権です。

　なお、地上権に関連して、「法定地上権」という概念が、抵当権のところで出てきます。

2 永小作権

小作料を払って他人の土地に耕作または牧畜をなす権利です（270条）。

いわゆる農地利用です。農地に関しては特別法（農地法）にゆだねられ
ていますので、民法上の永小作権の重要性は低くなっています。

3 地役権

（1） 意義

他人の土地を自己の土地の便益に供する権利です（280条本文）。

＜事例で理解＞

甲土地の所有者AがB所有の乙土地を通行するために、乙土地の上に
設定される通行地役権などです。

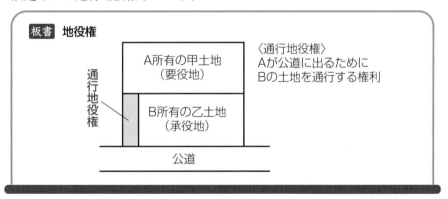

板書 地役権

A所有の甲土地
（要役地）

通行地役権

B所有の乙土地
（承役地）

公道

〈通行地役権〉
Aが公道に出るために
Bの土地を通行する権利

地役権が設定された他人の土地を**承役地**（上記Bの土地）、地役権の便
益を受ける自己の土地を**要役地**（上記Aの土地）といいます。

（2） 特質（付従性と不可分性）

① 付従性（281条）

地役権は、その土地につく権利ですから、別段の定めがない限り、要役
地の所有権に付き従います。

3

物権

（具体例）Ａの土地が売却されれば、Ｂの土地を承役地とする通行地役権も移転
　　します。

また、地役権は、要役地から分離して譲渡できません。

（具体例）ＡがＢの土地上の地役権だけを誰かに譲渡することはできません。

②　不可分性（282条）

　地役権は、ある土地とある土地との物理的位置関係が前提となって設定
されます。つまり、Ａの土地から公道に出るためには、Ｂの土地を通行し
ないといけないという位置関係から、Ｂの土地に通行地役権が設定されま
す。ですから、要役地または承役地が共有地の場合に、共有者の持分権に
応じて通行地役権を持つとすると不都合をきたす場合があります。そこで、
民法は、共有地にかかる地役権をできるだけ共有地の全体につき同じよう
に存続させるように規律しています。このような性質を地役権の「不可分
性」といいます。

（3）　時効

①　取得時効

　地役権は、継続的に行使され、かつ、外形上認識することができるもの
に限り、時効取得できます（283条）。つまり、ずっと地役権が使用され、
それが、傍らから見て分かるものでなければなりません。通行地役権の場
合には、「継続」の要件として、要役地所有者によって承役地上に通路が
開設されることが必要です（最判昭30.12.26）。

②　消滅時効

　消滅時効の起算点は、継続的でなく行使される地役権については、最後
の行使の時から起算されます（291条）。

　要役地が数人の共有に属する場合、その１人のために消滅時効の完成猶
予または更新があるときは、その時効の完成猶予または更新は、他の共有
者のためにも、その効力を生じます（292条）。

	地上権	永小作権	地役権
レジュメ　用益物権の比較			

	地上権	永小作権	地役権
存続期間	期間の定めあり 　**永久の地上権も可** 期間の定めなし 　当事者の請求で、裁判所が**20年〜50年**の範囲で定める	期間の定めあり 　**20年〜50年の範囲**で定める。50年を超える期間を定めた場合、50年に短縮 期間の定めなし 　原則**30年**	**永久の**地役権も可
地代	要素でない	**要素である**	要素でない
抵当権の目的	なる	なる	ならない

3

物権

4　入会権

　一定の地域の住民集団が、山林原野等を共同で管理し利用する権利で、各地方の慣習に従うほか、共有などの規定が準用されます。

問1　地上権者は、他人の土地において工作物または竹木を所有するため、その土地を使用する権利を有する。

問2　永小作人は、小作料を支払って他人の土地において耕作または牧畜をする権利を有する。

問3　要役地であるA所有の甲土地が売却されれば、B所有の乙土地を承役地とする通行地役権も一緒に移転する。

問4　すべての地役権は、時効取得することが可能である。

解答

問1　○　地上権者は、他人の土地において工作物または竹木を所有するため、その土地を使用する権利を有します（265条）。

問2　○　永小作人は、小作料を支払って他人の土地において耕作または牧畜をする権利を有します（270条）。

問3　○　要役地であるA所有の甲土地が売却されれば、B所有の乙土地を承役地とする通行地役権も一緒に移転します（281条本文）。

問4　×　継続的に行使され、かつ、外形上認識できるものについては、時効取得が可能です（283条）が、すべての地役権が時効取得可能なわけではありません。

第**4**編

担保物権

ここから物権法の後半に当たる担保物権に入ります。

1 ┃ 債権者平等の原則と担保制度

　まず、貸したお金がいくら返ってくるのか。もちろん、全額返してもらえるのが原則ですが、貸した人が複数いて、全員に全額返済できない場合には、それぞれがいくら返してもらえるのかが問題となります。これについては、債権者平等の原則というルールがあります。これは、債権発生の原因や時期を問わず、債権額に応じて比例的に債権者が満足を受けるという原則です。

　（具体例）Aに対してB・C・Dがそれぞれ100万円・200万円・300万円ずつ貸していた場合に、債務者Aの財産が180万円しかなければ、債権者B・C・Dは債権額の比に応じて、それぞれ1：2：3の割合、つまり30万円・60万円・90万円ずつしか回収できないことになります。

　すると、皆さんが貸主の立場ならどうでしょうか。嫌ですね。貸したお金を全部返してもらわないと納得できません。そこで、貸金などの債権を確実に回収するための手段として、担保制度が考え出されました。

　担保制度とは、貸金を確実に回収するなど、債務者が債務を履行しない場合に受ける債権者の危険を考慮して、あらかじめ債務の弁済を確保し、債権者に満足を与えるための手段です。

　（具体例）Aが100万円を返してくれない場合に受けるBの危険を考えて、あらかじめ、100万円を確実に返してもらえるようにする手段です。

　そして、この担保制度は大きく2つに分かれます。1つは人的信用、人の信用に基礎を置く**人的担保**です。典型例として保証、保証人などがあります。民法では債権総論の分野になりますので、該当箇所で説明します。

　もう１つは、人の信用ではなくて、財産の価値に基礎を置く**物的担保**＝**担保物権**です。

　（具体例）「借金のカタ」にＡの宝石を預かっておいて、Ａが借金を返せない場合には、その宝石を売り払って、その代金から優先的に100万円を回収するなどです。

　ここで説明するのは、このような財産の価値に基礎を置く担保物権です。

2　担保物権の種類

　民法が規定している担保物権には、留置権、先取特権、質権、抵当権の４つがあります。抵当権が最も重要です。

　発生原因、つまり、どのように発生するのかという観点から大きく２つに分かれます。

（１）　法定担保物権

　一定の事由が生じた場合に法律上当然発生する担保物権を法定担保物権といいます。留置権と先取特権です。

　（具体例）民法295条など、法が一定の要件を定めておいて、それを満たしたら当然に生ずる、「法」が「定」めたという法定担保物権です。当事者の契約では生じません。

（２）　約定担保物権

　当事者の契約によって発生する担保物権を約定担保物権といいます。質権と抵当権です。

　（具体例）ＡＢ間で、抵当権を設定しようという契約をした場合に生ずる、契「約」で「定」めたという約定担保物権です。

　次に、個別内容の前提として、共通的なテーマである担保物権が「通常有する性質」（通有性）の４つと、担保物権の効力の３つを見ます。

3 担保物権の通有性

抵当権の事例で、通有性を具体的に見ていきます。

＜事例で理解＞

AがBに1000万円貸します。この貸金を確実に回収するために、Bの土地に「抵当権」を設定して登記します。

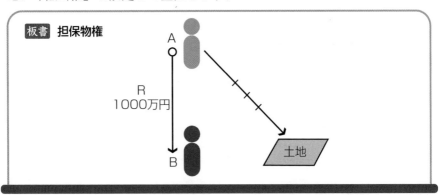

もしBが期日に借金を返せなければ、Aは、この土地を売り払って、売却代金から優先的に貸金を回収できます。

なお、抵当権などの担保物権によって担保されている債権を**被担保債権**といいます。

（1） 付従性

被担保債権が成立しなければ担保物権も成立せず、また、被担保債権が消滅すれば、担保物権も消滅するという性質をいいます。

被担保債権と抵当権などの担保物権が、目的と手段の関係にあることから認められる性質です。

＜事例で理解＞

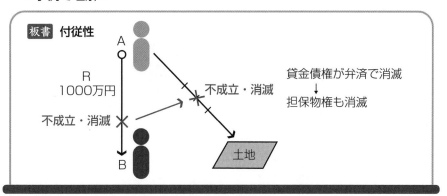

　Aの目的は、Bから1000万円を返してもらうことです。抵当権は、1000万円を確実に返してもらうための手段です。そうだとすれば、無効・取消しなどの事由で、1000万円の賃金債権が成立しなかったら、目的がないことになります。手段だけ残しても無意味です。したがって、被担保債権が成立しなければ抵当権のような担保物権も成立しません。

　また、Bがきちんと1000万円を返したとします。これによって、被担保債権は消滅しますので、手段だけ残しても無意味です。抵当権のような担保物権も消滅します。

　キーワードとして、成立・消滅と覚えましょう。成立と消滅が一緒だという性質を、担保物権が被担保債権に付従するという意味で付従性（ふじゅうせい）といいます。被担保債権が成立しなければ成立せず、消滅すれば消滅する、という性質です。

（2）　随伴性

　被担保債権が移転すれば、担保物権もそれに伴って移転するという性質をいいます。

　被担保債権と抵当権などの担保物権が、目的と手段の関係にあることから認められる性質です。

＜事例で理解＞

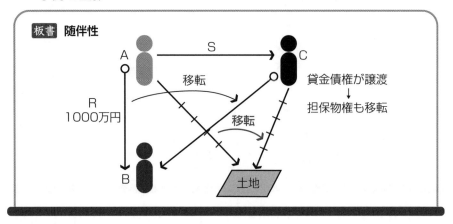

債権譲渡のテーマで詳しく説明しますが、モノを売るのと同じように、AのBに対する1000万円という債権も売ることができます。したがって、Aがこの債権をCに売ると、Cが新しい債権者になります。つまり、目的である被担保債権が債権譲渡によってAからCへ移転します。すると、手段だけAの元に残しておいても無意味なので、手段である抵当権も移転します。

キーワードは移転です。被担保債権に随伴して担保物権も移転するという意味で随伴性といいます。付従性と混同しないように注意してください。

（3）　不可分性（296条、305条、350条、372条）

被担保債権全部の弁済を受けるまで、担保物権の目的物全部についてその効力を及ぼすという性質をいいます。

＜事例で理解＞

AがBに貸し付けている1000万円全部の弁済を受けるまで、土地全部が担保となります。

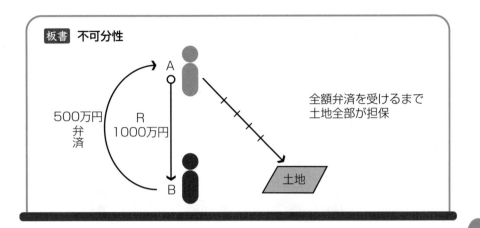

　Aの目的は、1000万円全額を返してもらうことにあるからです。仮にB
が、半額の500万円をまず返したとしても、抵当権の及ぶ範囲は、その土
地の半分にはならないということです。被担保債権の全部を返してもらう
まで、目的物の全部に力が及んでいます。

　キーワードは全部です。全部の弁済を受けるまで目的物の全部に力が及
ぶ。これを、分けられないという意味で**不可分性**といいます。

（4）　物上代位性（304条、350条、372条）

　担保物権の目的物が、売却・賃貸・滅失・損傷によって、代金・賃料・
保険金などの金銭その他の物に変わった場合、担保物権者はこれらの物に
対しても権利を行使できるという性質をいいます。

＜事例で理解＞

　一番重要な性質です。条文上の具体例はいろいろですが、わかりやすい
売却で考えます。Bは、土地に抵当権を設定していますが、所有者ですの
で、この土地をCに売却することができます。買主Cは代金を払います。
代金は1000万円だったとしましょう。

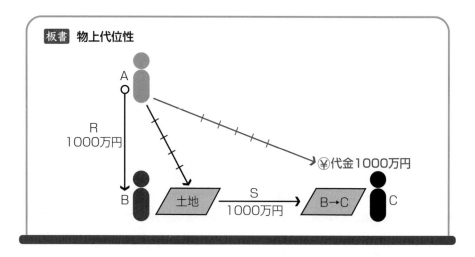

板書 物上代位性

A
R
1000万円
B
土地
1000万円
S
1000万円
B→C
C
¥代金1000万円

　この場合の代金1000万円は、抵当目的物である土地の経済的価値が現実化したものです。土地が1000万円で売れたわけですから、目的物の価値の現実化したもの、価値の変形物です。そうだとすると、Aは1000万円を確実に回収するために、この土地の持つ経済的価値を押さえていたのですから、それが現れた以上、当然、代金にもかかっていけるはずですね。このように、目的物の価値変形物にも権利行使ができるという性質を物上代位性といいます。ただし、要件として、CがBに対して払い渡す前に、この代金をAが差し押さえなければなりません。注意しましょう。

　なお、担保物権のうち、留置権だけは、次に見る優先弁済的効力を有しないので、物上代位性は認められません。

4　担保物権の効力

　質権の事例で、効力を見ていきます。

＜事例で理解＞

　AがBに100万円貸します。この貸金を担保するために、Bの宝石を質物とし、BからAへ宝石の引渡しが行われます。（1）と（2）の2つが重要です。

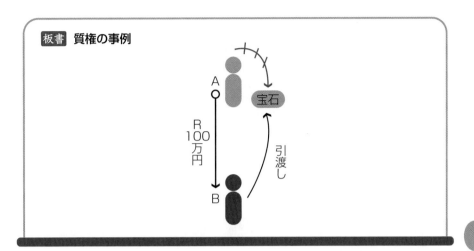

板書 質権の事例

4

担保物権

（1） 優先弁済的効力

債務が弁済されないとき、**目的物を換価して、他の債権者に優先して弁済を受けることができる**効力です。

優先的に、弁済を受けられるという力です。もしBが期日に借金を返せなければ、Aは、この宝石を売り払って、売却代金から優先的に貸金を回収できます。

なお、留置権には優先弁済的効力はありません。形式的な理由からです。つまり、条文に書いてないからです。法定担保物権である以上、民法が定めた内容になります。

（2） 留置的効力

債務が弁済されるまで目的物を留置し、債務者に心理的圧迫を加えて弁済を促す効力です。

留め置いて、という力です。100万円を返さない限り、宝石を渡さないぞ、ということで、Bに心理的プレッシャーを与えて間接的に弁済を促そうとする力です。

留置権と質権の2つにあります。先取特権と抵当権にはありません。

（3）収益的効力

　目的物を使用・収益し、債務の弁済に充てる効力です。

　極めて例外的なもので、質権の中の不動産質というものだけに認められ
ています。質権は目的物によって動産質、不動産質、権利質の３つに分か
れますが、その中の**不動産質のみが持つ効力**です。よって、不動産質権の
ところで説明します。

レジュメ　担保物権の効力　　　　　　　○＝あり、×＝なし、△＝一部あり

		留置権	先取特権	質権	抵当権
通有性	付従性	○	○	○	○
	随伴性	○	○	○	○
	不可分性	○	○	○	○
	物上代位性	×	○	○	○
効力	優先弁済的効力	×	○	○	○
	留置的効力	○	×	○	×
	収益的効力	×	×	△	×

第 4 編　第 1 章　確認テスト

問 1　担保物権には、留置権や先取特権のような法定担保物権と、質権や抵当権のような約定担保物権がある。

問 2　担保物権の通常有する性質として、付従性、随伴性、不可分性、物上代位性があり、留置権、先取特権、質権、抵当権すべてについて認められる。

問 3　担保物権の効力として、優先弁済的効力、留置的効力、収益的効力があるが、留置的効力は、すべての担保物権に認められる効力である。

4

担保物権

解答

問 1　○　担保物権には、留置権や先取特権のように、一定の事由が生じた場合に法律上当然に発生する法定担保物権と、質権や抵当権のように、当事者の契約で発生する約定担保物権があります。

問 2　×　担保物権の通常有する性質として、付従性、随伴性、不可分性、物上代位性がありますが、留置権には物上代位性がありません。

問 3　×　担保物権の効力として、優先弁済的効力、留置的効力、収益的効力がありますが、留置的効力は、留置権と質権にのみ認められる効力です。

1　留置権の意義

　留置権とは、他人の物を占有している者が、その物に関して生じた債権を有するときに、その債権の弁済を受けるまでその物を留置できる権利です（295条1項）。

＜事例で理解＞

　Bは壊れた車の修理をAに依頼し、Aは50万円の修理代金請求権を取得しました。ところが、Bは、50万円払わないにもかかわらず、車の返還請求をしてきた、という場合です。

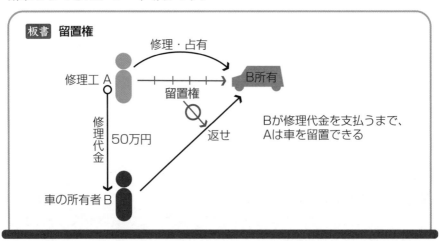

　Aが車を返すと、Bは50万円払わずに逃げてしまうかもしれません。

　このような場合のために、**公平の観点**から民法が特に認めた法定担保物権が留置権です。つまりAB間の契約ではなく、295条という条文に書いてある4つの要件を満たした場合に当然生じる法定担保物権です。したがって、具体例の場合には、Aはこの車を留置できます。50万円支払わない

限り、車を渡さないといえます。

2 成立要件

留置権は法定担保物権なので、295条が定めた一定の要件を満たしたときに成立します。成立要件は４つです。

① **債権がその物に関して生じたものであること（債権と物の牽連性）**

牽連性とは、関連性と考えてください。車を修理したことによって生じた修理代金50万円という関係があることです。

レジュメ **留置権の認否事例**

認められる場合	認められない場合
①≪被担保債権≫建物買取請求権行使で発生した建物代金債権 →≪留置物≫建物および敷地	①≪被担保債権≫造作買取請求権行使で発生した造作代金債権 →≪留置物≫建物
②≪被担保債権≫留置権者が留置物について支出した費用償還請求権 →≪留置物≫留置物	②≪被担保債権≫不動産の二重売買で一方に所有権移転登記がされた場合の、他方の売主に対する損害賠償請求権 →≪留置物≫目的不動産
③≪被担保債権≫不動産の買主が代金未払いのまま目的物を第三者に譲渡した場合の売主の買主に対する代金支払請求権 →≪留置物≫目的不動産	③≪被担保債権≫賃貸借契約解除後に賃借人が支出した有益費償還請求権 →≪留置物≫目的賃借物
	④≪被担保債権≫不動産賃貸借が終了した場合の敷金返還請求権 →≪留置物≫賃貸不動産
	⑤≪被担保債権≫他人物売買による買主が真の所有者から返還請求を受けた場合の買主の売主に対する損害賠償請求権 →≪留置物≫売買目的物

② **留置権者が目的物を占有すること**

　目的物の占有は、成立要件であると同時に存続要件でもあります。つまり、留置権が存続するためにも必要です。車の占有を失ったら、留置権も消滅するということです。さらに、目的物の占有は、対抗要件でもあります。仮に目的物が家を修理した場合のような不動産でも、登記ではなく、占有していることが第三者に対する対抗要件になります。不動産の場合に登記を対抗要件とする177条の例外ですね。

③ **債権が弁済期にあること**

　つまり払えといえることが必要です。修理代金が後払いの約束であれば、留置権の行使はできません。今、払えといえなければなりません。

④ **占有が不法行為によって始まった場合でないこと**

　（具体例）Aが泥棒だった場合です。AがBから車を盗んで修理した。この場合にまで、Aに留置権を認めるのは逆に不公平です。

　このように、占有が不法行為によって始まった場合、留置権は成立しません。

3 　効力

　成立した場合に留置権が有する効力です。メインは、その名の通り、留置的効力になります。

① **留置的効力**

　留置権者は、債権の全部の弁済を受けるまで、目的物の全部を留置することができます。Aは、50万円全額払ってもらうまで、車を留置できるということです。

　ただし、留置権者は、善良な管理者の注意をもって留置物を保管する義務（善管注意義務）を負います。この善管注意義務は、語感のイメージとは違って、厳しい義務です。最善の努力をすべき義務、つまりベストを尽くせという意味になります。

　したがって、留置権者は、債務者の承諾がなければ、留置物を使用・賃

貸したり、担保に供することはできません。BがOKしないと、車を使ったり貸したりなどができないということです。

② **果実収取権**

　果実を取れるという権利です。留置権者は、留置物から生ずる果実を収取し、他の債権者に先立って、これを自己の債権の弁済に充当することができます。

　（具体例）Aが、ミカンの木を成長させたとしましょう。その場合、ミカンを取れるということです。

③ **費用償還請求権**

　支出した費用を返せといえる権利です。留置権者が**必要費・有益費**を支出したときは、所有者に対して償還請求することができます。Aが費用を支出していたら、それを返せといえるということです。

　費用には、必要費と有益費の2つがあります。必要費とは、保存に必要な費用、有益費とは、改良に有益な費用という意味になります。賃貸借でも出てきますので、家屋の例で確認しましょう。必要費は、その建物の保存に必要な費用（たとえば、雨漏りの修理代金など）です。有益費は、建物の改良に有益な費用（たとえば、壁紙の張りかえ代金など）です。

4
担保物権

4 　消滅

　最後に、留置権の消滅事由と関連する知識をおさえましょう。

（1）　消滅事由

① **占有の喪失**

　留置権は占有の喪失により消滅します。占有が存続要件でもあるからです。

② **留置権者の義務違反による債務者の消滅請求**

　留置権者が善管注意義務に違反した場合などは、債務者は留置権の消滅を請求することができます。この消滅請求があれば消滅します。

③　担保の提供

債務者は、相当の担保を提供して、留置権の消滅を請求することができます。

（具体例）最初の例で、車が3000万円の高級車だったとしましょう。修理代金50万円に対して、3000万円の車が担保にとられるというのは、あまりに価値が違うので、公平とはいえません。そこで、たとえば、「80万円の宝石」というように、それ相応の価値の物を担保に入れるから車を返してくれないか、という請求を可能にしています。この場合、Ａがそれを承諾すればこの3000万円の車の留置権は消えます。

（2）　その他

まず、被担保債権の消滅時効についてです。**留置権を行使していても、被担保債権の消滅時効は完成猶予や更新はせずに進行します**（300条）。注意しましょう。

Ａが車を留置していても、50万円の修理代金債権の消滅時効はどんどん進行します。完成猶予や更新はしません。留置権の行使はＢに心理的プレッシャーを与えて間接的には弁済を促すものですが、間接的手段にすぎず、Ａが直接50万円の請求をしているわけではないからです。したがって、時効の完成猶予や更新事由である請求にはなりません。

次に、留置物の所有者が代わった場合です。留置権は、留置物の所有者が債務者から他の者に代わっても、留置権を対抗することができ、留置権は消滅しません。注意しましょう。

＜事例で理解＞

修理代金の債務者Ｂが、留置中の車をＣに売ったというケースです。

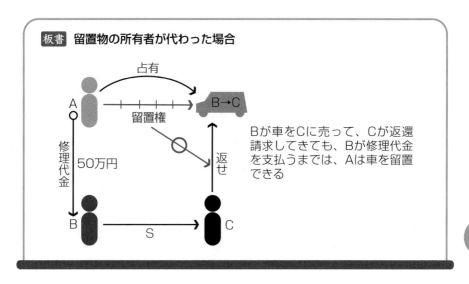

板書 留置物の所有者が代わった場合

Bが車をCに売って、Cが返還請求してきても、Bが修理代金を支払うまでは、Aは車を留置できる

　車の所有者はCになります。この新所有者Cが、Aに車の返還請求をしてきたらどうか。当然、Aは、留置権を行使できます。つまり、50万円支払われるまでは返さないといえます。第三者Cにも留置権を対抗できるからです。

第４編　第２章　確認テスト

問1　留置権者は留置物より生じる果実を取得して他の債権者に優先して債権の弁済に充当することができる。

問2　Aは、BからB所有の甲建物を賃借していたが、AB間の賃貸借契約が存続期間の満了により終了し、Aが造作買取請求権を行使した場合、Aは、Bに対する造作代金債権を被担保債権として甲建物について留置権を主張することができる。

問3　留置権者Aが留置物に対して必要費を支出したときは、債務者Bに対して償還請求することができるが、有益費の場合には、費用の支

4

担保物権

出による価格の増加が現存する場合に限りＡの選択に従い、その支出した金額または増加額を償還させることができる。

問4　青年実業家Ａは、自己所有のジェット機が故障したため、修理工Ｂに修理してもらったが、弁済期が過ぎても修理代金をまだ支払っていなかった。このため、Ｂは、当該ジェット機について留置権を行使している。この場合、Ａは、相当の担保を供して、留置権の消滅を請求できる。

問5　留置権を行使すれば、被担保債権の消滅時効は完成猶予や更新がなされる。

解答

問1　○　留置権者は留置物より生じる果実を取得して他の債権者に優先して債権の弁済に充当することができます（297条1項）。

問2　×　建物の賃貸借契約において、賃借人が造作買取請求権を行使した場合、賃貸人に対する造作買取請求権を被担保債権として建物について留置権を主張することはできません（最判昭29.1.14）。

問3　×　留置権者が留置物に対して必要費・有益費を支出した場合には、いずれも費用償還請求ができます（299条1項）。ただし、有益費の場合には、費用の支出による価格の増加が現存する場合に限り所有者の選択に従い、その支出した金額又は増加額を償還させることができます（同2項）。

問4　○　債務者は、相当の担保を供与して、留置権の消滅を請求することができます（301条）。

問5　×　留置権を行使していても、被担保債権については消滅時効の完成猶予や更新はせずに進行します（300条）。

1　先取特権の意義

　先取特権とは、法律の定める**特殊の債権**を有する者が、**債務者の財産か
ら他の債権者に優先して弁済を受ける権利**です（303条）。

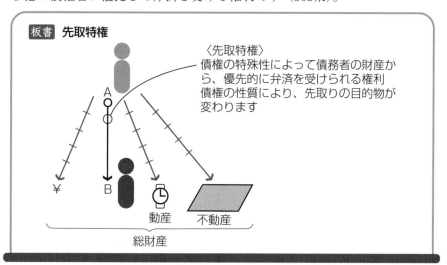

板書　**先取特権**

〈先取特権〉
債権の特殊性によって債務者の財産か
ら、優先的に弁済を受けられる権利
債権の性質により、先取りの目的物が
変わります

A

B

動産

不動産

総財産

4

担保物権

　名称通り、先取りできるという、優先弁済的効力のみもつ法定担保物権
です。出題されづらいテーマですので、簡単に見ておきましょう。

　先取特権は、目的物によって、一般の先取特権、動産の先取特権、不動
産の先取特権の3種類に分かれます。

2 一般の先取特権

（1） 意義

　一般の先取特権とは、債務者の「総財産」を目的とする先取特権です（306条）。債務者のすべての財産が対象となります。

　一般の先取特権者は、まず不動産以外の財産から弁済を受け、不足分に限り、不動産から弁済を受けることができます（335条1項）。

（2） 被担保債権

① 共益費用（307条）

　債務者の財産の保存などに関する費用を支出した者に認められます。

② 雇用関係（308条）

　給与その他債務者と使用人との間の雇用関係に基づいて生じた債権について認められます。

③ 葬式費用（309条）

　債務者またはその扶養親族のためにされた葬式の費用のうち相当な額について認められます。

④ 日用品供給（310条）

　債務者またはその扶養すべき同居の親族・家事使用人の生活に必要な飲食品・燃料・電気を供給した者に認められます。

　参考として、比較的わかりやすい②だけ見ましょう。

　雇用関係ということで、使用人の給料です。大口の債権者より先に、まず支払ってあげないと、この使用人は生活できません。このような生活保障といった特別な理由から、法定されています。

　なお、一般の先取特権の4つは、次のゴロ合わせで暗記できます。「今日こそ日曜」です。「今日」は共益費用の「共」。「こ」は雇用関係の「雇」。「そ」は葬式費用の「葬」。「日曜」は日用品供給の「日」。これで、4つです。

3 動産の先取特権

　動産の先取特権とは、債務者の特定の「動産」を目的とする先取特権です（311条）。被担保債権について、不動産の賃貸借、旅店の宿泊、旅客・荷物の運輸など、民法は8種類を規定しています。

4 不動産の先取特権

　不動産の先取特権とは、債務者の特定の「不動産」を目的とする先取特権です（325条）。被担保債権は、不動産の保存費用、不動産の請負代金・工事費用、不動産の売買代金です。

　以上の先取特権にも優先順位があります。先取特権が重複して成立する場合には、先取特権の順位の高い方から先に弁済を受けることになります。

4

担保物権

レジュメ　先取特権の順位と質権・抵当権の優劣		
	目的物が動産の場合	**目的物が不動産の場合**
第1順位	①動産質権 ②不動産賃貸・旅館宿泊・ 　運輸の先取特権	登記済の不動産保存先取特権
第2順位	動産保存の先取特権	登記済の不動産工事先取特権
第3順位	動産売買・種苗肥料供給・ 農工業労務の先取特権	①登記済の不動産売買先取特権 ②**登記済の不動産質権** ③**登記済の抵当権** ④登記済の一般先取特権
第4順位	一般先取特権 ※共益費用先取特権は 　動産先取特権に優先する	未登記の一般先取特権 ※共益費用先取特権は 　不動産先取特権に優先する

第4編　第3章　確認テスト

問1　一般先取特権とは、債務者の「総財産」を目的とする先取特権である。

問2　複数の一般先取特権が競合した場合の優先順位は、日用品の供給、葬式の費用、雇用関係、共益の費用の順である。

問3　動産先取特権は、債務者の特定の「動産」を目的とする先取特権である。

問4　不動産先取特権は、債務者の特定の「不動産」を目的とする先取特権である。

解答

問1　○　一般先取特権とは、債務者の「総財産」を目的とする先取特権です。

問2　×　複数の一般先取特権が競合した場合の優先順位は、共益の費用、雇用関係、葬式の費用、日用品の供給、の順です。

問3　○　動産先取特権は、債務者の特定の「動産」を目的とする先取特権です。

問4　○　不動産先取特権は、債務者の特定の「不動産」を目的とする先取特権です。

1　質権の意義

　質権とは、債権者が、債権の担保として債務者または第三者から受け取った物を債権の弁済があるまで留置し、弁済がないときには、他の債権者に優先して弁済を受けることができる権利です（342条）。

　<事例で理解>

　イメージとしては質屋さんです。たとえば、質屋さんが、借金のカタに、宝石を質に取ってお金を貸すような場合です。

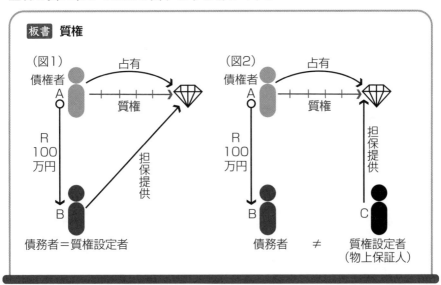

板書　質権

（図1）
債権者
A
R
100
万円
B
債務者＝質権設定者

占有
質権
担保提供

（図2）
債権者
A
R
100
万円
B
債務者
≠
C
質権設定者
（物上保証人）

占有
質権
担保提供

　AがBに100万円貸します。そして、借金のカタに、Bの宝石を質に取ります。宝石の引渡しが行われます。登場人物の名称は、質権に着目すると、Aは質権についての権利者なので、質権者といいます。Bは質権を設定した者なので、質権設定者といいます。なお、100万円の債権債務に着

4

担保物権

目すれば、Aが債権者、Bが債務者です（図1）。

　AB間で質権を設定すると、まず第1に、Aはこの宝石を留置できます。Bが100万円を返すまでは宝石を渡さないとして、Bに心理的プレッシャーを与え、弁済を間接的に促します。さらに第2に、もしBが期日に100万円を返さなければ、Aは質権を実行します。宝石を売り払って、その宝石の代金から優先的に100万円を回収できます。つまり優先弁済的効力もあります。

　場合によって、登場人物が3人になることもあります。債務者Bに見るべき財産がないというときに、たとえばBの友人Cに頼んでCの宝石を質に入れてもらうような場合です。この場合には債務者はB、質権設定者はCになります。この場合のCは、物による保証人というイメージになりますので、物上保証人といいます（図2）。物上保証人は抵当権でも同様ですので、ここで理解してください。ただ、登場人物が増えて複雑になりますので、以下は登場人物が2人だけのケース、債務者がそのまま質権設定者になるケースで見ていきます。

2　設定

（1）　目的物

　質権は、譲渡することができない物を目的とすることはできません（343条）。

　したがって、民事執行法などで差押えが禁止されている物（債務者の生活に欠くことのできない衣服・寝具・家具など）であっても、譲渡できるものであるなら、質権を設定することができます。

　（具体例）債務者の生活に欠くことのできない衣服などは、生活保障の観点から差押えが禁止されています。しかし、衣服を質に入れることはできますね。

　質権の設定はできるということです。つまり、譲渡ができない物という概念と差押えが禁止されている物という概念は違うということです。注意してください。

　なお、譲渡できない物の典型例は法禁物です。麻薬とか覚醒剤などです。もちろん譲渡はできません。

（2）　要物契約

　質権の設定は、**要物契約**とされています。要物契約とは、当事者の合意のほかに、一方の当事者が物の引渡しをすることを成立要件とする契約をいいます。物を必要とするから要物契約といいます。

　民法は、質権設定契約は、当事者の**意思表示の合致**のほかに、債権者に**目的物の引渡し**をなすことで効力を生じるとしています。つまり、AとBで質権を設定しようと合意しただけでは、まだ50％です。100％にするには、宝石をBからAに引き渡すことが必要です。これではじめて成立する契約です。

　さらに、民法は、質権者は、質権設定者に、自己に代わって質物の占有をさせることはできないとしています。つまり、占有改定ではダメだとしています。Bがそのまま宝石を持っているという**占有改定では足りません**。「物を返してほしかったら、借金を返してください」という留置的効力が発揮できないからです。Aが宝石を持っているからこそ、留置的効力が発揮できるからです。

（3）　流質契約の禁止

　いわゆる「質流れ」です。弁済期に借金を返さなかったら、質権者が直ちに質物の所有権を取得するといった契約です。こういう契約を**流質契約**と呼び、禁止しています。暴利行為を防ぐためです。

　（具体例）AがBに100万円を貸す場合、貸主の方が立場が強いので、質に取る
　　物は100万円より価値の高い物がほとんどです。時価200万円の宝石だとしま
　　しょう。もし丸取り契約を許したら、Aは100万円貸したにすぎないのに200
　　万円の宝石を手に入れることになります。これは暴利行為です。しかし、B
　　がこれを拒否したら、Aは「それなら貸さない」「他から借りてね」と言われて、
　　足下を見られてしまいます。そのように暴利をむさぼる行為ということで、

Bが害されます。そこで民法では、Bを守るために、丸取り契約である流質契約を禁止しています。

（4） 転質

転び質と書く転質です。債権者が融資を受けたい場合に、保管している質物を自分の債務のために質入れするということです。質物を再度、質入れする形になります。これを転質といい、民法は許容しています。転質は可能です。

＜事例で理解＞

債権者Aが、Cから80万円借りることになりました。この場合に、Aが、質に取っているBの宝石を、再度、質に入れるということです。なお、抵当権でも、転質と同様の転抵当という概念がでてきますので、ここで理解してください。

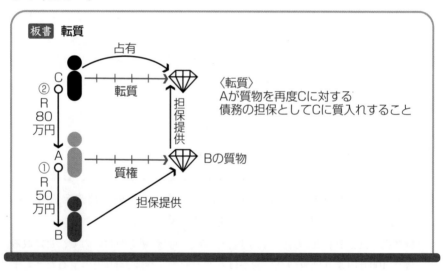

板書 **転質**

占有

転質

担保提供

C ② R 80万円

〈転質〉
Aが質物を再度Cに対する
債務の担保としてCに質入れすること

A ① R 50万円

質権

Bの質物

B

担保提供

3 種類

　質権は、その目的物によって、動産質、不動産質、権利質の３つに分けられます。目的物が、宝石のような動産の場合である動産質が中心です。他の２つは出題されづらいものです。

（１）　動産質

　動産質権者は、質権設定者の承諾がなければ、質物を使用したり賃貸したり、または担保に供することができません。留置権と同じです。ただ、もちろん転質はできます。

　動産質権の対抗要件、つまり、第三者に対して自分が質権者だと対抗するための要件は、占有継続です。

　したがって、動産質権者が質物の占有を奪われたときは、占有回収の訴えによってのみ、その質物を回復することができる、と規定されています（353条）。もし動産質権者が質物を盗まれたような、質物の占有を奪われた場合、占有回収の訴えによってのみ返せといえるだけです。よって、質権に基づく返還請求は認められません。占有していない以上、質権者だと対抗できなくなるからです。

（２）　不動産質

　不動産質権者は、質権の目的である不動産の用法に従って、使用・収益することができます（356条）。

　（具体例）その土地を使ったり、貸して地代を取ったりといった収益もできます。

　これが不動産質にのみ認められている**収益的効力**です。

（３）　権利質

　質権は、財産権をその目的とすることもできます（362条）。つまり、権利に質権を設定するという権利質です。

4

担保物権

質権について、基本的な知識をまとめておきましょう。

レジュメ　**質権に関する基礎事項**　　　　　　　○＝あり、×＝なし

	動産質	不動産質	権利質
対抗要件	占有の継続	登記	設定者からの通知または第三債務者の承諾
存続期間	×	10年	×
使用収益権	原則× 設定者の承諾 あれば○	○	×
果実収取権	○ 他の債権者に優先して債権の弁済に充当可	当然○	————
必要費償還請求権	全額○	原則×	————

第4編　第4章　確認テスト

問1　質権設定契約は、当事者の意思表示の合致のほかに債権者に目的物を引き渡すことで効力が生じる要物契約である。

問2　民法上の質権設定契約では、流質契約をすることはできない。

問3　動産質権の対抗要件は占有の継続だが、不動産質権の対抗要件は登記である。

問4　動産質権者が質物の占有を奪われたときは、質権に基づいて質物返還請求をすることができる。

問5　不動産質権者が、質物の目的である不動産を用法に従って使用・収益をするには、質権設定者の承諾が必要である。

解答

問1　○　質権設定契約は、当事者の意思表示の合致のほかに債権者に目的物を引き渡すことで効力が生じる要物契約です（344条）。

問2　○　民法上の質権設定契約では、流質契約をすることはできません（349条）。

問3　○　動産質権の対抗要件は占有の継続です（352条）。また、不動産質権の対抗要件は登記です（177条）。

問4　×　動産質権者が質物の占有を奪われたときは、占有回収の訴えによってのみ、その質物を回収することができます（353条）。

問5　×　不動産質権者は、質権設定者の承諾がなくても、不動産の用法に従って、使用・収益をすることができます（356条）。

1　抵当権の意義

　抵当権とは、債務者または第三者が**占有を移転しないで**債務の担保に供した不動産などから、抵当権者が、**他の債権者に優先**して弁済を受けることができる権利です（369条１項）。

＜事例で理解＞

　AがBに1000万円貸します。そして、貸金を確実に回収するために、B所有の土地に抵当権を設定して登記します。登場人物の名称は、抵当権に着目すると、Aは抵当権についての権利者なので、抵当権者といいます。Bは抵当権を設定した者なので、抵当権設定者といいます。なお、1000万円の債権債務に着目すれば、Aが債権者、Bが債務者です（図１）。

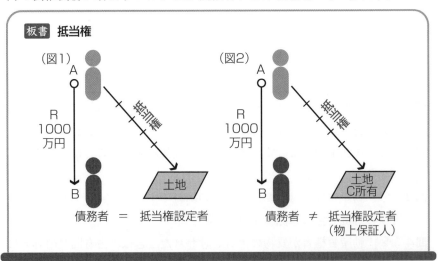

板書　抵当権

（図1）

A

R
1000
万円

抵当権

B

土地

債務者　＝　抵当権設定者

（図2）

A

R
1000
万円

抵当権

B

土地
C所有

債務者　≠　抵当権設定者
（物上保証人）

　もしBが期日に1000万円を返さなければ、Aは抵当権を実行します。この土地を売り払って、その代金から優先的に1000万円を回収できます。こ

のように優先弁済的効力のみを持つ約定担保物権を抵当権といいます。現実の社会では、Aが銀行の場合、つまりA銀行からBが融資を受けるという場合に、よく利用されています。

　なお、友人Cの土地に抵当権を設定してもらうといった、**物上保証人**が登場する場合もありえます（図2）。質権の説明と同様に、以下Bが債務者かつ抵当権設定者という簡単なケースで見ていきます。

　質権との違いは、目的物である土地をAに引き渡さないことです。土地は、Bがそのまま使用収益できます。

　ここから、担保物権の中で最も重要な抵当権について、設定、効力、消滅、その他という順番で見ていきましょう。

2　設定

（1）　抵当権の目的

　抵当権の目的は、**不動産**と、**地上権**、**永小作権**に限られます（369条2項）。
　現実には、ほぼすべて不動産、つまり土地・建物です。ただ、条文上、地上権と永小作権という用益物権にも設定できますので、注意してください。地上権は建物利用のための土地利用権、永小作権は農地利用のための土地利用権でしたね。

（2）　抵当権の対抗要件

　登記です。Aが、第三者に対して自分が抵当権者だと対抗するための要件は177条通り、登記です。

（3）　抵当権の被担保債権

①　金銭債権以外の債権

　抵当権によって担保される債権は、普通は金銭債権です。先ほどの例でいうと、1000万円の貸金債権です。現実には、ほぼすべて金銭債権です。ただし、金銭債権以外の債権であってもかまいません。金銭債権以外の債

権には、物の引渡しなどさまざまあります。その債務が履行されない場合には、損害賠償債権という金銭債権に変わるからです。

② 将来発生する債権

将来発生する債権のために、現在において抵当権の設定をすることができます（大判昭7.6.1）。極端な例で考えましょう。明日、1000万円借りるという場合に、今日のうちに抵当権の設定をしても、特に不都合はないですね。

これは、**付従性の緩和**という論点です。抵当権は担保物権として付従性を有しますので、厳格に解すると、将来発生する債権は、現在は存在していない以上、抵当権を設定することができないと解釈すべきです。しかし、判例・通説ともに付従性を緩和して、将来発生する債権のための抵当権も有効であるとしています。杓子定規には考えずに、緩やかに解するということです。

（4） 抵当権の順位

数個の債権を担保するために同一の不動産に抵当権を設定することができます。その抵当権の順位は登記の前後によります（373条）。

＜事例で理解＞

Bが多重債務者で、いろんな人からお金を借りているとします。Aからも、Cからも…、借りているといった場合です。

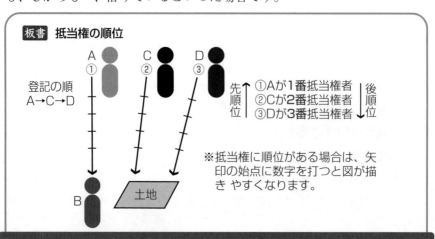

板書 抵当権の順位

登記の順
A→C→D

先順位 ↑ ①Aが**1**番抵当権者
②Cが**2**番抵当権者 後順位
③Dが**3**番抵当権者 ↓

※抵当権に順位がある場合は、矢印の始点に数字を打つと図が描きやすくなります。

土地

B

　この場合、先ほどのBの土地に対して、順次抵当権を設定していくことができます。最初にAから1000万円を借りて、Aのために抵当権を設定して登記します。次に、Cからもお金を借りて抵当権を設定して登記します…。こういった場合は登記した順番で、1番抵当権、2番抵当権…、といいます。なお、Aから見てCなどを、自分より後ろですので、**後順位抵当権者**と呼びます。逆にCなどから見てAを、**先順位抵当権者**と呼びます。

　そして、抵当権の順位は、各抵当権者の合意によって変更することができます（374条1項本文）。上の例で、たとえばAとDの順番を変える、チェンジすることができるということです。これによって、Dが1番抵当権者、Aが3番抵当権者になります。**抵当権の順位の変更**といいます。

4
担保物権

（5）　共同抵当

　同一の債権の担保として数個の不動産につき抵当権を設定することもできます。これを共同抵当といいます。

＜事例で理解＞

　AがBに1000万円貸しました。担保は多い方がいいですね。そこで、たとえばB所有の甲土地と乙建物というように、1つの債権を担保するために2つ以上の不動産に抵当権を設定することができます。

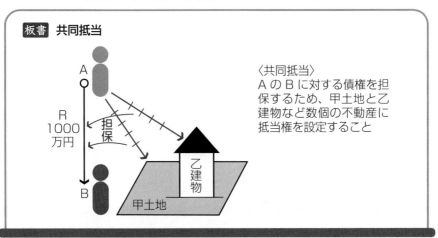

板書　共同抵当

〈共同抵当〉
AのBに対する債権を担保するため、甲土地と乙建物など数個の不動産に抵当権を設定すること

A
R
1000万円
担保
B
乙建物
甲土地

3　効力

（1）　目的物の範囲

　370条は、抵当権の効力は抵当不動産およびそれに付加して一体となっている物に及ぶ、としています。なお、土地の抵当権の効力は、その土地上の建物に及びません。法律上、土地と建物は別個の不動産だからです。

　まず、抵当権の効力は抵当不動産、つまり、もともとの目的物である土地や建物に及びます。当然ですね。問題となるのは、付加して一体となっている物（**付加一体物**）にも及ぶとする部分です。

①　付合物（242条）

　判例は、付加一体物イコール付合物としています。

　復習ですが、付合物の典型例は、建物の増築部分でしたね。

＜事例で理解＞

　AがBにお金を貸して、B所有の建物に抵当権を設定します。もともとの建物に抵当権の効力が及ぶのは当然ですが、問題は、Bが、その後、一間増築した場合です。増築部分は、壁を壊さないと切り離しできない付合物です。判例は、370条の付加一体物とは、242条の付合物を指すとします。壊さなければ切り離しができないのだから、元の物と物理的に一体と考えます。したがって、Aの抵当権の効力は、増築部分にも及びます。

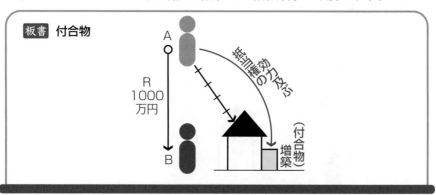

　ここで、抵当権の効力が及ぶというのは、もしBが期日にお金を返せな

ければ、Aはもともとの建物は当然として、さらに増築部分もあわせて売り払うことができるということです。

②　従物（87条）

　次は、従物です。復習ですが、従物の典型例は、建物の中の畳でしたね。従物については、判例は一貫していません。そこで、判例が確定している**抵当権設定当時の従物**、つまり、抵当権設定当時からあった畳のケースを説明します。

　判例は、付加一体物を付合物、つまり壊さなければ切り離しできない物と考えます。すると畳のような従物は、壊さなくても切り離しができますので、370条では抵当権の効力が及びません。そこで、判例はまったく違う条文を使います。物のところで説明した87条2項で処理します。

＜事例で理解＞

　87条2項は、「従物は、主物の処分に従う」という規定でした。たとえばBが所有建物をAに売却した場合、畳も売却されたとする規定でした。処分の典型例は売却ですが、抵当権設定も一種の処分です。抵当権を設定するという処分です。そうだとすると、条文通りに解決できます。抵当権設定当時から建物の中にあった畳の場合、主物である建物に抵当権設定という処分が行われたのであれば、従物である畳にも抵当権設定という処分が行われたということになります。以上から、判例は、抵当権設定当時の従物には抵当権の効力が及ぶと考えます。よって、抵当権設定当時からあった畳であれば、もしBがお金を返せなければ家を売り払うときに一緒に売り払えます。

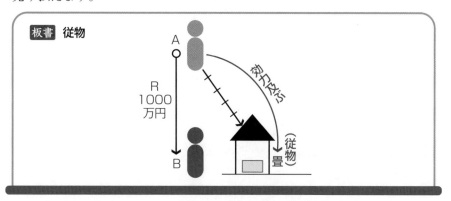

4

担保物権

なお、抵当権設定後の従物に抵当権の効力が及ぶかについては、判例は確定していません。

　さらに、従物の応用テーマを見ます。

　従「物」ではなく**従たる「権利」**に抵当権の効力が及ぶか否かという問題です。

＜事例で理解＞

　まず、最初にBが地主Cから土地を借りました。これが賃借権です。次に、Bが家を建てました。ここまでを前提とします。この後は、先ほどの例を当てはめます。BがAからお金を借りて、自分の建物に抵当権を設定します。この場合に、Aの抵当権が、その建物は当然として、賃借権にも及ぶのかという問題です。

　すると賃借権は、その名の通り権利であって物ではありません。しかし建物を主物と考えた場合、従たる権利と考えられます。そこで、判例（最判昭40.5.4）は、87条2項は物の規定だから直接は適用できないが、事態が似ていることから、87条2項を類推適用します。従たる権利である賃借権にも抵当権の効力が及ぶとしています。結果は、従物と同じになります。

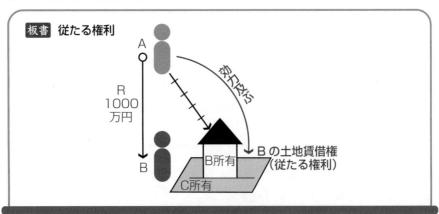

③　果実（88条）

　抵当権の効力は、その担保する債権について不履行があったときは、その後に生じた抵当不動産の果実に及びます（371条）。

＜事例で理解＞

果実について、天然果実で具体例を見ます。復習ですが、天然果実の典型例は、ミカンの木にできるミカンでしたね。AがBにお金を貸して、Bのミカンの木の生えている土地に抵当権を設定したとします。

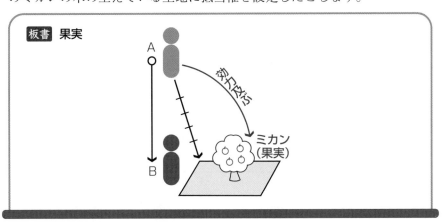

この場合に、ミカンに抵当権の効力が及ぶのか否か。つまり、Aが、ミカンを取れるか、についての条文です。

371条は、債務の不履行、つまりBがお金を返せなかったら、その後は天然果実にも及ぶとしています。債務不履行後は、ミカンが取れます。

板書 **抵当権の効力が及ぶ目的物の範囲**

①付合物　○
②従物　　△（設定当時の従物には及ぶ）
③果実　　△（債務不履行後の果実には及ぶ）

④　詐害行為取消権の対象となる場合

債務者が抵当不動産に物を付加した場合に、その行為が詐害行為となるような場合には、それが不動産と付加して一体となったとしても、抵当権の効力は及びません。

（具体例）債務者が、債権者に差し押さえられるのは嫌だといって、自分の持っ

ている宝石を、抵当不動産の地中に埋めたような場合です。宝石であっても石ですから、地中に埋めれば土地に付合し、抵当権の対象となり、一般債権者は抵当権者に劣後してしまいます。しかし、宝石をこの土地に付合させる行為は詐害行為といえ、抵当権の対象から外されることになります。

（2）　被担保債権の範囲

原則としては、利息などは最後の**2年分**しか優先弁済を受けられない、と規定されています。

抵当権によって担保される債権の範囲がどこまでか。元本1000万円は当然として、それ以上のもの、たとえば利息は何年分か、に関する条文です。

＜事例で理解＞

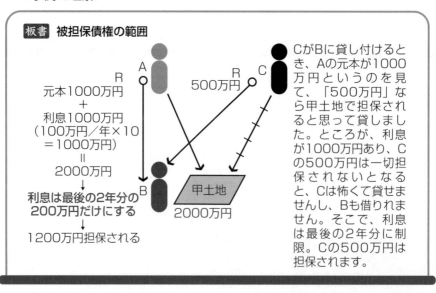

板書 被担保債権の範囲

A
R
元本1000万円
＋
利息1000万円
（100万円／年×10
＝1000万円）
＝
2000万円
↓
利息は最後の2年分の
200万円だけにする
↓
1200万円担保される

R
500万円　C

B
甲土地
2000万円

CがBに貸し付けるとき、Aの元本が1000万円というのを見て、「500万円」なら甲土地で担保されると思って貸しました。ところが、利息が1000万円あり、Cの500万円は一切担保されないとなると、Cは怖くて貸せませんし、Bも借りれません。そこで、利息は最後の2年分に制限。Cの500万円は担保されます。

もし、利息などが何年分も払われておらず、たまっていたらどうでしょう。それすべてを先順位抵当権者が優先的に取れるとすれば、後順位抵当権者が害されます。そこで、元本以外に取れる範囲を2年分に限定したのです。

4　処分・消滅

（1）　抵当権の処分

①　転抵当

　質権で説明した転質の、抵当権バージョンと考えてください。抵当権者は、その抵当権を他の債権の担保とすることができます。

＜事例で理解＞

　AがBに1000万円貸して、Bの土地に抵当権を設定した後、AがCから800万円の融資を受けるということになりました。

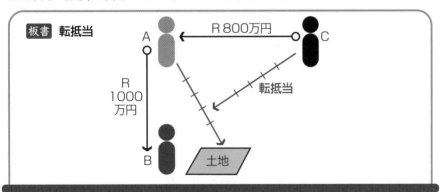

板書　転抵当

　この場合に、Aの有する原抵当権に、さらにCの抵当権を設定できます。これを転抵当といいます。

　すると、原抵当権は転抵当権設定という処分が行われたことになります。

②　譲渡・放棄

　抵当権または抵当権の順位を、譲渡したり放棄することができます。

（2）　抵当権の消滅

　抵当権は、被担保債権が履行されると、付従性により消滅します。貸したお金を返してもらえば、消滅します。

　その他について、以下の規定があります。

① 抵当権と時効

　抵当権は、債務者および抵当権設定者に対しては、その担保する債権と同時でなければ時効によって消滅しません（396条）。貸金1,000万円が消滅時効で消えない限り、抵当権だけ消えることはない、とする規定です。目的が消えてないのに手段だけ消えるわけにはいかないからです。

　抵当目的物が債務者または抵当権設定者でない者によって占有され取得時効が完成したときは、抵当権は消滅します（397条）。たとえばCが、先ほどのBの土地を時効取得したとしましょう。すると、時効取得は原始取得でしたね。Cの元にパッと新たに権利が生じます。抵当権などの負担がついていない、きれいな土地がCの所有物になります。

② 抵当権の目的たる用益物権の放棄

　地上権または永小作権を抵当権の目的としたときは、地上権者または永小作権者がその権利を放棄しても、抵当権者に対抗できません（398条）。地上権に抵当権を設定したにもかかわらず、地上権を放棄するのはずるいです。抵当権者が害されるので、ダメだということです。

5 抵当権における建物の保護

（1） 法定地上権

　388条という1つの条だけで規定されている法定地上権ですが、非常に重要ですので、よく理解しましょう。

① 意義

　抵当権の設定当時、既に建物と土地が存在し、両者が同一人の所有に属していた場合であって、競売によって建物と土地の所有者が異なるに至ったときには、その建物について地上権が設定されたものとみなされます（388条）。これを**法定地上権**といいます。

　＜事例で理解＞

　Bが自分の土地の上に自分の建物を所有しているとします。そのBが、Aからお金を借りて建物にのみ抵当権を設定しました。ところが、Bはお

金を返せなかったので、抵当権が実行され、つまり**競売**によって売り払われ、建物はＣが買い受けました。競売とは、裁判所の手続を通して売ることです。公的な売買です。

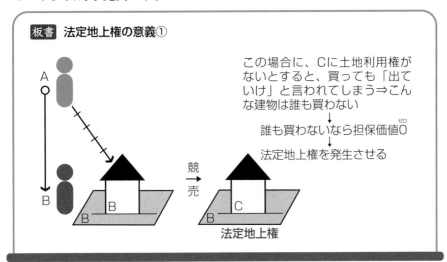

板書 法定地上権の意義①

この場合に、Ｃに土地利用権がないとすると、買っても「出ていけ」と言われてしまう⇒こんな建物は誰も買わない
↓
誰も買わないなら担保価値0
↓
法定地上権を発生させる

競
→
売

法定地上権

4

担保物権

　このままですと、どうでしょうか。Ｂの土地の上に無権限でＣが建物を所有している状態になります。Ｃには何ら土地利用権がないわけです。すると、このままでは、ＢはＣに対して建物収去、土地明渡しの請求ができることになってしまいます。つまり家を壊して出て行けということです。これでは、まだ十分に使える建物を壊さなければなりません。国民経済上の見地からあまりに不利益、もったいないと考えられます。

　そこで民法は、こういう場合に**当然に生ずる地上権、民法388条という法が定めた地上権**を成立させます。この場合には、建物の買受人（新所有者）Ｃは、Ｂの土地の上に、当然に地上権（法定地上権）を有するとされるのです。地上権というのは土地利用権でしたね。この地上権の法定バージョンです。新所有者Ｃは、土地の所有者Ｂとは、土地の利用に関して契約関係にないため、本来なら、建物を入手しても土地の利用権が認められないはずですが、法が、競売の結果地上権を設定したものとみなすことで、建物の利用権を保護しているのです。

もし、土地と建物がそれぞれ別人の所有であれば、既に建物の所有者に土地の利用権が設定されているはずですので、抵当権は、これを前提として成立します。たとえば、D所有の土地上にB所有の建物がある場合は、既にDB間で借地権を設定しているはずで、その建物についてのみBの債権者Aのために抵当権を設定すれば、B所有の建物のほかに、Bの借地権にも抵当権の効力が及ぶため（従たる権利です）、買受人Cは、建物の所有権のほか借地権も得たことになり、問題は生じません。

　つまり、法定地上権は、土地と建物を別個の不動産とし、しかも**自己借地権**（自分の土地に自分の建物を建てて利用する借地権）を認めない日本民法の不備に由来しているのです。この弱点を補うために388条は、こういう場合に法定地上権という地上権が当然成立するとしました。建物を守るためです。そうしないと建物を壊さなければならなくなるからです。

＜事例で理解＞

　Bが土地の方に抵当権を設定した場合も、まったく同じになります。自分で図を書いて考えてみましょう。答え（関係図）は、次のようになります。

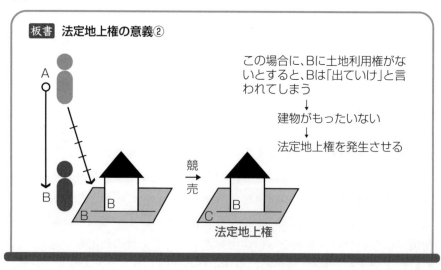

板書　法定地上権の意義②

この場合に、Bに土地利用権がないとすると、Bは「出ていけ」と言われてしまう
↓
建物がもったいない
↓
法定地上権を発生させる

競
→
売

法定地上権

② 要件

　法定地上権が、どういう場合に成立するかという3つの要件を正確に覚えましょう。3要件をすべて満たしたときにのみ成立します。

レジュメ　法定地上権の要件

（a）　抵当権の設定当時既に土地上に建物が存在していること
（b）　抵当権の設定当時に土地と建物の所有者が同一人であること
（c）　競売が行われて土地と建物が別異の者の所有に至ること

（a）第1に、判例は、抵当権設定時、建物が存在していることを要求しています。ボロボロでもいいですし、後で再築されてもかまいません。
　　逆に更地（地上に建物のない土地のこと）に抵当権が設定された場合には、法定地上権は成立しません。

判例　大判昭10.8.10

● 判旨
　土地に抵当権を設定した当時建物が存在していれば、後にその建物が改築されたり、滅失して再築されても、法定地上権は成立する。

判例　最判昭36.2.10

● 判旨
　土地に対する抵当権設定後に建物が築造された場合、抵当権者がその築造をあらかじめ承認したとしても、法定地上権は成立しない。

（b）第2に、抵当権設定当時に土地A、建物Aというように、土地と建物が同一所有者のものであることが必要です。
　　設定当時に同一所有者であれば足り、その後、売却されて別の所有者になってもかまいません。同一所有者であることが要求されるのは、

抵当権設定時点のみです。

　また、前述したように、抵当権設定当時、土地と建物の所有者が異なっている場合には、その建物のために契約により利用権が設定されているはずなので、法定地上権は認められません。

判　例　大連判大12.12.14

● **判　旨**

　抵当権の目的たる土地または建物の一方が、その競売に至るまでの間に譲渡され同一所有者に属しなくなっても、法定地上権は成立する。

判　例　最判昭44.2.14

● **判　旨**

　抵当権設定当時において土地および建物の所有者が各別である以上、その土地または建物に対する抵当権実行による買受けの際、たまたま、右土地および建物の所有権が同一の者に帰していたとしても、法定地上権は成立しない。

（ c ）第3に、競売の結果、土地A、建物Cというように、土地と建物が別の所有者のものになることです。

③　共有と法定地上権

　土地・建物に共有関係が存在する場合について、建物共有の場合、土地共有の場合、それぞれ建物に抵当権設定、土地に抵当権設定の4つのパターンを見ておきましょう。

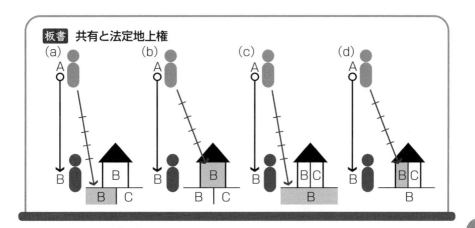

板書　共有と法定地上権

いずれも、**共有者の保護**を考えます。

まず、土地共有の場合には、共有者は土地上の建物が立っていない方が、自分の土地が更地になるので土地の価値は上がります。したがって、法定地上権は成立させません。

つぎに、建物共有の場合には、法定地上権が成立しないと、その土地から出ていかなくてはなりません。したがって、法定地上権は成立させます。

レジュメ　共有と法定地上権

	土地共有	建物共有
土地に抵当権設定	（a）成立しない	（c）成立する
建物に抵当権設定	（b）成立しない	（d）成立する

（2）　一括競売

土地の抵当権設定後に、その土地の上に建物が建てられた場合には、抵当権者は建物と土地を一括して競売することができます。ただし、土地代金からしか優先弁済は受けられません（389条1項）。

担保物権

＜事例で理解＞

Bが土地を所有しています。建物の建っていない更地です。①Aからお金を借りて、この土地に抵当権を設定しました。②この土地の上に建物が建てられました。建物はB以外の者が建てた場合でもかまいません。

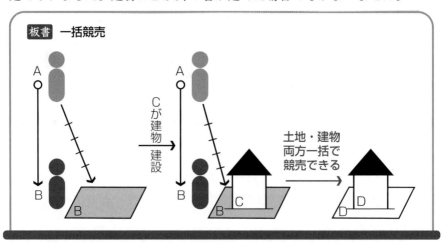

板書　一括競売

Cが建物建設

土地・建物両方一括で競売できる

この①②の順番がポイントです。

ところが、Bはお金を返せませんでした。抵当権者Aは、本来、土地についてしか権利を持っていません。しかし、実際に建物が建っている土地を、建物を除いて、土地だけ売るというのは無理です。そこで便宜上、一括競売、つまり土地と一緒に建物も売り払うことができます。ただ、もちろんAが優先権を持つのは土地の方の代金だけですから、建物についての代金はBに返します。

①②の順番が逆であれば、どうなりますか。法定地上権の問題になりますね。順番が違うだけで全く別の法律関係になりますから、注意してください。

6　抵当目的物の第三取得者および賃借人の保護

第三取得者とは、抵当権の目的となっている土地などを抵当権設定者か

ら買った者をいいます。賃借人は、それを借りている者をいいます。

　（1）（2）は第三取得者の保護、（3）（4）は賃借人の保護についての規定です。

（1）　代価弁済（378条）

　抵当不動産の所有権（または地上権）を買い受けた者が、**抵当権者からの請求**に応じて買受代金を抵当権者に支払えば、抵当権は買受人のために消滅します。

＜事例で理解＞

　AがBにお金を貸して、Bの土地に抵当権を設定し登記します。その後、Bは抵当権を設定しても土地の所有者ですから、この土地を売ることができますので、Cにこの土地を売却しました。

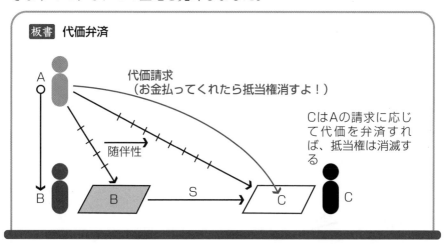

　この場合のC、つまり抵当権付きの土地を買ったCを第三取得者と呼びます。

　第三取得者が登場した場合に、もしBがAに1000万円を返せなかったらどうなるでしょうか。Aは、先に登記をしていますので、177条により、AC間ではAが勝ちます。Cにしてみると、せっかく土地を買ったのに、自分とは関係ないBがAにお金を返せなかったという理由で、Aに抵当権

4
担保物権

を実行され、土地を売り払われてしまいます。それではあまりに、第三取得者がかわいそうだと民法は考えました。そこで、Cを守る制度をつくったのです。その1つ目が代価弁済の制度です。

ポイントは、**抵当権者Aからの請求**だということです。AがCに、例えば、1000万円払ったら抵当権を消滅させてやる、という請求をする場合の規定です。抵当権者Aがイニシアチブを取って、Aが請求したことに対してCがお金を払って抵当権を消滅させる制度になります。

（2）　抵当権消滅請求（379条）

抵当不動産について所有権を取得した第三者（主たる債務者、保証人等は除く）は、抵当不動産の代価または特に指定した金額を抵当権者に提供して抵当権の消滅を請求することができます。

＜事例で理解＞

代価弁済には、弱点があります。抵当権者Aが請求してくれなければCはどうしようもありません。そこで民法は、2つ目として、より強力な制度である**第三取得者Cがイニシアチブを取る**制度をつくりました。つまりAが請求してくれなくてもCが、たとえば、1000万円払うから抵当権を消滅させてくれ、という請求をする場合です。抵当権消滅請求と呼びます。

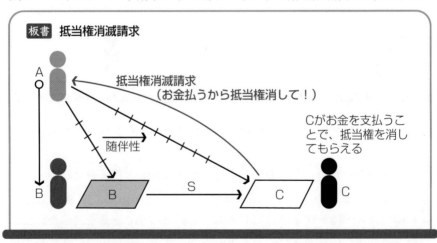

板書　抵当権消滅請求

抵当権消滅請求
（お金払うから抵当権消して！）

Cがお金を支払うことで、抵当権を消してもらえる

随伴性

S

　以上から、代価弁済と抵当権消滅請求のポイントは、両者の最大の違いである矢印の向きになります。逆パターンということです。代価弁済ときたら抵当権者Aがイニシアチブを取る方、抵当権消滅請求ときたら第三取得者Cがイニシアチブを取る方です。しっかり区別して覚えましょう。

（３）　抵当権者の同意制度（387条）

　登記をした賃貸借は、その登記前に登記をした抵当権を有するすべての者が同意をし、かつ、その同意の登記があるときは、その同意をした抵当権者に対抗することができます。

　＜事例で理解＞

　AがBにお金を貸して、Bの建物に抵当権を設定し登記します。その後、Bは抵当権を設定しても建物の使用収益はできるので、この建物を賃貸することができます。Cにこの建物を賃貸したとしましょう。収益として家を貸して家賃を取るということです。

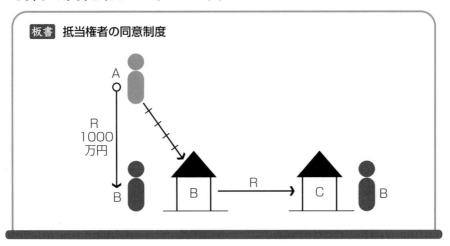

板書 抵当権者の同意制度

　賃借人が登場した場合に、もしBがAに1000万円を返せなかったらどうなるでしょうか。Aは、先に登記をしていますので、177条により、AC間ではAが勝ちます。Cにしてみると、せっかく建物を借りたのに、自分とは関係ないBがAにお金を返せなかったという理由で、Aに抵当権を実

行され、建物を売り払われてしまいます。建物の明渡し、つまり、出て行けといわれてしまいます。それでは、安心して住めませんので、賃借人に酷だと民法は考えました。そこで、Cを守る制度をつくったのです。

1つ目が**抵当権者の同意**という制度です。抵当権者が同意した場合には、そのまま住めるという制度です。

（4）　賃借建物の引渡し猶予

抵当権者に対抗できない賃貸借によって抵当権の目的である建物の使用または収益を行う一定の者は、その建物の競売の場合において、買受人の買受けの時から**6か月**を経過するまでは、その建物を買受人に引き渡すことを要しません（395条）。

2つ目として、引渡しが猶予されるという**賃借建物の引渡し猶予**の制度です。競売されても、6か月間は引き渡さずに住んでいられます。

なお、補足ですが、この395条は、平成15年改正までは、「短期賃貸借の保護」というまったく別の制度でした。非常に悪用、乱用されていました。現実に社会問題となっていた、いわゆる占有屋の根拠条文にされていたのです。この「短期賃貸借の保護」が廃止され、新設されたのが賃借建物の引渡し猶予の制度です。

以上で、通常の抵当権である**普通抵当権**といわれるテーマが終了しました。ここまでが基本ですので、ここまでをしっかりマスターしましょう。次の根抵当権は応用テーマであり、また出題頻度も低いので、場合によっては（戦略的に考えると）パスしてもかまいません。

7　根抵当権

根抵当権とは、一定の範囲に属する不特定の債権を**極度額**の限度において担保する特殊な抵当権をいいます（398条の2第1項）。

通常の抵当権の場合、債務者が債務を弁済するなど被担保債権が消滅す

れば、付従性により、抵当権も消滅しましたね。しかし、たとえば、問屋と小売店間の取引や銀行と商人間の取引など、継続的な取引関係にある場合には、決済の都度抵当権を設定しなければならなくなり、かえって煩雑です。そこで、個々の決済（正確には個々の債権の発生・消滅）に影響を受けない抵当権として、根抵当権が規定されました。したがって、根抵当権は、確定するまでは付従性・随伴性を有しません。

＜事例で理解＞

問屋Aが小売店Bに商品を定期的に販売しており、その代金債権が発生していますが、Bが定期的に弁済しているため、債権が継続的に発生・消滅を繰り返しています。この場合に、個々の債権が発生したらその都度抵当権を設定し、消滅したらその都度抹消するのでは煩雑なので、AB間に発生する債権を極度額という枠の限度で担保することとして、個々の債権の発生・消滅に影響を受けない抵当権を根抵当権といいます。

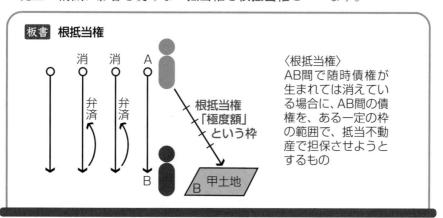

以下に、根抵当権の基本的な内容を示しますが、参考程度にしてください。

（1）　根抵当権の設定

根抵当権は根抵当権者と根抵当権設定者との設定契約により設定され、対抗要件は登記です。

（2）　根抵当権の内容

　根抵当権の内容は、①被担保債権の範囲、②極度額、③確定期日の3つ
により決まります。

①　被担保債権の範囲

　根抵当権の被担保債権となりうる債権は、設定行為をもって定められた
一定の範囲に属する不特定の債権で（398条の2第1項）、以下のようなも
のです。

（a）債務者との特定の継続的取引契約から生じる債権（398条の2第2
　　　項）

　たとえば、問屋と小売店間の継続的な特定の商品供給契約。

（b）債務者との一定の種類の取引によって生じる債権（398条の2第2
　　　項）

　たとえば、問屋と小売店間で、将来の取引拡大に備え、特定の商品に
限定されない商品供給契約から生じる一切の債権とする場合など。

（c）特定の原因に基づき債務者との間に継続して生じる債権など（398
　　　条の2第3項）

　たとえば、工場の排水により継続的に生じる被害者の損害賠償債権。

②　極度額

　極度額とは、根抵当権によって優先弁済を受けうる**上限額**をいいます。

　元本、利息その他の定期金および債務不履行による損害賠償の全部につ
き、極度額を限度として優先弁済を受けることができます（398条の3第
1項）。

③　確定期日

　根抵当権は、確定により担保される元本債権が特定し、その後に発生す
る元本債権は担保されなくなります。これを元本の確定または根抵当権の
確定といい、一定の事由によって定まります。

　この元本の確定を生じさせる期日を当事者の意思で定めたものを、確定
期日といいます。この確定期日は、当事者が5年以内の日においてあらか
じめ定めることができます（398条の6第1項・3項）。仮に、当事者があ

らかじめ確定期日を定めなくても、他の事由によって元本の確定は生じますので、確定期日の定めのない根抵当権設定契約も無効にはなりません。

（3）　根抵当権の変更

根抵当権の内容は、根抵当権設定者と根抵当権者の合意により変更することができます。

①　被担保債権の範囲の変更・債務者の変更（398条の４）

元本の確定前においては、根抵当権の被担保債権の範囲を変更することができ、この場合、後順位の抵当権者の承諾は不要です（398条の４第１項・２項）。同様に、債務者の変更も後順位抵当権者の承諾なしにすることができます（398条の４第１項・２項）。

なお、どちらの変更も、元本の確定前に登記をしないと効力は生じません（398条の４第３項）。

②　極度額の変更（398条の５）

元本の確定の前後を問わず、極度額の増額・減額ができますが、**利害関係人の承諾**が必要です。

③　確定期日の変更（398条の６）

確定期日を定めていた場合、これを**５年以内**の日において変更し、またはこれを廃止することができます。また、定めていなかった場合に、新たに５年以内の日において定めることもできます（398条の６第１項・３項）。

この確定期日の変更・廃止には、後順位の抵当権者の承諾は不要です（398条の６第２項、398条の４第２項）。

なお、これらの変更等については登記をしないと効力は生じません。

4

担保物権

④　被担保債権の譲渡（398条の7）

　元本確定前に、根抵当権者から**債権を取得**した者がいた場合、債権の弁済が受けられなくても、その債権について根抵当権を行使することはできません（398条の7第1項）。

　また、元本確定前に、**債務の引き受け**があった場合、その引受人が債務の弁済ができなくても、根抵当権を行使することはできません（398条の7第2項）。

　さらに、元本確定前に、**免責的債務引受**があった場合、債権者は引受人が負担した債務に根抵当権を移すことができません（398条の7第3項）。つまり、引受人が弁済できなくなったときのために、根抵当権を引受人との間の債務を担保するものにはできないということです。

　加えて、元本確定前に債権者または債務者の交替による**更改**があった場合も、更改後の債権者は、更改後の債務に根抵当権を移すことはできません（398条の7第4項）。

（4）　根抵当権の処分

①　根抵当権の転抵当（転根抵当）

　元本の確定前においては、根抵当権者はその根抵当権をもって他の債権の担保とすることができ（398条の11第1項ただし書）、これを**転根抵当**といいます。

②　根抵当権の譲渡

　元本の確定前においては、根抵当権者は、根抵当権設定者の承諾を得て、

その根抵当権を譲渡することができます（398条の12第１項）。

（5） 元本の確定（根抵当権の確定）

① 元本の確定（根抵当権の確定）の意義

元本の確定とは、不特定の債権を担保するものとして設定された根抵当権について、担保すべき元本債権がすべて特定のものとなり、以後新たに担保すべき元本債権が生じることがなくなる状態をいいます。

② 確定事由

（a）確定期日の定めのある場合に、その期日が到来したとき（398条の6）。

（b）確定期日の定めのない場合に、根抵当権設定後３年を経過してから、根抵当権設定者が元本の確定請求権を行使し、２週間を経過したとき（398条の19第１項・３項）。

（c）確定期日の定めのない場合に、根抵当権者が元本の確定請求権を行使したとき（398条の19第２項・３項）。

③ 確定の効果

元本の確定により、担保されるべき元本債権が特定し、それ以後に発生した元本債権は担保されないことになります。ただし、利息については、確定後に発生したものでも、極度額までは担保されます。

4

担保物権

第4編　第5章　確認テスト

問1　抵当権の設定は、登記をすることで効力が生じる。

問2　将来発生する債権の担保のために、抵当権の設定を行うことも可能である。

問3　抵当権の順位は変更することはできない。

問4　抵当権の効力は、抵当不動産だけでなく、これに付加されて一体となった物にも及ぶ。

問5　土地についての抵当権の効力は、その土地上の建物にも及ぶ。

問6　借地上の建物に抵当権を設定した場合、抵当権の効力は土地の賃借権に及ぶ。

問7　不動産に抵当権を設定した場合、抵当権の効力は、常にその不動産から生ずる果実にも及ぶ。

問8　Xは、土地とその土地上に建物を所有していたが、建物についてのみ債権者Yのために抵当権を設定したところ、抵当権が実行され、Aがその建物を買い受けた。Xは、Aとの間では土地利用権を設定していないことを主張して、Aをこの土地から排除することができる。

問9　抵当権は、債務者及び抵当権設定者に対する関係でも、20年で時効により消滅する。

問10　抵当権消滅請求とは、抵当不動産の第三取得者が、抵当権者からの請求に応じて、代価の支払いを行い抵当権を消滅させるものである。

解答

問1　×　抵当権の設定は、意思表示の合致によって生じます。登記は対抗要件となります（177条）。

問2　○　将来発生する債権の担保のために、抵当権の設定を行うことも可能です（大判昭7.6.1）。

問3　×　利害関係のある抵当権者全員の合意で変更可能（374条1項）。

問4　○　抵当権の効力は、抵当不動産だけでなく、これに付加されて一体となった物にも及びます（370条）。

問5　×　土地と建物は法律上別個の不動産であるから及びません（370条本文）。

問6　○　借地上の建物に抵当権を設定した場合、抵当権の効力は土地の賃借権に及ぶとするのが判例（最判昭40.5.4）です。

問7　×　債務不履行後に生じた抵当不動産の果実に及ぶのであって、常に果実に及ぶわけではありません（371条）。

問8　×　X所有の土地に法定地上権が成立するので、この土地上の建物を買ったAは、建物を撤去することなく住むことができます。したがってXは、Aをこの土地から排除することはできません。

問9　×　抵当権は、債務者及び抵当権設定者に対する関係では、被担保債権と同時でなければ時効によって消滅することはありません（396条）。

問10　×　これは代価弁済（378条）のこと。抵当権消滅請求は第三取得者から請求するものです（379条）。

第5編

債権総論

第5編
第1章　債権とは

　ここからは、債権に関するルール。債権法です。債権というのは、簡単に言うと、ある人からある人に対して、何かをお願いする権利のことです。お願いにも、いろんなパターンがありますから、何か問題が起こったときのために、ルールを用意しています。そのルールについて学んでいきます。

　この債権法分野は、民法の中でも特に重要度が高く、各種の試験において頻出します。債権法の攻略なくして、民法の攻略なしです。債権法をマスターしていきましょう。

　まずは、債権の共通ルール、債権総論から学習していきましょう。

1　債権の意義

　債権とは、特定の人（**債権者**）が、他の特定の人（**債務者**）に対して、一定の行為をすること（**作為**）、あるいは、しないこと（**不作為**）をお願い（**請求**）する権利です。債権は人に対する権利という点で、物に対する権利である物権と異なります。

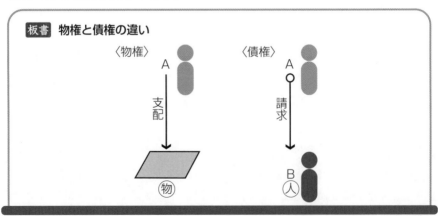

板書　**物権と債権の違い**

〈物権〉　　　A

支配

物

〈債権〉　　　A

請求

B
人

2　債権の通常有する性質（通有性）

　債権であれば通常有している性質（通有性）があります。物権と比較してみましょう。

レジュメ　物権と債権の違い

	債権（人に対する請求権）	物権（物に対する支配権）
①大原則	契約自由の原則	物権法定主義
②性　格	相対的 （債務者に対してのみ主張可）	絶対的 （誰に対しても主張可）
③排他性	なし （同一内容の債権が成立する）	あり （一物一権主義）

5

債権総論

（1）契約自由の原則

　債権の内容は、当事者の意思で決まります。原則として、当事者の意思で、どのような内容の債権でも創ることができます。これを「**契約自由の原則**」といいます。債権法上、当事者間の約束が最優先のルールです。

（2）債権の相対的性格

　その債権を持つ人は、特定の人（債務者）に対してしか、請求することができません。債権は**相対的**です。

（3）債権の排他性

　債権には、排他性がないので、**同一内容の債権が複数成立**します。

　（具体例）ミュージシャン A が 5 月13日の同じ時間に、X ドームと Y ホールで、ライブをするという約束は可能です。ただ、どちらか一方は出演できませんから、あとから約束違反として損害賠償などのペナルティーを払わされることとはあります。

3 債権の発生原因

　このような債権が発生する原因には、契約に基づくものと、契約に基づかないものがあります。これを体系化すると以下のようになります。

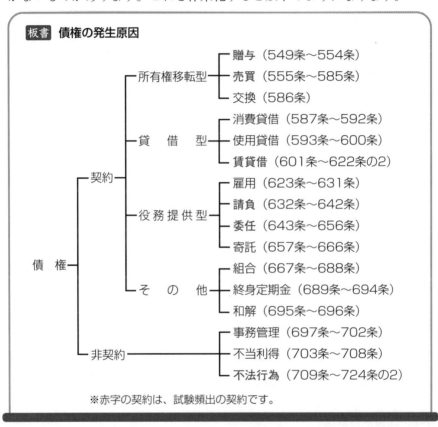

板書 債権の発生原因

債権
├─ 契約
│　├─ 所有権移転型
│　│　├─ 贈与（549条〜554条）
│　│　├─ 売買（555条〜585条）
│　│　└─ 交換（586条）
│　├─ 貸借型
│　│　├─ 消費貸借（587条〜592条）
│　│　├─ 使用貸借（593条〜600条）
│　│　└─ 賃貸借（601条〜622条の2）
│　├─ 役務提供型
│　│　├─ 雇用（623条〜631条）
│　│　├─ 請負（632条〜642条）
│　│　├─ 委任（643条〜656条）
│　│　└─ 寄託（657条〜666条）
│　└─ その他
│　　　├─ 組合（667条〜688条）
│　　　├─ 終身定期金（689条〜694条）
│　　　└─ 和解（695条〜696条）
└─ 非契約
　　├─ 事務管理（697条〜702条）
　　├─ 不当利得（703条〜708条）
　　└─ 不法行為（709条〜724条の2）

※赤字の契約は、試験頻出の契約です。

　人と人との間の法律関係、つまり債権関係を考えるときには、

① 契約があるかどうか

② あるとすれば、どのような契約なのか

③ 契約がなければ、事務管理・不当利得・不法行為はあるか

の順序で考えてみましょう。そうすると、法律関係を分析的に把握することができます。

第5編　第1章　確認テスト

問1　同一内容の債権が同一債務者に対して併存した場合、その債権は無効となる。

問2　債権の発生原因には、契約に基づくものと、契約に基づかないものがある。

解答

問1　×　債権には排他性がありません。したがって、同一内容の債権も併存することが可能です。

問2　○　債権の発生原因には、契約に基づくものと、契約に基づかないものがあり、契約に基づかない発生原因として、事務管理、不当利得、不法行為が規定されています。

1　債権の目的（給付）の要件

　債権の目的というのは、債務者が約束にしたがってしなければならない一定の行為のことを言います。債務者からいえば**給付**です。債権者からいえば、債務者の「給付」を求める**請求**です。

　債権の目的となる「給付」には、（1）適法性、（2）可能性（3）確定性が要求されます。

（1）給付の適法性

　給付の内容は、公序良俗（90条）や強行規定（91条）に反しない社会的妥当性が必要です。

　（具体例）殺人契約や麻薬の売買契約は、公序良俗に反して無効とされます。

（2）給付の可能性

　給付の内容は、実現可能であることが必要です。

　（具体例）今年中にタイムマシンに乗って過去に行く契約は、実現不可能なので無効です。

（3）給付の確定性

　給付の内容は、債務者がすべきことが確定していなければなりません。内容の確定は、履行期までに確定している必要があります。

　（具体例）ミュージシャンＡがＢと、ただ単にコンサートをする契約を結んだ場合です。これだけでは、いつ、どこで、コンサートをするのかわかりませんから、無効になります。

2　債権の種類

　債権には、（1）特定物債権、（2）種類債権、（3）金銭債権、（4）選択債権等の種類があります。

（1）特定物債権

　その物の個性に着目して取引の対象となる物を**特定物**といいます。中古自動車や中古建物が典型例です。その特定物の引渡しを目的とする債権を特定物債権といいます。

　債務者は、特定物を引き渡すまで、善良なる管理者の注意義務（**善管注意義務**）をもって、その物を保管する必要があります（400条）。

（2）種類債権

　特定物ではなく、債権の目的物を示すのに種類と数量だけを指示した物を種類物、もしくは**不特定物**といいます。その種類物を引渡しの目的とする債権を**種類債権**といいます。

　（具体例）自動車メーカーに展示してある車そのものではなく、展示してある車と同種の車を新車で購入するような場合です。

　種類債権については、**売主は欠陥のない物を引き渡す必要**があります。買主は欠陥がないはずの新品を買ったわけですから、引き渡した物に何かしらの欠陥があれば、それは給付義務を果たしたことにはならないからです。ですから、売主は、欠陥のない物を引き渡すまで給付義務を免れないという無限の調達義務を負います。

　目的物を種類だけで指定した場合で、法律行為の性質や当事者の意思によって、その品質を定めることができない場合には、債務者は**中等の品質**の物を給付します（401条1項）。

　（具体例）お米10キロの売買契約とだけ定めてした売買契約であれば、高級な魚沼産のコシヒカリを引き渡す必要はありませんが、古々米のブレンド米の引渡しではいけません。価格としても中等のものを引き渡す必要があります。

5

債権総論

種類物と言っても、いつまでも無限の調達義務を負うわけではありません。どこかの時点で、「この物」と決まる瞬間があります。それが、**種類物の特定**です。特定後は、特定物債権と同じようになります。

▼第401条２項〔種類債権〕
　前項の場合において、①債務者が物の給付をするのに必要な行為を完了し、又は②債権者の同意を得てその給付すべき物を指定したときは、以後その物を債権の目的物とする。

　特に①の場合には、債権の性質によって違いがでてきます。

レジュメ	種類債権の特定時期	

	意義	特定の時期
持参債務	売主が買主の元へ物を持参する債務	完全な物を買主の住所へ持参した時
取立債務	買主が売主の元へ物を取りに行く債務	債務者が目的物を分離したうえで引渡しの準備をし、これを債権者に通知した時

（3）金銭債権

　一定額の金銭の引渡しを目的とする債権です。

　（具体例）100万円で時計を売った場合の代金債権や、100万円を貸した場合の貸金債権です。

（4）選択債権

　いくつかの給付の中から選択によって引き渡す物が決まる債権です。

＜事例で理解＞

　売主が所有する犬シロかポチ、どちらかを買うという債権です。この場合の**選択権は債務者**、つまり売主にあります。え？選択するのは買主じゃないの？と思うかもしれません。しかし選択権は売主にあります。この選

択債権というのは、買主がどちらでもいいよ、と言っている場合です。もし、買主がシロが欲しいと思っているのであれば、シロを買う契約をすればよいだけの話です。そうではなく、買主がシロかポチどちらでもいいよ、と言っているからこそ選択債権になっています。したがって、売主がどちらを引き渡すか決めていいということになります。

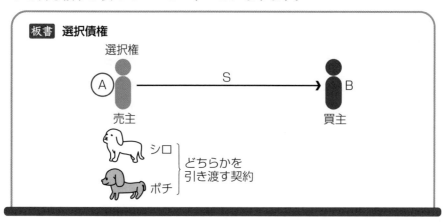

板書　選択債権

選択権

Ⓐ　S　→　B

売主　　　　　　買主

シロ　｝　どちらかを
ポチ　　引き渡す契約

5

債権総論

問1　債権の目的となるための要件は、給付の適法性のみである。

問2　特定物の引渡しを目的とする債権を特定物債権といい、債務者は、特定物を引き渡すまで、善管注意義務をもって、その物を保管する必要がある。

問3　目的物を種類だけで指定した場合で、法律行為の性質や当事者の意思によって、その品質を定めることができない場合には、債務者の選択で引渡しをすべき目的物の品質を決めることができる。

解答

問1　✕　債権の目的となるための要件は、給付の適法性、給付の可能性、給付の確定性です。

問2　○　その物の個性に着目して取引の対象となる物を特定物といいます。その特定物の引渡しを目的とする債権を特定物債権といい、特定物債権については、債務者は、特定物を引き渡すまで、契約その他債権の発生原因及び取引上の社会通念に照らして定まる善良なる管理者の注意義務をもって、その物を保管する必要があります（善管注意義務・400条）。

問3　✕　目的物を種類だけで指定した場合で、法律行為の性質や当事者の意思によって、その品質を定めることができない場合には、債務者は中等の品質の物を給付します（401条1項）。

第5編
第3章　債務不履行

---

1 債務不履行の意義

　給付しなければならない義務があるのに、その義務を果たさない場合や、果たすことができない場合を、債務不履行といいます。

＜事例で理解＞

　AがBに100万円を貸し付けたのに、Bが貸したお金を返さない場合です。この場合には、AがBに対して損害賠償を請求できたりします。

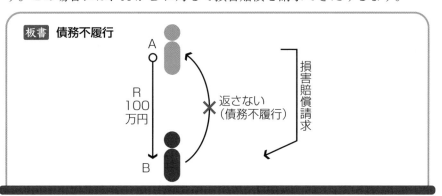

　債務不履行について定めた415条は、民法の中でも重要度ベスト3に入る条文です。まずは読んでみましょう。重要部分に下線を引きました。

▼第415条〔債務不履行〕
1項　債務者がその<u>債務の本旨に従った履行をしないとき又は債務の履行が不能であるとき</u>は、債権者は、これによって生じた<u>損害の賠償を請求することができる</u>。ただし、その債務の不履行が契約その他の債務の発生原因及び取引上の社会通念に照らして<u>債務者の責めに帰することができない事由によるものであるときは、この限りでない</u>。
2項　前項の規定により損害賠償の請求をすることができる場合において、債

権者は、次に掲げるときは、<u>債務の履行に代わる損害賠償の請求</u>をすることができる。

１号　債務の<u>履行が不能</u>であるとき。

２号　債務者がその債務の<u>履行を拒絶</u>する意思を明確に表示したとき。

３号　債務が契約によって生じたものである場合において、その<u>契約が解除</u>され、又は債務の不履行による<u>契約の解除権が発生</u>したとき。

この条文の理解を中心に債務不履行について学習していきましょう。

2 債務不履行の種類

（１）履行不能、（２）履行遅滞、（３）不完全履行があります。

（１）履行不能

① 履行不能の意義

債務を履行しようと思ってもできない場合（不能）です。

その債務が不能かどうかは、契約など債務の発生原因や、取引上の社会通念に照らして決定されます（412条の２第１項）。

（具体例）時計の売買契約を締結したけれども、その時計を太平洋のど真ん中に落としてしまったような場合です。こうなってしまったら、一般的に考えればもう、その時計を引き渡すことはできませんので、履行不能となります。

また、取引通念上不可能とされる場合も不能とされます。

＜事例で理解＞

Ａが自己所有の甲地をＢとＣに二重譲渡し、Ｃに所有権移転登記をした場合です。この場合、ＢのＡに対する甲地引渡請求権は行使できなくなります。

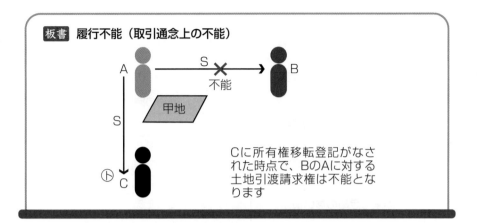

板書　履行不能（取引通念上の不能）

Cに所有権移転登記がなされた時点で、BのAに対する土地引渡請求権は不能となります

　また、契約成立時には既に履行が不能な状態だったとしても、契約は有効に成立します。その上で、履行不能によって生じた損害があれば、その賠償を請求できます（412条の２第２項）。

　（具体例）家屋の売買契約を締結した時点で、その家屋は倒壊していたような場合です。

② **履行遅滞中の履行不能と帰責事由**

　履行遅滞中に、当事者双方の責めに帰することができない事由によってその債務の履行が不能となったときは、その履行の不能は、債務者の責めに帰すべき事由によるものとみなされます（413条の２第１項）。

　（具体例）時計の売買において、代金はすでに支払われ、引渡し期日の４月18日に引き渡さないでいたところ、４月28日に大地震がきて、家具が倒れ、時計がその下敷きになり壊れてしまったというような場合です。この場合、引渡し期限に売主が引き渡さなかったために履行不能となったわけですから、売主が責任を負うことになります。

（２）履行遅滞

① **履行遅滞の意義**

　債務を履行することができるのにそれをしないことです。

5

債権総論

② 履行遅滞の時期

履行遅滞については、遅滞の時期がポイントです。

レジュメ	履行遅滞に陥る時期

	遅滞の時期
確定期限のある債務	期限到来時
不確定期限のある債務	期限到来後履行の請求を受けた時 or 債務者が期限到来を知った時のいずれか早い方
期限の定めのない債務	履行の請求を受けた時
返済時期の定めのない消費貸借	相当の期間を定めて返還の催告後、その期間経過時
不法行為に基づく損害賠償債務	不法行為時

考え方としては、「債務者が、履行しなきゃいけないとわかっているのに、履行しないのがどの時点か」ということです。

そのように考えれば、「確定期限」のある債務は、履行しなきゃいけない時期は、債務者はあらかじめわかっているわけですから、その期限が到来したときに履行遅滞となります。

「不確定期限」のある債務の場合には、それがいつ到来したかは不確定です。しかし、債務者自身が期限到来を知った時か、債権者から請求を受ければ、その時点で「履行しなきゃいけないとわかっている状態」になりますから、その時点が履行遅滞の時期になります。

「期限の定めのない」債務は、履行の請求を受けた時点で、「履行しなきゃいけないとわかっている状態」になりますから、その時点が履行遅滞の時期になります。

さらに、「返済時期の定めのない消費貸借」は、本来期限の定めのない債務ではありますが、消費貸借の性質上、借りたものを使って返すためには、多少の時間が必要です。借りていきなり返せといわれたら、借りた意味がなくなってしまいます。そこで「借りたものを使う」という時間的な

猶予をもたせるために、相当の期間を定めて返還の催告をして、その期間が経過したときに履行遅滞となります。

　「不法行為に基づく損害賠償債務」については、不法行為をした瞬間から、加害者は被害者の損害を賠償しなければなりません。したがって、不法行為時から履行遅滞になります。

（３）不完全履行

　一応、債務の履行行為はされたけれども、履行の方法や内容に不完全なところがある場合をいいます。

　（具体例）ミカン10個の売買契約がなされたけれども、引き渡されたミカン10個
　　のうち、２個が腐ってしまっていたような場合です。

3　履行の強制

　債務が任意に履行されないときは、債権者は、債権の内容を強制的に実現できます。履行を強制する場合、**債務者の帰責事由は不要**とされています。なぜなら、理由はどうであれ、約束した以上、それを強制的に実現しても、債務者は文句を言える立場ではないからです。

　もちろん、自分の権利を自分の力で実現する自力救済は認められていませんので、法律で定められた手続にのっとって債権を実現する必要があります。たとえば、民事執行法等の規定に従って直接強制、代替執行、間接強制その他の方法で履行を強制します。

　これが、債権の最大の効力といっていいでしょう。つまり、**約束を破られたら、強制的に権利を実現できる**。これが債権なのです。

4　債務不履行の効果

　債務不履行で損害が生じた場合、債権者は債務者に**損害賠償請求**できます。

（1）成立要件

> **レジュメ**　債務不履行に基づく損害賠償請求権の成立要件
>
> ①　債務の発生
> ②　債務不履行
> ③　損害の発生
> ④　②③間の因果関係の存在
> ⑤　債務者の責めに帰することのできない事由によるものでないこと

①　債務の発生

履行されるべき債務がなければなりません。

②　債務不履行とは、

（a）債務の本旨に従った履行をしないとき

（b）債務の履行が不能であるとき

です。具体的には、履行不能、履行遅滞、不完全履行の3形態です。

③　損害の発生

実際に、実損害が発生している必要があります。

④　②③間の因果関係の存在

債務不履行により損害が発生したという因果関係が必要です。

⑤　債務者の責めに帰することのできない事由によるものでないこと

①～④が認められれば、原則として債務不履行に基づく損害賠償債務が発生しますが、債務者に帰責事由がない場合には、損害賠償責任を免れます。

帰責事由がないことは、**債務者が立証**しなければなりません。そもそも約束を守っていない時点で、すでに債務者は責められるべき事をしているわけですから、もし、損害賠償責任を免れたいなら、債務者自身で、「いま、自分が約束を果たしていないことに帰責事由はないんです。」ということを証明しなければなりません。

さらに、帰責事由があるか否かは、契約その他の債務の発生原因および

取引上の社会通念に即して判断されます。この判断は、債務者の故意・過失の有無の判断と一致するわけではありません。

（２）債務不履行に基づく損害賠償の範囲・効果

①　損害賠償の範囲

　損害賠償の範囲は、その債務不履行から通常生ずる損害に限られます（416条１項）。ただし、特別の事情によって生じた損害であっても、当事者がその事情を予見すべきであったときは、債権者は、その賠償請求ができます（416条２項）。

＜事例で理解＞

　Ａが自己所有の土地をＢに1000万円で売却する契約を締結しました。土地の引渡期日は４月１日です。Ｂはこの土地の値上がりを見込んで、購入後、転売して利益を得る予定でした。事実、現在５月１日には、この土地の価格は1.5倍の1500万円まで高騰しています。しかし、土地が引き渡されなかったため、転売利益を得られませんでした。

　この場合、1000万円の土地を取得できなかったわけですから、1000万円は損害といえます。また、約１か月間、土地を使用したり、土地で収益をあげることができなかったわけですから、１か月分の賃料程度はやはり通常損害といえるでしょう。しかし、転売した時に得られるであろう500万円は、債務不履行から通常生ずる損害とはいえず、特別損害といえるので、原則として損害賠償請求はできません。もちろん、ＡＢ間でＢの転売が情報共有されていて、Ａも十分に500万円の値上がりを予見すべきであった場合には、それを特別の損害として、ＢがＡに損害賠償請求できる可能性が出てきます。

5

債権総論

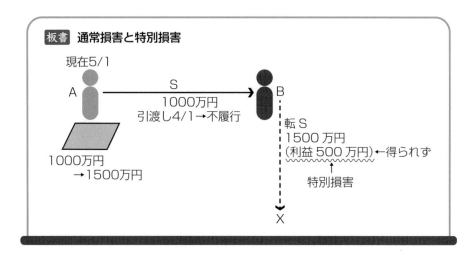

板書 通常損害と特別損害

現在5/1

A　S　B
1000万円
引渡し4/1→不履行

1000万円
→1500万円

転S
1500万円
(利益500万円)←得られず
↑
特別損害

X

② 損害賠償の方法（417条）

別段の意思表示がないときは、金銭でその額を定めます。

③ 過失相殺（418条）

債務不履行またはこれによる損害の発生もしくは拡大に関して、債権者にも過失があるときは、裁判所はこれを考慮して損害賠償の責任およびその金額を定めることになります。これを過失相殺といいます。

（具体例）AがBに建物建築を注文しました。完成期限は5月13日です。ところが、当初完成期限に間に合う予定だったにもかかわらず、Aの急な設計変更のため、完成期限に間に合わなくなってしまった場合です。このような場合にまで、5月13日に完成することができなかった責任をBに負わせるのは公平とは言えません。そこで、このような場合には、Aの過失を必ず考慮して、損害額を算定します。

④ 金銭債務の特則（419条）

金銭の給付を目的とする債務の不履行については、賠償額は、約定利率が法定利率を超える場合には約定利率によります。そうでない場合には、債務者が遅滞の責任を負った最初の時点における法定利率によって定まります。また、債権者は損害の証明をする必要はありませんし、債務者は不可抗力をもって抗弁とすることはできません。つまり、債務者に帰責事由

があろうがなかろうが、利息分の損害賠償が発生します。

⑤　代償請求権（422条の２）

　債務者が、その債務の履行不能と同一の原因で債務の目的物の代償である権利や利益を取得したときは、債権者はその受けた損害額の限度で、債務者に対し、その権利の移転やその利益を請求できます。

　<事例で理解>

　Ａが自己所有の家屋を1000万円でＢに売却する契約を締結しました。ところが、隣家からの延焼で、家屋が焼失して履行不能となってしまいました。Ｂには家屋の価格1000万円の損害に加えて、他にも100万円の損害が生じ、合計1100万円の損害が出ています。しかし、Ａは自己所有家屋に火災保険金をかけており、Ａは保険会社Ｘに対して1200万円の火災保険金請求権を取得しました。この場合に、Ｂは1100万円の限度で、Ａの火災保険金請求権の移転を請求することができることになります。

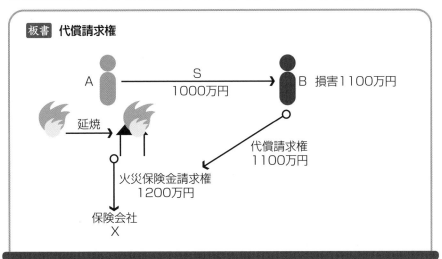

板書 代償請求権

A ──S 1000万円──→ B 損害1100万円

延焼

火災保険金請求権 1200万円

代償請求権 1100万円

保険会社 X

5

債権総論

問1　不確定期限のある債務については、期限到来後履行の請求を受けた時、もしくは債務者が期限到来を知った時のいずれか早い方から遅滞に陥る。

問2　期限の定めのない債権の消滅時効の起算点は、債権成立時であるが、履行遅滞となるのは、履行の請求を受けた時である。

問3　損害賠償の範囲は、その債務不履行から生じたものであればすべて請求することができる。

問4　損害賠償の方法は、別段の意思表示がないときは、金銭でその額を定める。

問5　債務不履行に関し、債権者にも過失があるときは、裁判所は、損害賠償の責任およびその金額を定める場合に、考慮することができる。

問6　金銭の給付を目的とする債務の不履行については、賠償額は、法定利率によって定められる。

問7　債務者が、その債務の履行が不能となったのと同一の原因で債務の目的物の代償である権利または利益を取得したときは、債権者はその受けた損害額の限度で、債務者に対して、その権利の移転またはその利益を請求できる。

解答

問1　○　不確定期限のある債務については、期限到来後履行の請求を受けた時、もしくは債務者が期限到来を知った時のいずれか早い方から遅滞に陥ります（412条2項）。

問2　○　期限の定めのない債権の消滅時効の起算点は、債権成立時ですが、履行遅滞となるのは、履行の請求を受けた時です（412条3項）。

問3　×　損害賠償の範囲は、その債務不履行から通常生ずる損害に限られ（416条1項）、すべてについて損害賠償請求ができるわけではありません。なお、特別の事情によって生じた損害であっても、当事者がその事情を予見すべきであったときは、債権者は、その賠償請求ができます（416条2項）。

問4　○　別段の意思表示がないときは、金銭でその額を定めます（417条）。

問5　×　債務不履行に関し、債権者にも過失があるときは、裁判所は、損害賠償の責任およびその金額を定める場合に、これを考慮しなければなりません（418条）。考慮するかどうかは任意ではありません。

問6　×　金銭の給付を目的とする債務の不履行については、賠償額は、約定利率が法定利率を超える場合には約定利率によります（419条）。

問7　○　代償請求権です（422条の2）。

　債権者は、債務を履行してもらうことが一番ですが、仮に債務不履行になっても、それによって生じた損害の賠償を請求できれば、なんとか損することはありません。しかし、いざ債務の履行を求めようと思ったときや、損害賠償を請求したときに、債務者に財産がなければ、権利はあっても実現できない状態になります。それは債権者としては絶対に避けたいでしょう。そこで、債務者の財産を維持（保全する）する制度が２つ規定されています。それが、債権者代位権と詐害行為取消権です。

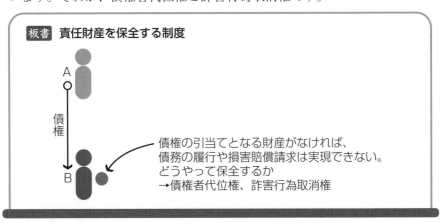

板書　責任財産を保全する制度

A

債権

B

債権の引当てとなる財産がなければ、
債務の履行や損害賠償請求は実現できない。
どうやって保全するか
→債権者代位権、詐害行為取消権

1　債権者代位権（423条〜423条の７）

＜事例で理解＞

　ＡはＢに1000万円を貸しています。Ｂは弁済期になっても弁済しません。ＡがＢの財産状態を調査したところ、Ｂの財産は、Ｃに対する売掛代金債権1000万円しかありませんでした。ところが、ＢはＣに1000万円を請求しようとしません。この場合、Ｂが1000万円を回収してくれれば、Ａは

それを回収して債権の満足を得ることができます。そこで、ＡはＢのＣ
に対する債権をＢに代わって行使できるようにしています。

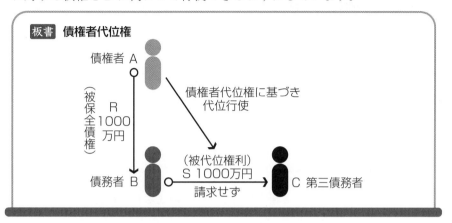

まずは条文を確認しておきましょう。重要条文です。

▼第423条〔債権者代位権〕
１項　債権者は、自己の債権を保全するため必要があるときは、債務者に属する権利（以下「被代位権利」という。）を行使することができる。ただし、債務者の一身に専属する権利及び差押えを禁じられた権利は、この限りでない。
２項　債権者は、その債権の期限が到来しない間は、被代位権利を行使することができない。ただし、保存行為は、この限りでない。
３項　債権者は、その債権が強制執行により実現することのできないものであるときは、被代位権利を行使することができない。

（１）債権者代位権の意義

　債権者が、自己の債権を保全する必要がある場合に、債務者が持っている権利（これを被代位権利といいます）を行使できます。強制執行によらずに行使でき、解除権や取消権なども行使できるのがメリットです。

（2）債権者代位権の行使要件

> **レジュメ** 債権者代位権の行使要件
>
> ① 債権保全の必要性（債務者の無資力）
> ② 債務者の権利不行使
> ③ 被代位権利が一身専属権ではないこと
> ④ 被代位権利が差押えを禁止されていない権利であること
> ⑤ 被保全債権の弁済期が原則として到来していること
> ⑥ 被保全債権が強制執行可能であること

① 債権保全の必要性（債務者の無資力）（423条1項本文）

債権は本来、特定の人から特定の人に対して請求する権利ですが、債権実現のため、例外的に債権者が債務者の有する債権の行使を認めるものですから、なんでも認めていいわけではありません。そこで、**債権を守るために必要でなければ行使できない**という要件が必要とされます。具体的には、その権利を行使しないと、債権者に十分な弁済ができない状態、つまり、**債務者の無資力**が要件とされます。

② 債務者の権利不行使

代位しようとする権利は、債務者の債権です。それを他人が行使できるのは、**債務者が権利行使していない場合**に限られます。行使の方法が悪くても、行使している場合には代位行使できません。

③ 被代位権利が一身専属権ではないこと（423条1項ただし書）

一身専属権は代位行使ができません。一身専属権とは、債権の性質上、債権者のみしか行使できない権利のことをいいます。

（具体例）扶養請求権や夫婦間の契約取消権などです。

④ 差押えが禁止されていない権利であること（423条1項ただし書）

差押え禁止債権は代位行使できません。差押え禁止債権は、給料債権など、本人が受け取れなくなると、その人が食うにも困ってしまうというように、生活が脅かされてしまうような債権を指します。

⑤　**被保全債権の弁済期が原則として到来していること**（423条 2 項）

　債権者が代位権を濫用することを防止するための要件です。したがって、濫用されるおそれがない場合には、弁済期前でも行使できます。

　（具体例）債権が消滅時効にかかりそうなときに、消滅時効の完成猶予を行うような**保存行為**の場合です（423条 2 項ただし書）。

⑥　**被保全債権が強制執行可能であること**（423条 3 項）

　強制執行ができる債権でなければなりません。債権者の債権に強制力がないのに、債務者が有している債権を、債権者が強制的に実現させようとすることは、自己の権利以上の権利を債権者に与えてしまうからです。

（3）行使方法

　債権者代位権は、**債権者自身の名**で行使します。また、**裁判上**でも、**裁判外**でも行使することができます。

　ただし、被代位権利はあくまで債務者の権利ですから、第三債務者が債務者に対して主張できる抗弁は債権者に対抗できます（423条の 4 ）。

　さらに、訴訟で代位権行使する場合には、**遅滞なく債務者に訴訟告知**をする必要があります（423条の 6 ）。なぜなら、債権者から第三債務者に対して訴訟を起こしますが、**判決の効力**は**債務者**にも及ぶので、訴訟告知をして債務者にもその訴訟に参加する機会を与えるためです。

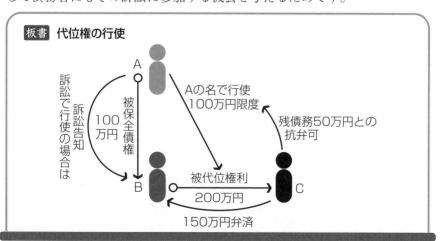

板書　**代位権の行使**

訴訟で行使の場合は

訴訟告知

100万円

被保全債権

A

Aの名で行使
100万円限度

残債務50万円との
抗弁可

B　被代位権利　C
200万円

150万円弁済

5

債権総論

（4）債権者代位権行使の範囲（423条の2）

　金銭債権のように被代位権利の目的物が**可分**の場合には、**被保全債権の範囲内**のみ被代位権利を行使できます。不動産の引渡債権のように被代位権利が**不可分**の場合には、被代位権利の**全部**を行使できます。

（5）債権者代位権行使の効果

　債権者は、被代位権利を行使する場合、被代位権利が金銭の支払いまたは動産の引渡しを目的とするものであるときは、**第三債務者に対して**、自己に**金銭支払い**や**目的物の引渡し**を請求できます（423条の3前段）。

　債権者が代位権を行使しても、債務者は被代位権利を行使できます。この場合、第三債務者は、債権者、債務者どちらに弁済してもかまいません。第三債務者がそれに応じて弁済した場合、その効果は債務者に帰属し、被代位権利は消滅します（423条の3後段）。

　債権者代位権は、債権者全員のために行使するので、本来、代位行使して受け取ったものは、債務者に返還して、それを債権者平等の原則にしたがって分配することになるはずです。しかし、金銭を受け取った場合、債務者に対する被保全債権と受領物の返還債務を相殺することができます。そのため、債権者は事実上、優先弁済を受けることになります。

　<事例で理解>

　AがCに対して、債権者代位権を行使して100万円を請求し、CがAに100万円弁済しました。Aが受け取った100万円は、債権者全員のために行使したわけですから、本来、この100万円をBにいったん戻して、それを債権者全員で分けることになるはずです。しかし、AのBに対する100万円の貸金債権と、BのAに対する100万円の返還請求権は相殺できるので、AはCから受け取った100万円をBに返す必要はなく、丸取りできることになり、事実上、優先弁済を受けることになります。

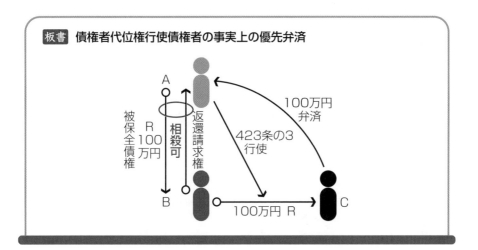

板書 **債権者代位権行使債権者の事実上の優先弁済**

（6）債権者代位権の転用

　本来の代位権は、①無資力要件と、②金銭債権保全のためのもの、が要件ですが、以下の場合には、この要件を欠く場合でも、債権者代位権を行使できます。これを**債権者代位権の転用**といいます。転用というのは、本来の金銭債権保全とは別の目的で代位権が用いられる場合のことです。

① 登記や登録の請求権を保全するための債権者代位権（423条の７）

　登記または登録をしないと権利の得喪・変更を第三者に対抗することができない財産を譲り受けた者は、その譲渡人が第三者に対して有する登記手続または登録手続をすべきことを請求する権利を行使しないときは、その権利を行使できます。

＜事例で理解＞

　AB間でA所有の甲土地の売買契約が締結され、さらにBC間で甲土地の売買契約が締結されました。ところが、AがBに対して所有権移転登記をしておらず、CがBから所有権移転登記を得られないという状況にある場合です。この場合、Bが資力を有していたとしても、Aが登記をBに移転してくれない限り、Cはいつまでたっても所有権移転登記を得ることができません。そこで、このような場合にも、債権者代位権の行使が認められます。

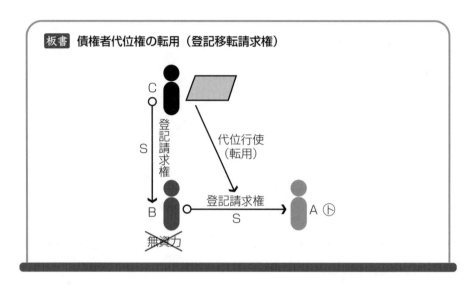

板書 債権者代位権の転用（登記移転請求権）

② 不動産賃借人による不法占拠者の排除請求

<事例で理解>

 AがBから甲建物を借り受けたところ、甲建物をCが不法に占拠していました。Aの賃借権が登記されていれば、賃借権は対抗力をもちますので、賃借権に基づいてCに対して甲建物の明渡しを求めることができます。しかし、Aの賃借権が登記されていない場合には、賃借権は債権である以上、B以外の者に賃借権を対抗することはできません。そのため、Bが資力を有していたとしても、BがCを排除してくれないと、いつまでたっても、借りた甲建物を使用することができません。そこで、この場合も債権者代位権を行使できます。つまり、BがCに対して有する所有権に基づく甲建物の返還請求権を、Aは代位行使できます。

板書 **債権者代位権の転用（不動産賃借権）**

5

2　詐害行為取消権（424条〜425条）

▼第424条〔詐害行為取消請求〕

1 項　債権者は、債務者が債権者を害することを知ってした行為の取消しを裁判所に請求することができる。ただし、その行為によって利益を受けた者（以下この款において「受益者」という。）がその行為の時において債権者を害することを知らなかったときは、この限りでない。

2 項　前項の規定は、財産権を目的としない行為については、適用しない。

3 項　債権者は、その債権が第 1 項に規定する行為の前の原因に基づいて生じたものである場合に限り、同項の規定による請求（以下「詐害行為取消請求」という。）をすることができる。

4 項　債権者は、その債権が強制執行により実現することのできないものであるときは、詐害行為取消請求をすることができない。

（1）詐害行為取消権の意義

債務者が、債権者を害することを知りながら債務者がその財産を減らす

ような行為（詐害行為）をした場合に、**債務者の行為を取り消すことを裁判所に請求（詐害行為取消請求）できる権利**です。

　＜事例で理解＞

　AはBに1000万円を貸しています。Aは、Bには1200万円の土地があるから、Bが万が一弁済できなくなっても、その土地を差し押さえて競売にかけて、その代金から貸金を回収できると考えていました。ところが、その土地がBの唯一の財産であったにもかかわらず、その土地をCに贈与してしまっていたのです。この場合、この贈与契約を取り消すことができれば、その土地はBの手元に戻ってくるので、貸金を回収できます。そこで、AはBのCに対する贈与を一定の要件の下で取り消すことができるようにしました。

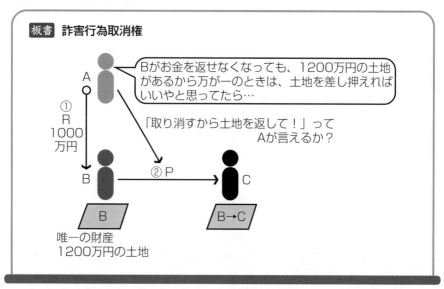

板書 詐害行為取消権

Bがお金を返せなくなっても、1200万円の土地があるから万が一のときは、土地を差し押えればいいやと思ってたら…

「取り消すから土地を返して！」ってAが言えるか？

①R 1000万円

②P

A

B

C

B

B→C

唯一の財産 1200万円の土地

（２）詐害行為取消請求の行使要件

> **レジュメ**　詐害行為取消請求の行使要件
>
> ① 債務者の無資力
> ② 詐害性
> ③ 財産権を目的とする行為
> ④ 被保全債権が金銭債権であること
> ⑤ 被保全債権が詐害行為の前の原因に基づいて生じたものであること
> ⑥ 被保全債権が強制執行により実現できないものでないこと

① 債務者の無資力

　詐害行為の結果、債権者へ弁済することができなくなる（**無資力**）ことが必要となります。十分な資力があるのであれば、わざわざ他人がしたことを取り消すようなことをする必要がないからです。

② 詐害性

　詐害性、つまり、受益者や転得者は、利益を受けたときに、その行為によって債権者が害されるということを知っている必要があります。これを**詐害意思**といいます。

　詐害性の有無の判断については、特則があり、明確化されています。

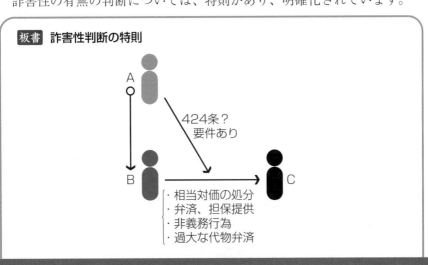

板書　**詐害性判断の特則**

A ○
424条？
要件あり
B
・相当対価の処分
・弁済、担保提供
・非義務行為
・過大な代物弁済
C

まとめると以下のようになります。

レジュメ	詐害性の判断についての特則

	具体例	詐害行為取消請求が認められる要件
相当対価処分 （424条の2）	債務者の財産の相当価格での処分行為	① その行為が、不動産の金銭への換価その他の当該処分による財産の種類の変更により、債務者において隠匿、無償の供与その他の債権者を害することとなる処分（隠匿等の処分）をするおそれを現に生じさせるものであること ② 債務者が、その行為の当時、対価として取得した金銭その他の財産について、隠匿等の処分をする意思を有していたこと ③ 受益者が、その行為の当時、債務者が隠匿等の処分をする意思を有していたことを知っていたこと
担保の供与等 （424条の 3第1項）	特定の者に対する弁済や担保供与行為	① その行為が、債務者が支払不能の時に行われたものであること ② その行為が、債務者と受益者とが通謀して他の債権者を害する意図をもって行われたものであること
非義務行為 （424条の 3第2項）	弁済期前の弁済や不要な担保供与行為	① その行為が、債務者が支払不能になる前30日以内に行われたものであること ② その行為が、債務者と受益者とが通謀して他の債権者を害する意図をもって行われたものであること
過大な 代物弁済 （424条の4）	債権額よりも大きい金額の代物弁済	424条に規定する要件に該当するときは、債権者は、担保の供与等の規定にかかわらず、その消滅した債務の額に相当する部分以外の部分については、詐害行為取消請求をすることができる

③　財産権を目的とする行為

　財産法上の行為が詐害行為取消請求の対象です。これに対して、相続放棄などの身分法上の行為は、原則として対象になりません。

　ただし、例外的に離婚に伴う財産分与や、遺産分割協議などは、取消しの対象になる場合があります。

④　被保全債権が金銭債権であること

　債務者の責任財産を保全する制度ですから、被保全債権も**金銭債権**でなければなりません。

⑤　被保全債権が詐害行為の前の原因に基づいて生じたものであること

　＜事例で理解＞

　被保全債権は、**詐害行為の前の原因に基づいて生じたもの**でなければなりません。詐害行為が５月１日に行われた時点で債権自体はその前の４月１日に発生している場合はもちろん、貸金債権がある５月１日に詐害行為がされた場合、その行為後の５月13日に発生した利息債権も、詐害行為の前の原因に基づいて生じた債権として、それを被保全債権として詐害行為取消請求ができます。

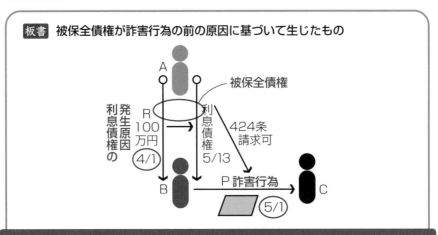

板書　被保全債権が詐害行為の前の原因に基づいて生じたもの

　しかし、債権の発生原因すら成立していない段階での債務者の行為が、将来発生する債権者の債権を詐害することはあり得ませんから、そのよう

な債権は被保全債権にはなりません。

⑥　被保全債権が強制執行により実現できないものでないこと

詐害行為取消請求は、債務者の責任財産を保全して強制執行を実効的に進めるための制度ですから、強制執行できない債権を保全するために詐害行為取消請求を認めることは、合理的ではないからです。

（3）転得者に対する詐害行為取消請求（424条の5）

債権者は、受益者に対して詐害行為取消請求ができる場合で、転得者がいるとき、以下の要件を満たせば、その転得者に対しても詐害行為取消請求ができます。

①　受益者からの転得者が転得の当時、**転得者**に**詐害意思**があるとき。

②　転得者からの転得者である場合、その前の**転得者すべて**に**詐害意思**があるとき。

＜事例で理解＞

債権者Aが、受益者Cに対して詐害行為取消請求ができる場合に、転得者Dや、Dからの転得者Eがいる場合。

①　Dが転得の当時、詐害意思があるとき。

②　Eの前のすべての転得者（この事例ではD）に詐害意思があるとき。

Eに対しても詐害行為取消請求ができます。

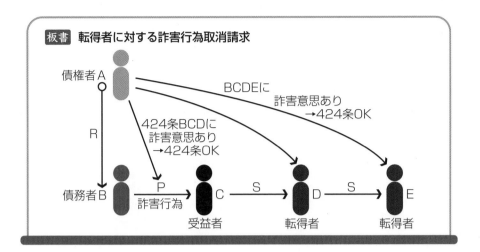

板書 転得者に対する詐害行為取消請求

債権者Ａ

BCDEに
詐害意思あり
→424条OK

424条BCDに
詐害意思あり
→424条OK

R

債務者Ｂ　P　C　S　D　S　E
詐害行為　受益者　転得者　転得者

（4）取消請求の方法

① 裁判上の行使

　詐害行為取消請求は、裁判所に対して請求することになりますので、**必ず訴えによって行使する**ことになります（424条１項）。

② 訴えの内容（424条の６）

　（ａ）詐害行為を取り消します。

　（ｂ）受益者・転得者に移転した財産の返還請求を求めます。

　（ｃ）財産の返還が困難な場合には価額償還請求になります。

③ 訴えの相手方（424条の７）

　訴えの相手方は、**受益者**または**転得者**です。詐害行為をした債務者は、訴訟の相手方にならないことに注意しましょう。なぜなら、受益者または転得者から財産等が債務者の手元に戻ってくれば、それで債権者は強制執行が可能となりますので、それで十分だからです。ただし、**判決の効力**は**債務者にも及ぶ**ことになりますので（425条）、訴えを提起した場合には、**遅滞なく**、債務者に対して**訴訟告知**をしなければなりません。債務者にも審理に参加する機会を与えるためです。

5

債権総論

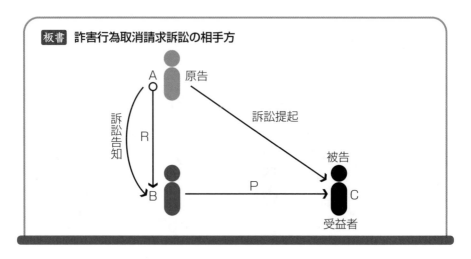

板書 詐害行為取消請求訴訟の相手方

A 原告

訴訟告知

R

訴訟提起

被告

B P C

受益者

④ 取消しの範囲（424条の8）

　債務者がした行為の目的が金銭債権のように**可分**である場合には、**自己の債権の限度**で取消請求ができます。不動産の譲渡のように**不可分**であれば、**全体**を取り消すことができます。

⑤ 債権者への支払いまたは引渡し（424条の9）

　財産の返還請求が、金銭の支払いや、動産の引渡しを求めるような場合には、債権者に支払いまたは引渡しを求めることができます。

　この場合、本来的には、受け取ったものは、債権者全員のためのものなので、いったん債務者に引き渡し、それを債権者全員で分けることになります。しかし、債権者の債務者に対する財産の引渡し債務と、債権者の被保全債権を債権者は相殺することによって、取消請求をした債権者が事実上優先弁済を受けることができることになります。

＜事例で理解＞

　AがCに対して、詐害行為取消請求をし、CがAに弁済しました。Aが受け取った金銭は、債権者全員のために行使したわけですから、本来、この金銭はBにいったん戻して、それを債権者全員で分けることになるはずです。しかし、AのBに対する貸金債権と、BのAに対する金銭返還請求権は相殺できるので、AはCから受け取った金銭をBに返す必要はなく、

丸取りできることになり、事実上、優先弁済を受けることになります。

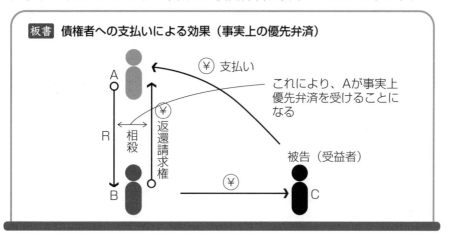

板書 債権者への支払いによる効果（事実上の優先弁済）

（5）取消請求の効果－認容判決の効力が及ぶ範囲（425条）

　取消しを認める認容判決が確定した場合、その判決の効力は、訴訟当事者である**債権者**と**受益者**または**転得者**に加えて、**債務者**や**他の債権者**すべてに及びます。ただし、訴訟当事者でない受益者や転得者には取消しの効力は及びません。

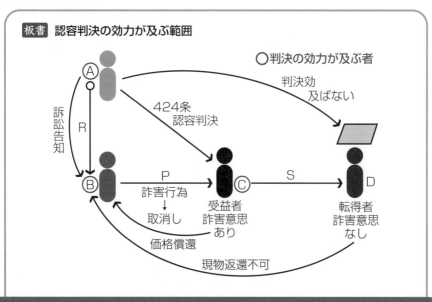

板書 認容判決の効力が及ぶ範囲

問1　債権者代位権とは、債権者が、自己の債権を保全するために必要がある場合に、債務者が持っている被代位権利を行使できる権利である。

問2　債権者代位権を行使するためには、原則として債務者が無資力であることが必要である。

問3　債務者の有する給料債権に対しても債権者代位権は行使できる。

問4　債権者代位権は債務者の権利を行使するものである以上、債務者の名前で第三債務者に対して権利を行使する。

問5　訴訟によって代位権を行使する場合、遅滞なく、債務者に対して訴訟告知しなければならない。

問6　被代位権利が金銭の支払いを目的とするものであるときであっても、第三債務者に対して、自己に対して金銭支払いを求めることはできない。

問7　債権者代位権の転用の場合、債務者の無資力要件も不要とされている。

問8　詐害行為取消権とは、債務者が詐害行為をした場合に、債権者が債務者の行為を取り消すことを裁判所に請求できる権利である。

問9　詐害行為取消権を行使するには、受益者や転得者は、利益を受けたときに、その行為によって債権者が害されるということを知っている必要がある。

問10　特定の者に対する弁済や担保供与行為に詐害性が認められるために
は、その行為が、債務者が支払不能の時に行われたものであることと、
その行為が、債務者と受益者とが通謀して他の債権者を害する意図を
もって行われたものであることが必要である。

問11　相続放棄も詐害行為取消権の対象となる。

問12　詐害行為取消権における被保全債権は金銭債権である必要はない。

問13　詐害行為取消権は、裁判上でも裁判外でも行使することができる。

問14　詐害行為取消権を行使する場合、訴えの相手方は、債務者、受益者、
転得者である。

問15　財産の返還請求が、金銭の支払いや、動産の引渡しを求めるような
場合には、債権者に支払いまたは引渡しを求めることができる。

問16　詐害行為取消請求を認める認容判決が確定した場合、その判決の効
力は、訴訟当事者である債権者と受益者または転得者に及ぶが、債務
者には及ばない。

解答

問1　○　債権者が、自己の債権を保全するために必要がある場合には、債務者が持っている権利（これを被代位権利といいます。）を行使できます（423条1項）。

問2　○　債権者代位権の行使には、原則として債務者の無資力要件が必要です（423条1項本文）。

問3　×　給料債権など、差押え禁止債権は代位行使できません（423条1項ただし書）。

問4　×　債権者代位権は、債権者自身の名で行使します。

問5　○　訴訟によって代位権を行使する場合には、遅滞なく、債務者に訴訟告知をする必要があります（423条の6）。

問6　×　債権者は、被代位権利を行使する場合、被代位権利が金銭の支払いまたは動産の引渡しを目的とするものであるときは、第三債務者に対して、自己に対して金銭支払いまたは目的物の引渡しを求めることができます（423条の3前段）。

問7　○　不動産移転登記請求権などを保全するための債権者代位権など、債権者代位権の転用の場合には、被保全債権は金銭債権でなくてもよく、また、債務者の無資力要件も不要とされます。

問8　○　債務者が、債権者を害することを知りながら債務者がその財産を減らすような行為（詐害行為）をした場合に、債権者が債務者の行為を取り消すことを裁判所に請求できる権利です（424条1項）。

問9　○　詐害行為取消権を行使するには、受益者や転得者は、利益を受けたときに、その行為によって債権者が害されるということを知っているという「詐害意思」が必要とされています（424条1項）。

問10　○　特定の者に対する弁済や担保供与行為に詐害性が認められるためには、その行為が、債務者が支払不能の時に行われたものであることと、その行為が、債務者と受益者とが通謀して他の債権者を害する意図をもって行われたものであることが必要とされています（424条の3第1項）。

問11　×　相続放棄などの身分法上の行為は原則として詐害行為の対象とはなりません。

問12　×　債務者の責任財産を保全する制度ですから、被保全債権も金銭債権でなければなりません。

問13　×　詐害行為取消請求は、裁判所に対して請求することになりますので、必ず訴えによって行使することになります（424条１項）。

問14　×　訴えの相手方は、受益者または転得者です（424条の７）。詐害行為をした債務者は、訴訟の相手方になりません。

問15　○　財産の返還請求が、金銭の支払いや、動産の引渡しを求めるような場合には、債権者に支払いまたは引渡しを求めることができます（424条の９）。

問16　×　取消しを認める認容判決が確定した場合、その判決の効力は、訴訟当事者である債権者と受益者または転得者に加えて、債務者や他の債権者すべてに及びます（425条）。

5

債権総論

　債権、債務関係は、必ずしも１対１の関係だけではありません。

<＜事例で理解＞>

　友人の誕生日に、ABC３人でプレゼントを贈ろうということになりました。ABC みんなで5000円ずつ出し合って15000円のプレゼントを買うことになりましたが、みんな持ち合わせがなくて、その場にいた友人 X にお金を借りてプレゼントを買いました。X は ABC の誰に対して、いつまでに、いくらの範囲で請求することができるのでしょうか？それぞれは３等分の5000円だけ払えばいいのでしょうか？それとも、連帯責任でお金を持ってる人がとりあえず X に15000円を返済して、あとは ABC それぞれが5000円ずつ負担することになるように割るのでしょうか？また、ABC の誰かが一部返済したときにはどうなるのでしょうか？

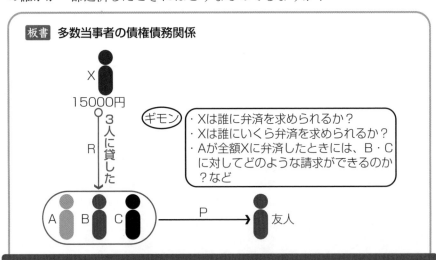

　このように、法律行為にかかわる人が複数人いるような場合には、どのようなルールで処理するのか。詳しく見ていくことにしましょう。

1 多数当事者の債権債務を考えるときの視点

多数当事者の債権債務関係においては、3つの視点が重要になります。

> **レジュメ** **多数当事者の債権債務関係において重要な視点**
>
> （1）誰が誰に対してどのような請求ができるか？（対外関係）
> （2）1人に生じた事由が与える影響（絶対効・相対効の関係）
> （3）弁済がされた場合の債権者同士、債務者同士の問題（内部関係）

（1）誰が誰に対してどのような請求ができるか？（対外関係）

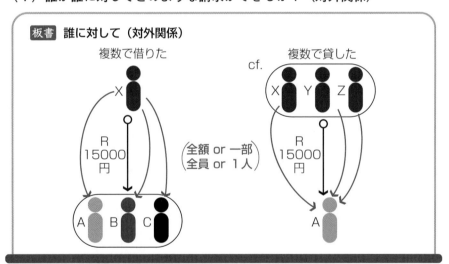

板書 誰に対して（対外関係）

＜事例で理解＞

Xは ABC 全員に同時に、全額15000円を返してください、と言えるのか、それとも、ABC それぞれに対して、5000円ずつ返してくださいとしか言えないのか。誰に、どのように、いかなる範囲で請求することができるかという問題です。

複数の債権者がいた場合も同じように、全債権者が同時に債務者に対し

て返還請求ができるのか、誰か1人からしか言えないのか。言えるとして、それぞれがいくらまで返還請求できるのか、という問題です。

　つまり、債権者と債務者の関係についての視点が必要です。

（2）　1人に生じた事由が他者にも影響するか（絶対効・相対効の関係）
＜事例で理解＞

　Aが15000円全額を弁済した場合に、BCのXに対する債務は消えるのでしょうか。また、BがXに15000円貸していて、それを相殺（金銭を対等額でチャラにすること）した場合に、ACの債務はどのような影響が出てくるのでしょうか。さらに、Cの債務が時効で消滅した場合に、ABの債務は消えるのでしょうか。それとも影響はないのでしょうか。加えて、XがAに対して、「Aはもう返さなくていいから」と言ったような場合、やはりBCの債務に何か影響があるのでしょうか。

　その他にも、XYZがAに対して15000円貸した場合に、AがXに弁済した場合、他の債権者の債権はどうなるのでしょうか。

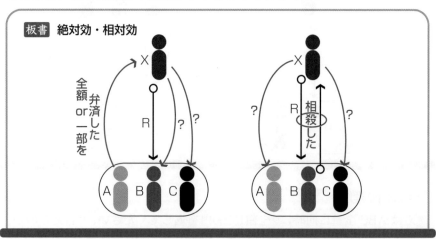

　債権者と債務者の間に生じた事由が他の債権者債務者にどのような影響を及ぼすのか、影響を及ぼさないのか。絶対的な効力があるのか（絶対効）、相対的な効力しかないのか（相対効）という問題です。

（3）債権債務関係の解消後の債権者債務者間の法律関係（内部関係）

＜事例で理解＞

　債務者Aが15000円弁済した場合、BCは何も負担せずに法律関係がすべて終了してしまうのでしょうか。それとも、AからBCに対して、「あなたたちの分も立て替えておいたから、その分5000円ずつ払ってください」と言えるのかという問題です。

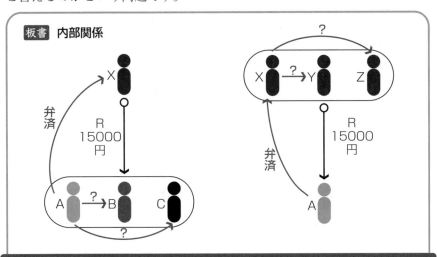

　また、もし、XYZがAに15000円貸した場合に、Xが全額弁済してもらうと、他の債権者に対して受け取ったお金を渡さなければならないのか、という問題です。

　債権者と債務者の関係が解消された場合に、債務者内部（求償関係）、債権者内部（分配関係）がどのようになるのかという問題です。

　このように、多数当事者の債権債務関係については、（1）〜（3）の視点をもって分析して、理解するようにしましょう。

2 分割債権・分割債務

> ▼第427条〔分割債権及び分割債務〕
> 　数人の債権者又は債務者がある場合において、別段の意思表示がないときは、各債権者又は各債務者は、それぞれ等しい割合で権利を有し、又は義務を負う。

　債権者、債務者が複数いる場合には、各債権者、債務者は、それぞれ均等に分割された額しか債権・債務は発生しません。これが原則です。

＜事例で理解＞

　XYZがAに300万円を貸しつけた場合には、XYZはそれぞれ100万円の債権をAに対して取得することになります。

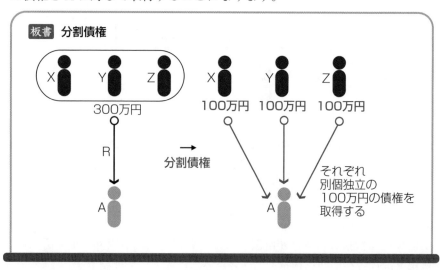

板書　分割債権

＜事例で理解＞

　ABCがXから300万円を借り入れた場合、ABCはそれぞれ100万円の債務をXに対して負うことになります。

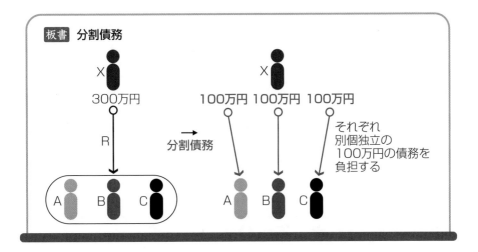

（1）対外関係

分割された範囲でのみ債権債務が発生します。

分割債権の場合、たとえば、XYZ はそれぞれ個別に100万円を A に対して請求できます。逆の言い方をすれば、A は XYZ に対してそれぞれ100万円を弁済すればよいことになります。

分割債務の場合には、たとえば、ABC はそれぞれ個別に100万円を X に弁済することになります。逆の言い方をすれば、X は ABC に対してそれぞれ100万円を請求できることになります。

（2）絶対効・相対効の関係

すべて相対効です。分割債権者・分割債務者 1 人に生じたことは、他の債権者・債務者には影響しません。

分割債権の場合、たとえば、X が A から100万円の弁済を受けても、YZ は依然として A に対してそれぞれ100万円の債権をもっています。また、X の債権が時効で消滅しても、YZ の債権が時効消滅しない限りは債権は存続しています。

分割債務の場合、たとえば、A が X に100万円弁済しても BC の債務は

消滅しませんし、Bの債務が時効消滅してもACの債務は消滅しません。

（3）内部関係

　別個独立の債権債務関係が**分割**される形で発生することになりますから、分割された債権債務関係を履行すれば、それでその債権債務関係が消滅します。したがって、分割債権の場合には、受け取ったお金を他の債権者に分配する必要はありませんし、また、分割債務の場合には、弁済したお金を他の債務者に求償することはできません。

3　不可分債権・不可分債務

（1）不可分債権

> ▼第428条〔不可分債権〕
> 　次款（連帯債権）の規定（第433条及び第435条の規定を除く。）は、債権の目的がその性質上不可分である場合において、数人の債権者があるときについて準用する。

＜事例で理解＞

　ABCが3人で、Xから1台の車を買った場合、車を3つに切ることはできずABCのXに対する車の引渡し債権は、その性質上不可分です。

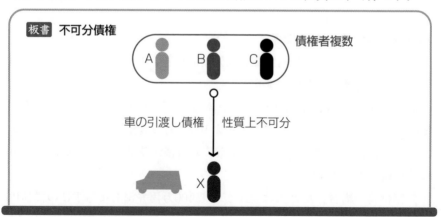

①　対外関係

債権者は、全債権者のために、**全部の履行を請求**できます。上記の例で言えば、A は ABC のために X に対して、車１台の引渡しを請求できます。B も C も X に対して、車の引渡しを請求できます。

反対に、X は、ABC 誰かに車１台を引き渡せば、義務を免れます。

②　絶対効・相対効の関係

この場合、原則として連帯債権の規定が準用されます（428条）。ただし、433条（更改・免除）、435条（混同）に関しては準用されません。**履行の請求**と**弁済、相殺は絶対効**ですが、それ以外は相対効です。

③　内部関係

債務者から、債権の全部の履行を受けた債権者は、他の不可分債権者に対して履行を受けた**利益の分配**を行います。たとえば、A が車の引渡しを受けた場合には、自分１人の車ではないので、BC と車を使用できるようにしなければなりません。

（２）不可分債務

> ▼第430条〔不可分債務〕
> 　第４款（連帯債務）の規定（第440条の規定を除く。）は、債務の目的がその性質上不可分である場合において、数人の債務者があるときについて準用する。

＜事例で理解＞

ABC が３人で、X に１台の車を売った場合に、ABC が X に対して車の引渡しをする債務は、その性質上不可分です。車を３つに切って、ABC それぞれから車の３分の１ずつ引き渡すことはできないからです。

5

債権総論

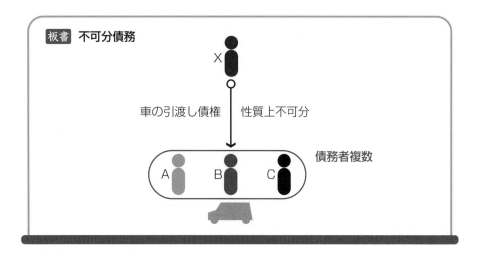

板書 不可分債務

X

車の引渡し債権　性質上不可分

債務者複数

A　B　C

① 対外関係

　債権者は、**一部の債務者**に対して、または**同時**にもしくは**順次**に**全ての債務者**に対し、**全部の履行**を請求することができます。上記の例で言えば、X は、ABC の誰か 1 人に対してでもいいし、順々に ABC 全員に対してでもいいし、さらに ABC 全員同時にでもいいし、車 1 台を引き渡せと請求できます。逆の言い方をすれば、ABC それぞれ全員が X に対して車 1 台を引き渡す義務を負います。そして、ABC の誰かが X に車 1 台を引き渡せば、債権は消滅することになります。

② 絶対効・相対効の関係

　この場合には、原則として、混同に関する440条以外の連帯債務の規定が準用されることになります。なぜ、混同は絶対効が生じないかというと、債権者とある債務者との間に混同が生じても、他の債務者から依然として弁済を受ける利益が残っているからです。

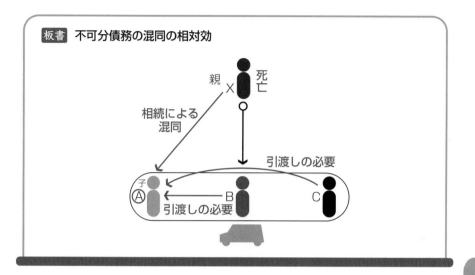

板書　不可分債務の混同の相対効

したがって、不可分債務で**絶対効**が認められるのは、**弁済**（代物弁済・供託を含む）、**相殺**、**更改**です。それ以外は相対効になります。

③　内部関係

　各不可分債務者は、それぞれが最終的に負担すべき負担部分を有しています。したがって、不可分債務の全部を履行した債務者は、他の不可分債務者に対して、負担部分の割合に応じて支払いを請求することができます。これを求償といいます。

4　連帯債権・連帯債務

（1）連帯債権

▼第432条〔連帯債権者による履行の請求等〕
　債権の目的がその性質上可分である場合において、法令の規定又は当事者の意思表示によって数人が連帯して債権を有するときは、各債権者は、全ての債権者のために全部又は一部の履行を請求することができ、債務者は、全ての債権者のために各債権者に対して履行をすることができる。

<事例で理解>

　ABC３人が共同して、Xに300万円を貸した場合、分割債権であれば、ABCそれぞれが100万円ずつしかXに請求できません。しかし、当事者間でABCそれぞれが満額300万円をXに請求ができる、という合意をした場合、その合意は有効に成立します。もちろん、Xが借りたのは300万円ですから、ABCに対してトータルで300万円弁済すれば、債権債務関係は消滅します。これが連帯債権です。

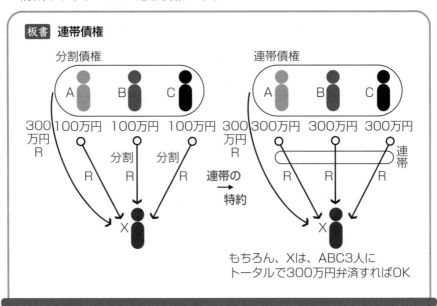

① 対外関係（432条）

　各債権者は、**全債権者のために、全部**または**一部**の履行を請求できます。つまり、AはABCのためにXに対して300万円全部でも、一部の200万円でも、100万円でも、30万円でも弁済を請求できます。

　これに対して、**債務者**は、**すべての債権者のために各債権者**に対して履行できます。つまり、Xは、ABCのためにAやBやCに弁済できます。Aに100万円弁済すれば、100万円の範囲で債権は消滅し、以後、ABCはXに対して200万円の範囲でしか請求できません。

②　絶対効・相対効の関係

（a）原則－相対効

　相対的効力になります（435条の2）。したがって、連帯債権者の1人の行為または1人について生じた事由は、他の連帯債権者に対して影響はありません。ただし、当事者間でこれとは異なる意思表示をした場合には、その意思表示に従うことになります。

（b）例外－絶対効

ⓐ　請求（432条）

　各債権者の請求は、他の債権者が請求したことにもなります。

ⓑ　弁済（432条）・代物弁済・供託

　債務者が債権者の1人に債務を弁済した場合、債権者全員に効力を生じ、他の債権者の債権も弁済額の範囲で消滅します。

ⓒ　更改・免除（433条）

▼第433条〔連帯債権者の1人との間の更改又は免除〕
　連帯債権者の1人と債務者との間に更改又は免除があったときは、その連帯債権者がその権利を失わなければ分与されるべき利益に係る部分については、他の連帯債権者は、履行を請求することができない。

　ABCがXに300万円の連帯債権（貸金債権）を有する場合を例に、ウ）～オ）を見ていきましょう。

＜事例で理解＞

　連帯債権者ABCの1人AがXに対して300万円全額免除しました。この場合、XはAに弁済する必要はなくなります。この効力は、そのままBCには影響しませんが、一部分について影響します。本来300万円弁済を受けられた場合に、Aが分配を受けるはずだった100万円については、BCからXに対して請求できなくなります。つまり、BCはXに対して200万円までしか請求できなくなります。

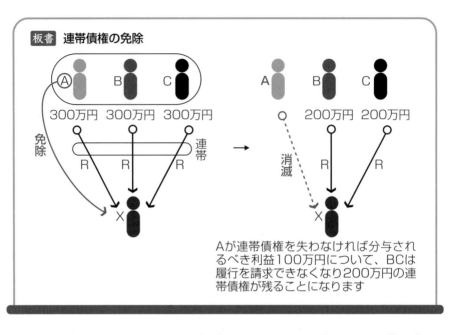

板書 **連帯債権の免除**

300万円　300万円　300万円

免除　　　　連帯

R　R　R

X

→

200万円　200万円

消滅

R　R

X

Aが連帯債権を失わなければ分与され
るべき利益100万円について、BCは
履行を請求できなくなり200万円の連
帯債権が残ることになります

更改でも同じです。たとえば、Aが300万円の代わりに、車1台で
返してください、といって更改した場合には、XはAに300万円を弁
済する必要はなくなります。そして、BCはAが分配を受けるはずだ
った100万円については請求できなくなります。

なお、その後、AがXから実際に車の引渡しを受けた場合、Aは
BCにそれぞれ100万円を分配する必要はあります。BCが200万円弁
済を受けた場合、その金銭の一部をAに分配する必要はありません。

ⓓ　相殺（434条）

▼第434条〔連帯債権者の1人との間の相殺〕
　債務者が連帯債権者の1人に対して債権を有する場合において、その債務者
が相殺を援用したときは、その相殺は、他の連帯債権者に対しても、その効力
を生ずる。

＜事例で理解＞

連帯債権者ABCのうちAはXから300万円の自動車を購入し、代

金後払いのため、いまだ300万円の支払いをしていませんでした。この場合に、ABCのXに対する300万円の貸金債権と、XのAに対する300万円の売買代金債権を、Xが相殺した場合、ABCの貸金債権は消滅し、Xの売買代金債権も消滅します。その場合、Aが全額回収したものとして、BCに対して100万円ずつ分配することになります。

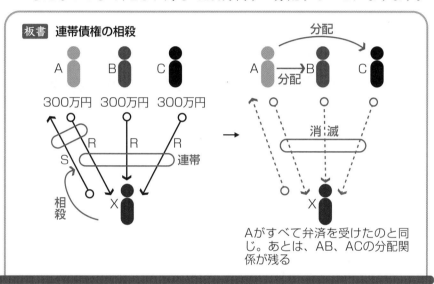

板書　連帯債権の相殺

分配

A　B　C

300万円　300万円　300万円

R　R　R

S　　　　　　　連帯

相殺　　　　　X

分配

A → B　C

消滅

X

Aがすべて弁済を受けたのと同じ。あとは、AB、ACの分配関係が残る

5

債権総論

ⓔ　混同（435条）

▼第435条〔連帯債権者の1人との間の混同〕
　連帯債権者の1人と債務者との間に混同があったときは、債務者は、弁済をしたものとみなす。

<事例で理解>

　連帯債権者ABCのうちAと債務者Xは親子でした。Aが死亡してXがAを相続しました。この場合、Aの連帯債権とXの債務がXに帰属することになります。つまり、XがXに対して300万円の債権と債務を持っているという関係になります。しかし、これは債権債務を存続させておく意味がありませんので消滅します。これを混同と言

います。A の連帯債権300万円が消滅しているのに BC の X に対する
債権が存続するのはおかしいですから、BC の連帯債権も消滅します。
結果として、A が本来取得すべきだった貸金を X が代わって全額回
収したのと同じことになり、X は BC に対して、それぞれ100万円ず
つ分配します。

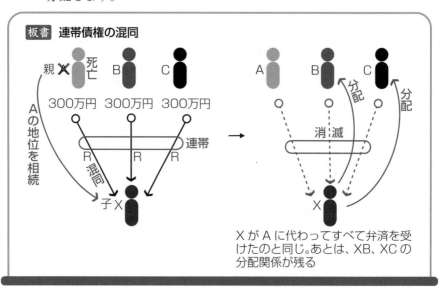

板書 連帯債権の混同

X が A に代わってすべて弁済を受
けたのと同じ。あとは、XB、XC の
分配関係が残る

③ 内部関係

　債務者から、債権の全部を履行してもらった連帯債権者は、他の連帯債
権者が受ける利益も併せて受け取っているのと同じです。したがって、他
の連帯債権者が受けるべき利益を、他の連帯債権者に分配する必要があり
ます。つまり、**分配義務**を負います。逆に連帯債権者からいえば、分配請
求権を取得するということです。

＜事例で理解＞

　ABC の X に対する連帯債権300万円全額について、A が弁済を受けた
場合には、A は BC それぞれに100万円ずつ分配する必要があります。BC
の方から A に対しては、分配請求権があります。

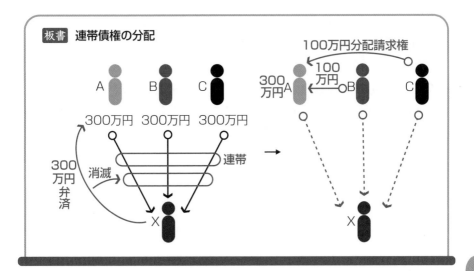

板書　連帯債権の分配

（2）連帯債務

> ▼第436条〔連帯債務者に対する履行の請求〕
> 　債務の目的がその性質上可分である場合において、法令の規定又は当事者の意思表示によって数人が連帯して債務を負担するときは、債権者は、その連帯債務者の1人に対し、又は同時に若しくは順次に全ての連帯債務者に対し、全部又は一部の履行を請求することができる。

　債務の目的が性質上可分である場合において、法令の規定や当事者の意思によって、数人が連帯して債務を負担する債務を連帯債務と言います。

　まず、連帯債務は、あくまでも**別個独立の債務**です。そのことから、連帯債務には、3つの特徴があります。

レジュメ　**連帯債務の特徴**

① 　各自成立の時期・条件・期限は同一でなくてもよい。

② 　1人の債務者に存する無効・取消原因は他の債務者に影響しない。

③ 　1人の債務者に対する債権を切り離して譲渡・差押えができる。

これを前提に、連帯債務の規定を見ていきましょう。

① 対外関係

　債権者は、その**連帯債務者の１人**に対し、または**同時**にもしくは**順次**に全ての連帯債務者に対し、**全部**または**一部の履行**を請求できます。例えば、ABCがXに対して300万円の連帯債務（貸金債務）を負っている場合（以下、この例を素材に連帯債務を解説します）には、Xは300万円を限度に順次にでも同時にでも請求できます。

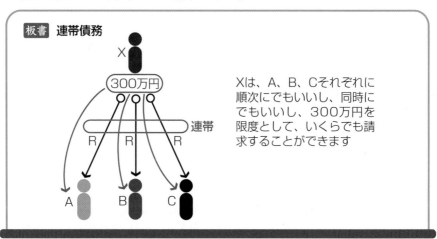

② 絶対効・相対効の関係

（a）**原則－相対効**（441条本文）

　履行の請求など１人に生じた事由は、原則として、他の連帯債務者に影響しません。

（b）**例外－絶対効**

　連帯債務者は、債権者に対して全額弁済する義務を負います。しかし、連帯債務者の１人が弁済した場合、その弁済の負担を連帯債務者全員で負担しなければ公平とは言えません。そこで、１人の債務者について生じた事由で、他の連帯債務者にも影響を及ぼすものが規定されています。

　ⓐ **弁済・代物弁済・供託**

　　債権が満足を得て消滅する行為の効力は、他の連帯債務者にも及び

ます。債務者の１人が債権者に弁済した場合、債務者全員に効力を生じ、他の債務者の債務も弁済額の範囲で消滅します。あとは弁済した連帯債務者から他の連帯債務者へ、負担部分の割合に応じて求償できます。負担部分とは、最終的な各連帯債務者の内部的な割合です。特約がなければ、債務額を均等割りします。

ⓑ　更改（438条）

> ▼第438条〔連帯債務者の１人との間の更改〕
> 　連帯債務者の１人と債権者との間に更改があったときは、債権は、全ての連帯債務者の利益のために消滅する。

＜事例で理解＞

　連帯債務者 ABC の１人 A が債権者 X との間で、300万円を弁済する代わりに、A 所有の車で弁済することとしました（更改）。これによって、A は X に車を引き渡す債務を負担します。この効力は BC に影響し、BC の債務は消滅します。この場合、A がすべて弁済したのと同じですので、A から BC それぞれに100万円求償できることになります。

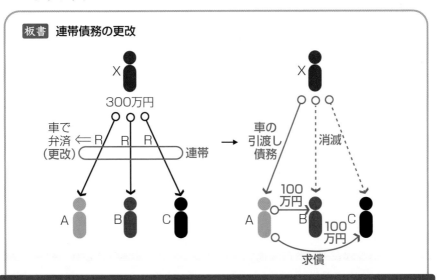

板書　**連帯債務の更改**

5

債権総論

ⓒ 相殺 (439条)

▼第439条〔連帯債務者の1人による相殺等〕
1項　連帯債務者の1人が債権者に対して債権を有する場合において、その連帯債務者が相殺を援用したときは、債権は、全ての連帯債務者の利益のために消滅する。
2項　前項の債権を有する連帯債務者が相殺を援用しない間は、その連帯債務者の負担部分の限度において、他の連帯債務者は、債権者に対して債務の履行を拒むことができる。

＜事例で理解＞

　まずは1項ですが、連帯債務者 ABC のうち A は X に300万円の自動車を売却しましたが、代金後払いのため300万円の売買代金債権を有しています。この場合に、X の ABC に対する300万円の貸金債権と、A の X に対する300万円の売買代金債権を、A が相殺した場合、ABC の連帯債務は消滅し、A の売買代金債権も消滅します。その場合、A が300万円全額弁済したものとして、BC に100万円ずつ求償できます。

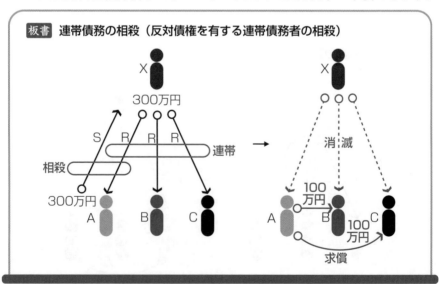

板書　連帯債務の相殺（反対債権を有する連帯債務者の相殺）

＜事例で理解＞

　次に２項ですが、連帯債務者 ABC のうち A は X に300万円の自動車を売却しましたが、代金後払いのため300万円の売買代金債権を有しています。この場合に、X が C に対して300万円の貸金債権を請求してきたとしましょう。この場合、C は、A の負担部分100万円を限度に、X の請求を拒めます。したがって、C は200万円を弁済すればよいことになります。その場合には、C は B に対して100万円求償できます。

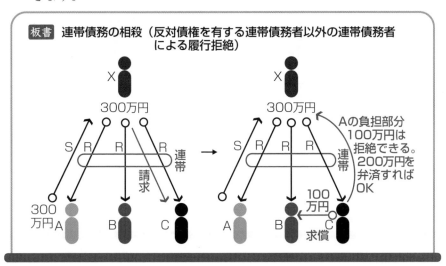

板書 連帯債務の相殺（反対債権を有する連帯債務者以外の連帯債務者による履行拒絶）

ⓓ　混同（440条）

▼第440条〔連帯債務者の１人との間の混同〕
　連帯債務者の１人と債権者との間に混同があったときは、その連帯債務者は、弁済をしたものとみなす。

＜事例で理解＞

　連帯債務者 ABC のうち A と債権者 X は親子でした。X が死亡して A が X を相続しました。この場合、X の債権が A に帰属することになります。つまり、A が A に対して300万円の債権と債務を持って

いるという関係になります。しかし、これでは債権債務を存続させて
おく意味がありませんので混同によって消滅します。Aが負担する
連帯債務が全額消滅しているのにBCの連帯債務が存続するのはおか
しいですから、BCの連帯債務も消滅します。これはAがXに全額
弁済したのと同じですから、AはBCに対して、それぞれ100万円ず
つ求償できます。

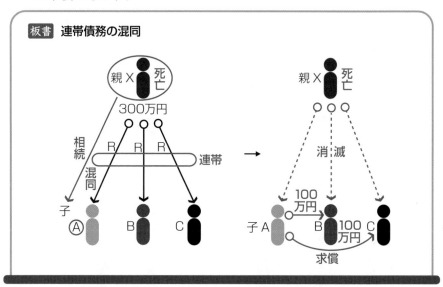

板書　連帯債務の混同

③　内部関係

（a）求償権の成立要件（442条1項）

▼第442条〔連帯債務者間の求償権〕

1項　連帯債務者の1人が弁済をし、その他自己の財産をもって共同の免責を
　　　得たときは、その連帯債務者は、その免責を得た額が自己の負担部分を超
　　　えるかどうかにかかわらず、他の連帯債務者に対し、その免責を得るため
　　　に支出した財産の額（その財産の額が共同の免責を得た額を超える場合に
　　　あっては、その免責を得た額）のうち各自の負担部分に応じた額の求償権
　　　を有する。

<事例で理解＞

　連帯債務者 ABC が X に対して300万円の貸金債務を負っていた場合に A が X に300万円全額を弁済しました。X に対する連帯債務は弁済によってすべて消滅します（ABC 全員が共同の免責を得る、といいます）。しかし、そのまま300万円全額を A が負担するのは公平ではありません。

　まず、ABC 間で最終的な負担をいくらにするかの特約があれば、それにしたがい負担し、**負担部分の割合**で、A は BC に**求償**できます。

　次に、ABC 間に負担部分についての**特約がなかった場合**には、ABC それぞれが**等しい割合**で負担します。

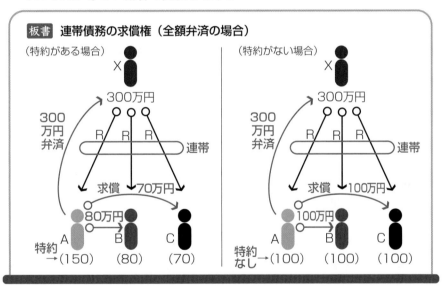

板書　連帯債務の求償権（全額弁済の場合）

<事例で理解＞

　A が負担部分を超えない範囲で弁済した場合でも、負担部分の割合にしたがって求償権を行使することができます。たとえば、A が X に30万円を弁済した場合は以下の板書のようになります。

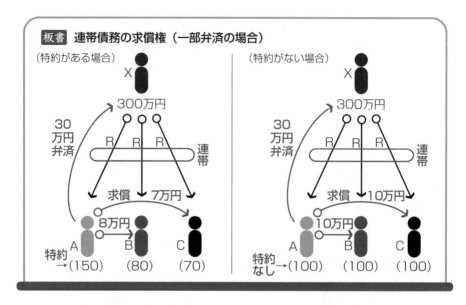

板書 連帯債務の求償権（一部弁済の場合）

（特約がある場合）
X
300万円
30万円弁済
R R R　連帯
求償 7万円
8万円
特約→A（150）　B（80）　C（70）

（特約がない場合）
X
300万円
30万円弁済
R R R　連帯
求償 10万円
10万円
特約なし→A（100）　B（100）　C（100）

（b）求償の範囲（442条2項）

　求償できる範囲は、共同の免責を得た額のうち、各自の負担部分に応じた額に加えて、免責のあった日以後の法定利息および避けることのできなかった費用や損害も含みます。かかったお金は、すべて負担部分に応じてそれぞれが負います。

（c）求償の制限（443条）

　連帯債務においては、連帯債務者がそれぞれ債権者に対して全額の債務を負担するため、誰かが債権者に弁済しているのに、それを知らずに、再度、他の債務者が弁済することもあり得ます。そうすると、どちらの弁済が有効なのかなど、様々な問題が起こります。

　そこで民法では、そのような事態にならないようにする制度を設けています。それは、弁済する前や後に、他の連帯債務者に通知をしないで弁済した場合に、求償権が制限されるというルールです。

　ⓐ　事前通知を怠った場合（443条1項）

　＜事例で理解＞

　ABCがXに対して300万円の連帯債務を負い負担部分は平等です。

これに対して、ＸはＢに対して100万円の売買代金債務を負っており、ＢはＸに対して、100万円分の債務を相殺できる状態です。

　ＡがＢＣの存在を知っているのに、ＢＣに対して、「弁済する」という事前の通知をせずに、300万円弁済しました。そして、ＡはＢの負担部分となる100万円をＢに求償しました。このような場合には、Ｂは、Ｘに対して100万円を相殺することができた事由を、Ａに対して対抗できます（１項前段）。

　この場合、Ｂの相殺によって消滅すべきであったＸのＢに対する債務（100万円部分）の履行を、ＡはＸに請求することができます。つまり、ＡはＸに対して100万円を請求することができることになります（１項後段）。

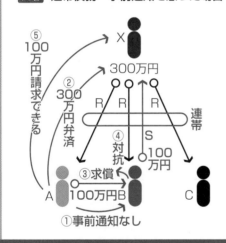

板書 連帯債務－事前通知を怠った場合

Ａからの100万円の求償に対してＢはＢのＸに対する債権での相殺を主張することができます。その場合、ＡはＢに対して求償できませんが、ＡはＸに対して、100万円を弁済してくださいと言えます。

ⓑ　事後通知を怠った場合（443条２項）

＜事例で理解＞

　ＡＢＣがＸに対して300万円の連帯債務を負っています。負担部分は平等です。ＡがＸに弁済しましたが、連帯債務者ＢＣがいることを知っているにもかかわらず、ＢＣに対して、「弁済した」という事

後の通知をしませんでした。そのため、Aの弁済を知らない善意のC
が、ABに事前に通知してXに300万円を弁済してしまいました。A
はCに対して負担部分100万円の求償をしたのに対し、CもAに対し
て負担部分100万円の求償をしました。

　この場合、AとCいずれの求償が認められるのでしょうか。

　この場合、事後の通知を怠ったAはCに100万円の求償をすること
ができず、善意のCが自己のXに対する弁済を有効とみなすことが
できます。したがって、CはAに対し100万円を求償できます。

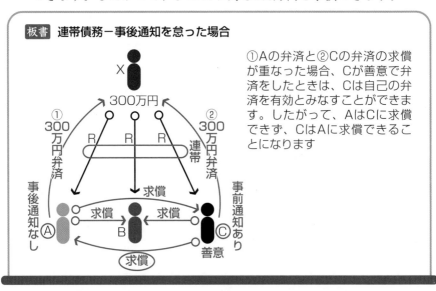

板書 連帯債務－事後通知を怠った場合

①Aの弁済と②Cの弁済の求償
が重なった場合、Cが善意で弁
済をしたときは、Cは自己の弁
済を有効とみなすことができま
す。したがって、AはCに求償
できず、CはAに求償できるこ
とになります

Ⓒ　事前事後の通知をいずれも怠った場合（最判昭57.12.17）

　＜事例で理解＞

　ABCがXに対して300万円の連帯債務を負っています。負担部分
は平等です。AがXに弁済しましたが、連帯債務者BCがいること
を知っているにもかかわらず、BCに対して、「弁済した」という事
後の通知をしませんでした。そのため、Aが弁済したことを知らな
い善意のCが、Xに300万円を弁済してしまいましたが、CはABに
対して事前の通知をしませんでした。AはBCに対して負担部分100

万円の求償をしたのに対し、CはABに対して負担部分100万円の求償をしました。

　この場合、ACいずれも通知を怠っているという過失がありますので、443条は適用されず、一般原則に従って判断します。そうすると、Cが弁済する時点では、Aがすでに弁済していますので、Aは「私はすでにXに弁済したから連帯債務は消滅しています」という抗弁をXにできる状態にあります。したがって、この抗弁を、AはCに対抗でき、CはAに対して求償することができないことになります。1項の事前通知を怠るCを保護する必要はないからです。

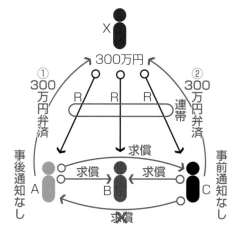

板書 連帯債務－事前・事後の通知をいずれも怠った場合

②Cの弁済の際に、①Aがすでに弁済したという事由は、Cに対抗することができる事由ですから、AはCの求償を拒むことができます

X
300万円
① 300万円弁済
R R R
② 300万円弁済　連帯
求償
事後通知なし　A　求償　B　求償　C　事前通知なし
求償

5

債権総論

　そうすると、事後の通知を怠った場合に、その後、善意で債権者に弁済した債務者に求償できなくなるのは、後で弁済した連帯債務者が事前の通知をした場合に限られます。

（d）償還する資力のない者の負担部分の分担（444条）

＜事例で理解＞

ABCがXに対して300万円の連帯債務を負っています。**負担部分は平等です**。AがXに弁済しましたが、連帯債務者Cは無資力でした。この場合、Cが負うべき100万円は、**求償者や他の資力のある者**の間で、各自の**負担部分に応じて分割して負担します**（444条1項）。つまり、Cが負担すべき100万円は、負担部分平等のABで2等分して50万円ずつ負担します。したがって、ABは150万円ずつ負担することになりますから、弁済したAはBに対し、150万円求償できます（444条1項）。ここで、Bには負担部分の100万円しか求償できないとすると、誠実に300万円を弁済したAが、Cの負担部分をすべて被ることになり、ある意味、「正直者が割を食う」ことになり、信義誠実の原則に反するといえるからです。

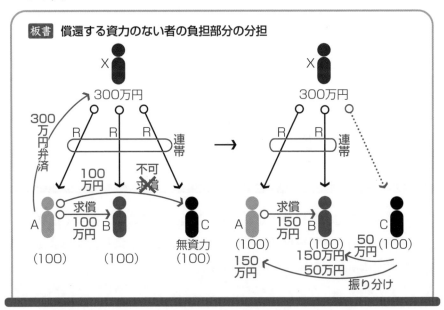

＜事例で理解＞

求償者や資力のある者がいずれも**負担部分がゼロ**の場合には、償還で

きない部分は、**求償者や他の資力のある者の間で等しい割合で負担**します（444条2項）。ただし、償還できないことにつき求償者に過失がある場合、他の連帯債務者に対して分担請求はできません（444条3項）。

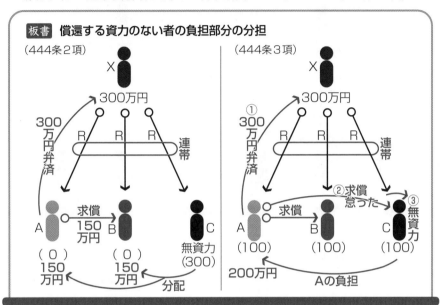

板書 償還する資力のない者の負担部分の分担

（444条2項）

（444条3項）

（e）連帯債務者の1人との間の免除等と求償権（445条）

連帯債務者の1人の債務が免除されたり、連帯債務者の1人に時効が完成した場合でも、その効力は他の連帯債務者に影響しません。したがって、他の連帯債務者が弁済した場合、免除や時効完成で債務が消滅した連帯債務者に対して、求償権を行使できます。

＜事例で理解＞

ABCがXに対して300万円の連帯債務を負っています。負担部分は平等です。XはAに対して債務を免除しました。この場合でも、CがXに弁済をすれば、Cは負担部分にしたがい、ABに100万円ずつ求償できます。また、Aの債務が時効消滅した後、CがXに弁済した場合も、Cは負担部分にしたがい、ABに100万円ずつ求償できます。

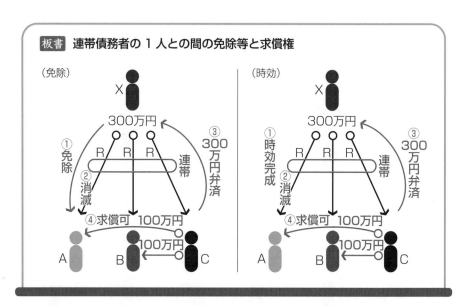

板書 連帯債務者の1人との間の免除等と求償権

（免除）
X　300万円
① 免除　R R R　連帯
② 消滅
③ 300万円弁済
④ 求償可 100万円
100万円
A　B　C

（時効）
X　300万円
① 時効完成　R R R　連帯
② 消滅
③ 300万円弁済
④ 求償可 100万円
100万円
A　B　C

レジュメ 多数当事者1人に生じた事由が他に及ぶか？

		不可分債権	不可分債務	連帯債権	連帯債務
絶 ↑	弁済・代物弁済・供託	絶対効	絶対効	絶対効	絶対効
	相殺等	絶対効	絶対効	絶対効	絶対効
	更改	相対効	相対効	絶対効	絶対効
	混同	相対効	相対効	絶対効	絶対効
	履行の請求（時効完成猶予・更新を含む）	絶対効	相対効	絶対効	相対効
	免除	相対効	相対効	絶対効	相対効
↓	時効の完成	相対効	相対効	相対効	相対効
相	原則	相対効	相対効	相対効	相対効

5　保証債務・個人根保証契約

　日々の生活の中で、今買わないと売れてしまいそうな新作の腕時計を見つけたのに給料日前でお金がないとか、3000万円の一戸建てを買いたいんだけど、まとめてお金が用意できないというような場合に、お金を貸してくれる人がいると助かりますが、お金を貸す方は、貸したお金が返ってくるか、ちょっと心配です。

　お金の貸し借りが、10円なら、もし返ってこなくてもあきらめられるかもしれません。しかし、一戸建てを買うための3000万円ではそうはいきません。貸す方は、貸したお金が確実に返ってくるよう、さまざまな方策を立てます。借主から「借金のカタ」を取っておくわけです。

　借金のカタの一つが質権や抵当権などの担保物権です（物的担保）。

　さらに、借主が返さない場合に、他の人に肩代わりしてもらうこともできます。借主以外の人のお金を「借金のカタ」とするわけです。これを**人的担保**といい、「**保証**」が典型例です。ここで、保証関係の基本的な構図ですが、保証によって担保される債務を**主たる債務**といいます。主たる債務の債務者を**主債務者**といいます。さらに、主たる債務を肩代わりする人を**保証人**、保証人が債権者に対して負う債務を**保証債務**といいます。

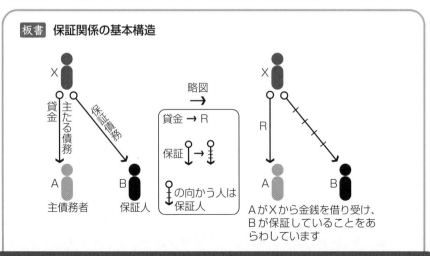

板書 保証関係の基本構造

略図
→

貸金 → R

保証 ↓ → ↓

↓ の向かう人は
保証人

AがXから金銭を借り受け、Bが保証していることをあらわしています

貸金　主たる債務　保証債務

X
A　主債務者
B　保証人

保証は、貸主にとっては、貸したお金を確実に回収できますし、そのため、借りる方も借りやすくなる便利な制度ではありますが、安易な保証によって、保証人が過酷な状況に陥らないように、民法では様々なルールが置かれています。

（1）単純保証

① 保証の基本原理

保証とは、ある人の債務（主たる債務）が履行されない場合に、その債務を肩代わりすることをいいます。

> **▼第446条〔保証人の責任等〕**
> 1項　保証人は、主たる債務者がその債務を履行しないときに、その履行をする責任を負う。
> 2項　保証契約は、書面でしなければ、その効力を生じない。
> 3項　保証契約がその内容を記録した電磁的記録によってされたときは、その保証契約は、書面によってされたものとみなして、前項の規定を適用する。

（a）意義

保証債務とは、主たる債務者が主債務を履行しないときに、保証人が主債務者に代わって履行をするという債務です（446条1項）。

（b）成立要件

保証債務は、債権者と保証人の保証契約によって成立しますが、保証契約が有効に成立するためには、**書面によってなされなければなりません**（446条2項）。

（c）保証人の要件

債務者が保証人を立てる義務を負う場合には、保証人は、①行為能力者で、②弁済する資力がなければなりません（450条1項）。保証人が弁済の資力を失った場合には、保証人を①②を備えた者に代えるように請求できます（450条2項）。ただし、債権者自らが、保証人を指名した場合には、弁済の資力を失っても、弁済の資力を有する者に代える請求は

できません（450条 3 項）。

②　保証債務の性質

　保証債務は、主債務者が債務を履行できなくなった場合に、その債務を肩代わりするものです。この保証債務の特徴から、（a）付従性、（b）随伴性、（c）補充性、という 3 つの性質が導かれます。

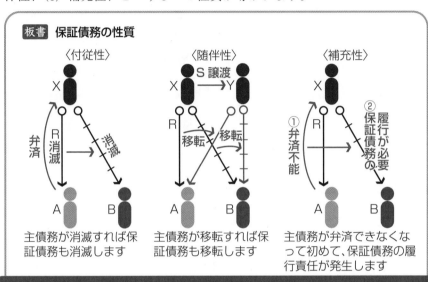

板書　保証債務の性質

〈付従性〉

X

弁済　R消滅　→　消滅

A　B

主債務が消滅すれば保証債務も消滅します

〈随伴性〉

S 譲渡
X → Y

R　移転　移転

A　B

主債務が移転すれば保証債務も移転します

〈補充性〉

X

①弁済不能　R　②履行が必要保証債務の

A　B

主債務が弁済できなくなって初めて、保証債務の履行責任が発生します

（a）付従性

　付従性とは、主たる債務が存在しなければ保証債務も存在せず、**主たる債務が消滅すれば保証債務も消滅**するという性質です。

　ⓐ　内容における付従性（保証債務の範囲と内容）

　　保証債務は、主債務に加えて、利息、違約金、損害賠償その他の債務に従たるすべてのものを含みます（447条 1 項）。また、保証人は、その保証債務についてのみ、違約金や損害賠償の額を約定することができます（447条 2 項）。

　　＜事例で理解＞

　　主債務の内容が、元本100万円、利息10万円、費用 1 万円、違約金 3 万円、損害賠償 5 万円の合計119万円だった場合、保証債務も119万

円となります。ただし、保証債務が履行できなかった場合には、債権者と保証人との間で、保証債務の違約金3万円、損害賠償1万円という約定をしてもかまいません。

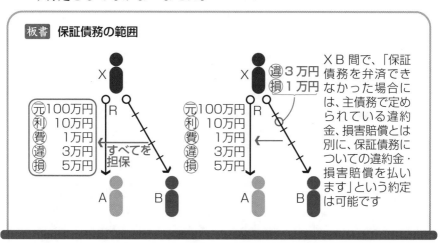

板書 保証債務の範囲

保証債務は、主債務と同一の内容の責任を負います。主債務の内容より重くなることはありません。主債務より重い責任を負わされるような契約をしても、保証債務の付従性により、主債務の限度に縮減されます（448条1項）。さらに、主債務の内容が軽減されれば保証債務も軽減されます。ただし、主債務の責任が重くされても、保証債務の内容は当然には重くなりません（448条2項）。

　＜事例で理解＞

　主債務が元本100万円、利息10万円であれば、保証債務も110万円となります。保証債務の内容がそれより重くなることはありません（上記の保証債務の不履行の場合に違約金・損害賠償額が加算されることはありますが、これは保証債務そのものの内容ではないことに注意してください。）。契約で、保証債務の内容を120万円と定めても、保証債務は110万円に縮減されます。

　また、元利合計110万円のうち20万円を弁済して、主債務が90万円となった場合には、保証債務も90万円になります。

さらに、Aが新たに10万円借り入れて元利合計120万円になったとしても、保証債務が当初の110万円から当然に120万円にはなりません。

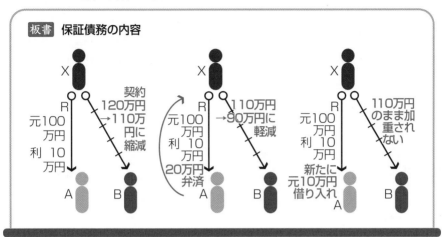

板書　保証債務の内容

ⓑ　成立・消滅に関する付従性

主債務が無効であれば、保証債務も成立しません。

主債務が取り消されれば、保証債務も保証契約の時にさかのぼって無効となります。ただし、保証人から主債務を取り消すことはできません（120条2項）。

主債務が行為能力の制限を理由に取り消された場合、主債務者が制限行為能力者であると保証人が知っていたときは、保証人は主債務と同債務を負担したものと推定されます（449条）。

主債務者が消滅時効を援用すれば、保証債務も消滅します。保証人が消滅時効を援用して債務を免れることもできます。

（ｂ）**随伴性**

随伴性とは、主債務者に対する債権が第三者に譲渡された場合には、主たる債務を担保する保証債務も一緒に移転する性質です。

（ｃ）**補充性**

補充性とは、保証債務は主債務者が弁済しない場合に初めてその責任が現実化するという性質です。その性質から、以下の抗弁が導かれます。

<事例で理解>

ⓐ **催告の抗弁権**（452条）

　債権者が、主債務者に債務の弁済を請求することなく、いきなり保証人に対して請求してきた場合には、「まずは主債務者に対して請求してください。」と言って、弁済を拒否することができます。これを催告の抗弁権といいます。

ⓑ **検索の抗弁権**（453条）

　債権者が、主債務者に履行の催告をした後、保証人に請求をしてきた場合であっても、主債務者に弁済をする資力があって、その財産に対する執行も簡単にできるということを保証人が証明した場合には、まずは主債務者の財産に執行しなければなりません。これを検索の抗弁権といいます。

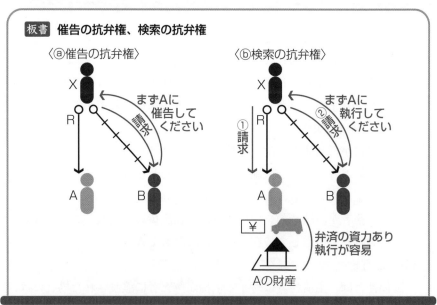

ⓒ **催告・検索の抗弁の効果**（455条）

　催告の抗弁権、検索の抗弁権が行使されたのに、債権者が主債務者に対する催告や執行を怠り、主債務者から全部の弁済を受けられなか

った場合、債権者が直ちに催告・執行をしていれば弁済を得られた限度で、保証人は債務を免れます。

　たとえば、保証人から催告の抗弁をなされ、直ちに主債務者に対して履行の請求を行っていれば、主債務の消滅時効の完成が猶予されていたのに、請求しなかったため、主債務全額が時効消滅してしまった場合、保証人は保証債務全額について、弁済する義務を免れます。

③　絶対効・相対効の関係

（a）主たる債務者に生じた事由の効力（457条）

　主債務の内容を加重する事由以外は、付従性によりすべて保証人にも効力が及びます（**絶対効**）。

ⓐ　時効の完成猶予・更新（1項）

　主債務者に対する履行の請求その他の事由によって、時効の完成が猶予されたり更新されたりすれば、保証債務も時効の完成が猶予され、更新されることになります。

＜事例で理解＞

　令和7年4月1日に時効が完成する主債務について、Xが令和6年12月1日にAに対して履行の請求を行い、時効の完成が猶予・更新されれば、Bの保証債務の時効の完成も猶予・更新されることになります。

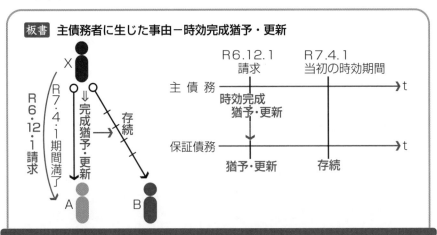

板書　**主債務者に生じた事由－時効完成猶予・更新**

ⓑ　主債務者の抗弁事由（2項）

　主債務者が債権者に主張できることは、保証人も主張できます。

　たとえば、AがXに対し同時履行の抗弁権を有している場合、保証人BもXからの請求に対して保証債務の履行を拒否できます。

ⓒ　主債務の相殺権・取消権・解除権による保証債務の履行拒絶権（3項）

　主債務者が債権者に対して相殺権・取消権・解除権を有している場合は、これらを行使して主債務者が債務を免れる限度で、保証人は、債権者に対して保証債務の履行を拒否できます。

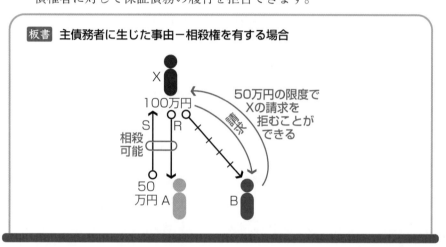

板書 **主債務者に生じた事由－相殺権を有する場合**

（b）保証人に生じた事由

　保証人が行った弁済や相殺など、主債務を消滅させるための行為以外は、主債務者に影響は及びません。

＜事例で理解＞

　保証債務について令和6年12月1日に時効完成猶予・更新が生じたとしても、主債務の時効は進行します。その後、令和7年4月1日に主債務の当初の時効期間が到来すれば、主債務は消滅時効が完成して消滅し、保証債務も令和7年4月1日に付従性によって消滅します。

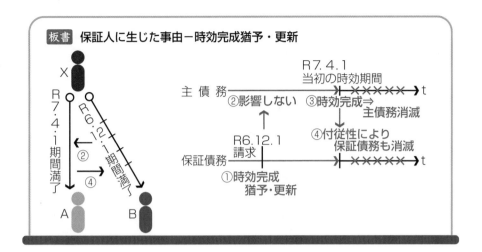

板書 保証人に生じた事由－時効完成猶予・更新

④ **内部関係（保証人の求償権）**

　保証は、債権者が債権を確実に回収するための手段です。つまり、保証人は債務者の肩代わりをするだけで、**最終的に債務額を負担するのは主債務者**です。したがって、保証人には、最終的に負わなければならない債務（負担部分）はありません。**肩代わりした分を主債務者に求償**できます。ただし、求償できる範囲は、保証形態で異なります。

（ａ）**主債務者の委託を受けた保証人**

　ⓐ　**求償の範囲**

　　連帯債務と同じく、現実に肩代わりした財産の額を求償できます（459条１項）。ただし、支出した財産の額が消滅した主債務の額よりも多い場合には、主債務の額のみ求償できます（459条１項かっこ書）。

　　＜事例で理解＞

　　主債務100万円に対し、保証人が110万円の自動車で代物弁済した場合、求償額は100万円です。

　　また、支出以後の利息や必要費も請求できます（459条２項、442条２項）。

5

債権総論

板書 保証人の求償権

X
100万円

100万円
弁済

R 消滅

求償100万円

A B

ⓑ 弁済期前に弁済等をした場合の求償権（459条の2）

保証人は、弁済期前に弁済する必要はありません。したがって、弁済期前の弁済は、委託を受けない保証と同じように考えます。

保証人が、主債務の弁済期前に弁済をした場合、保証人は主債務者に対し、主債務者が**弁済時に利益を受けた限度でのみ求償**できます（1項前段）。弁済時、主債務者が債権者に対する反対債権を有していた場合、主債務者はその金額につき、保証人からの求償を拒否できます。この場合、保証人は債権者に対し、主債務者が相殺することで消滅するはずだった債務の履行を請求できます（1項後段）。求償権は主債務の弁済期以後に行使できます（3項）。

＜事例で理解＞

XがAに100万円貸し付けていて、BがAから委託を受けて保証しています。主債務の弁済期は令和4年4月1日です。Bは弁済期前の令和4年3月1日にXに弁済をしました。ところが、Bが弁済する前にAはXに対して100万円の反対債権を取得していました。弁済期が到来し、BがAに100万円を求償した場合、AはBに対して100万円の支払いを拒むことができます。この場合、BはXに対して、Aの反対債権を行使し、弁済を求めることができます。

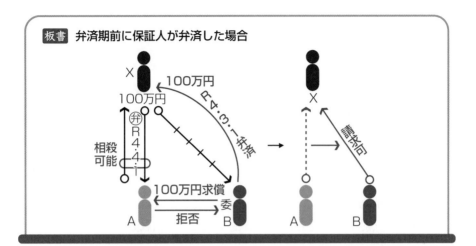

板書　弁済期前に保証人が弁済した場合

ⓒ　事前求償権（460条）

　　保証人が保証債務を履行した場合、保証人も求償権を確実なものとしたいと考えるのは当然です。とはいえ、保証人が履行をするということは、主債務者の財産状態が非常に悪く、主債務の弁済ができない状態にある可能性が高いといえます。そのなかで、少しでも求償権を確実なものとするため、民法では保証人が弁済する前に求償権を行使することを認めています。**事前求償権**です。

　　事前求償権が行使できるのは、主債務の弁済期が到来した場合や、主債務者が破産しているのに債権者が主債務者の破産財団に配当加入しないような場合、さらには、保証人が債権者に弁済しなさいという判決を受けたような場合です。

（ｂ）主債務者の委託を受けていない保証人

ⓐ　主債務者の意思に反しない保証人

　　保証人の**支出時**に主債務者が**利益を受けた限度**で求償できます（462条１項・459条の２第１項）。事前求償権はありません。

ⓑ　主債務者の意思に反する保証人

　　保証人が**求償した時**に主債務者が**現に利益を受ける限度**に限られます（462条２項前段）。したがって、保証人が求償するまでの間に、主

債務者が反対債権を取得したり、免除を受けたりした場合には、求償できなくなります。事前求償権もありません。

　ただし、相殺を理由に主債務者が求償を拒絶した場合には、保証人が債権者に対して履行請求できます（462条2項後段）。

（c）事前・事後の通知義務（463条）

ⓐ　保証人の事前通知義務（1項）

　委託を受けた保証人が債権者から保証債務の履行を請求された場合、**弁済する前に、主債務者に対して弁済する旨の通知義務**を負います（事前通知義務）。そうしないと、たとえば、主債務者が債権者に対して反対債権を持ち、その債権で主債務を相殺しようと思っていたのに、保証人が弁済したことで相殺の機会が奪われてしまうことにもなりかねないからです。

　もし、保証人が事前の通知をせずに弁済した場合、主債務者は債権者に主張できたことを保証人にも主張できます（1項）。

ⓑ　主債務者の事後通知義務（2項）

　委託を受けた保証人がいる場合、**主債務者が弁済**したときは、弁済した旨を**保証人に通知**しなければなりません（2項）。保証人に通知しておかないと、保証人が主債務者の弁済を知らずに、再度、債権者に対して弁済してしまう可能性があるからです。

　もし、主債務者が弁済した後、事後の通知をせず、それを知らない善意の保証人が弁済した場合には、保証人は、自己の弁済を有効とみなすことができ、主債務者に対して求償できます。

ⓒ　保証人の事後通知義務（3項）

　保証人は、**弁済後**も、**主債務者に通知**する義務があります（事後通知義務）。これは、保証人の弁済を知らずに、主債務者が債権者に二重に弁済してしまうことを防ぐためです。

　もし、保証人が弁済後の通知をせずに、それを知らない善意の主債務者が重ねて弁済した場合には、主債務者は、自己の弁済を有効とみなすことができ、保証人からの求償を拒否できます。

ⓓ　委託を受けない保証人

　委託を受けない保証人には、この事前通知義務も事後通知義務もありません。なぜなら、委託を受けない保証人は、そもそも求償権が制限されており、通知をしても求償権の制限はなくならないからです。また、通知がなく、主債務者が弁済しても、主債務者の弁済を有効とみなすことができ、主債務者が不利益を受けることもないからです。

（ｄ）債権者による情報提供義務

ⓐ　主債務者の履行状況に関する情報の提供義務（458条の２）

　主債務者が履行遅滞に陥ると、それによって発生した遅延損害金についても、保証人に請求することができます。しかし、保証人からすれば、現在主債務の残高がどのぐらいなのか、日々発生している遅延損害金がいくらなのか、気づかないこともあります。知らないうちに高額になっていることがないように、**情報を提供する義務を債権者に課**しました。ただし、負債の状況は主債務者にとっても信用にかかわる情報であるため、情報提供しなければならない相手は、**委託を受けた保証人**に限られます。

　保証人から請求があったときには、債権者は、**遅滞なく**、主債務の元本、利息、違約金、損害賠償などの不履行の有無や残額、弁済期が到来しているものの額に関する情報提供が必要です。

ⓑ　主債務者の期限の利益喪失時の情報提供義務（458条の３）

　主債務者が期限の利益を喪失したときは、債権者は保証人に対して、利益の喪失を知った時から**２か月以内**にその旨を通知しなければなりません（１項）。

　通知をしなかった場合には、債権者は保証人に対して主債務者が期限の利益を喪失した時から通知をするまでの間に生じた遅延損害金を請求することができなくなります（２項）。

5
債権総論

（2）連帯保証（454条）

①　意義

　連帯保証は、単純保証と異なり、主債務者と一緒になって債権者に債務を弁済していく債務を負う保証です。**補充性がありません**から、**催告の抗弁権、検索の抗弁権は連帯保証人にはありません**。

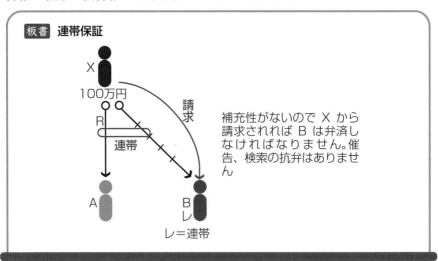

板書　連帯保証

X
100万円
R
連帯
A　　　B
　　　レ
レ＝連帯

補充性がないので X から請求されれば B は弁済しなければなりません。催告、検索の抗弁はありません

②　相対効・絶対効

　債務を消滅させる**弁済・供託・代物弁済**には当然に**絶対的効力**がありますから、連帯保証人が弁済すれば、その額について主債務も消滅します。また、連帯保証には、連帯債務の絶対効の規定が準用されます（458条）。したがって、連帯保証人に生じた事由のうち、**更改**（438条）、**相殺**（439条1項）、**混同**（440条）には**絶対的効力**があり、それ以外の事由には相対的効力しかありません。

レジュメ　連帯保証人の絶対効・相対効

	主債務者に生じた場合	連帯保証人に生じた場合
弁済・供託・代物弁済	絶対効	絶対効
更改・相殺・混同		
履行の請求・免除		相対効
時効の完成猶予・更新		
債権者に対する反対債権の取得	連帯保証人は履行拒絶できる	主債務者は履行拒絶できない

（３）共同保証（465条）

保証人が複数の場合の保証形態を共同保証といいます。

① 分別の利益がある場合

共同保証人はお互いに関係がなかったとしても、各共同保証人は、保証人の人数で分割した額のみ、債権者に対して責任を負います。これを**分別の利益**といいます。

＜事例で理解＞

A が X に100万円の貸金債務を負担し、BC が保証人の場合、BC はそれぞれ X に対し50万円の保証債務を負担します。

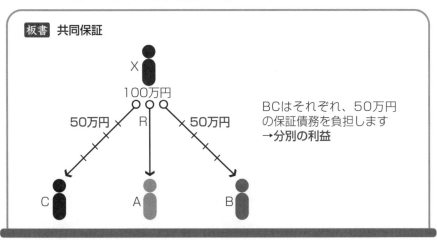

板書　共同保証

X
100万円
R
50万円　　　50万円

BCはそれぞれ、50万円
の保証債務を負担します
→**分別の利益**

C　　　A　　　B

② 分別の利益がない場合

次の場合、分別の利益はなく、各保証人が主債務全額を弁済します。

（a）主債務が不可分

（b）共同保証人が連帯保証人

（c）保証連帯（共同保証人間で全額負担とした場合）

③ 共同保証人間の求償権

（a）分別の利益がない場合には、共同保証人が、全額または**自己の負担部分を超過する額**の弁済をしたときは、連帯債務者間の求償の規定を準用して、**自己の負担部分を超える部分**について、他の共同保証人に対して**求償**することができます（465条1項）。

（具体例）AのXに対する100万円の主債務を、BCが連帯保証し、BがXに100万円弁済した場合には、Cに対して50万円を求償できます。主債務者に対しては100万円全額を求償できます。

（b）分別の利益がある場合には、共同保証人が、全額または保証人の数で分割された負担部分を超過する額の弁済をしたときは、委託を受けない保証人の規定を準用して、他の共同保証人に対して求償できます（465条2項）。

＜事例で理解＞

AのXに対する100万円の主債務を、BCが保証していた場合、BがXに自己の負担部分50万円を超える80万円を弁済した場合には、負担部分を超える30万円分についてCに求償できます。

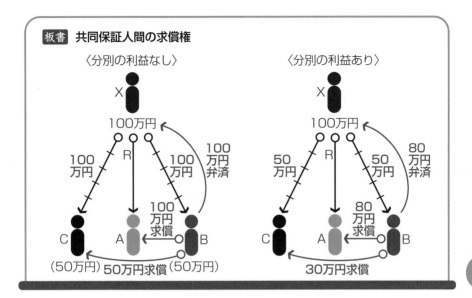

板書　共同保証人間の求償権

〈分別の利益なし〉　　　　〈分別の利益あり〉

（4）個人根保証契約

　根保証契約とは、債権者と主債務者との間に生じる一定の債務について、上限額（**極度額**）を定めて、その範囲で保証する契約です。その根保証契約を個人で締結することを個人根保証契約といいます。

＜事例で理解＞

　A が X から200万円の借金をする際に、A から委託された B が保証しました。その保証契約の内容として、「今後 5 年間に発生する、X が A から会社の運転資金として借り受ける債務のすべてを担保し、極度額1000万円」という内容の根保証契約でした。この場合、A が X に当初借りた200万円を弁済したとしても、保証債務は消滅しません。今後、5 年間後に元本が確定するまでに発生する債務があれば、それも1000万円を上限として保証しなければならないことになります。つまり、当初は200万円の保証だと思っていても、元本確定時には1000万円の保証債務になっている可能性があるということになります。

5

債権総論

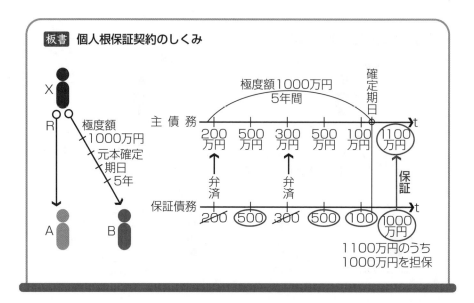

　このような根保証は、一度契約すれば、それ以後、元本確定期日まで何度も保証契約をする必要がないという点で、債権者にとっては非常に便利な保証形態です。しかし、保証人からすると場合によっては想像以上の負担を負わされることになりかねません。そこで、保証人にとって想像以上の負担が生じないように、さまざまなルールが規定されています。ここではポイントのみ触れます。

> **レジュメ** 個人根保証契約のポイント
>
> ① 個人が保証人の場合
> ② 極度額を定めなければならない
> ③ 保証期間を定めなければならない（原則３年・最長５年）
> ④ 主債務者・保証人の死亡で元本確定

① 個人が保証人の場合（465条の２）

　保証人が個人の場合に限定されます（１項）。

② **極度額を定めなければならない（465条の２）**

　極度額を定めなければ**無効**です（２項）。極度額は**書面**で定めなければなりません（３項）。

③ **個人貸金等根保証契約における保証期間（465条の３）**

　元本確定期日は契約締結の日から**最長５年**とすることができます。これを超える場合、元本確定期日の定めは効力を生じません（１項）。

　元本確定期日の定めがない場合には、根保証契約締結の日から**３年**が元本確定期日になります（２項）。

　元本確定期日を変更する場合、変更した日から**最長５年**を超えるときは、変更は効力を生じません（３項）。

　元本確定期日の定めや変更は、**書面**で定めなければ無効です（４項）。

④ **元本確定事由（465条の４）**

レジュメ　元本確定事由
１号　債権者が、保証人の財産について、金銭の支払を目的とする債権についての強制執行または担保権の実行を申し立てたとき。
２号　保証人が破産手続開始の決定を受けたとき。
３号　主たる債務者または保証人が死亡したとき。

5

債権総論

第５編　第５章　確認テスト

問１　連帯債権関係においては、各債権者は、全債権者のために、全部または一部の履行を請求することができる。

問２　連帯債務者の１人が債権者に債務を弁済した場合には、債務者全員に効力を生じ、他の債務者の債務も弁済額の範囲で消滅する。

問3 連帯債務者の1人が自己の負担部分を超えない額を弁済した場合には、他の連帯債務者に対して求償することはできない。

問4 ABがXに対して連帯債務を負っている場合に、Aが弁済をしたが、それをBに通知せず、そのためBが事前に通知をした上で善意で弁済をした場合、Bは自己の弁済を有効であると主張し、Aに求償することができる。

問5 保証契約が有効に成立するためには、書面でなされることが必要である。

問6 保証債務は、主債務のみを担保し、また、保証債務についてのみ違約金や損害賠償の額を約定することはできない。

問7 保証関係において、主債務者に対する履行の請求その他の事由によって、時効の完成が猶予されたり更新されたとしても、保証債務も時効の完成が猶予され、更新されることはない。

問8 主たる債務者の委託を受けた保証人が、主債務の弁済期前に弁済をした場合には、保証人は主債務者に対して求償することはできない。

問9 連帯保証をしている共同保証人が、自己の負担部分を超えない額の弁済をしたときは、他の共同保証人に対して求償することができない。

解答

問1 ○ 連帯債権関係において、各債権者は、全ての債権者のために全部又は一部の履行を請求することができ、債務者は、全ての債権者のために各債権者に対して履行をすることができます（432条）。

問2　○　連帯債務者の1人が債権者に債務を弁済した場合には、債務者全員に効力を生じ、他の債務者の債務も弁済額の範囲で消滅します。

問3　×　連帯債務者の1人が自己の負担部分を超えない額を弁済をした場合でも、他の連帯債務者に対し、各自の負担部分の割合に応じた額を求償することができます（442条1項）。

問4　○　連帯債務者の1人が弁済をしたが、それを他の連帯債務者に通知せず、そのため他の連帯債務者が事前に通知をした上で善意で弁済をした場合には、その連帯債務者は自己の弁済を有効であると主張し、先の弁済した連帯債務者に求償することができます（443条2項）。したがって、BはAに対して求償することができます。

問5　○　保証契約が有効に成立するためには、書面によってなされなければなりません（446条2項）。

問6　×　保証債務は、主債務に加えて、利息、違約金、損害賠償その他の債務に従たるすべてのものを含みます（447条1項）。また、保証人は、その保証債務についてのみ、違約金や損害賠償の額を約定することができます（447条2項）。

問7　×　主債務者に対する履行の請求その他の事由によって、時効の完成が猶予されたり更新されたりすれば、保証債務も時効の完成が猶予され、更新されることになります（457条1項）。

問8　×　主たる債務者の委託を受けた保証人が、主債務の弁済期前に弁済をした場合、保証人は主債務者に対して、主債務者が弁済時に利益を受けた限度でのみ求償できます（459条の2第1項前段）。

問9　○　連帯保証人が複数人いる場合、共同保証人が、全額または自己の負担部分を超過する額の弁済をしたときは、連帯債務者間の求償の規定を準用して、自己の負担部分を超える部分について、他の共同保証人に対して求償することができます（465条1項）。したがって、自己の負担部分を超えない額の弁済だけでは、他の共同保証人に求償することはできません。

5

債権総論

　特定の者に対する請求権である債権は、原則として自由に譲渡でき（466条1項）、譲渡以降は、譲受人が債権を請求できます。

＜事例で理解＞

　AがBに対して100万円を貸し付けています。弁済期は令和7年4月1日です。令和7年3月1日、Aは子供の大学入学金80万円の現金が必要になりましたが、Aの手元に現金はなく、Bに対する債権しかありません。そこで、Aはこの債権をCに買ってもらえないかと話を持ち掛けました。ただ、そのまま100万円で買ってもCにメリットはありません。そこで、「90万円だったら買ってもいいよ。」と返事しました。そこで、Aは、Cにこの債権を90万円で譲渡しました。

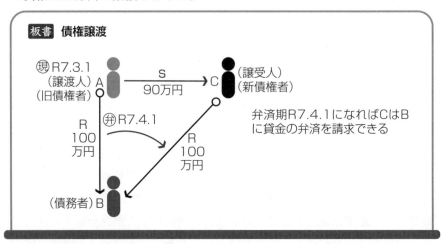

　Aは債権者であり債権の譲渡人、Bは債務者、Cは債権の譲受人です。
　債権譲渡がなされると、債権は性質を変えずに譲受人に移転します。債権に付されていた担保権や保証契約もそのまま譲受人に移転し、債務者から譲渡人に対する同時履行の抗弁権などの抗弁もそのまま存続します。

1 債権の譲渡性（466条）

（1）譲渡性の原則（１項本文）

上記で述べたように、債権は、譲渡できるのが原則です。

（2）譲渡性の制限

いろんな理由から、債権の譲渡ができない場合が規定されています。

レジュメ　譲渡性が制限される場合

① 法律上の制限
② 性質上の制限（466条１項ただし書）
③ 当事者の意思表示による制限（譲渡制限特約）（466条２項）

---

① 法律上の制限

債権者の生活を守る観点から、債権の譲渡は明文で禁止されています。

（具体例）扶養請求権、恩給請求権、労災補償金請求権です。

② 性質上の制限（１項ただし書）

特定の債権者に履行すべきものは、その債権の性質上、譲渡できません。

（具体例）有名な画家に肖像画を描いてもらうような債権です。

③ 当事者の意思表示による制限（譲渡制限特約）

＜事例で理解＞

（a）原則（2項）

債権者Ａと債務者Ｂの間で、「債務は必ずＡに対して履行するから、他の人に債権を譲渡しないでください」ということを取り決め（譲渡制限特約）をした場合であっても、第三者Ｃに債権譲渡できます。

（b）債務者保護（3項）

譲渡制限特約付債権でも**債権譲渡は有効**です。しかし、譲受人Ｃが譲渡制限特約を知っているか（**悪意**）、または知らないことに重大な過失がある（**重過失**）場合には、債務者Ｂは、譲受人ＣやＣから更に譲

り受けた第三者に対し債務の履行を拒絶できます。また、もし債務者Ｂが、譲渡人Ｃに弁済などして、債務を消滅させていた場合には、債務の消滅を譲受人Ｃや第三者に対抗できます。

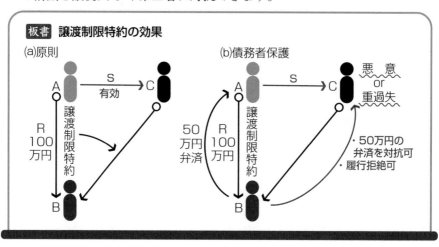

（ｃ）債務者と譲受人の調整（466条4項）

　上記のように、悪意・重過失の譲受人Ｃからの請求に対し、債務者Ｂが履行を拒絶したり、抗弁できるとすると、債務者Ｂが譲渡人Ａ、譲受人Ｃ双方からの請求に対して履行拒絶するという状態が生じ得ます。そこで、この状態を解消するため、譲受人Ｃから債務者Ｂに対し、**相当の期間を定めて譲渡人Ａへの履行を催告し、その期間内に履行がない場合は、譲受人Ｃ等は債務者Ｂに履行請求できる**としました。

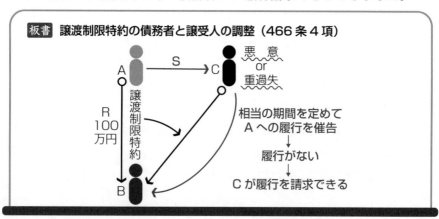

（3）譲渡制限特約と供託（466条の2～3）

譲渡制限特約があるのに債権譲渡が行われた場合には、二重譲渡や差押えが競合し、債務者が紛争等に巻き込まれるという問題があります。そこで、債務者を紛争から離脱させる制度として、供託があります。

＜事例で理解＞

（a）債務者の供託権

譲渡制限特約が付された金銭債権の債務者Bは、その債権が譲渡されたときには供託することが認められています（466条の2第1項）。

（b）譲渡人Aの破産と譲受人Cの供託請求権

譲渡人Aが破産してしまった場合、債権全額を譲り受け、第三者対抗要件を備えた譲受人Cは、債務者Bにその債権の全額に相当する金銭の供託を請求することができます（466条の3前段）。

（c）供託の通知

供託した債務者Bは、遅滞なく、譲渡人Aおよび譲受人Cに供託の通知をしなければなりません（466条の2第2項、466条の3後段）。

（d）供託金の還付請求権

供託金は、譲受人Cに限り、還付請求できます（466条の2第3項、466条の3後段）。

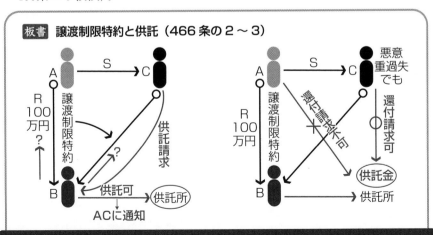

（4）譲渡制限特約のある債権の差押え

＜事例で理解＞

① 原則（466条の4第1項）

　AのBに対する貸金債権の債務の履行がされない場合、Aは差押えを行い強制執行により債権の満足を得ます。債権の強制執行は、実質的には債権譲渡と同じように、強制執行を行う差押債権者Aが、差し押さえた債権の履行を求めていきます。

　差押債権者を譲受人Cと考えてみると、差押債権者が譲渡制限特約につき悪意・重過失だった場合、466条3項により、債務者Bが差押債権者への支払いを拒絶できてしまいます。そうすると、強制執行されたくない債務者Bは、譲渡制限特約をつければ強制執行をさけることができ、また、意思表示で強制執行できない財産を作ることができ妥当ではありません。

　そこで、差押債権者Cに対しては、譲渡制限の意思表示を対抗することはできないこととして、差押債権者Cの権利を保護しています。

② 例外（466条の4第2項）

　譲渡制限特約がある場合、債務者B保護のため、悪意・重過失の譲受人Cからの請求は拒否できます。当該譲受人Cに対する債権者Xが、この債権を差し押さえても、悪意・重過失の譲受人Cが有する以上の権利を認めるのは妥当ではなく、差押債権者Xからの請求に対して、債務者Bは履行拒絶でき、債務消滅事由をもって対抗できます。

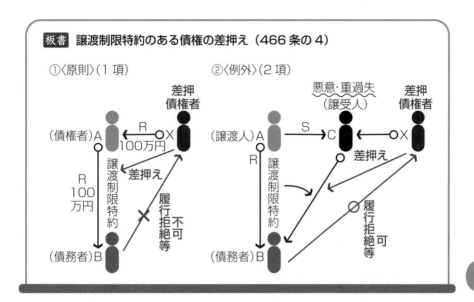

板書 譲渡制限特約のある債権の差押え（466条の4）

①〈原則〉（1項）　　　　　　②〈例外〉（2項）

（5）譲渡制限特約のある預金債権または貯金債権（466条の5）

① 悪意・重過失の譲受人

　預金債権または貯金債権に譲渡制限特約が付されている場合、悪意または重過失がある譲受人に対しては、債務者（銀行）は譲渡制限特約を対抗することができます（1項）。

> （具体例）AがB銀行に500万円の預金債権を有しています。AはCに対してこの預金債権のうち300万円を譲渡します。次に、AがB銀行に再び200万円預金した後（残高700万円）、600万円を引き出します（残高100万円）。さらに、200万円預金します（残高300万円）。ここで、預金債権300万円がDによって差し押さえられた場合に、最初に債権を譲り受けたCは払戻しを受けられるのか、それとも、全額Dが払戻しを受けられるのか、Bとしてはどちらに払い戻すべきなのか、混乱してしまいます。

　そこで、預貯金債権については、譲渡制限の意思表示がされたことを知り、または重過失によって知らなかった譲受人やその他の第三者に対しては、対抗できるとされました。つまり、預貯金債権については、当事者の意思で譲渡性自体を否定できることになります。

5

債権総論

② 差押債権者

　強制執行をした差押債権者に対しては、債務者である銀行は、譲渡制限特約を対抗できないとされています（2項）。預貯金債権であっても、差押禁止債権を特約で作り出すことはできないからです。

（6）将来債権の譲渡性（466条の6）

① 将来債権の譲渡性

　将来債権とは、将来発生することが予定されている債権のことをいいます。いまだ発生していない債権の譲渡について、民法では、将来発生する債権でも譲渡することができると規定しています（1項）。そして、その債権が発生したときは、譲受人は当然に債権を取得します（2項）。

② 将来債権発生後の譲渡制限特約

　将来債権の譲渡後に、譲受人が対抗要件を具備するまでに譲渡制限特約が付された場合には、譲受人が特約について悪意であるとみなし、また、債務者は履行を拒むことができます。かつ、債務消滅事由をもって譲受人に対抗することができます（3項）。

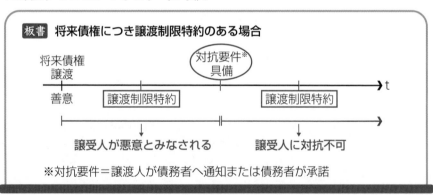

2 債権譲渡の方法

＜事例で理解＞

　AからXへの債権の譲渡は、意思表示のみでできますが、（1）譲渡を債務者Bに対して主張する要件（**債務者対抗要件**）や、（2）同一の債権をYが譲り受けた場合に、YにXの権利を主張する要件（**第三者対抗要件**）が、それぞれ問題となります。

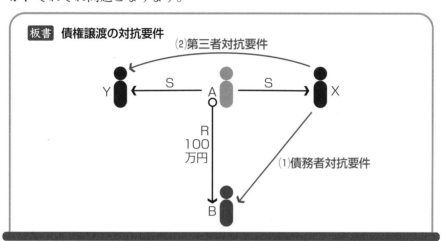

板書 債権譲渡の対抗要件

(2)第三者対抗要件

Y ← S → A ← S → X

R 100万円

B

(1)債務者対抗要件

▼第467条〔債権の譲渡の対抗要件〕
1 項　債権の譲渡（現に発生していない債権の譲渡を含む。）は、譲渡人が債務者に通知をし、又は債務者が承諾をしなければ、債務者その他の第三者に対抗することができない。
2 項　前項の通知又は承諾は、確定日付のある証書によってしなければ、債務者以外の第三者に対抗することができない。

（1）債務者対抗要件（467条1項）

＜事例で理解＞

　誰が債権者なのか、債務者に情報を集中させるとともに、債務者Bが二重に弁済を迫られることがないようにするため、債務者対抗要件は、譲渡

人Aから債務者Bへの債権譲渡の**通知**か、または債務者Bによる債権譲渡の**承諾**とされました。承諾は、譲渡人A、譲受人Xいずれに行うこともできます。

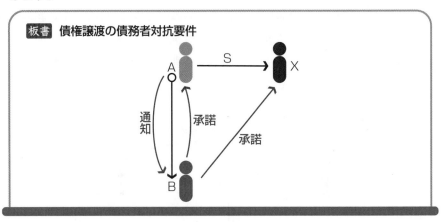

板書 債権譲渡の債務者対抗要件

（2）第三者対抗要件（467条2項）

＜事例で理解＞

　債務者B以外の第三者に債権譲渡を対抗するには、①譲渡人Aから債務者Bに対する**確定日付のある証書**による**通知**、または、②**確定日付のある証書**による債務者Bの**承諾**が必要となります。

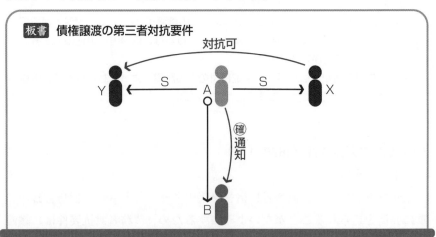

板書 債権譲渡の第三者対抗要件

＜事例で理解＞

複数の通知が債務者に届いた場合の優劣関係は以下の通りです。

① 確定日付があるものとないものがある場合

確定日付のあるものが優先します（467条2項）。

② いずれも確定日付がある場合で、それらの通知の到達が異なる場合

先に到達したものが優先します（最判昭49.3.7）。

AからYへの譲渡について確定日付3月31日の通知が4月3日にBに到達し、AからXへの譲渡について確定日付4月1日の通知が4月2日にBに到達した場合、先に到達したXへの譲渡の通知が優先します。

③ いずれも確定日付がある場合で、同時に到達した場合

いずれの債権者も全額請求することができます（最判昭55.1.11）。

AからYへの譲渡について確定日付3月31日の通知とAからXへの譲渡について確定日付4月1日の通知が、いずれもBに4月2日に同時に到達した場合、XYいずれも、Bに全額請求できます。

5

債権総論

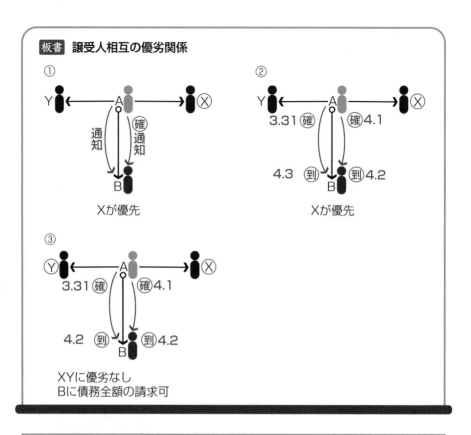

板書 譲受人相互の優劣関係

① Xが優先

② Xが優先

③ XYに優劣なし
Bに債務全額の請求可

レジュメ 通知と承諾

	通知	承諾
方法	譲渡人→債務者	債務者→譲渡人 or 譲受人
時期	譲渡後に通知→通知時 から対抗力 譲渡前に通知→無効	譲渡後でも可 譲渡前のあらかじめの承諾も有効
欠く場合	譲受人は債権譲渡の事実を債務者に対抗不可	

3 債権の譲渡における債務者の抗弁（468条）

（1）原則（1項）

債権譲渡され、対抗要件を具備するまでに債務者が債権者に対して主張できることは、その債権の譲受人に対して主張できます。

＜事例で理解＞

Aは、Bに対する100万円の貸金債権をCに譲渡しました。AからBに対する債権譲渡の通知もしくはBからの承諾の前に、BがAに50万円を弁済しました。この場合、BがCから100万円の貸金返還請求を受けたとしても、BはAに50万円弁済しているから、Cには50万円しか弁済しないという主張ができるということです。

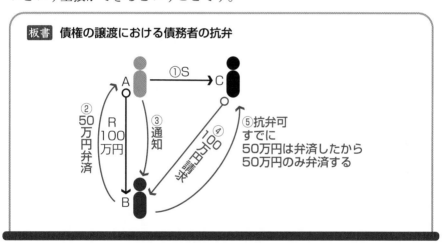

板書 債権の譲渡における債務者の抗弁

① S
② 50万円弁済
③ 通知
④ 100万円請求
⑤ 抗弁可 すでに50万円は弁済したから50万円のみ弁済する

R 100万円

その他の抗弁としては、同時履行の抗弁、留置権の抗弁、無効・取消し・解除、消滅時効による債務の不存在の主張などができます。

（2）譲渡制限特約が存在する場合（2項）

債権の譲受人が悪意または重過失のため、譲渡人への履行の催告を行った場合（466条4項）、催告から「相当の期間を経過した時」が基準時となり、その時までに譲渡人に主張できたことを譲受人に主張できます。

破産手続開始の決定があった場合（466条の3）には、「債務者が譲受人から供託の請求を受けた時」が基準時となります。そして、その時までに譲渡人に主張できたことを譲受人に主張することができます。

4　債権譲渡における相殺（469条）

債権譲渡後、債務者が譲渡人に対する債権と相殺できるかという問題です。

＜事例で理解＞

ＡがＢに100万円貸し付けています（甲債権とします。）。これに対して、ＢはＡに自動車を売却し、その代金100万円の代金債権を有しています（これを乙債権とします。）。その後、ＡはＣに、Ｂに対する甲債権を譲渡しました。この場合、債務者Ｂは、Ａの甲債権とＢの乙債権を相殺できるのか、甲債権は既にＣのものとなっているので相殺できないのか、という問題があります。

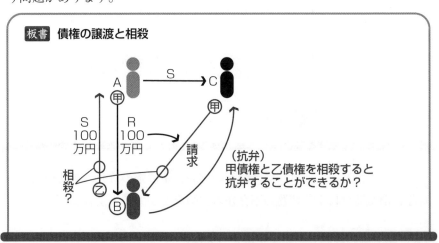

板書 債権の譲渡と相殺

（抗弁）
甲債権と乙債権を相殺すると
抗弁することができるか？

この場合、債権譲渡の対抗要件を具備する前か後で扱いが異なります。

（1） 債権譲渡の対抗要件具備前に取得した債権による相殺（1項）

＜事例で理解＞

　債務者Bが債権者Aに対して有する乙債権が、甲債権の譲渡の対抗要件具備5月1日より前4月25日に取得した債権である場合には、債務者Bの乙債権の**弁済期の前後に関係なく**、債務者Bは相殺することができます。いったん、相殺適状になったことにより、相殺できると考えた債務者Bの期待権を保護する趣旨です。

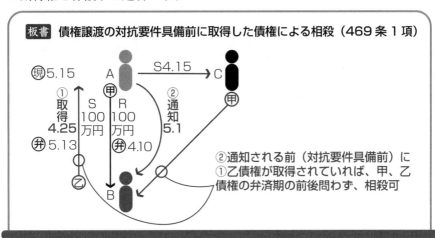

板書 債権譲渡の対抗要件具備前に取得した債権による相殺（469条1項）

②通知される前（対抗要件具備前）に①乙債権が取得されていれば、甲、乙債権の弁済期の前後問わず、相殺可

（2） 債権譲渡の対抗要件具備後に取得した債権による相殺（2項本文）

＜事例で理解＞

　対抗要件具備後に取得した債権では、債権譲渡された債権と相殺できないのが原則ですが、以下の場合には、相殺することができます。

① 対抗要件具備時より前の原因に基づいて生じた債権（1号）

　BのAに対する乙債権の取得が4月30日で、AのBに対する甲債権のCへの譲渡の対抗要件具備4月25日の後に取得したとしても、対抗要件を具備する前のAのBに対する賃金債権（4月1日に成立）を原因として発生した債権であれば、債務者Bはその債権を使って相殺することができます。これも、債務者Bによる相殺の期待権を保護する趣旨です。

5

債権総論

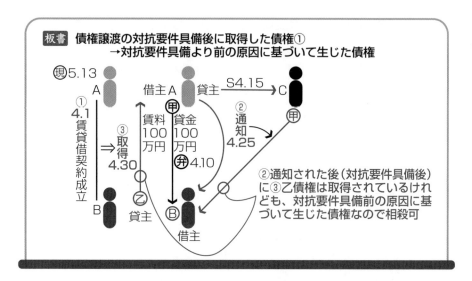

板書 債権譲渡の対抗要件具備後に取得した債権①
→対抗要件具備より前の原因に基づいて生じた債権

②通知された後（対抗要件具備後）に③乙債権は取得されているけれども、対抗要件具備前の原因に基づいて生じた債権なので相殺可

② 譲受人の取得した債権の発生原因である契約に基づいて生じた債権（2号）

　BのAに対する乙債権の取得が5月1日で、AのBに対する甲債権のCへの譲渡の対抗要件具備4月25日後に取得したとしても、譲受人Cの取得した甲債権がAB間で4月1日に締結した売買契約が発生原因となっている債権であれば、債務者Bはその乙債権を使って相殺することができます。

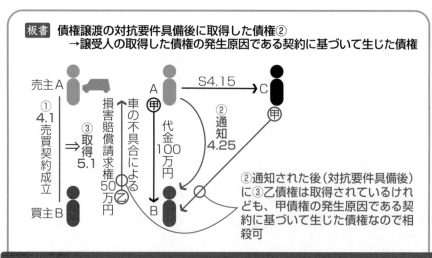

板書 債権譲渡の対抗要件具備後に取得した債権②
→譲受人の取得した債権の発生原因である契約に基づいて生じた債権

②通知された後（対抗要件具備後）に③乙債権は取得されているけれども、甲債権の発生原因である契約に基づいて生じた債権なので相殺可

③　債権譲渡の対抗要件具備後に取得した債権が他人から取得した債権の
場合（2項ただし書）

　①②の場合でも、債務者Bの取得した債権がAとは無関係のDから取
得したものである場合には相殺を譲受人Cに対抗できません。

（3）譲渡制限特約が存在する場合（3項）

　債権の譲受人が悪意または重過失のため、譲渡人への履行の催告を行っ
た場合（466条4項）、催告から「相当の期間を経過した時」が基準時とな
ります。

　破産手続開始の決定があった場合（466条の3）には、「債務者が譲受人
から供託の請求を受けた時」が基準時となります。

問1　債権は、債権譲渡を制限する特約が付いている場合でも譲渡可能であるが、債権の譲受人が譲渡制限特約につき悪意または重過失がある場合には、債務者は、譲受人からの債務の履行を拒むことができる。

問2　譲渡制限特約が付されている債権を譲り受けた悪意・重過失の譲受人は、債務者に対して、相当の期間を定めて譲渡人への履行を催告し、その期間内に履行がない場合には、債務者に履行を請求することができる。

問3　将来発生する債権は譲渡することができない。

問4　債務者以外の第三者に債権譲渡を対抗するには、譲受人から債務者に対する確定日付のある証書による通知、または、確定日付のある証書による債務者の承諾が必要である。

問5　AのBに対する債権がCDに二重に譲渡され、債権譲渡の通知がBになされたが、いずれも確定日付があり、同時にBに到達した場合、確定日付の前後により優劣が決定される。

問6　債権譲渡され、対抗要件を具備するまでに債務者が債権者に対して主張できることについては、その債権の譲受人に対して主張することができる。

問7　債務者が債権者に対して有する甲債権が、債権者の債務者に対する乙債権の債権譲渡の対抗要件具備より前に取得した債権である場合であっても、債務者の甲債権の弁済期が譲渡された債権よりも後に到来する場合には、債務者は相殺することはできない。

解答

問1　○　債権譲渡を制限する特約が付いていた場合でも、債権譲渡が有効です（466条2項）。しかし、譲受人が譲渡制限特約を知っているか（悪意）、または知らないことに重大な過失がある（重過失）場合には、債務者は、譲受人に対して債務の履行を拒むことができます（466条3項）。

問2　○　譲受人の方から、債務者に対して、相当の期間を定めて譲渡人への履行を催告し、その期間内に履行がない場合には、譲受人等は、債務者に履行を請求することができます（466条4項）。

問3　×　将来発生する債権でも譲渡することができると規定しています（466条の6第1項）。

問4　×　債務者以外の第三者に債権譲渡を対抗するには、①「譲渡人」から債務者に対する確定日付のある証書による通知、または、②確定日付のある証書による債務者の承諾が必要となります（467条2項）。

問5　×　債権譲渡の確定日付のある通知が複数債務者に同時に到達した場合には、債権者間の優劣はなく、いずれの債権者も債務者に対して全額請求できます（最判昭55.1.11）。

問6　○　債権譲渡され、対抗要件を具備するまでに債務者が債権者に対して主張できることについては、その債権の譲受人に対して主張することができます（468条1項）。

問7　×　債務者が債権者に対して有する甲債権が、乙債権の譲渡の対抗要件具備より前に取得した債権である場合には、債務者の甲債権の弁済期の前後に関係なく、債務者は相殺することができます（469条1項）。

5

債権総論

第5編
第7章 債務の引受け

　債務引受とは、債務者以外の第三者が、債務の履行義務を負うことをいいます。債務を引き受けた者を引受人といいます。債務引受には、併存的債務引受、免責的債務引受の2種類があります。

1 併存的債務引受（470条）

（1）意義（1項）
＜事例で理解＞

　併存的債務引受とは、引受人Cが、債務者Bと連帯して、債務者Bが債権者Aに対して負担する債務と同一の内容の債務を負担することです。

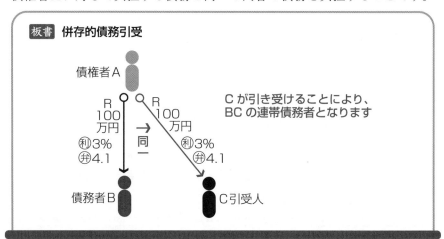

（2）要件
＜事例で理解＞

① 債権者Aと引受人Cの間の契約で成立します（2項）。

② 債務者Bと引受人Cの間の契約でもできます（3項前段）。この場合

は、債権者 A が引受人 C となる者に対して**承諾した時**に成立します（後段）。

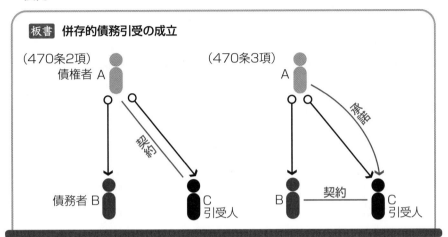

板書 **併存的債務引受の成立**

（470条2項）
債権者 A
契約
債務者 B　　C 引受人

（470条3項）
A
締結
B　契約　C 引受人

③　併存的債務引受が成立した場合には、第三者のためにする契約に関する規定が適用されます。

（3）効果

①　引受人が債務者と**連帯**して、債務者が債権者に対して負担する債務と**同一の内容**の債務を負担します（470条 1 項）。

②　引受人は、併存的債務引受の**効力が生じた時**に債務者が主張できた抗弁を債権者に主張できます（471条 1 項）。

（具体例）A が B に100万円を貸し付け、C の債務引受の効力が生じたときには、B が A に50万円弁済していた場合、C は50万円の弁済を拒絶できます。

③　債務者が債権者に対して取消権または解除権を有するときは、引受人は、これらの権利の行使によって債務者がその債務を免れるべき限度において、債権者に対して債務の履行を拒絶できます（471条 2 項）。

5
債権総論

2 免責的債務引受

（1）意義（472条）

＜事例で理解＞

　免責的債務引受とは、引受人Cが、債務者Bが債権者Aに対して負担する債務と同一の内容の債務を負担して、債務者Bは自己の債務を免れることをいいます（1項）。引受人Cのみが債務者となります。

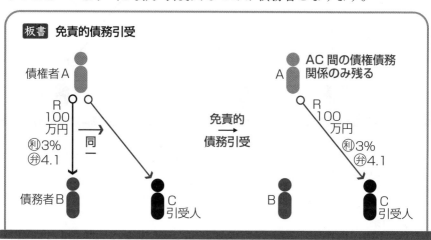

（2）要件（472条）

＜事例で理解＞

① 　**債権者A**と**引受人C**の間の契約で成立します（2項前段）。この場合は、債権者Aが債務者Bに対してその契約をした旨を**通知した時**に効力が生じます（2項後段）。

② 　**債務者B**と**引受人C**の間の契約でることもできます。この場合は、債権者Aが引受人Cとなる者に対して**承諾した時**に成立します（3項）。

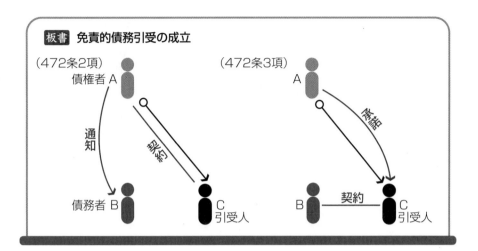

板書 免責的債務引受の成立

（472条2項）
債権者 A

通知

（472条3項）
A

承諾

契約

債務者 B

C
引受人

B

契約

C
引受人

（3）効果

① 　引受人は、債務者と同じ内容の債務を、**債務者に代わって負担**することになり、**債務者は債務を免れます**（472条 1 項）。

② 　引受人は、免責的債務引受により負担した自己の債務について、その効力が生じたときに債務者が主張できた抗弁をもって債権者に対抗することができます（472条の 2 第 1 項）。

（具体例）A が B に100万円を貸し付けていて、C の債務引受の効力が生じた時には、B が A にすでに50万円弁済していた場合には、C は100万円のうち50万円の弁済を拒むことができることになります。

③ 　債務者が債権者に対して取消権または解除権を有するときは、引受人は、免責的債務引受がなければこれらの権利の行使によって債務者がその債務を免れることができた限度において、債権者に対して債務の履行を拒むことができます（472条の 2 第 2 項）。

④ 　免責的債務引受の引受人は、債務者に対して**求償権を取得しません**（472条の 3 ）。

⑤ 　債権者は、472条 1 項の規定により債務者が免れる債務の担保として設定された担保権や保証について、引受人が負担する債務に移すことができます（472条の 4 第 1 項本文・ 3 項）。ただし、引受人以外の者がこ

れを設定した場合には、その承諾を得なければなりません（472条の4
第1項ただし書・3項）。

　この規定による担保権や保証を引受人以外の者が設定しているとき
は、あらかじめまたは同時に引受人に対して移す旨の意思表示をしなけ
ればなりません（472条の4第2項・3項）。保証人の承諾は、書面また
は電磁的記録によってしなければなりません（472条の4第4項・5項）。

第5編　第7章　確認テスト

問1　併存的債務引受契約は、債権者、債務者、引受人の三者間で契約されなければ成立しない。

問2　併存的債務引受契約がなされた場合には、引受人は債務者と連帯して、債務者が債権者に対して負担する債務と同一の内容の債務を負担する。

問3　免責的債務引受とは、引受人が、債務者が債権者に対して負担する債務と同一の内容の債務を負担して、債務者は自己の債務を免れることをいう。

問4　債権者と引受人との間でなした免責的債務引受契約は、契約締結時に効力を生ずる。

解答

問1　×　併存的債務引受契約は、債権者と引受人の間の契約で成立します（470条2項）。また、債権者の承諾のもと、債務者と引受人との間の契約ですることもできます（470条2項）。

問2　○　併存的債務引受契約が締結されれば、引受人が債務者と連帯して、債務者が債権者に対して負担する債務と同一の内容の債務を負担します（470条1項）。

問3　○　免責的債務引受とは、引受人が、債務者が債権者に対して負担する債務と同一の内容の債務を負担して、債務者は自己の債務を免れることをいいます（472条1項）。

問4　×　債権者と引受人との間でなした免責的債務引受契約は、債権者が債務者に対してその契約をした旨を通知した時に効力が生じます（472条2項後段）。

　Ａの車をＢが100万円で買うという売買契約を締結した場合には、Ａは
Ｂに代金請求権を取得し、ＢはＡに車の引渡請求権を取得します。Ｂが
Ａに代金100万円を弁済すれば、Ａの代金請求権は消滅しますし、ＡがＢ
に車を引き渡せば、Ｂの車の引渡請求権は消滅します。このように、債権
の内容が実現されて、債権が消滅する場合があります。

　また、ＡがＢに対して100万円の代金債権を有し、ＢがＡに100万円の
貸金債権を有している場合に、お互いの債権をチャラにしようといって債
権を消滅させる相殺もあります。

　さらに、ＡがＢに対して100万円の貸金債権を有しているにもかかわら
ず、一定期間、請求しないことによって時効消滅する場合もあります。

　このように債権消滅原因は様々ありますが、以下のように分類できます。

レジュメ　債権の消滅原因の分類		
債権内容実現という視点からの消滅原因	内容実現	弁済
		代物弁済
		供託
	内容実現不可能	解除
		反対債務の履行拒絶
	内容実現の理由喪失	相殺
		更改
		免除
		混同

権利一般の消滅原因	消滅時効の完成	
	契約に伴うもの	終期到来
		解除条件成就
		解除・告知
		取消し
	契約自体によるもの	解除契約
		相殺契約
	権利放棄　など	

それでは、個別に債権消滅のルールについてみていきましょう。

1　弁済

> ▼第473条〔弁済〕
> 債務者が債権者に対して債務の弁済をしたときは、その債権は、消滅する。

（１）弁済の意義

　弁済とは、債務の内容である給付を、その債務の本旨に従って実現する債務者その他の者の行為をいいます。「履行」ともいいます。弁済により債権の目的が達せられるため、債権は消滅します。

　「債務の本旨に従って」というのは、当事者が約束したとおりに、日時、場所、弁済する相手に債務を履行することです。

＜事例で理解＞

　ＡがＢに対し、１週間後にＢがＡに返すという約束で100万円を貸し付けた場合、約束どおり１週間後、ＢがＡに100万円を返しにいくと、これが債務の本旨に従った弁済となり、貸金債権は消滅します。

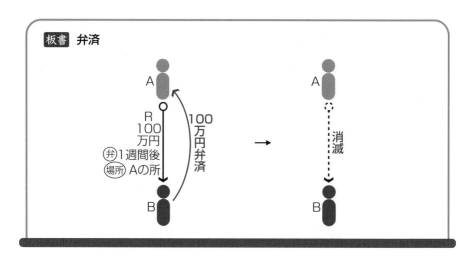

板書 弁済

A
R
100
万円
弁 1週間後
場所 Aの所
100万円弁済
B

→

A
消滅
B

　弁済者は、弁済と引き換えに、弁済を受領する者に対して受取証書（いわゆる領収書）の交付を請求できます（486条1項）。

（2）弁済の提供

① 弁済の提供の意義（492条）

　弁済をすることで、債務者は義務を免れます。しかし、債務の内容によっては、債権者の行為を要する場合もありえます。

＜事例で理解＞

　BがAに車を売却し、車の引渡債権については、AB間の契約で、令和4年5月13日に、買主Aが売主Bのところに引取りに行くという契約でした。この場合、Aが引取りに来てくれないと、Bは車の引渡しができません。しかし、Aが引取りに来ないまま、引渡期限の5月13日を経過した場合、引渡期限を過ぎているからといって、Bが債務不履行責任を負うのは公平とはいえません。そこで、債務者が債務を履行する為に債務者自身でやらなければならない行為をしていた場合には、弁済の提供として、債務を履行しないことで生ずる責任から免れさせます。

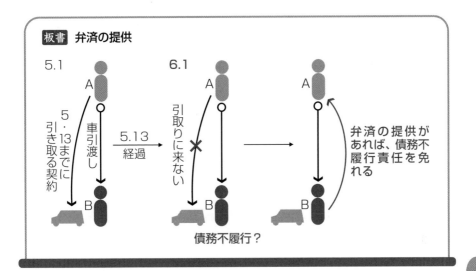

板書 弁済の提供

5.1

A
⚪

5・13までに引き取る契約

車引渡し

B

5.13経過

6.1

A
⚪

引取りに来ない

×

B

車

債務不履行？

A
⚪

弁済の提供があれば、債務不履行責任を免れる

B

② 弁済の提供の方法（493条）

弁済の提供は、具体的には、何をすればよいのでしょうか。

（a）原則－**現実の提供**（493条1項本文）

　弁済の提供は、債務の本旨に従って現実にしなければなりません。債権者が受け取ってくれれば直ちに弁済行為が完結する程度の行為が要求されます。具体的には持参債務であれば、債権者のもとへ目的物を持っていくことです。もし、債権者不在で実際には渡せなくても、そこまでやれば、債務者の責任は果たしたといえるからです。

（b）例外－**口頭の提供**（493条1項ただし書）

　債権者があらかじめ受領を拒み、または債務の履行について債権者の行為を要するときは、弁済の準備をしたことを**通知**してその受領の**催告**をすれば足ります。

　＜事例で理解＞

　Bの時計をAに売る契約を締結し、履行場所はAがBのところに時計を引取りに行く契約だった場合には、BはAが引取りに来てくれて初めて弁済が可能となります。このような場合には、Bとしては、Aが引取りに来ればすぐにでも引渡しができるように準備を整えて、Aに対

5

債権総論

して「準備ができましたから、引取りに来てください」と催告すれば、Bとしてすべきことは行っているといえます。そこで、このような場合にも、弁済の提供として扱い、債務者の債務不履行責任を免れさせます。

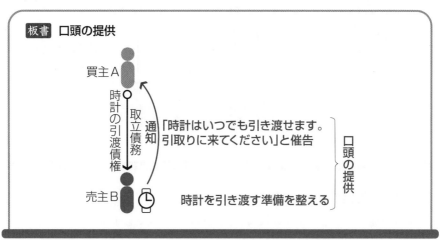

板書 口頭の提供

買主A

時計の引渡債権

取立債務

通知

「時計はいつでも引き渡せます。引取りに来てください」と催告

口頭の提供

売主B

時計を引き渡す準備を整える

③ 弁済の提供の内容

具体的な弁済の提供の内容は、契約があれば、その契約に基づいて合意した給付内容、履行場所、履行時期、費用負担で行うことになります。ただし、合意がない場合には、民法がそれを補充します。

（a）履行地（484条1項）

＜事例で理解＞

ⓐ　特定物の引渡債務　→　債権発生時にその物が存在した場所

東京に住むAが、大阪に住むBが所持する中古車を買った場合、車の引渡債権が発生した時にその車が存在した大阪が引渡し場所となります。

ⓑ　ⓐ以外の債務　→　債権者の現在の住所地（持参債務）

東京に住むAが、大阪にある自動車メーカーから新車を購入した場合、Aの現在の住所地である東京が引渡し場所になります。

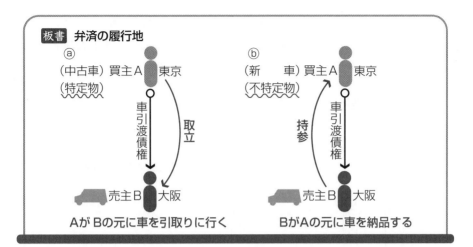

（b）履行時

　履行期の定めがない場合には、履行の請求を受けた時に直ちに債務を履行しなければ、遅滞の責任を負います（412条3項）。債務者はいつでも弁済できます。

　履行期の定めがある場合には、履行期までに弁済します。

　また、法令や慣習で取引時間の定めがあれば、その取引時間内に限って、弁済をしたり、弁済の請求をしたりできます（484条2項）。

（c）履行方法

　特定物の引渡しの場合、契約や、債権の発生原因、取引上の社会通念に照らして、その引渡しをすべき時の品質を定めることができないときには、弁済者は、その引渡しをすべき時の現状でその物を引き渡さなければなりません（483条）。

（d）弁済の費用（485条）

　＜事例で理解＞

　弁済の費用について別段の意思表示がないときは、その費用は、債務者負担です（本文）。東京に住むAが、大阪に住むBから物を買い、BがAの所に物を持っていく場合、その費用はBが負担します。

　ただし、債権者が住所の移転その他の行為によって弁済の費用を増加

させたときは、その増加額は債権者負担です（ただし書）。当初、東京で引き渡す予定が、Aの引越しで北海道まで運ぶ必要が生じた場合、大阪－東京間の費用はB、東京－北海道間の費用はAが負担します。

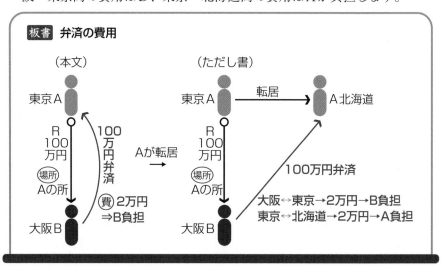

④　弁済の提供の効果

　債務者は、弁済の提供の時から、債務を履行しないことによって生ずる責任を免れます（492条）。具体的には以下の効果が発生します。

レジュメ　弁済の提供の効果

弁済提供の効果
① 債務不履行責任に基づく損害賠償義務を負いません
② 債務不履行に基づいて解除されることはありません
③ 担保権が設定されていても実行されません
④ 以後の利息は発生せず、遅延損害金の支払いも不要です
⑤ 双務契約における相手方の同時履行の抗弁権が制限されます
⑥ 注意義務が軽減されます

受領遅滞の効果として	
⑦	注意義務が軽減されます
⑧	増加した費用については債権者が負担します
⑨	危険が移転します

（3）その他の弁済に関する規定

①　他人の物を引き渡した場合

　弁済者が弁済として他人の物を引き渡したときは、弁済者は、さらに有効な弁済をしなければ、その物を取り戻せません（475条）。

　この場合に、債権者が弁済として受領した物を善意で消費したり、譲渡したときは、その弁済は有効とされます。債権者が第三者から賠償の請求を受けたときは、弁済者に対して求償できます（476条）。

②　預貯金の口座に対する弁済

　債権者の預貯金の口座に払込む弁済は、債権者がその預貯金に係る債権の債務者に対してその払込みに係る金額の払戻しを請求する権利を取得した時に、その効力を生じます（477条）。

③　弁済の充当

　弁済額が、債権額の一部のみで、債権全額に満たない場合、債権のどの部分に弁済額を割り当てるのかの問題を弁済の充当といいます。

（a）合意充当（490条）

　当事者に合意がある場合には、その順序に従います。

（b）指定充当（488条）

　当事者に合意がないときには、弁済者は給付時に、弁済の充当を指定できます（1項）。弁済者が指定をしないときは、弁済受領者は、その受領時に、弁済の充当を指定できます。ただし、弁済者が直ちに異議を述べると、指定の効力は生じません（2項）。

　弁済者および弁済受領者いずれも指定しないときは、以下のように弁済を充当します。

5

債権総論

ⓐ　債務の中に弁済期にあるものと弁済期にないものがあるときは、**弁済期にあるもの**に先に充当します（4項1号）。

ⓑ　全債務が弁済期にあるときや、弁済期にないときは、債務者のために**弁済の利益が多いもの**に先に充当します（4項2号）。

ⓒ　債務者のために弁済の利益が相等しいときは、**弁済期が先に到来**したものか、先に到来すべきものに先に充当します（4項3号）。

ⓓ　ⓑⓒに掲げる事項が相等しい債務の弁済は、**各債務の額**に応じて充当します（488条4項4号）。

（c）法定充当

弁済に関する合意がなければ、元本、利息、費用の弁済の充当に関しては、**費用→利息→元本**の順に充当しなければなりません（489条1項）。指定充当では、これを変更することはできません。元本、利息、費用以外については、弁済者による指定はできますが、指定がない、もしくは指定に対して異議を述べたときは、488条4項に従って充当されます。

（4）弁済者に関する問題

本来、弁済者は債務者であることが一般ですが、債務者でない第三者が弁済した場合に、弁済として有効になるのかが問題となります。

▼第474条〔第三者の弁済〕

1項　債務の弁済は、第三者もすることができる。

2項　弁済をするについて正当な利益を有する者でない第三者は、債務者の意思に反して弁済をすることができない。ただし、債務者の意思に反することを債権者が知らなかったときは、この限りでない。

3項　前項に規定する第三者は、債権者の意思に反して弁済をすることができない。ただし、その第三者が債務者の委託を受けて弁済をする場合において、そのことを債権者が知っていたときは、この限りでない。

4項　前三項の規定は、その債務の性質が第三者の弁済を許さないとき、又は当事者が第三者の弁済を禁止し、若しくは制限する旨の意思表示をしたときは、適用しない。

①　原則（474条1項）

　第三者であっても、債務者に代わって**弁済をする**ことができます。第三者としては、保証人のように債務者ではなくても、債務者に代わって弁済することで自己に対する強制執行のような不利益を回避できる場合があるからです。また、第三者が弁済しても、債権者は当初の債権の弁済を受けられるので、特に不利益はないからです。

②　第三者が弁済できない場合

（ａ）債務の性質が第三者による弁済を許さない場合（474条4項前段）

（具体例）Ａが著名な芸術家Ｂに対して、Ａの肖像画を描いてもらうという債権を持っていた場合、ＢでないＣが肖像画を描いて弁済できるかというと、この債権はＢが肖像画を描くことに本来の意味があるわけですから、Ｂでない者が描くことでは、本来の弁済をすることはできません。

　このように債務の性質上第三者が弁済できない場合には第三者による弁済は許されません。

（ｂ）当事者が第三者弁済を禁止・制限する意思表示をした場合（474条4項後段）

　当事者間で、第三者による弁済を禁止したり、制限したりする意思表示があれば、これが優先され、第三者による弁済はできません。

（ｃ）正当な利益を有しない者が当事者の意思に反してする弁済（474条1項・2項）

　正当な利益があれば債権者・債務者の意思に反しても第三者は弁済できます。ここで「**正当な利益を有する者**」とは、債務者が弁済しないと法律上不利益を被る可能性のある者を指します。

（具体例）物上保証人、抵当不動産の第三取得者、借地上の建物賃借人を指します。

　正当な利益がないのに、債務者や債権者の意思に反して第三者は弁済できません。ただし、債務者の意思に反する場合でも、債権者がそれを知らないで受けた弁済は有効です。また、債権者の意思に反するときでも、第三者が債務者の委託を受けて弁済する場合で、債権者がそれを知っていて受けた弁済は有効です。

5

債権総論

	正当な利益を有する	正当な利益を有しない
債務の性質が許さない	×	
当事者が禁止・制限	×	
債務者の意思に反する	○	× ただし債権者善意なら○
債権者の意思に反する	○	× ただし債務者の委託○ 債権者悪意○
債務者債権者の意思に反しない	○	

× ＝ 第三者弁済不可、 ○ ＝ 第三者弁済可

③ 第三者による求償権の取得

弁済者は、債務者に対して、求償権を取得します。

＜事例で理解＞

AがBに1000万円を貸しつけていた場合に、正当な利益を有する物上保証人CがBに代わって弁済した場合、CはBに対して、弁済した額を求償する権利を取得します。

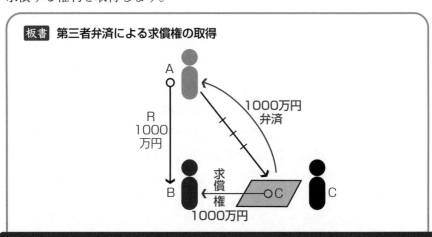

板書 第三者弁済による求償権の取得

④　弁済による代位

　弁済による代位とは、弁済を行った第三者が、債務者に対して取得した求償権を確保するため、債権者が有していた一切の権利を取得できる制度です（499条）。

　＜事例で理解＞

　上記の例で、AがBに対する1000万円の貸金債権を担保するため、Cの土地に抵当権を設定したことのほか、DEと保証契約を締結し、さらにFの土地にも抵当権を設定していた場合に、CがBに代わって弁済したときには、Aが有していたDEに対する保証債権と、Fの土地に対する抵当権を取得し、CのBに対する求償権を担保することになります。

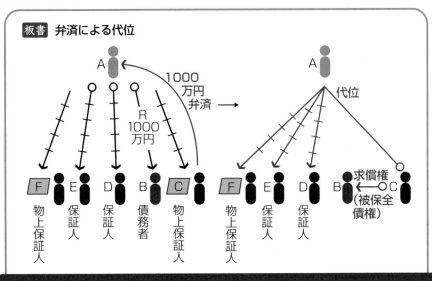

（a）代位の方法

　ⓐ　法定代位

　　正当な利益を有する第三者が弁済した場合には、法律上当然に代位することになります。これを法定代位と言います。

　ⓑ　任意代位

　　正当な利益を有しない第三者が弁済した場合には、債権譲渡の債務

者対抗要件や第三者対抗要件を満たせば代位することができます。これを任意代位と言います。

レジュメ　弁済による代位の要件		
	債権者の承諾の要否	対抗要件の要否
法定代位 （正当な利益あり）	不要	不要
任意代位 （正当な利益なし）		必要→債権譲渡の対抗要件 （500条・467条）

（b）弁済による代位の効果

債権者に代位した第三者は、債権の効力および担保としてその**債権者**が有していた**一切の権利を行使できます**（501条1項）。代位できる権利は、

（具体例）債務者に対する履行請求権、損害賠償請求権、債権者代位権、詐害行為取消権、抵当権などの物的担保権、保証などの人的担保権などです。

ただし、権利行使できるのは、自己の権利に基づいて債務者に対して求償をすることができる範囲内（保証人の1人が他の保証人に対して債権者に代位する場合には、自己の権利に基づいて当該他の保証人に対して求償できる範囲内）に限られます（501条2項）。

（c）一部代位（502条）

債権の一部について弁済があったときは、その部分について代位できます。代位者は、ⓐ**債権者の同意を得て**、ⓑ**弁済をした価額に応じて**、ⓒ**債権者とともに権利行使できます**（502条1項）。

第三者が一部弁済して代位できる場合であっても、債権者は、単独で権利行使できます（502条2項）。

また、債権の担保の目的となっている財産の売却代金その他の権利行使によって得られる金銭については、代位者が行使する権利に優先することになります（502条3項）。

　さらに、一部代位があり、その後、債務者の債務不履行によって契約を解除する場合、この**解除は債権者のみ**ができます（502条4項前段）。この場合、第三者がした一部弁済は、債務がないのに弁済したことになります。そうすると、弁済を受けた部分は債権者の不当利得となりますので、債権者は代位者に対して、その弁済を受けた価額と利息を償還しなければなりません（502条4項後段）。

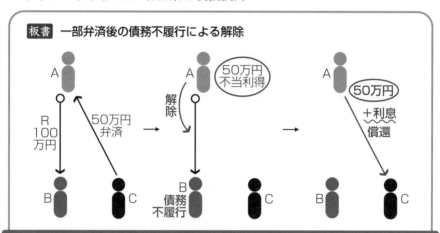

板書　一部弁済後の債務不履行による解除

（d）法定代位権者が複数人いる場合

　代位権者が複数人いる場合、代位権者相互において、その責任の度合いを公平に反映させるための利益調整を図る規定があります。

　ⓐ　第三取得者と保証人・物上保証人間の代位弁済

　第三取得者とは、債務者から担保の目的となっている財産を譲り受けた者をいいます。この**第三取得者**が弁済しても、**保証人**や**物上保証人**に対して債権者に**代位しません**（501条3項1号）。逆に、保証人や物上保証人は第三取得者に対して弁済した全額について代位できます。

　そもそも、第三取得者が取得した担保物は、債務を最終的に担保するための物です。したがって、その物を譲り受けた第三取得者は、債務を弁済した保証人や物上保証人が債権者に代位して行う担保権の実行の対象となることを受け入れてしかるべきだからです。

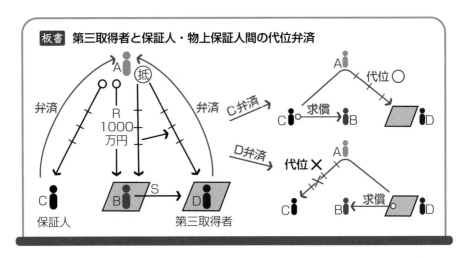

ⓑ 第三取得者相互間の代位弁済

第三取得者の1人は、各財産の価格に応じて、**他の第三取得者**に対して債権者に**代位**します（501条3項2号）。

＜事例で理解＞

AがBに1000万円の貸金債権を有し、B所有の甲土地（1500万円）と乙土地（1000万円）に抵当権を設定しました。その後、甲土地をC、乙土地をDに譲渡しました。CがAに全額弁済した場合、Cは価格に応じて、Dに対して400万円の範囲でAに代位します。

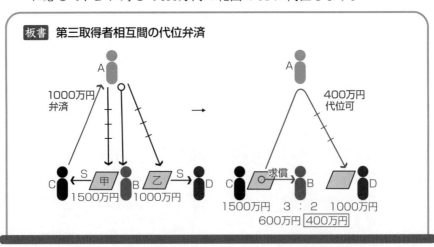

ⓒ　物上保証人相互間の代位弁済

　物上保証人の 1 人は、各財産の価格に応じて、**他の物上保証人**に対して債権者に**代位します**（501条 3 項 3 号）。

ⓓ　保証人・物上保証人間の弁済代位

　その**数に応じて**、債権者に**代位します**。ただし、物上保証人が数人あるときは、保証人の負担部分を除いた残額について、各財産の価格に応じて、債権者に代位します（501条 3 項 4 号）。

＜事例で理解＞

　A が B に1000万円の貸金債権を有し、この債権を CD が保証、E は1500万円の土地に抵当権を設定、F は1000万円の土地に抵当権を設定しています。C が A に全額弁済した場合、まず1000万円を頭数 4 で割ると、1 人当たり250万円となり、C も250万円負担しますから、それを除いた750万円について DEF に代位できます。D に対しては、そのまま250万円代位し、保証人 CD の負担部分500万円を除いた500万円について、物上保証人 EF の価格に応じて、債権者に代位します。E の不動産1500万円、F の不動産1000万円ですから、500万円を 3：2 の割合、つまり E に対し300万円、F に対し200万円代位します。

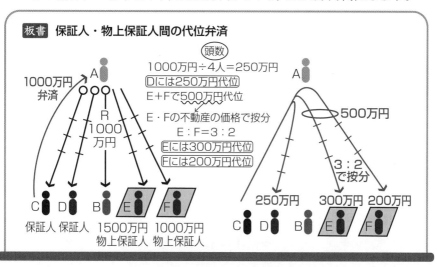

板書　**保証人・物上保証人間の代位弁済**

ここで、物上保証人が保証人でもある場合には、１人の保証人として処理するとするのが判例（最判昭61.11.27）です。

　たとえば、上記の例で、物上保証人Ｅが保証人でもある場合には、Ｅは保証人としてカウントして代位額について計算します。そうすると、1000万円を頭数４人で割り、１人250万円となります。CDEを保証人として考えるので、CDEがそれぞれ250万円負担することになります。残額250万円を物上保証人が価格の割合で負担することになりますが、この場合には物上保証人は１人ですから、Ｆも250万円を負担することになります。つまり、Ｃは、DEFに対してそれぞれ250万円代位することができます。

レジュメ	法定代位権者相互の調整規定			
501条		**弁済した者**	**誰に**	**代位できるか**
1項		保証人 物上保証人	第三取得者	弁済額全額代位できる
2項 かっこ書		保証人	保証人	頭数に応じて代位できる
3項	1号	第三取得者	保証人 物上保証人	代位できない
	2号	第三取得者	第三取得者	財産の価格に応じて代位できる
	3号	物上保証人	物上保証人	財産の価格に応じて代位できる
	4号	保証人	物上保証人	頭数に応じて代位できる ただし、物上保証人が複数の場合は、保証人の負担部分を除いた残額について、各財産の価格に応じて代位できる

　ⓔ　第三取得者・物上保証人からの担保目的物の譲受人

　　第三取得者から担保目的財産を譲り受けた者は、第三取得者とみなされ、物上保証人から担保目的財産を譲り受けた者は、物上保証人とみなされ、代位関係が処理されます（501条３項５号）。

⑤　代位権者の保護

（ａ）債権者による債権証書の交付等（503条）

　第三者が弁済を行った場合に、弁済代位を保護するため、代位弁済により**全部の弁済**を受けた債権者は、**債権証書**や**自己占有の担保物**を代位者に**交付**しなければなりません（1項）。また、一部弁済の場合にも、債権者は債権証書にその代位を記入し、かつ自己の占有する担保物の保存を代位者に監督させなければなりません（2項）。

（ｂ）債権者による担保の喪失等（504条）

　弁済するについて正当な利益を有する者（代位権者）がいる場合には、債権者は担保を保存する義務を負います。

　そのため、**債権者**が**故意**または**過失**によってその**担保を喪失**し、または**減少**させたときは、その**代位権者**は、代位をするに当たって担保の喪失または減少によって償還を受けることができなくなる限度において、**その責任を免れます**（1項前段）。担保を喪失・減少させる行為としては、担保権を放棄したり、担保物を損傷させて担保価値を減少させたり、保証を免除したりすることが考えられます。

　＜事例で理解＞

　ＡがＢに1000万円の貸金債権を有しており、それを担保するため、Ｂ所有の時価500万円の土地に抵当権を設定しています。加えて、Ｃが保証人となっています。ここで、Ｃには十分な財産があり、Ａは、Ｂ所有土地に設定した抵当権がなくても十分弁済を受けられると考え、当該抵当権を放棄しました。この場合に、Ｃが第三者として弁済を行ったところ、抵当権があれば代位によって求償権の弁済を受けられたにも関わらず、抵当権がなくなっており、求償権の弁済を受けられなくなっていました。このような場合には、保証人は抵当権があれば代位によって弁済を受けられた500万円の限度で、保証債務を免れることになります。つまり、ＣはＡに500万円を弁済すればよいことになります。

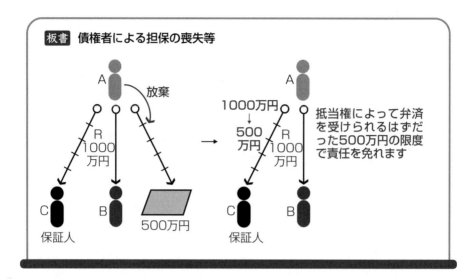

板書 債権者による担保の喪失等

A
放棄

R
1000
万円

C 保証人
B
500万円

1000万円
↓
500
万円

R
1000
万円

A

C 保証人
B

抵当権によって弁済
を受けられるはずだ
った500万円の限度
で責任を免れます

　ただし、債権者が担保を喪失・減少させたことについて取引上の社会通念に照らして合理的な理由がある場合には責任は免れません（2項）。

2　代物弁済（482条）

（1）意義

　代物弁済とは、弁済者が、債権者との間で、債務者の負担した給付に代えて他の給付をすることにより債務を消滅させる旨の契約をした場合に、その弁済者が当該他の給付をしたときは、その給付は、弁済と同一の効力を有することになるものをいいます。

　（具体例）AがBに対して100万円の貸金債権を有している場合に、AB間で、B所有のバイクを引き渡すことで100万円の貸金債権を消滅させる旨の契約を締結し、Bがバイクを引き渡すことでAの貸金債権が消滅するような場合です。

（2）法的性質

　合意のみで代物弁済契約は成立します。そして代物が給付された時点で債権が消滅します。

（3）目的物に欠陥があった場合の処理

（具体例）代物弁済契約の目的とされたバイクに欠陥があった場合です。バイクの代物弁済契約は特定物を目的とする契約ですから、バイクの交換は請求できません。

ただし、代物弁済契約は有償契約ですので、契約不適合の規定により**損害賠償請求**できます。また、契約の目的を達成できない場合には代物弁済契約の**解除**もできます。

3 供託（494条）

（1）意義

供託とは、一定の原因がある場合に、債務者が債権者のために、一方的に弁済の目的物を供託所に預ける（供託する）ことによって、債権を消滅させることをいいます。

（具体例）AがBに100万円の貸金債権を有しています。Bが弁済しようとしたところ、Aが受け取りを拒み弁済ができません。このような場合に、Bは供託所に100万円を預けることによって、貸金債権を消滅させることができます。

（2）供託原因（494条）

供託の原因はつぎの3つに限られます。

① 債権者が弁済の受領を拒んだとき（1項1号）。
② 債権者が弁済を受領できないとき（1項2号）。
③ 弁済者が債権者を確知できず、弁済者が無過失のとき（2項）。

（3）債権者の供託物引渡請求権（498条）

弁済の目的物や、自助売却をした場合の代金が供託された場合には、債権者は、供託物の還付を請求できます（1項）。

債務者が債権者の給付に対して弁済をすべき場合には、債権者は、その給付をしなければ、供託物を受け取ることができません（2項）。

5

債権総論

4 相殺

> **▼第505条〔相殺の要件等〕**
> 1項　2人が互いに同種の目的を有する債務を負担する場合において、双方の債務が弁済期にあるときは、各債務者は、その対当額について相殺によってその債務を免れることができる。ただし、債務の性質がこれを許さないときは、この限りでない。
> 2項　前項の規定にかかわらず、当事者が相殺を禁止し、又は制限する旨の意思表示をした場合には、その意思表示は、第三者がこれを知り、又は重大な過失によって知らなかったときに限り、その第三者に対抗することができる。

（1）意義

　相殺は、お互いに債権を持ち合っている場合に、一方当事者の意思表示によって、対当額で債権をチャラにすることをいいます。

　＜事例で理解＞

　AがBに対して100万円の売買代金債権を有し、BがAに50万円の貸金債権を有している場合、AがBに50万円の現金を弁済し、BがAに100万円の現金を弁済するのは煩雑なので、それぞれ50万円については現金のやり取りをすることなく決済したことにし、それぞれ50万円分の債権を消滅させ、AのBに対する50万円の債権だけを残します。

　相殺する場合、相殺する当事者が有する債権を**自働債権**、相殺される当事者が有する債権を**受働債権**といいます。Aが相殺の意思表示をするのであれば、AがBに対して有している100万円の売買代金債権を自働債権といい、BがAに対して有している50万円の債権を受働債権といいます。

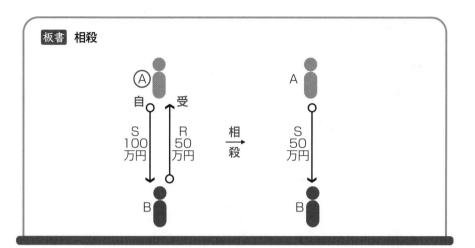

板書　相殺

相殺では、必ず２当事者が出てきます。相殺の問題を考えるときには、相殺するのはどちらか、それぞれの債権額はいくらかなど、事実を正確に把握する必要があります。事実関係は必ず図式化して把握しましょう。

本書では、相殺する当事者に〇をつけます。

相殺をしたときに生じる効果は

　┌ 自働債権＝相殺者が、債務者から**強制的に取り立てる**のと同じです。
　└ 受働債権＝相殺者が、債権者に**債務を弁済**するのと同じです。

（２）相殺の機能

相殺の機能は、①現実の現金の受け渡しが不要になるという**決済の簡易化**と、②一方が無資力になった場合、少なくとも他方は対当額については支払いを免れるという**当事者の公平**であるといわれています。

＜事例で理解＞

ＡがＢに100万円を貸す際、ＡがＢに100万円の債務を負担しているとしましょう。この場合、ＡがＢから100万円の貸金債権の回収ができなくなっても、Ｂに対する債務と相殺することで、100万円の弁済を受けたのと同様の法的効果を受けられると期待できます。このように、相殺には、Ａの貸金債権の担保の役割をＢの債権に担わせることができます。これを、

5

債権総論

相殺の**担保的機能**といいます。

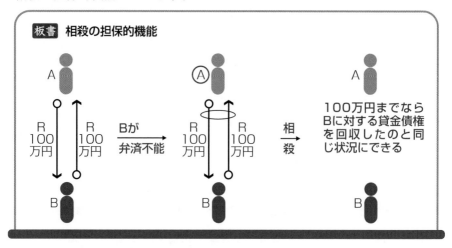

板書 **相殺の担保的機能**

A

R100万円　R100万円　Bが弁済不能 →

Ⓐ

R100万円　R100万円　相殺 →

A

100万円までならBに対する貸金債権を回収したのと同じ状況にできる

B

B

B

（3）相殺の成立要件－相殺適状（505条1項）

相殺をする場合には、**相殺適状**にあることが必要です。相殺適状とは以下のような状態をいいます。

① 債権が対立していること

当事者間で債権が対立していることが必要です。相殺の意思表示がなされる前に、債権が消滅していた場合には相殺できません。

ただし、時効によって消滅した債権がその消滅以前に相殺適状にあった場合には、債権者は、その債権を自働債権として相殺できます（508条）。この場合、相殺で決済したつもりになり、期間が経過してしまいがちであることから、相殺の期待権を保護するためです。

＜事例で理解＞

令和7年4月1日時点で、AがBに100万円の貸金債権を有し（この債権は令和7年5月1日で時効にかかります）、BがAに100万円の売買代金債権を有しているとします。その後、令和7年5月1日を経過し、現在令和7年11月1日となっています。この場合、AのBに対する貸金債権は消滅時効にかかっていますが、この債権を**自働債権**として、BのAに対する売買代金債権と**相殺できる**ことになります。

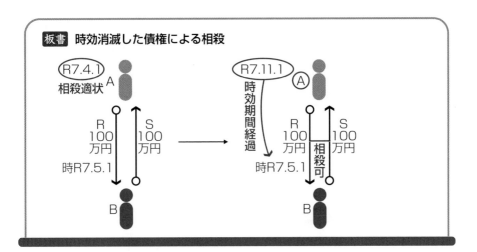

板書 時効消滅した債権による相殺

もっとも、すでに消滅時効にかかった債権を譲り受けても、これを自働債権として相殺できません。

② **双方の債権が同種の目的を有すること**

双方の債権の給付内容は同種・同等でなければなりません。そうすると、通常は金銭債務の相殺になります。もちろん、相殺は簡易決済の方法ですから、債権が同種・同等であれば、債権の発生原因、債務額、履行地のすべてが同一である必要はありません。

③ **債務の性質が相殺を許すものであること**

（ａ）現実に履行されなければ意味のない債務

このような債務は相殺できません。たとえば、建物の建築という労務の提供をする債務の場合、現実に建物を建てないと意味がないですから、それを相殺することはできません。

（ｂ）不作為債務

たとえば、お互いに外出しないという不作為債務もその性質上相殺が許されません。

（ｃ）抗弁権が付着した債権

＜事例で理解＞

自働債権は、その性質上、相殺者Ａが、債務者Ｂから強制的に取り立

5

債権総論

てるのと同じ効果を生じさせることになります。したがって、相手に債務を強制させてもよい状況になければなりません。そのため、Aの自働債権について、**債務者Bが抗弁権を行使できる場合**には、いまだ自働債権を一方的に取り立てられる状況にはなっていませんので、**相殺することはできません**。これができるとすると、相殺者Aが相手方Bの抗弁権を一方的に奪うことになり妥当でないからです。

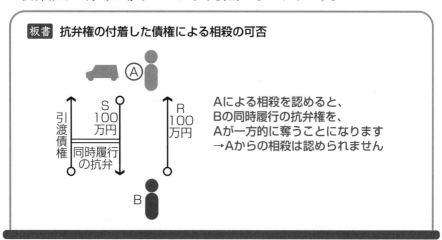

④　双方の債務が弁済期にあること

＜事例で理解＞

（a）自働債権が弁済期にあること

　AのBに対する自働債権については、相殺により債務者Bから強制的に取り立てるのと同じ効果を生じさせますので、相手に債務の履行を強制できる状況になければならず、Aの**自働債権**は**弁済期の到来**が必要です（板書左）。

（b）受働債権は弁済期になくてもよい

　BのAに対する受働債権については、相殺者Aが債務を弁済するのと同じ効果を生じさせます。債権の期限は債務者のために付されるものであることから、受働債権の債務者である相殺者Aが、受働債権の期限の利益を放棄して、弁済期前に弁済することは、特に問題はないから

です（板書右）。

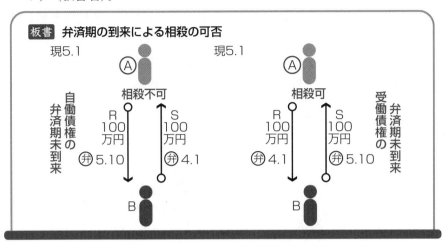

板書　弁済期の到来による相殺の可否

（4）相殺の方法と効果

① 相殺の方法（506条1項）

　相殺は**単独行為**です。当事者の一方から相手方に対する意思表示でなされます。相殺の意思表示に条件や期限はつけられません。

② 相殺の効果（506条2項）

　相殺には**遡及効**があります。したがって、相殺を行うと相殺適状が生じた時点にさかのぼって効力を生ずることになります。相殺適状後に生じた利息債権や遅延損害金なども消滅します。

（5）相殺が禁止される場合

① 当事者の意思表示による場合（505条2項）

　相殺禁止の合意をした場合には、当事者間では相殺が禁止されます。ただし、第三者が現れた場合には、当該第三者が相殺の合意について悪意または重過失の場合にしか、相殺を対抗できません。

　＜事例で理解＞

　AがBに100万円の貸金債権、BがAに売買代金債権を有しており、AB間で相殺禁止の合意をしました。BがAに対する債権をCに譲渡し

た場合に、Cが相殺禁止の合意について知り、または知らないことにつき重大な過失がある場合には、CはAに対して負担している債権と相殺できません。Cが相殺禁止の合意について知らず、かつ知らないことにつき重大な過失がない場合には、Aは相殺禁止の合意をCに対抗できませんので、CはAに対して負担している債権と相殺できます。

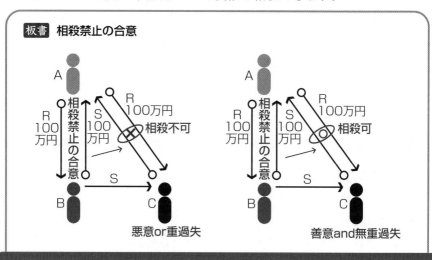

板書 相殺禁止の合意

② 法律によって禁止される場合

受働債権の現実の履行確保のため相殺が禁止される場合が3つあります。

（a）受働債権が不法行為等に基づく債権であるとき（509条）

　ⓐ　受働債権が悪意による不法行為に基づく損害賠償請求権（1号）

＜事例で理解＞

　AはBに対して100万円の貸金債権を有していたところ、Bが弁済しないため、「どうせ貸金を返してもらえないなら、Bを困らせてやれ」と考え、B所有の自動車をハンマーでたたいてへこませ、修理代金100万円を生じさせました。これにより、BはAに対して不法行為に基づく損害賠償債権を取得したところ、AはBとの債権債務関係の相殺を主張しました。この場合、不法行為に基づく損害賠償債権は相殺者Aの受働債権ですから、このような相殺はできないことになり

ます。

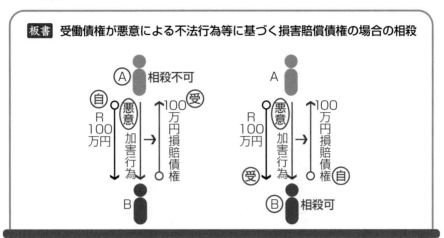

板書 受働債権が悪意による不法行為等に基づく損害賠償債権の場合の相殺

　この規定は、不法行為の被害者に**現実の弁済**による**損害の塡補**を受けさせるとともに、この事例のように、**不法行為の誘発を防止**するためにあると解されています（最判昭42.11.30）。このことから、「悪意による不法行為」の「悪意」には、積極的に損害を加える意図までが必要であると解されています。

　なお、被害者であるBが、不法行為による損害賠償債権を自働債権として相殺することはできます。

ⓑ　人の生命または身体の侵害による損害賠償請求権（2号）

＜事例で理解＞

　AがBに100万円の貸金債権を有していたところ、Aの車がBと接触してしまい、Bは大けがをし、治療代100万円が生じたため、BはAに対する不法行為に基づく損害賠償債権を取得しました。この損害賠償債権は身体の侵害による損害賠償請求権ですので、加害者Aは、Bに対する貸金債権と、Bに対して負担した損害賠償請求権を相殺できません。

5

債権総論

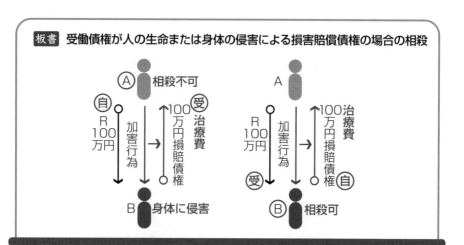

板書 受働債権が人の生命または身体の侵害による損害賠償債権の場合の相殺

　この規定は、損害賠償の中でも、**生命・身体の侵害**という重大な損害については、被害者救済のため、現実に損害を賠償させるという要請から認められた規定です。この場合の「人の生命または身体の侵害による損害賠償」には、不法行為によるものに限らず、契約上の保護義務違反や安全配慮義務違反などの債務不履行により生じた損害賠償にも適用されます。

ⓒ　例外

　不法行為に基づく損害賠償債権であっても、**物に対する侵害**によって生じたものであれば、**受働債権**として**相殺できます**。たとえば、上記の例で、Ｂの車と接触して、車の修理代金が発生したような場合です。この場合には、Ａは相殺できます。

　また、受働債権を債権者から第三者が譲り受けたものであるときはやはり相殺することは可能です。

<事例で理解>

　ＡがＢに貸金債権を有しており、ＡのＢに対する不法行為によってＢが大けがをし、治療費100万円が生じたため、ＢはＡに対する不法行為に基づく損害賠償請求権を取得しました。その後、ＢがＡに対する損害賠償債権をＣに譲渡した場合、ＡはＣに対して有してい

る貸金債権とCがBから譲り受けた損害賠償債権を相殺できます。Cとの間では、治療費を現金で支払わなければならないという要請は働かないからです。

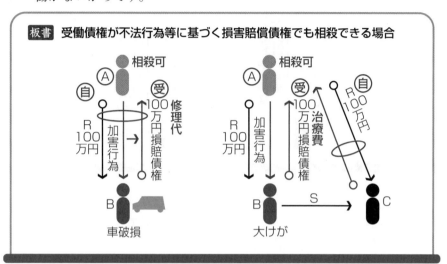

板書 受働債権が不法行為等に基づく損害賠償債権でも相殺できる場合

（b）受働債権が差押禁止債権（510条）

差押禁止債権は、債権者に現実の支払いを得させるべきものであるため、**差押禁止債権を受働債権**とする相殺は**禁止**されます。

＜事例で理解＞

AがBに対して30万円の貸金債権を有しており、BがAに対して30万円の給料債権を有しています。給料債権は現実に支払われないと、その人の生死にもかかわるため、現実の支払いを得させるため差押えが禁止されます。この場合、Aは貸金債権と給料債権を相殺できません。

板書 受働債権が差押禁止債権であるときの相殺

A ─ 相殺不可
自 R30万円 → B
受（給料30万円）（差押禁止債権）

A
自 R30万円 → B
受 給料30万円
B ─ 相殺可

　なお、差押禁止債権は、当該債権の債権者を保護するためのものですから、給料債権を自働債権として相殺することはできます。

（ｃ）自働債権が受働債権の差押後に取得されたとき（511条）

▼第511条〔差押えを受けた債権を受働債権とする相殺の禁止〕
　１項　差押えを受けた債権の第三債務者は、差押え後に取得した債権による相殺をもって差押債権者に対抗することはできないが、差押え前に取得した債権による相殺をもって対抗することができる。
　２項　前項の規定にかかわらず、差押え後に取得した債権が差押え前の原因に基づいて生じたものであるときは、その第三債務者は、その債権による相殺をもって差押債権者に対抗することができる。ただし、第三債務者が差押え後に他人の債権を取得したときは、この限りでない。

＜事例で理解＞

　ＡがＢに対して有する100万円の貸金債権が差し押さえられました。ここで、ＢがＡに売買代金債権を有している場合、ＢはＡに対して有する売買代金債権と、Ａに対して負担する貸金債権を相殺することができるかという問題です。

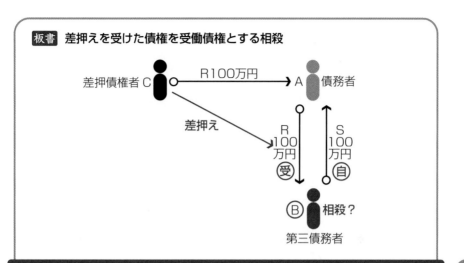

板書　差押えを受けた債権を受働債権とする相殺

差押債権者 C　──R100万円──→ A　債務者

差押え

R
100
万円
受

S
100
万円
自

B　相殺？

第三債務者

ⓐ　差押えの効果

　差押え後、裁判所からBに対して、Aの貸金債権への支払いを差し止める命令がなされます。そのため、BはAへの弁済ができなくなります。これにより、差押債権者であるCが、確実にBからの支払いを受けられるようになります。

　相殺をする場合の受働債権は、実質的には弁済することと同じ効果が生じます。ここで、Bが相殺できるとすると、実質的にはBがAに弁済することになり、差押債権者Cが差し押さえた意味がなくなるので、相殺できるかどうかが問題となります。

ⓑ　相殺の可否（511条 1 項）

　Cの差押え後に、BがAに対する売買代金債権を取得した場合には、その債権を自働債権として相殺できません（板書左）。

　しかし、Cの差押え前に、BのAに対する売買代金債権を取得した場合には、その債権を自働債権として相殺できます（板書右）。この相殺が認められる趣旨は、差押え前からBが債権を有していた場合には、Bはこの債権とAのBに対する債権を相殺できるとする期待を持つのが通常ですから、その期待を保護することにあります。

5

債権総論

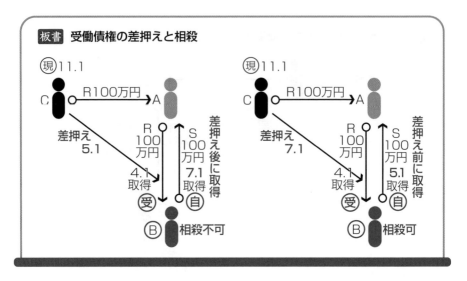

板書　受働債権の差押えと相殺

ⓒ　例外（511条2項）

差押え後に取得した債権が差押前の原因に基づいて生じたものであるときは、その第三債務者は、その債権による相殺をもって差押債権者に対抗できます。

＜事例で理解＞

令和7年4月15日の時点で、AがBに100万円の貸金債権を有しています。また、令和4年4月1日にAがBに車を300万円で売却したことにより、AはBに300万円の売買代金債権を有しています。令和7年5月13日、BからAに対して代金が支払われ、代金債権は消滅しました。令和7年7月18日、Aに対して100万円貸し付けている債権者Cが、AのBに対する貸金債権を差し押さえました。令和7年9月10日、Aから受け取った自動車が故障していることが分かり、BはAに対して契約不適合に基づく100万円の損害賠償請求権を取得しました。この場合のBのAに対する100万円の損害賠償請求権の取得は差押え後ではありますが、その原因となる売買契約は差押前に生じたものであるので、第三債務者Bは、その債権を自働債権、差押えを受けたAのBに対する貸金債権を受働債権として相殺できます。

この場合、債権の発生原因が差押え前に生じている以上、第三債務

者の相殺に対する期待も生じており、それを保護する必要があるからです。

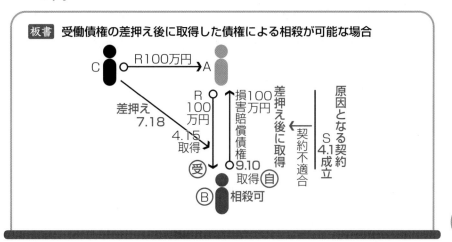

板書 受働債権の差押え後に取得した債権による相殺が可能な場合

<＜事例で理解＞

　第三債務者Bが差押え後に他人の債権（DのAに対する債権）を取得したときは、相殺できません（511条2項ただし書）。この場合には、第三債務者の相殺に対する期待は、差押え時点ではまだ生じておらず、第三債務者に相殺を認めて保護する必要はないからです。

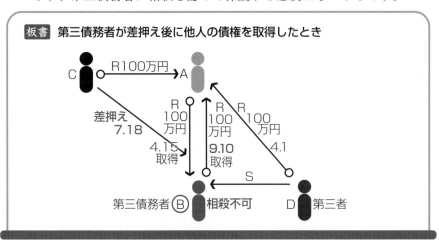

板書 第三債務者が差押え後に他人の債権を取得したとき

レジュメ 相殺の禁止まとめ			○＝相殺可、×＝相殺不可	
禁止の性質	内容		補則	
当事者の意思	相殺禁止の合意がある債権 ×		善意・無重過失の第三者 ○	
債権の性質	自働債権に抗弁が付着 ×		受働債権に抗弁が付着 ○	
法律上	不法行為に基づく損害賠償請求権を受働債権とする場合	悪意による場合　×		
		生命・身体の侵害 ×	それ以外の侵害 ○	生命・身体の侵害 損害賠償債権を他人から譲り受けたとき ○
	債務不履行に基づく損害賠償請求権を受働債権とする場合	生命・身体の侵害 ×	それ以外の侵害 ○	
	差押禁止債権を受働債権とする場合	×		
	差押えを受けた債権を受働債権とする場合	× 原則 ○受働債権の差押え前に自働債権を取得したときの第三債務者		

5　更改

（1）意義

　更改とは、当事者が従前の債務に代えて、新たな債務であって次に掲げるものを発生させる契約をしたときに、従前の債務が消滅するものです。

＜事例で理解＞

　AがBに100万円の貸金債権を有している場合に、Bに現金がないため、3か月後に友人からもらう約束になっている宝石をAに引き渡す債務を

負担することにして貸金債権を消滅させる場合です。

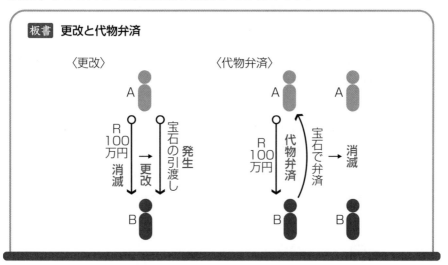

板書　更改と代物弁済

新しい債権を発生させる点で代物弁済と異なります。

（2）種類
①　債務者の交替による更改（514条）
　債務者の交替による更改は、債権者と更改後に債務者となる者との契約によってすることができます。
②　債権者の交替による更改（515条）
　債権者の交替による更改は、更改前の債権者、更改後に債権者となる者、債務者の3人の契約でできます。実質的に債権譲渡と同様ですから、第三者に対抗するには、確定日付のある証書によってします。

（3）更改後の債務への担保の移転（518条）
　債権者（債権者の交替による更改にあっては、更改前の債権者）は、更改前の債務の目的の限度において、その債務の担保として設定された質権または抵当権を更改後の債務に移すことができます。ただし、第三者がこれを設定した場合には、その承諾を得なければなりません。

5

債権総論

6　免除（519条）

（1）意義

債権者が債務者に対して債務を免除する意思を表示したときは、その債権は、消滅します。

（2）免除に付すことができる行為

免除は、債務者に一方的に利益を与えるものです。したがって、条件や期限を付しても、債務者は特に不利益にはならないので、それらを付すことは認められます。ただし、撤回することは認められません。

7　混同（520条）

（1）意義

債権および債務が同一人に帰属したときは、その債権は、消滅します。ただし、その債権が第三者の権利の目的であるときは、消滅しません。

（2）内容

債権者を債務者が相続する場合や、債務者が当該債権を譲り受ける場合があります。例外として、その債権につき第三者が利益を有している場合には、消滅しません。

（具体例）第三者が債権に対して質権を有しているような場合です。

第5編　第8章　確認テスト

問1　特定物の引渡債務の履行地について合意がない場合には、債権者の現在の住所地が履行地になる。

問2　弁済の充当に関する合意がなければ、元本、利息、費用の弁済の充当に関しては、元本、利息、費用の順に充当することになる。

問3　債務者でない者が債務を弁済し、債権者に代位した場合、原則として、債権の効力および担保としてその債権者が有していた一切の権利を行使することができる。

問4　物上保証人が複数人存在し、そのうちの1人が債権者に弁済した場合、物上保証人の数で等しく按分した額について、他の物上保証人に対して債権者に代位する。

問5　債権者が供託を受諾しない場合や、供託を有効と宣告した判決が確定しない間は、弁済者は、供託物を取り戻すことができない。

問6　抗弁権の付着した債権を受働債権として相殺することはできない。

問7　相殺がなされると、相殺適状が生じた時点にさかのぼってその効力が生じる。

問8　受働債権が悪意による不法行為に基づく損害賠償請求権であるときは相殺が禁止される。

問9　不法行為に基づく損害賠償債権を受働債権として相殺することはできない。

問10　受働債権が差押禁止債権である場合には、相殺は禁止される。

5

債権総論

解答

問1 ×　特定物の引渡債務の履行地について合意がない場合には、債権発生時にその物が存在した場所が履行地になります（484条1項）。

問2 ×　弁済に関する合意がなければ、元本、利息、費用の弁済の充当に関しては、費用⇒利息⇒元本の順に充当しなければなりません（489条1項）。

問3 ○　債権者に代位した第三者は、債権の効力および担保としてその債権者が有していた一切の権利を行使することができるようになります（501条1項）。

問4 ×　物上保証人が複数人存在し、そのうちの1人が債権者に弁済した場合、各財産の価格に応じて、他の物上保証人に対して債権者に代位することになります（501条3項3号）。

問5 ×　債権者が供託を受諾しない場合や、供託を有効と宣告した判決が確定しない間は、弁済者は、供託物を取り戻すことができます（496条1項前段）。

問6 ×　抗弁権の付着した債権を「自働」債権として相殺することはできません。

問7 ○　相殺には遡及効があります。したがって、相殺を行うと相殺適状が生じた時点にさかのぼって効力を生ずることになります（506条2項）。

問8 ○　受働債権が悪意による不法行為に基づく損害賠償請求権であるときは相殺が禁止されています（509条1号）。

問9 ×　不法行為に基づく損害賠償債権であっても、それが人の生命・身体の侵害ではなくかつ悪意でない場合に、物に対する侵害によって生じたものであれば、受働債権として相殺することは可能です（509条2号反対解釈）。

問10 ○　差押えが禁止される債権は、債権者に現実の支払いを得させるべきものであるため、差押禁止債権を受働債権とする相殺は禁止されます（510条）。

第6編

契約総論

1 契約とは

　契約とは、複数当事者の意思表示が合致することによって、その意思表示に拘束されるもののことです。つまり、「約束」です。約束したら、信義則にしたがって、約束を果たさなければなりません。

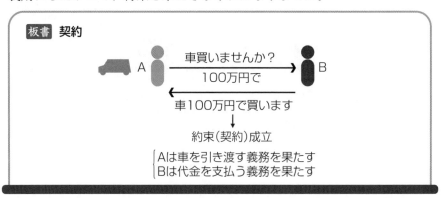

2 契約の種類

　民法では、13種類の契約が規定されています。これを典型契約とか、有名契約（民法に名前のある契約）と呼んだりします。とはいうものの、契約の内容は、当事者が自由に決めることができるというのが大原則です（契約自由の原則）。ですから、この13種類の契約は、世の中にある約束の中で、多く存在するものをピックアップして規定しているだけで、この形式に限られるわけではありません。13種類以外の契約のことを非典型契約とか、無名契約（民法に名前のない契約）と呼んだりします。

　契約は性質によって、以下のように分類できます。

（1）双務契約と片務契約

　契約当事者間に、対価関係が生じる契約、双方に債務が生じる契約を**双務契約**といいます。売買契約、賃貸借契約、請負契約が典型例です。

　約束当事者の一方にだけ債務が生じる契約を**片務契約**といいます。贈与契約、使用貸借契約が典型例です。

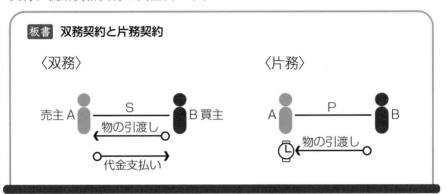

板書 双務契約と片務契約

（2）諾成契約と要物契約

　当事者の意思表示の合致のみで成立する契約を**諾成契約**といいます。売買契約、賃貸借契約、使用貸借契約が典型例です。

　意思表示の合致の他に、物の引渡しなどがあって、はじめて成立する契約を**要物契約**といいます。書面によらない消費貸借契約があります。

（3）有償契約と無償契約

　契約当事者が、お互いに相手に対して、対価的な経済的出費がなされる契約を**有償契約**といいます。売買契約、賃貸借契約が典型例です。

　当事者の一方は財産的な出費をしない契約のことを**無償契約**といいます。贈与契約、使用貸借契約が典型例です。

6

契約総論

第6編　第1章　確認テスト

問1　契約当事者間に、対価関係が生じる契約、双方に債務が生じる契約を双務契約といい、贈与契約、売買契約などがある。

問2　意思表示の合致の他に、物の引渡しなどがあって、はじめて成立する契約を要物契約といい、使用貸借契約、消費貸借契約がある。

解答

問1　✕　契約当事者間に、対価関係が生じる契約、双方に債務が生じる契約を双務契約といいます。例えば、売買契約、賃貸借契約、請負契約が典型例です。贈与契約は片務契約の典型例です。

問2　✕　意思表示の合致の他に、物の引渡しなどがあって、はじめて成立する契約を要物契約といいます。たとえば、書面によらない消費貸借契約などです。使用貸借契約は諾成契約です。

第2章　契約の成立

　約束にもさまざまな形がありますが、法的に、約束を果たす義務が発生
する瞬間があります。これが契約の成立です。それでは、この契約が成立
する瞬間はいつなのでしょうか。次はそれを見ていきましょう。

1　契約の成立と方式

　契約の成立過程として、まずは、当事者の一方が、「こういう約束をし
ませんか」と相手方に伝える「申込みの意思表示」をします。つぎに、相
手方がそれに対して「その約束をしましょう」と言って申込みを受ける「承
諾の意思表示」をします。この「申込みの意思表示」と「承諾の意思表示」
の合致した瞬間が契約が成立した瞬間です。

　契約の成立に、特に方式の要件はありません。口約束でも成立します。
つまり、契約書を作らなければならないというわけではありません。

2　契約の成立時期

　申込み・承諾は意思表示ですから、それが相手方に**到達した時**に効力を
生じます（97条1項）。

　申込み・承諾が合致した時に契約が成立するわけですから、申込みに対
する承諾が相手方に到達した時が、合致した時、すなわち契約の成立時と
いうことになります。

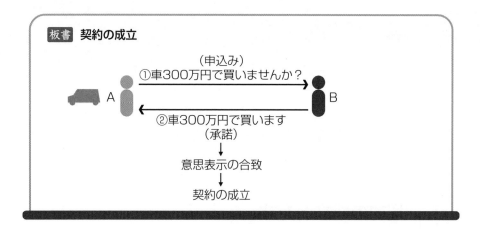

板書 契約の成立

（申込み）
①車300万円で買いませんか？

A　→　B

②車300万円で買います
（承諾）

意思表示の合致
↓
契約の成立

　ただし、申込者の意思表示または承諾の通知を必要としない場合には、契約は、承諾の意思表示と認めるべき事実があった時に成立します（527条）。たとえば、ホテルが顧客から宿泊の申込みを受け、それに対して承諾することなく、宿泊のために部屋を整え始めるような場合です。

3 申込みの撤回

　撤回というのは法律行為の効力が発生する前に意思表示の効力を失なわせることをいいます。申込みの意思表示が撤回されると、その申込みは効力を失ってしまうので、それに対して承諾しても、意思の合致は起こらず、契約は成立しません。

（1）承諾期間を定めて申込みをしたとき（523条）

　（具体例）「令和7年12月1日までに返事をください」という形で、承諾期間を決めて申込みをした場合、その期間は、相手が返事を決めるための猶予時間ですから、その期間内は申込みの撤回はできません（1項）。ただし、「〇〇の場合には、撤回することもありますよ」というように、あらかじめ撤回権を留保していた場合には、承諾期間前に撤回されることはあります。

　なお、承諾期間が過ぎても、承諾の通知を受けなかった場合には、申込

みは効力を失いますので（２項）、撤回はありません。

（２）承諾期間を定めずに申込みをしたとき

　承諾するのに相当な期間内は撤回できません（525条１項本文）。ただし、撤回権を留保していた場合には、相当期間経過前でも撤回されることはあります（525条１項ただし書）。また、承諾到達前は撤回できます。

（３）対話者間における撤回
＜事例で理解＞

　面と向かって話している人（対話者）に対しての申込みについては、対話している間はいつでも撤回できます（525条２項）。話している間に、相手が「承諾します」と言わない場合、その申込みは効力を失います。話が終わって、別れたあとに、「それ買います」と言っても、もう申込みは効力を失っており、意思表示の合致は起こらず、契約は成立しません。

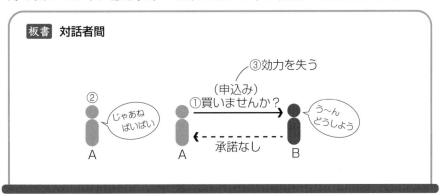

板書　対話者間

4 申込者が死亡した場合

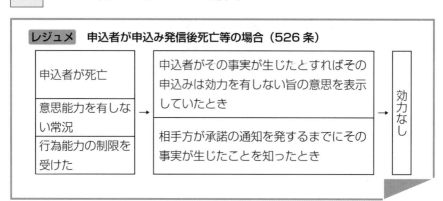

レジュメ 申込者が申込み発信後死亡等の場合（526条）

申込者が死亡	中込者がその事実が生じたとすればその申込みは効力を有しない旨の意思を表示していたとき	効力なし
意思能力を有しない常況	相手方が承諾の通知を発するまでにその事実が生じたことを知ったとき	
行為能力の制限を受けた		

5 新たな申込み

　契約は、承諾の到達で成立するのが原則ですが、それでは、承諾期間内に承諾の通知が届かなかった場合には契約は成立するのでしょうか。

（1）承諾期間後に到達した承諾（524条）
＜事例で理解＞

　申込者Aは、この②の承諾を、新たな申込みとみなすことができます。

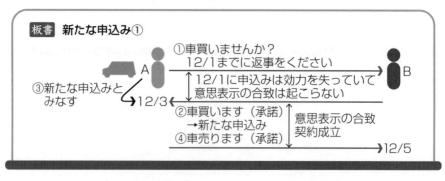

板書 新たな申込み①

①車買いませんか？
　12/1までに返事をください

↑12/1に申込みは効力を失っていて
　意思表示の合致は起こらない

③新たな申込みとみなす　12/3

②車買います（承諾）
→新たな申込み

④車売ります（承諾）

意思表示の合致
契約成立
→12/5

（2）承諾者が申込内容に変更を加えて返答した場合（528条）

＜事例で理解＞

この②の返答では、承諾の効力は生じません。新たな申込みとみなされます。

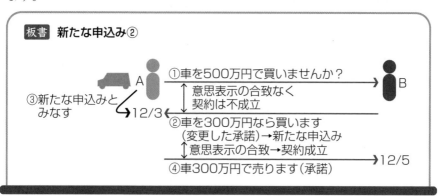

板書 **新たな申込み②**

①車を500万円で買いませんか？ → B

意思表示の合致なく
契約は不成立

③新たな申込みと
みなす 12/3

②車を300万円なら買います
（変更した承諾）→新たな申込み

意思表示の合致→契約成立

④車300万円で売ります（承諾） → 12/5

問1　申込み・承諾は、それが相手方に到達したときに効力を生ずる。

問2　承諾期間を定めて申込みをしたときであっても、承諾がない間は自由に申込みを撤回することができる。

問3　承諾期間を定めずに申込みをしたときであっても、承諾するのに相当な期間内は、原則として撤回できない。

解答

問1　○　申込み・承諾は、意思表示ですから、それが相手方に到達したときに効力を生じます（97条1項）。

問2　×　承諾期間を定めて申込みをしたときは、その期間内は申込みを撤回することはできません（523条1項）。

問3　○　承諾期間を定めずに申込みをしたときであっても、承諾するのに相当な期間内は、原則として撤回できません（525条1項本文）。

1 同時履行の抗弁権

> ▼第533条〔同時履行の抗弁〕
> 　双務契約の当事者の一方は、相手方がその債務の履行（債務の履行に代わる
> 損害賠償の債務の履行を含む。）を提供するまでは、自己の債務の履行を拒むこ
> とができる。ただし、相手方の債務が弁済期にないときは、この限りでない。

　双務契約では、１つの契約から、相対立する２つの債権債務が発生します。

　＜事例で理解＞

　ＡがＢに車を300万円で売る売買契約であれば、売主Ａには、車の引
渡し債務と、代金支払債権が発生しますし、買主Ｂには、代金支払債務と、
車の引渡し債権が発生します。双務契約の性質として、この２つの債権債
務は同じ価値を持つといえます。売主Ａも買主Ｂも、車が300万円の価値
があると思っているから、300万円支払うという契約をしているわけです。
300万円の価値の車と、300万円という現金をお互いが引き渡す・支払うこ
とによって、双務契約は成立するわけです。

　つまり、双務契約においては、契約が履行される前と、履行された後で
は、自分の持っている財産の価値は変わらないことになります。売主Ａ
は300万円の車を引き渡す代わりに300万円もらうわけですから、契約の前
と後で、持っている財産の価値は変わらないことになります。これを、双
務契約で生じた債権債務には「**等価性がある**」といいます。

　ここで、どちらかが先に自分の債務を履行したのに、どちらかが履行し
ていないと、一時的であるにせよ、財産がどちらかに偏ることになります。
売主Ａが車を引き渡したのに代金をもらっていないとすると、売主Ａは

自分の財産に300万円のマイナスが生じている状態になりますし、逆に買主Bは300万円の車をもらってお金を払っていないわけですから、自分の財産が300万円増えた状態になります。双務契約では、契約の前と後で自分が持っている財産価値は変わらないはずなのに、財産が偏ってしまう、つまり双務契約の等価性が失われてしまいます。これでは、当事者の公平を害することになります。そこで、等価性を維持させるため、相手方が債務を履行するまでは、自分の負っている債務も履行を拒絶できるという**同時履行の抗弁**（533条）を採用しました。

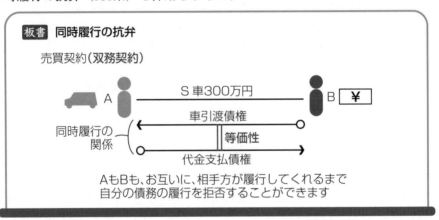

板書 同時履行の抗弁

売買契約（双務契約）

S車300万円

車引渡債権

同時履行の関係

等価性

代金支払債権

AもBも、お互いに、相手方が履行してくれるまで自分の債務の履行を拒否することができます

（1）同時履行の抗弁の要件

レジュメ 同時履行の抗弁の要件

① 同一の双務契約から生じる２つの債権債務の存在
② 相手方の債務が履行期にあること
③ 相手方が自己の債務を履行しないで履行請求してくること

① 同一の双務契約から生じる２つの債権債務の存在

履行場所が異なってもかまいません。また、債権が譲渡されたり、債務を他の者が引き受けた場合も、同時履行の抗弁は存続します。

② 相手方の債務が履行期にあること

　自分の債権は行使できる状態になっている必要があります。つまり、相手方の債務は履行しなければならない状態になっていることが必要です。たとえば、代金が後払いとされ弁済期限が来ていないのに、売主が「買主が代金を支払ってくれるまでは、車は渡しません」とは言えません。

③ 相手方が自己の債務を履行しないで履行請求してくること

　相手方が自分の債務の履行をせずに履行請求してきた場合には、「あなたが債務を履行してくれるまでは、私も履行しません」と言えます。

（2）同時履行の抗弁の効果

① 履行の強制を免れる

　本来、債務を履行しなければ、相手方から強制執行されることになりますが、同時履行関係があれば、相手からの履行の請求を拒んでも、自分の財産が差し押さえられたり、強制執行されることはありません。

② 履行遅滞とはならない

　自己の債務を拒んでも、債務不履行（履行遅滞）にはなりません。

③ 同時履行の抗弁権のついた債権を自働債権として相殺できません

　同時履行のついた債権は、債権者が履行を請求しても、債務者は、「あなたが履行してくれるまでは、私も履行しません」と言える権利です。そうであるにもかかわらず、このような相殺を認めてしまうと、債権者が一方的に相手の抗弁権を奪うことになり不当だからです。

板書 同時履行の抗弁権のついた債権の相殺

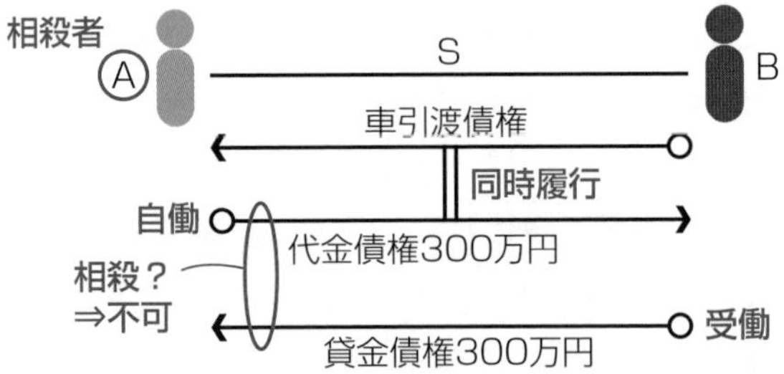

相殺者
Ⓐ ── S ── B

車引渡債権
同時履行

自働
代金債権300万円

相殺?
⇒不可

貸金債権300万円 受働

Aからの相殺を認めると、本来Bは「Aが車を引き渡すまでは、代金支払わない」と言えたのに、Aが一方的に代金を支払わせるのと同じ効果が発生してしまい、Bの抗弁権を、一方的に奪うことになるから、Aからの相殺はできません

④　訴訟上、被告が同時履行の抗弁をし、それが認められた場合

　被告に対して引換給付判決がなされます。本来、被告の抗弁が認められているわけですから、原告が敗訴するようにも思われます。しかし、原告の債権そのものが否定されたわけではありませんし、双方の債務は同時に履行してください、ということが認められただけですから、判決でも、原告の債務の履行と引換えに、被告も履行してください、という**引換給付判決**がなされることになります。

（3）同時履行関係になる債権債務関係

　どのような債権債務関係が同時履行の関係に立つかは、債権の性質によって決定されます。

レジュメ　同時履行の関係の認否

同時履行の関係が認められるもの	同時履行の関係が認められないもの
弁済と受取証書の交付（486条１項）	弁済と債権証書の返還 →弁済が先（487条）
借地人の建物買取請求権を行使した場合の賃貸人の建物代金支払い義務と賃借人の土地明渡義務（大判昭7.1.26）	建物賃借人が造作買取請求権を行使した場合の賃貸人の造作代金支払義務と賃借人の建物明渡義務（最判昭29.7.22） →建物明渡しが先
解除による原状回復義務（546条）	賃貸借契約終了時における賃貸人の敷金返還義務と賃借人の目的物明渡し義務（622条の２第１項１号） →明渡しが先
制限行為能力者・詐欺・強迫による取消しの場合の双方の原状回復義務（最判昭28.6.16）	
負担付き贈与における負担の履行と贈与（553条）	

（4）留置権と同時履行の抗弁の比較

　物の引渡しを伴う双務契約における同時履行の抗弁と、担保物権である留置権は、いずれも債権が履行されるまでは「物の引渡しを拒むことができる」という点では共通しています。そこで、両者の違いについて、ここでまとめておきましょう。

| レジュメ 留置権と同時履行の抗弁の比較 |

	留置権（295条）	同時履行の抗弁（533条）
根拠	公平の原則	公平の原則
制度目的	債権担保	双務契約の等価性の維持
権利の性質	担保物権 →誰に対しても主張可	双務契約の効力 →契約当事者間でのみ主張可
発生原因	物と債権の牽連性	双務契約
権能	引渡拒絶の権能	履行拒絶の権能
不可分性	有（296条）	無
代担保	可（301条）	不可

2 危険負担

▼第536条〔債務者の危険負担等〕
1項　当事者双方の責めに帰することができない事由によって債務を履行することができなくなったときは、債権者は、反対給付の履行を拒むことができる。
2項　債権者の責めに帰すべき事由によって債務を履行することができなくなったときは、債権者は、反対給付の履行を拒むことができない。この場合において、債務者は、自己の債務を免れたことによって利益を得たときは、これを債権者に償還しなければならない。

（1）危険負担とは

　双務契約において、一方の債務が、当事者のどちらのせいでもなく、履行できなくなった場合に、もう一方の債務を履行しなければならないかどうか、という問題です。

＜事例で理解＞

　本来、双務契約であれば、1000万円の建物を引き渡す代わりに1000万円の代金を支払います。したがって、建物の売主 A も買主 B も、契約の前と後では、自分の持つ財産価値は変わらないはずです。しかし建物が焼失し、建物引渡債務が履行できない場合はどうでしょうか。そもそも相手に渡すはずだった1000万円の建物が消えてしまっているわけです。そうすると、そのマイナスを AB どちらが負担することにするのか、という問題が生じます。契約した以上、代金は払ってください、と言えるのか、それとも、建物がもらえないんだから、代金は支払いません、と言えるのか。

　この建物焼失によって失われてしまったマイナス分を、A に負担させるなら、売主は買主から代金を支払ってもらえず、売主は建物の1000万円分の価値を失います。これに対して、B に負担させるなら、買主は建物はもらえないのに、代金1000万円は支払わなければならず、その分、買主に1000万円のマイナスが生じることになります。

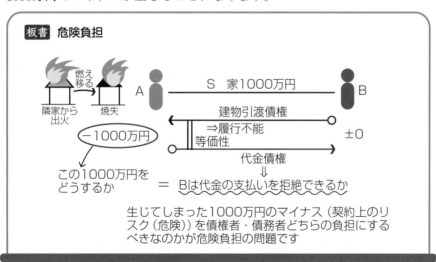

板書　危険負担

生じてしまった1000万円のマイナス（契約上のリスク（危険））を債権者・債務者どちらの負担にするべきなのかが危険負担の問題です

　ここで、A が負担する場合のことを**債務者主義**といい、B が負担する処理のことを**債権者主義**といいます。ここでの「債権者」「債務者」という呼び方は、履行不能になった債権を基準に考えます。したがって、この例

では、履行不能になったのは建物引渡債権ですから、売主Aが債務者、買主Bが債権者ということになります。

（2）危険負担の内容

危険負担は、民法では、原則として債務者主義をとります。

① 原則－債務者主義（536条1項）

当事者のどちらのせいでもなく、履行不能になった場合、債権者は、反対の給付の履行を拒否できます。したがって、上記の例では、債権者である建物買主Bは、建物代金の支払いを拒否できます。

② 例外－債権者主義（536条2項）

債権者のせいで、履行不能になった場合、債権者は、反対の給付の履行を拒否できません。したがって、上記の例では、債権者である建物買主Bは、建物代金を支払わなければなりません。

なお、債務者は、自己の債務を免れたことによって利益を得たときには、これを債権者に償還しなければなりません。

③ 原始的不能－契約締結前に既に不能となっていた場合

この場合も、危険負担で処理することになります。

④ 債務不履行との関係

契約締結後、債務者のせいで、履行不能となった場合には、単純に債務不履行の問題となります。したがって、上記の例でいえば、債権者である買主Bは、契約の解除や、損害賠償請求ができます。

---

3 第三者のためにする契約

契約当事者の一方が、第三者に対して、ある給付をすることを約する契約のことを、**第三者のためにする契約**といいます。

＜事例で理解＞

AはBから時計を買ったけれども、Bは時計を、Cに対して給付してください、というような契約です。

Ａを要約者、Ｂを諾約者、Ｃを第三者・受益者といいます。

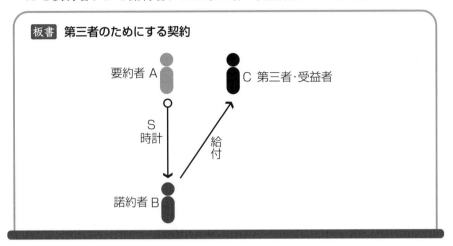

板書 **第三者のためにする契約**

要約者 Ａ

Ｃ 第三者・受益者

S
時計

給付

諾約者 Ｂ

（1）第三者のためにする契約の成立要件

①　要約者・諾約者間に有効な契約が成立

②　契約内容が第三者に直接権利を取得させるものであること

※契約成立時に第三者が現に存在しないか、特定していない場合でも、
　成立します。

（2）第三者のためにする契約の効果

①　第三者の権利の発生時期

受益の意思表示をした時（第三者が諾約者に対して、契約の利益を享受
する意思をした時）。

②　権利行使の方法

第三者は諾約者に対して直接給付請求ができます。

③　契約内容の変更・消滅

第三者の受益の意思表示後は、契約当事者が契約内容を変更・消滅させ
ることはできません。

④　契約の解除

第三者の受益の意思表示後は、第三者の承諾を得なければ、契約の解除

はできません。

⑤　諾約者の抗弁

　諾約者は、同時履行の抗弁、契約の取消し、解除など、契約に基づく抗弁を第三者に対抗することができます。

第6編　第3章　確認テスト

問1　借地人の建物買取請求権を行使した場合の賃貸人の建物代金支払い義務と賃借人の土地明渡し義務は同時履行の関係にある。

問2　賃貸借契約終了時における賃貸人の敷金返還義務と賃借人の目的物明渡し義務は同時履行の関係にある。

問3　建物の売買契約が締結され、建物を引き渡す前に、買主、売主いずれの責めに帰することができない事由によって建物が滅失してしまった場合には、買主は建物代金を支払わなければならない。

問4　契約当事者の一方が、第三者に対して、ある給付をすることを約する契約のことを、第三者のためにする契約というが、受益の意思表示をした時に第三者の権利が発生する。

問5　第三者の受益の意思表示後は、第三者の承諾を得なければ、契約の解除はできない。

解答

問1　○　借地人の建物買取請求権を行使した場合の賃貸人の建物代金支払い義務と賃借人の土地明渡し義務は同時履行の関係にあります（大判昭7.1.26）。

問2　×　賃貸借契約終了時における賃貸人の敷金返還義務と賃借人の目的物明渡し義務は目的物の明渡しが先履行となり、同時履行の関係にはありません（622条の2第1項1号）。

問3　×　当事者双方の責めに帰することができない事由によって債務を履行することができなくなったときは、債権者は、反対給付の履行を拒むことができます（536条1項）。したがって、本問では買主は代金支払いを拒むことができます。

問4　○　契約当事者の一方が、第三者に対して、ある給付をすることを約する契約のことを、第三者のためにする契約といいますが、第三者が諾約者に対して、契約の利益を享受する意思をした時（受益の意思表示をした時）に第三者の権利が発生します（537条3項）。

問5　○　第三者の受益の意思表示後は、第三者の承諾を得なければ、契約の解除はできません（538条2項）。

1　解除権の意義

> ▼第540条〔解除権の行使〕
> 　1項　契約又は法律の規定により当事者の一方が解除権を有するときは、その解除は、相手方に対する意思表示によってする。
> 　2項　前項の意思表示は、撤回することができない。

　解除は単独行為です。つまり、当事者が一方的に契約をなかったことにする意思表示です。相手が「契約解除しないで！」と言っても、一方が「解除します」と言うと契約は最初からなかったことになります。

　本来、いったん契約を締結した場合には、約束した者同士、誠実にその約束を果たさなければなりません。一方的に約束を破れば、債務不履行として損害賠償などのペナルティが課されます。しかし、約束した相手が約束を果たさないのに、自分だけはその約束にずっと縛られ続けるというのは公平とはいえません。そこで、債権者を契約の拘束から解放するために認められたのが解除という制度です。とはいえ、原則としては約束を果たすべきであるにもかかわらず、一方的に約束をなかったことにするわけですから、相手方に解除されても仕方がないような「よっぽどのこと」がないと解除は認められません。どういう場合に、「よっぽどのこと」があるといえるのかが、解除を考える上では大切です。そして、それが「解除の要件」ということになります。まずは、一般的な解除の要件についてみていきますが、各契約についても、それぞれ解除の要件は重要ですので、しっかり理解しておきましょう。

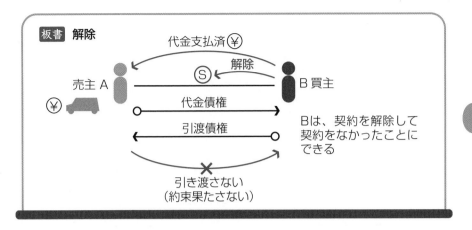

　解除には、解除の要件が法律で定められている**法定解除**、当事者が約束で解除の要件を定めている**約定解除**、当事者間で合意の上で解除する**合意解除**があります。約定解除、合意解除は、ケースバイケースですから、試験的に重要なのは民法で規定されている法定解除です。

　法定解除には、債務不履行によって認められる解除と、各契約で個別に定められている解除があります。

　債務不履行による解除は、催告による解除と、催告によらない解除があります。以下ではそれについて解説します。

2　催告による解除

▼第541条〔催告による解除〕
　当事者の一方がその債務を履行しない場合において、相手方が相当の期間を定めてその履行の催告をし、その期間内に履行がないときは、相手方は、契約の解除をすることができる。ただし、その期間を経過した時における債務の不履行がその契約及び取引上の社会通念に照らして軽微であるときは、この限りでない。

（1） 催告による解除の要件

> **レジュメ** 催告による解除の要件
>
> **積極的要件（解除が認められるためになければならない要件）**
>
> ① 債務者が履行遅滞等、本旨に従った履行をしないこと（415条）
>
> ② 債権者が相当の期間を定めて履行の催告をすること（541条）
>
> ③ 債務者が相当期間内に履行しないこと（541条）
>
> **消極的要件（解除が認められるためにあってはいけない要件）**
>
> ④ 債務の不履行が軽微でないこと（541条ただし書）
>
> ⑤ 債権者の責めに帰すべき事由によるものでないこと（543条）

（2） 相当の期間を定めた履行の催告

　債務不履行とはいえ、約束を果たせないのは、何らかの事情があるかもしれません。単に忘れているだけかもしれません。ですから、単に約束を果たしていないだけでは、「よっぽどのこと」とは判断されません。

　債務者が約束を果たさない（債務を履行しない）という履行遅滞の場合には、債権者が相当期間を定めて、「いついつまでに、約束を果たしてください」と催告します。それなのに、債務者が履行してくれない場合には、これは「よっぽどのこと」があると言えるので、解除できます。

　ここで、「相当な期間」はどのくらいの期間を指すかですが、これは契約の内容によって決定されます。つまり、ケースバイケースです。

　また、相当の期間を定めずに履行の催告をした場合でも、相当の期間を経過すれば、契約は解除できます（最判昭44.4.15）。なぜなら、「履行してください」と催告されているのにいつまでも履行しないことは、解除されても仕方がない「よっぽど」のことといえるからです。

（3） 履行遅滞の軽微性（541条ただし書）

　債務の履行の期間を経過した時における債務不履行がその契約および取

引上の社会通念に照らして軽微であるときは、契約を解除できません。お互いに約束した以上は、契約に従って約束を果たすべきですが、その不履行の程度が軽い場合には、「一方的に」契約をなかったことにするまでの「よっぽどのこと」があったとはいえないからです。

3　催告によらない解除

　民法では、催告によらない解除を規定しています。これらの場合には、催告をしないで**直ちに**契約を解除できます。なぜなら、催告をしても、債務の本旨に従った履行は期待できないからです。

レジュメ　催告によらない解除	
全部解除をする場合（542条１項）	
①履行不能	債務の全部の履行が不能であるとき
②全部履行拒絶	債務者がその債務全部の履行拒絶意思を明確に表示したとき
③契約目的達成不能	債務の一部の履行不能、または、債務者がその債務の一部の履行拒絶意思を明確に表示した場合で、残存部分のみでは契約の目的を達することができないとき
④定期行為	契約の性質または当事者の意思表示により、特定の日時または一定の期間内に履行をしなければ契約をした目的を達することができない場合に、債務者が履行をしないでその時期を経過したとき
⑤履行遅滞による契約目的達成不能	前各号に掲げる場合のほか、債務者がその債務の履行をせず、債権者が前条の催告をしても契約をした目的を達するのに足りる履行がされる見込みがないことが明らかであるとき
一部解除をする場合（542条２項）	
①一部履行不能	債務の一部の履行が不能であるとき
②一部履行拒絶	債務者がその債務の一部の履行を拒絶する意思を明確に表示したとき

4 債権者の責めに帰すべき事由による場合

　債務の不履行が債権者の責めに帰すべき事由によるものであるときは、債権者は契約を解除できません。そもそも約束を果たせない原因が債権者にあるのに、債権者から解除できるとするのは妥当でないからです。

5 解除の行使方法

　複数当事者の契約において、契約を解除するには、**全員から全員に対し**て行使する必要があります（544条1項）。

　さらに、1人について解除権が消滅した場合、全員についても消滅します（544条2項）。

　これを解除権の**不可分性**といいます。

　契約は1つしかないわけですから、人によって契約が存在したりしなかったりすると、法律関係が複雑化してしまい、新たな紛争が起きる可能性があるからです。そこで、画一的に処理することとしています。

6 解除の効果

▼第545条〔解除の効果〕
1項　当事者の一方がその解除権を行使したときは、各当事者は、その相手方を原状に復させる義務を負う。ただし、第三者の権利を害することはできない。
2項　前項本文の場合において、金銭を返還するときは、その受領の時から利息を付さなければならない。
3項　第1項本文の場合において、金銭以外の物を返還するときは、その受領の時以後に生じた果実をも返還しなければならない。
4項　解除権の行使は、損害賠償の請求を妨げない。

（1）原状回復義務

　契約が解除されると、契約は最初からなかったことになります。したがって、まだ履行していない債務は消滅しますし、すでに履行したものについては、法律上の原因もなく、相手の財産を持っていることになりますから、それを相手に返さなければなりません（不当利得の返還）。

　ここで、不当利得の返還は、本来、現存利益で足りますが、解除は、契約が最初からなかった状態に戻すのが目的です。そこで、受け取ったものは全部返還することとされています（**原状回復義務**・545条1項）。

　したがって、物を受け取ったことで得た利益があればそれも返還します。なぜなら、本来の持ち主が持っていれば、その利益はその持ち主が得た利益だからです。金銭であれば、受け取った時からの利息も返還することになりますし（545条2項）、金銭以外であれば、受け取った時以降にその物から生じた果実も返還することになります（545条3項）。

　このお互いの原状回復義務は、同時履行関係に立ちます（546条）。

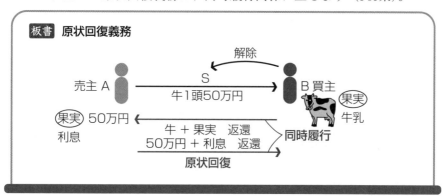

（2）解除と第三者

　原状回復義務を果たすことによって、受け取った物をお互いに返還することになりますが、その物について新たに権利を取得した第三者がいた場合には、当該第三者の権利を害することはできません。つまり、第三者に対しては解除の効果を主張することができなくなります。

① 第三者の意義

　ここでの第三者は、契約の**解除前**に新たな権利を取得した者を指します。典型的には、目的物の転得者や、対抗要件を備えた賃借人です。

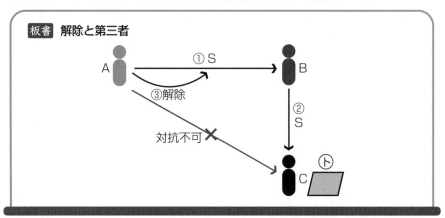

板書 解除と第三者

　不動産なら登記を備えていること、**動産**なら**引渡し**を受けていることが認められれば、当該第三者に対して解除を対抗できません。

② 解除後の第三者

　解除後の第三者との関係は、二重譲渡と類似の関係にあるということで、登記の有無で決することになります。

7　解除権の消滅

レジュメ　解除権の消滅

権利一般に共通の消滅原因
①解除権の放棄
②時効消滅（権利行使できることを知った時から５年、権利行使できる時から10年）

解除権特有の消滅原因

①解除権の行使期間の定めがないときは、相手方は、解除権を有する者に対し、相当の期間を定めて、その期間内に解除をするかどうかを確答すべき旨の催告をすることができ、その期間内に解除の通知を受けないときは、解除権は消滅する（547条）。

②解除権を有する者が故意・過失によって契約の目的物を著しく損傷し、もしくは返還することができなくなったとき、または加工もしくは改造によってこれを他の種類の物に変えたときは、解除権は消滅する（548条本文）。ただし、解除権を有する者がその解除権を有することを知らなかったときは、この限りでない（548条ただし書）。

6

契約総論

第6編　第4章　確認テスト

問1　契約又は法律の規定により当事者の一方が解除権を有するときは、その解除は、相手方に対する意思表示によってする。

問2　当事者の一方がその債務を履行しない場合において、相手方が相当の期間を定めてその履行の催告をし、その期間内に履行がないときは、その債務不履行がその契約および取引上の社会通念に照らして軽微であるときでも、相手方は、契約の解除をすることができる。

問3　債務の一部の履行不能、または債務者がその債務の一部の履行拒絶意思を明確に表示した場合で、残存部分のみでは契約の目的を達することができないときは、催告によらずに直ちに解除することができる。

問4　複数当事者の契約において、契約を解除するには、複数当事者のうちの1人から1人に対して行使すれば足り、さらに、1人について解除権が消滅した場合には、全員の解除権が消滅する。

問5 　Ａ所有土地をＢに売却する契約がなされ、さらにＢが当該土地を
　　 Ｃに譲渡し、所有権の登記もＡからＢ、ＢからＣへと移転した。し
　　 かし、その後、ＡがＢの債務不履行を理由に契約を解除した場合、
　　 Ａは解除前に登場したＣに対して解除を理由に土地の返還を請求す
　　 ることができる。

解答
問1 　○ 　契約または法律の規定により当事者の一方が解除権を有すると
　　 きは、その解除は、相手方に対する意思表示によってします（540条
　　 1項）。
問2 　× 　当事者の一方がその債務を履行しない場合において、相手方が
　　 相当の期間を定めてその履行の催告をし、その期間内に履行がないと
　　 きは、相手方は、契約の解除をすることができるのが原則です（541
　　 条本文）。ただし、その期間を経過した時における債務の不履行がそ
　　 の契約および取引上の社会通念に照らして軽微であるときは、契約を
　　 解除することができません（541条ただし書）。
問3 　○ 　債務の一部の履行不能、または、債務者がその債務の一部の履
　　 行拒絶意思を明確に表示した場合で、残存部分のみでは契約の目的を
　　 達することができないとき（契約目的達成不能の場合）には、催告を
　　 せずに直ちに解除することができます（542条1項3号）。
問4 　× 　複数当事者の契約において、契約を解除するには、全員から全
　　 員に対して行使する必要があります（544条1項）。なお、1人につい
　　 て解除権が消滅した場合には、全員についても消滅する点については
　　 正しい記述です（544条2項）。
問5 　× 　契約の解除により、契約は遡及的に効力を失いますが、契約の
　　 解除前に新たな権利を取得した第三者には解除を対抗できません。た
　　 だし、第三者として保護されるためには、不動産であれば登記を備え
　　 ていることが必要です。本問ではＣは登記を備えているので、Ａは
　　 Ｃに対しては解除を対抗することができません（545条1項ただし書）。

第**7**編

契約各論

どのような契約をするかは、契約をする当事者が自由に決めることができます（**契約自由の原則**）。ただし、一般的に広く行われている13種類の契約をピックアップして、一般的なルールを定めています。

具体的には、財産権を移転する形の**所有権移転型契約**として「贈与」「売買」「交換」があります。物の貸し借りをする形の**貸借型契約**として「消費貸借」「使用貸借」「賃貸借」があります。仕事などをする形の**役務提供型契約**として「雇用」「請負」「委任」「寄託」があります。そのほか、「組合」「終身定期金」「和解」があります。これら13種類の契約です。

この中でも、行政書士試験で注意が必要なのが所有権移転型契約の「贈与」「売買」、貸借型契約の「消費貸借」「使用貸借」「賃貸借」、役務提供型契約の「請負」「委任」です。これらの契約について、①どのような内容の契約なのか、②契約当事者の権利義務の内容はどのようなものなのか、③どのような場合に契約が解除されるのか。これらを中心に見ていくことにしましょう。

所有権移転型契約とは、所有権を移転することを約する契約です。

1　贈与契約

▼第549条〔贈与〕
　贈与は、当事者の一方がある財産を無償で相手方に与える意思を表示し、相手方が受諾をすることによって、その効力を生ずる。

贈与契約は、権利をタダであげる契約です。

（1）成立要件

当事者の一方の「ある財産を無償で与える」という意思表示と、相手方の「受諾」の意思表示によって契約が成立する**諾成契約**です。債務を負担するのは物を贈る「贈与者だけ」ですから**片務**契約です。また、「タダであげる」契約ですから**無償契約**です。

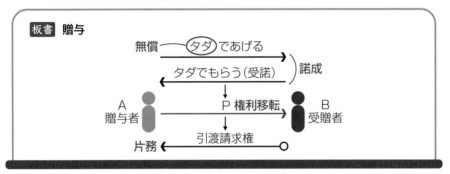

（2）契約の方式

贈与契約は諾成契約ですから、意思表示の合致があれば契約は成立しますが、書面によらない贈与は、当事者は自由に解除できます。

（具体例）贈与契約が口約束だけで行われたような場合には、贈与者も受贈者も、その契約を解除できます。成立した贈与契約を解除されたくなければ、書面を残しておけばよいことになります。

（3）契約当事者の権利義務

①　贈与者の義務

贈与者が「これあげます」と言って贈与契約が成立した場合、贈与の目的を特定した時の状態で、目的物を引き渡したり、権利を移転することを約束したと推定されます。したがって、贈与契約で別に特約をしていない限り、贈与者はそのような形で債務を履行すればよいことになります。目的物に瑕疵があっても担保責任は負いません。

ここで、他人物を贈与した場合には、当然、その物は贈与者の物ではないので、贈与者が負う義務は、目的物を引き渡す前提として、他人からそ

の物の権利を取得することが要求されます。

② 受贈者の権利

目的物の引渡請求権、権利の移転請求権を取得します。

（4）特殊な贈与契約

① 定期贈与（552条）

「毎月、月末に生活費を仕送りする」というような、定期の給付を目的とする贈与契約を定期贈与といいます。この契約は、贈与者または受贈者の死亡によって終了します。

② 負担付贈与（553条）

「この土地をあげるから、今後、私の面倒を見てください」というような贈与を負担付贈与といいます。この場合、受贈者は、贈与の目的物と同じ価値の代金を払うわけではありませんが、目的物に対するなんらかの負担を抱えることになります。したがって、その負担の限度で、贈与者も売主と同じように、贈与の目的物が負担に見合うものでなければならないという担保責任を負うことになります（551条2項）。また、その性質に反しない限り、双務契約に関する規定が準用されることになります。たとえば、受贈者がその負担である義務の履行を怠った場合、贈与者はその負担に見合う部分の贈与を解除できます。

③ 死因贈与（554条）

「私が死んだら、この土地をあげる」というように、贈与者の死亡によって効力を生ずる贈与契約のことを死因贈与といいます。死因贈与は、その性質に反しない限り、遺贈に関する規定が準用されます。

2 売買契約

> ▼第555条〔売買〕
> 　売買は、当事者の一方がある財産権を相手方に移転することを約し、相手方がこれに対してその代金を支払うことを約することによって、その効力を生ずる。

　売買契約は、代金をもらって、権利を人に移転する契約です。

（1）成立要件（555条）

　当事者の一方の「ある財産権を移転する」という意思表示と、相手方の「代金支払います」という意思表示で成立する**諾成契約**です。売主は「財産権を移転する」、買主は「代金を支払う」という義務を双方が負うので**双務契約**です。「代金を支払う」契約ですから**有償契約**です。

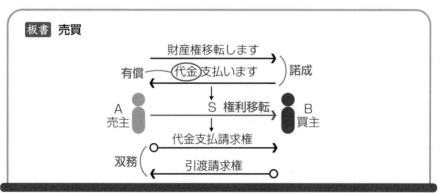

板書 売買

（2）手付（557条）

① 手付とは

　売買契約が締結される際に、買主から売主に対して金銭が授受される場合があります。この金銭が授受された場合には、相手方が履行に着手するまでは、買主はその手付を放棄し、売主はその倍額を現実に提供すれば、一方的に売買契約を解除できます。

　売買契約が締結されるとしても、必ずしも契約と同時に目的物が引き渡

されたり、代金が支払われたりするわけではありません。

<事例で理解>

　契約締結時に、債務の弁済期を1か月後と定めました。この場合には、契約締結時から1か月後に債務が履行されることになります。いったん契約を締結した場合には、その契約を果たさなければなりません。一方的に契約を破棄してしまうと、契約の解除や、損害賠償を請求される場合もあります。とはいうものの、履行期が来るまでに、様々な事情の変化によって、当事者にとっては他の契約に切り替えた方がいいと思う場合もあります。たとえば、1000万円で土地を売ったけれども、それを1500万円で買いたいという人が出てきたという場合です。あるいは、1000万円で土地を買ったけど、500万円でもっと自分の希望にあう土地をみつけたという場合です。

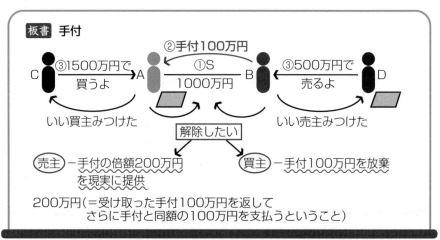

　このような場合に、一方当事者の意思のみで契約を破棄したら、相手方から損害賠償請求されます。しかし、契約成立後に、自分にとってより有利な相手方が見つかるかもしれないというのはお互い様です。そこで、民法の定める手付では、契約当事者双方が納得できる形で、手付金以上の負担をすることなく、新しい契約に切り替えることができるようにしています。それが手付の一般的な趣旨です。

②　手付の種類

手付には、その性質によって3つの種類のものがあります。

（a）証約手付

契約が成立したことの証拠とするための手付です。これは**どんな手付にも認められる**性質です。なぜなら、手付が交付されている事実があるということは、契約が成立しているということだからです。

（b）解約手付

解除権を留保するために授受される手付です。特に、手付授受の目的を定めていなければ**解約手付と推定**されます。手付解除の場合、一方的に契約を破棄することになりますが、相手方に対して損害賠償責任を負うことはありません。

もちろん、相手方に債務不履行があれば、債務不履行による解除はできますし、手付金額に関係なく、生じた損害があれば損害賠償請求もできます。ただし、債務不履行による解除は、手付とは関係がありませんから、手付は返還請求できます。

（c）違約手付

契約の履行を確保するために、買主が債務不履行の場合には没収され、売主の債務不履行の場合には倍額を償還しなければならない趣旨の手付です。違約手付とされた場合、手付解除はできません。

③　履行の着手

「履行の着手」の意味について、判例（最大判昭40.11.24）は、客観的に外部から認識しうるような形で履行行為の一部をなし、または履行の提供に欠くことのできない前提行為をなすこと、としています。

たとえば、第三者の土地の売主が、その土地の所有権を持つ第三者から所有権を取得した場合が典型例です。

（3）契約当事者の権利義務等

売買契約は双務契約なので、売主・買主それぞれに権利義務が生じます。ここでは、それぞれの権利義務についてみていきましょう。

7

契約各論

① 売主の義務・責任

> **レジュメ** **売主の義務・責任**
>
> （a）財産権移転義務
> （b）対抗要件（引渡し・登記）具備義務等
> （c）他人の権利の売買の責任
> （d）目的物の種類・品質・数量に関する契約不適合責任（買主が行使で
> 　　きる権利）
> 　　⎡ⓐ　買主の追完請求権
> 　　｜ⓑ　買主の代金減額請求権
> 　　｜ⓒ　買主の損害賠償請求権
> 　　⎣ⓓ　買主の契約解除権
> （e）権利に関する契約不適合責任
> （f）その他の規定

（a）財産権移転義務（555条）

　売主は、財産権を相手方に移転しなければならない義務を負います。
売買契約の本質的な義務です。

（b）対抗要件（引渡し・登記）具備義務等（560条）

　売主は、買主が売買の目的物を思うように支配できるようにしなけれ
ばなりません。そこで、買主が買った権利を誰に対しても主張できるよ
うに、対抗要件を備えさせる義務が発生します。動産の売買であれば引
渡し、不動産の売買であれば、所有権移転登記です。

（c）他人の権利の売買の責任（561条）

　売買の目的物が全部他人の物であっても、一部他人の物であっても、
売買契約は有効に成立します。そして、売主は、その権利を有する他人
からその権利を取得して、買主に移転する義務を負います。

（d）目的物の種類・品質・数量に関する契約不適合責任

　売買契約が締結された場合、売主は目的物引渡し義務、権利移転義務
を負います。その目的物は契約によって予定された性能や品質を備えて

いなければなりません。しかし、もし、売主が引き渡した物が、契約で予定された性能や品質に適合していない**契約不適合**の場合には、売主は契約に適合するようにしなければならないという責任を負わせることとしました。反対の言い方をすれば、買主は売主に対して以下の責任を追及できることになります。

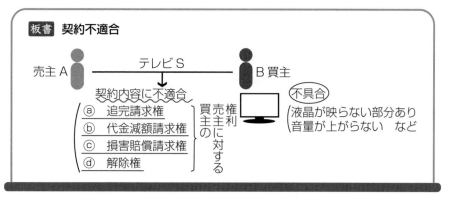

契約不適合があった場合、目的物の種類・品質・数量に関して契約不適合があった場合に、内容に適合するように求める権利が買主に認められます。具体的には、ⓐ買主の**追完請求権**、ⓑ買主の**代金減額請求権**、ⓒ買主の**損害賠償請求権**、ⓓ買主の**契約解除権**です。

ⓐ　買主の追完請求権（562条）

引き渡された目的物が種類、品質または数量に関して契約の内容に適合しないものであるときは、買主は、売主に対して、**目的物の修補、代替物の引渡しまたは不足分の引渡しによる履行の追完を請求**できます（1項）。

<**事例で理解**>

A電気店でBさんがテレビを買いました。ところが、届けてもらったテレビがすでに故障していて、音量ボタンが効きませんでした。この場合には、BはAに対して、不具合のないテレビとこのテレビを交換してください（代替物の引渡し）と請求できます（1項本文）。

ただし、Aは、Bに不相当な負担を課するものでないときは、Bが

請求した方法と異なる方法による履行の追完もできます。たとえば、故障している音量ボタンの修理は、その場の3分程度の修理ですんでしまうような簡単なもので、お店に持ってきてもらわなくてもすぐできてしまうような、Bに特に不相当な負担を課するものでなければ、代替物の引渡しでなくても、テレビの修補で済ますことができます（1項ただし書）。

また、不具合が、Bの責めに帰すべき事由がある場合、たとえば、Bがテレビを梱包から取り出す時に落として故障が生じたという場合には、追完請求権は行使できません（2項）。

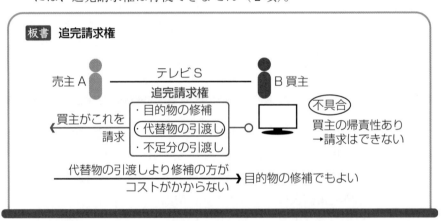

板書 **追完請求権**

売主A ── テレビS ── B買主

追完請求権
・目的物の修補
・代替物の引渡し
・不足分の引渡し

買主がこれを請求

不具合
買主の帰責性あり
→請求はできない

代替物の引渡しより修補の方がコストがかからない → 目的物の修補でもよい

ⓑ 買主の代金減額請求権（563条）

引き渡された目的物が種類、品質または数量に関して契約の内容に適合しないものであるときは、買主が**相当の期間**を定めて**履行の追完の催告**をし、その期間に履行の**追完がない**ときは、買主は、その不適合の程度に応じて**代金減額請求**ができます（1項）。

＜事例で理解＞

米店の店頭に並んでいる袋に入ったコシヒカリ10キロを購入したとしましょう。値段は、1キロあたり350円で、350円×10キロ＝3500円です。売主Aが米を買主B宅まで届けてくれたのですが、買主が重さをはかってみたところ9キロしかありませんでした。この場合に

は、買主は売主に対して、たとえば相当な期間として1週間後と定めて、不足分の1キロの米を持ってくるように催告することができます。しかし、1週間後までに不足分が届けられなかった場合に、1キロ分の350円の減額を請求できます。これが買主の代金減額請求権です。

　ただし、追完の催告をしないでも代金減額請求ができる場合があります。それは、

① 履行の追完が**不能**であるとき
② 売主が履行の追完を**拒絶する意思を明確に表示**したとき
③ 契約の性質または当事者の意思表示により、**特定の日時または一定の期間内**に履行をしなければ契約をした目的を達することができない場合において、売主が履行の追完をしないでその**時期を経過した**とき
④ ①〜③に掲げる場合のほか、買主が催告をしても履行の追完を受ける**見込みがない**ことが**明らか**であるとき

の4つの場合です。これらは、追完の催告をしたとしても、追完される可能性がない場合ですから、**無催告**で代金減額請求できます（2項）。

　また、不適合が、買主Bの責めに帰すべき事由によるものであるときは、代金減額請求はできません（3項）。

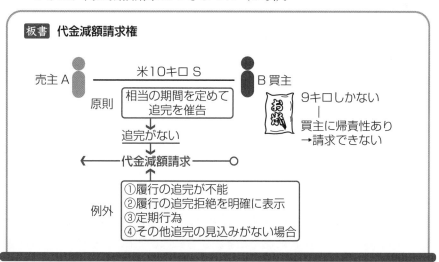

板書 **代金減額請求権**

売主A　　米10キロ S　　B買主

原則　相当の期間を定めて追完を催告

9キロしかない
｜
買主に帰責性あり
→請求できない

追完がない

←代金減額請求──○

例外
①履行の追完が不能
②履行の追完拒絶を明確に表示
③定期行為
④その他追完の見込みがない場合

ⓒ　買主の損害賠償請求権（564条・415条）

　引き渡された目的物が種類、品質または数量に関して契約の内容に適合しないものであるときは、買主は、売主に対して**損害賠償請求**できます（564条、415条）。この損害賠償請求は、契約に適合する債務の履行をしなかったという債務不履行を理由とする損害賠償請求です。したがって、債務不履行の一般規定である415条によって処理されます。

　損害賠償の範囲は、契約に適合した履行がされれば買主が受けた利益（履行利益）です。また、売主に帰責性がなければ損害賠償請求は認められません。

ⓓ　買主の契約解除権（564条・541条・542条）

　引き渡された目的物が種類、品質または数量に関して契約の内容に適合しないときは、**契約を解除**できます。その場合には、解除の一般原則となる541条、542条に従って処理されます。したがって、解除する場合には、あらかじめ催告をするのが原則ですが、例外的に催告が不要とされる場合もあります。

　以上の権利が、売主の契約不適合責任ということになります。

　ただし、目的物の**種類・品質（数量に関する契約不適合は除かれます）**に関する契約不適合の場合、買主は、契約不適合があったことを**知った時から１年以内**に、不適合があったことを**売主に通知**しなければなりません。通知しないと、これらの権利を失います（566条）。

　これに対し、数量に関する契約不適合の場合には、一般的な消滅時効の規定に従い、その行使が制限されます。

　このように、種類・品質の場合と、数量の場合で違いがあるのは、種類・品質については、目的物を引渡すことにより、売主が「やるべきことはやった」、「履行が終了した」と思っていること（期待したこと）を保護しようとしたことや、目的物は日々劣化するため、履行時にあった瑕疵の有無や程度の判断が日々困難になること、さらには、法律関係を早期に安定さ

せることにあるとされます。これに対し、数量については、「不足」は明白で、不足があるのに履行が終わったとは考えないことや、数量不足の判断が早期に困難になることもないので、この条文は適用しないこととされています。

レジュメ　契約不適合責任

	行使方法	帰責事由	
		買主	売主
追完請求権	原則：選択権は買主	帰責事由ありなら認められない	不要
	例外：買主に不相当な負担を課するものでないときは選択権は売主		
代金減額請求権	原則：追完の催告から相当期間経過後	帰責事由ありなら認められない	不要
	例外：無催告で減額請求できる場合 ①履行の追完が不能 ②履行の追完拒絶を明確に表示 ③定期行為 ④その他追完の見込みがない場合		
損害賠償請求権	損害賠償の範囲は履行利益	——	必要
解除権	意思表示	帰責事由ありなら認められない	不要

※目的物の種類・品質に関する契約不適合の場合、不適合を知った時から1年以内に不適合の事実を売主に通知しなければその権利を失います。

（e）権利に関する契約不適合責任（565条）

　権利に関する契約不適合には、ⓐ権利が契約の内容に適合しない場合と、ⓑ権利の一部が他人に属する場合に、その権利の一部を移転しない場合があります（565条）。

ⓐ 権利が契約の内容に適合しない場合の例

＜事例で理解＞

　Ａが自己所有の土地をＢに売却しました。ところが、その土地上にはＣの地上権が設定されていて、自由に使えなかったという場合です。

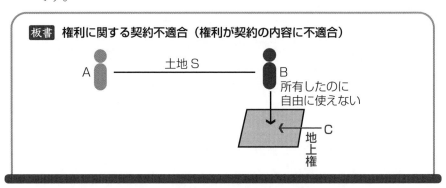

板書 **権利に関する契約不適合（権利が契約の内容に不適合）**

ⓑ 権利の一部が他人に属する場合の例

＜事例で理解＞

　Ａが自己所有の土地をＢに売却しました。ところが、その土地のうち一部はＣ所有の土地だったという場合です（なお、全部他人物の場合には、債務不履行の一般規定によって処理され、本条は適用されません）。

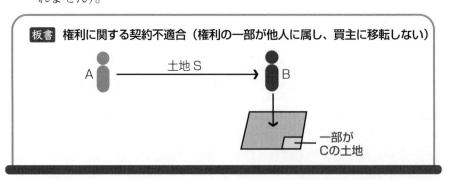

板書 **権利に関する契約不適合（権利の一部が他人に属し、買主に移転しない）**

　権利に関する契約不適合の場合には、目的物の種類・品質・数量に関する契約不適合と同様、買主は、**追完請求権**、**代金減額請求権**、損

害賠償請求権、解除権を行使できます。ただし、１年以内に売主に通知しないと権利を失うというような期間制限はありません。

（ f ）その他の規定

　上記の他、いくつかのルールが設定されています。

ⓐ　目的物の滅失についての危険の移転（567条）

　原則として、売買の目的として特定した物が、当事者双方のどちらのせいでもなく滅失・損傷した場合には、危険は、目的物の引渡しによって、売主から買主に移転します。したがって、その後、買主は、履行の追完請求権、代金減額請求権、損害賠償請求権、解除権を失います（１項）が、引渡後の滅失・損傷が、売主の責めに帰すべき事由による場合は、買主は権利を失いません。

　さらに、買主の受領遅滞（売主が契約の内容に適合する目的物を引き渡したのに、買主がその履行の受領拒否し、または、受領不能になった）の場合には、その履行の提供があった時以後に当事者双方の責めに帰することができない事由によって、目的物が滅失・損傷した場合にも買主は履行の追完請求権、代金減額請求権、損害賠償請求権、解除権を失うことになります（２項）。

ⓑ　競売における特則（568条）

　買主が、強制執行における競売の買受人であるときには、数量や権利に関する不適合があった場合は、売主に対して、契約の解除または代金減額請求できます（１項）。ただし、追完請求や、損害賠償請求はできません。

　種類・品質に関する不適合があった場合には、買主は契約の解除も代金減額請求もできません（４項）。

ⓒ　債権の売主（債権譲渡人）の責任（569条）

　債権が譲渡された場合に、債権の売主が、債務者の資力について責任を持つことを約束した場合には、もし債務者が弁済できなくても、債権の売主が担保責任を負います。

　単に債務者の資力を担保したときは、契約時における資力を、将来

の資力を担保したときは弁済期における資力を担保したものと推定されます（569条）。つまり、債務者に弁済する資力がなければ、債権者が債務者に代わって弁済しなければなりません。

② 買主の義務・権利

> **レジュメ** 買主の義務・権利
>
> （a）代金の支払い
> （b）物の引渡し以降の利息の支払い
> （c）代金支払拒絶権

（a）代金の支払い

売買の目的物の**引渡し**について**期限**があるときは、代金の**支払い**についても**同一の期限**を付したものと推定されます（573条）。

売買の目的物の引渡しと同時に代金を支払うべき時は、その引渡し場所において支払いをしなければなりません（574条）。

（b）物の引渡し以降の利息の支払い

売買の目的物の引渡しを受けた後、代金を支払うまでの利息を支払う必要があります（575条2項）。

（c）代金支払拒絶権

買主が代金の支払いを拒むことができる場合があります。

ⓐ 目的物に対して、**権利を主張する者がいる場合**（576条）

ⓑ 目的物である不動産に、契約の内容に適合しない**先取特権・質権・抵当権が存在する場合**（577条）

買主は、抵当権消滅請求手続の完了までは代金支払いを拒絶できます。

買主が代金支払いを拒絶した場合には、売主は買主に対して代金の供託を請求できます（578条）。つまり、自分には払わなくてもいいから、供託所に代金を置いておいてくださいということです。

第7編　第1章　確認テスト

問1　贈与契約は、片務契約、無償契約、要物契約である。

問2　書面によらない贈与契約は、当事者は自由に解除できる。

問3　負担付贈与の場合、贈与者は、その負担の限度において、売主と同じく担保の責任を負う。

問4　売買契約が締結される際に、手付が授受された場合には、相手方が履行に着手するまでは、買主はその手付を放棄し、売主は受け取った手付を返還すれば、当該契約を解除できる。

問5　手付授受の目的を定めていなければ、違約手付と推定される。

問6　売主は、買主に対し、登記、登録その他の売買の目的である権利の移転についての対抗要件を備えさせる義務を負う。

問7　一部が他人の所有である物を売買契約の目的とすることはできるが、全部が他人の所有である物は売買契約の目的とすることはできない。

問8　引き渡された目的物が種類、品質または数量に関して契約の内容に適合せず、その不適合が買主の責めに帰すべき事由によるものでなければ、買主は、売主に対し、目的物の修補、代替物の引渡しまたは不足分の引渡しによる履行の追完を請求することができる。

問9 引き渡された目的物が種類、品質または数量に関して契約の内容に適合せず、その不適合が買主の責めに帰すべき事由によるものでなければ、原則として、買主は直ちに、その不適合の程度に応じて代金減額請求ができる。

問10 契約の種類・品質に不適合がある場合、買主がその不適合を知った時から1年以内にその旨を売主に通知しないときは、買主は、その不適合を理由として、履行の追完の請求、代金の減額の請求、損害賠償の請求および契約の解除をすることができず、このことに例外はない。

問11 権利に関する契約不適合の場合でも、1年以内に売主にその旨を通知しないと契約不適合責任を追及することができなくなる。

問12 売主が買主に特定物を引き渡した後、その目的物が当事者双方の責めに帰することができない事由によって滅失または損傷したときは、買主は、その滅失または損傷を理由として、契約不適合責任を追及することはできないが、代金の支払いを拒否することはできる。

解答

問1　×　贈与契約は、片務契約、無償契約、「諾成」契約です（549条）。

問2　○　書面によらない贈与に関しては、当事者は自由に解除できます（550条本文）。

問3　○　負担付贈与については、贈与者は、その負担の限度において、売主と同じく担保の責任を負います（551条2項）。

問4　×　売買契約が締結される際に、手付（買主から売主に対して金銭）が授受される場合があります。手付が授受された場合には、相手方が履行に着手するまでは、買主はその手付を放棄し、売主はその「倍額を現実に提供」すれば、一方的に売買契約を解除できます。

問5　×　手付授受の目的を定めていなければ、解約手付と推定されます（最判昭29.1.21）。

問6　○　売主は、買主が買った権利について対抗要件を備えさせる義務が発生します（560条）。動産の売買であれば引渡し、不動産の売買であれば所有権移転登記となります。

問7　×　全部他人の物であっても、一部他人の物であっても、売買契約の目的とすることはできます。この場合、売主は、その権利を有する他人からその権利を取得して、買主に移転する義務を負います（561条）。

問8　○　売主の契約不適合責任として、本問のような場合には買主の追完請求権が認められます（562条1項）。ただし、契約不適合が買主の責めに帰すべき事由によるものであるときは、買主の追完請求権は認められません（562条2項）。

問9　×　契約不適合がある場合は、買主は原則として、相当の期間を定めて履行の追完の催告をし、その期間に履行の追完がないときに、その不適合の程度に応じて代金の減額を請求することができます（563条1項）。ただし、契約不適合が買主の責めに帰すべき事由によるものであるときは、代金減額請求権は認められません（562条3項）。

7

契約各論

問10　×　買主がその不適合を知った時から1年以内にその旨を売主に通知しないときは、買主は、本問のような契約不適合責任を追及できなくなります（566条本文）。ただし、売主が引渡しの時にその不適合を知り、または重大な過失によって知らなかったときは、これらの契約不適合責任を追及できます（566条ただし書）。

問11　×　権利に関する契約不適合の場合にも、買主は、追完請求権、代金減額請求権、損害賠償請求権、解除権を行使することができます（565条）。ただし、1年以内に売主に通知しないと権利を失うというような期間制限はありません。

問12　×　売主が買主に特定物を引き渡した後、その目的物が当事者双方の責めに帰することができない事由によって滅失または損傷したときは、買主は、その滅失または損傷を理由として、履行の追完の請求、代金の減額の請求、損害賠償の請求および契約の解除をすることができません（567条1項前段）。また、この場合は、買主は、代金の支払いを拒むこともできません（567条1項後段）。

第7編
第2章　貸借型契約

契約各論

　物の貸し借りをする契約です。民法では、消費貸借、使用貸借、賃貸借の3種類が規定されています。「消費貸借」は、たとえば、お金の貸し借りのように、借りた物は使ってしまって、同じ物を返す契約です。「使用貸借」は、たとえば、友達同士でタダで漫画を貸す場合のように、物の貸し借りを無料で行う契約です。「賃貸借」は、たとえば、家賃を払ってアパートを借りるように、賃料を払って物を借りる契約です。

　これらの貸借型契約にはそれぞれ異なったルールが用意されています。この章では、それぞれのルールを見ていくことにしましょう。

1 消費貸借契約

（1）原則的な消費貸借契約

▼第587条〔消費貸借〕
　消費貸借は、当事者の一方が種類、品質及び数量の同じ物をもって返還をすることを約して相手方から金銭その他の物を受け取ることによって、その効力を生ずる。

　典型的にはお金の貸し借りです。借りたものを使うことが前提です。そして借りたものと同じ種類、品質、数量の物を返します。貸主も、貸したお金の額が返ってくればよく、貸した紙幣をそのまま返してもらおうとは思っていません。

　消費貸借は、現実に「相手方から金銭その他の物を受け取ること」で契約が成立します（**要物契約**）。「貸しましょう」「借りましょう」という意思表示だけでは契約は成立しません。実際に物を受け取ったときに義務が発生します。本来的には、貸主は貸す義務、借主は借りた物を返す義務が

発生するはずですが、貸主としては、物を引き渡したときに既に義務は果たしているので、契約成立したときには、借主が返す義務のみが発生します（**片務**契約）。この契約に利息が付いている場合には**有償契約**となり、利息がない場合には**無償契約**となります。

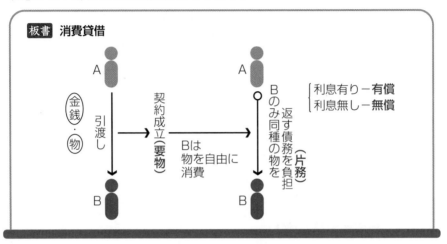

（2）諾成的消費貸借契約（書面でする消費貸借）

▼第587条の２〔書面でする消費貸借等〕
１項　前条の規定にかかわらず、書面でする消費貸借は、当事者の一方が金銭その他の物を引き渡すことを約し、相手方がその受け取った物と種類、品質及び数量の同じ物をもって返還をすることを約することによって、その効力を生ずる。

　消費貸借契約は、原則として要物契約ですが、契約書などの**書面で契約を結ぶ場合**には、「貸しましょう。」「借りましょう。」という**意思表示のみで契約が成立**します（**諾成契約**）。

　ただし、借主は貸主から金銭その他の物を受け取るまでは、契約を解除できます。つまり、諾成契約としての消費貸借契約が成立しても、借主には受け取る義務はありません（587条の２第２項前段）。受け取って初めて、返還義務が生じます。

　契約は成立している以上、契約を解除されたことで、貸主が損害を被った場合には、借主に損害賠償を請求できます（587条の２第２項後段）。

　借主が金銭その他の物を受け取る前に、当事者が破産手続開始の決定を受けた場合には、その契約は無効になります（587条の２第３項）。

（３）準消費貸借契約（588条）

　金銭その他の物を給付する義務を負う者がある場合、当事者がその物を消費貸借の目的とすることを約束した場合には、消費貸借契約が成立しているものとみなされます。

＜事例で理解＞

　ＡがＢに不動産を1000万円で売却しました。この場合、ＡはＢに売買代金債権を取得することになります。ところが、弁済期になってもＢは売買代金の準備ができなくなったため、Ａに対して「売買代金1000万円について、1000万円の貸しということにしてください」と言って、売買代金債権を貸金債権にしてもらうような場合です。この場合には、消費貸借契約が成立し、ＡのＢに対する1000万円の貸金債権が発生することになります。

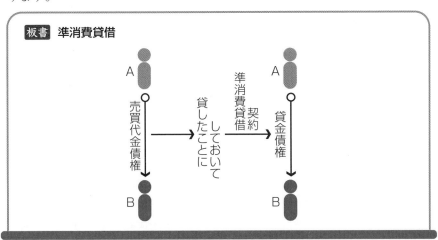

板書　準消費貸借

（4）利息（589条）

　消費貸借契約では、特に特約がなければ、無利息となります（1項）。特約がある場合には、借主が金銭その他の物を受け取った日以後の利息を請求することができます（2項）。諾成的消費貸借契約を締結しても、契約締結時からの利息は請求できないことになります。

レジュメ　利息の特約の有無		
利息の特約のない消費貸借	無利息消費貸借	無償契約
利息の特約のある消費貸借	利息付消費貸借	有償契約

2　使用貸借契約

（1）使用貸借契約の性質

▼第593条〔使用貸借〕
　使用貸借は、当事者の一方がある物を引き渡すことを約し、相手方がその受け取った物について無償で使用及び収益をして契約が終了したときに返還をすることを約することによって、その効力を生ずる。

　典型的には、タダ（無償契約）で車を貸し与えるような場合です。
　使用貸借は、貸主が「貸します」、借主が「借ります」という意思表示の合致で成立します（諾成契約）。貸主は貸す義務を負いますが、目的物を引渡した後は、借主の目的物の使用収益を許容する義務（消極的義務）を負うのみとなります。借主は目的物の引渡しを受けた後は、目的物を保管する義務や、契約が終了したら借りた物を返す義務が発生し、借主のみが積極的な義務を負うことになります（片務契約）。
　そもそも、タダで貸すということは、貸主は借主のことを強く信頼しているという関係にあるといえます。したがって、その強い信頼を裏切るような行為（たとえば、無断でまた貸しするような行為）があると解除がで

きたりします。また、タダで貸しているわけですから、貸主に負担にならないような制度設計になっています（たとえば、費用負担など）。

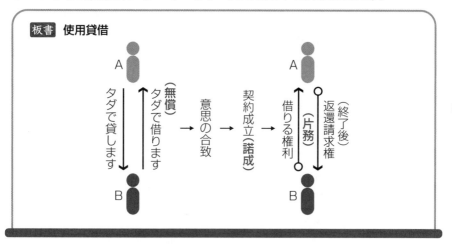

板書 使用貸借

A　タダで貸します　（無償）タダで借ります　B

→　意思の合致　→　契約成立（諾成）

A　借りる権利　（片務）（終了後）返還請求権　B

（2）借用物受取前の貸主による使用貸借の解除

使用貸借契約では、借主が借用物を受け取るまでは、契約を解除できます（593条の２本文）。そのようにしても、使用貸借はタダで貸す契約である以上、特に当事者双方に財産的なマイナスは生じないからです。

ただし、書面による使用貸借の場合には、借主が借用物を受け取っていなくても解除できません（593条の２ただし書）。

（3）借主の権利・義務

① 借用物の使用収益権（594条）

借用物の使い方や、借用物での利益の上げ方は、まずは当事者の合意で決めますが、合意がない場合には、借用物の性質によって定まった用法にしたがって使用・収益しなければなりません（１項）。

また、借主は、貸主の承諾がないと、第三者に借用物をまた貸ししたり、収益をあげさせたりできません（２項）。

１項、２項に違反した場合、貸主は契約を解除できます（３項）。

7

契約各論

② 費用の負担（595条）

（a）通常の必要費（1項）

　使用貸借はタダ貸しの契約ですから、借用物にかかる費用のうち、通常の**必要費**は**借主が負担**します。

（b）特別の必要費・有益費（2項）

　特別の必要費や**有益費**は貸主に償還請求できます。ただし、その**価格の増加が現存する場合**に限り、**貸主の選択**に従い、その**支出した金額**または**増価額**の償還を請求できます（583条2項、196条）。

③ 借主の義務

（a）善管注意義務

　借主は、目的物の保管につき、善管注意義務を負います（400条）。

（b）借用物返還義務

　借主は、借用物を受け取った後にこれに生じた損傷がある場合には、使用貸借終了時、その損傷をもとに戻し（**原状回復義務**）、貸主に返還する義務を負います（593条、599条3項本文）。その際には附属させた物の収去もできます（599条2項）。ただし、その損傷が時間の経過で生じたような、借主の責めに帰することができない事由によるときは原状回復義務を負いません（599条3項ただし書）。

（c）借主の収去義務

　借主は、借用物を受け取った後にこれに附属させた物がある場合において、使用貸借が終了したときは、その附属させた物を**収去する義務**を負います（599条1項本文）。

（具体例）建物をタダで借りている間にエアコンを取り付けたり、家具を備え付けたりした場合には、使用貸借終了時に、そのエアコンや家具は取り外さなければなりません。

　ただし、借用物から分離できない物や、分離するのに大きな費用がかかる物は、収去義務はありません（599条1項ただし書）。

（具体例）建物をタダで借りている間に壁を塗りなおしたり、断熱材を入れたりした場合には、収去する必要はありません。

（４）使用貸借契約の終了

① **返還時期を定めた場合**（597条１項）

　期間満了で終了します。

② **返還時期を定めなかった場合**（597条２項）

　使用および収益を定めたときは、借主がその目的に従って使用および収益を終えたことによって終了します。

③ **借主の死亡の場合**（597条３項）

　借主の死亡で終了します。つまり、借主に相続人がいても相続の対象になりません。貸主は、借主が「その人」だからタダで貸しているという強い信頼関係が使用貸借の貸主と借主にあります。ですので、「その人」が亡くなったら、使用貸借は終了です。

④ **解除**

（ａ）借主が借用物を受け取るまで貸主が解除できます（593条の２）。

（ｂ）返還時期を定めなかった場合（598条）

　　ⓐ　使用収益の目的を**定めた**場合（598条１項）

　　　貸主は、借主が使用収益をするのに**足りる期間**を**経過**したときは、契約を解除できます。

　　ⓑ　使用収益の目的を**定めなかった**場合（598条２項）

　　　貸主はいつでも契約を解除できます。

（ｃ）**借主**はいつでも解除できます（598条３項）。

（５）損害賠償および費用の償還の請求権についての期間の制限（600条）

　契約の本旨に反する使用または収益によって生じた損害の賠償および借主が支出した費用の償還は、貸主が返還を受けた時から**１年以内**に請求しなければならないとされています。

　また、前項の損害賠償の請求権については、貸主が**返還を受けた時から１年**を経過するまでの間は、時効は、完成しません。

3 賃貸借契約

(1) 賃貸借の意義

> ▼第601条〔賃貸借〕
>
> 　賃貸借は、当事者の一方がある物の使用及び収益を相手方にさせることを約し、相手方がこれに対してその賃料を支払うこと及び引渡しを受けた物を契約が終了したときに返還することを約することによって、その効力を生ずる。

　典型的には、お金（賃料）をもらって、アパートを貸す場合です。

　賃貸借は、貸主の「ある物を貸します（使用収益させます）」という意思表示と、借主の「賃料を払って借りて、契約終了時に返します」という意思表示が合致することで成立します（**諾成契約**）。貸主は使用収益させる義務、借主は賃料を支払う義務（**有償契約**）と、契約が終了したら借りた物を返す義務が発生します（**双務契約**）。

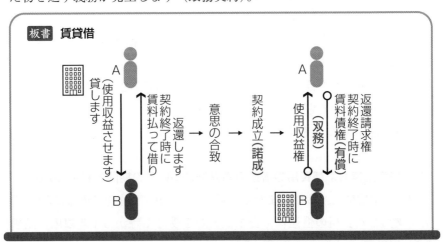

(2) 賃貸借の存続期間

① 原則（604条）

　（a）民法のルール

　　賃貸借の存続期間は**50年**を超えることはできません（1項前段）。つ

まり、最長で50年ということになります。かりに、契約で100年と定め
たとしても、50年に短縮されます（1項後段）。

この期間は更新することができます（2項本文）が、その期間は、更
新の時から50年を超えることはできません（2項ただし書）。

この趣旨は、もし、とんでもなく長期間の賃貸借契約が締結されると、
その期間、貸主はその所有物をずっと使えなくなり、所有者の権利を不
当に奪ってしまいかねないからです。そこで最長50年として、賃貸借契
約をいったん終了させ、契約を続行したければ、契約を更新し、巻きな
おさせることとしたわけです。

（b）借地借家法の規定

民法の存続期間をより確実なものとするため、生活の本拠とされるこ
との多い建物所有を目的とする土地賃借権や、建物の賃借権の存続期間
は、借地借家法で特別に長期化が図られています。

ⓐ　借地の場合

建物所有を目的とする土地賃借権を借地といいます。借地の存続期
間は最低30年です。それより長い期間を定めた場合にはその期間とな
ります（借地借家法3条）。更新でき、最初の更新は20年、その後の
更新は10年です（4条）。しかし、当事者がそれより長い期間を定め
た場合には、その期間となります。さらに、更新を拒絶する場合には、
賃貸人自身で使用する必要が生じたような正当な理由が必要です。

ⓑ　借家の場合

建物の賃貸借は当事者の契約の定めによりますが、1年未満のもの
は期限の定めのないものとみなされます（29条）。また、賃貸人から
の解約の申入れや更新拒絶には正当な理由が必要です（28条）。

② **短期賃貸借**

処分権限を有しない者が賃貸借契約を締結する場合には、短期の存続期
間が定められています（602条前段・各号）。ここで、処分権限を有しない
者とは、たとえば、不在者の財産を管理している人や、権限の定めのない
代理人、後見監督人がある場合の後見人などを指します。これらの者が行

う賃貸借も、長期の賃貸借契約が可能とすると、本来の処分権限者の権利を不当に奪うことになるからです。したがって、ここで定めた短期の期間を超えることができず、契約でこれより長い期間を定めても、これらの期間に短縮されます（602条後段）。

この期間は更新できます（603条本文）。その期間も規定されています（603条ただし書）。

レジュメ　短期賃貸借		
賃貸借の種類	**期間**	**更新**
樹木の植栽または伐採を目的とする山林の賃貸借	10年	1年以内
前号に掲げる賃貸借**以外の土地**の賃貸借	5年	
建物の賃貸借	3年	3か月
動産の賃貸借	6か月	1か月

（3）賃貸借の効力

賃貸借契約が成立すると、様々な効力が発生します。その効力に関するルールを①賃貸人の義務、②賃借人の義務、そして、③不動産賃借権における賃借人と第三者の関係、の順に見ていきましょう。

① 賃貸人の義務

レジュメ　賃貸人の義務
（a）使用・収益させる義務 （b）修繕義務 （c）費用償還義務

（a）使用・収益させる義務（601条）

目的物を賃借人にちゃんと使わせる義務です。使用・収益させる義務

です。賃貸人の最も基本的な義務です。

（ｂ）修繕義務

ⓐ　賃貸人による修繕義務（602条）

　　賃貸人は、賃貸物の使用・収益に必要な修繕をする義務を負います（606条１項本文）。賃貸人が賃貸物の保存に必要な行為をするときは、賃借人はこれを拒むことができません（606条２項）。

（具体例）ＡがＢに家を賃貸していました。ところがこの家に雨漏りが生じてしまった場合、Ａはこの家を修繕する義務があります。雨漏りの修繕はこの家の保存に必要な行為ですので、Ａが修繕したいといったときにはＢは「修繕しなくてもいいですから、帰ってください」とは言えません。つまり、Ａの修繕義務は、修繕する権利でもあります。

　　ただし、賃借人の落ち度で修繕が必要になった場合には、修繕義務はありません（606条１項ただし書）。

ⓑ　賃借人の意思に反する保存行為（607条）

　　賃貸人が賃借人の意思に反して保存行為をしようとする場合、そのために賃借人が賃借した目的を達することができなくなるときは、賃借人は、契約を解除することができます。

（具体例）ＡがＢから古民家を賃借しました。その目的は、古民家を使って雰囲気のいいカフェを営業することでした。その古民家が雨漏りや、床の傷みがあるので、全面的にリフォームすることにしました。しかし、リフォームされてしまうと、古民家でカフェを営むという目的が達成できなくなってしまいます。このような場合にはＡはＢとの賃貸借契約を解除できます。

ⓒ　賃借人による修繕（607条の２）

　　賃貸人には修繕義務がありますが、修繕が必要なのに賃貸人が修繕しないということも考えられますし、また、賃貸人の修繕を待っている時間がないという場合も考えられます。そこで、民法では、これらの場合には賃借人が修繕することができるとしました。具体的には以下の２つの場合です。

$$
\left\{
\begin{array}{l}
① \quad 賃借人が賃貸人に修繕が必要である旨を通知し、または賃貸人\\
\quad がその旨を知ったにもかかわらず、賃貸人が相当の期間内に必要\\
\quad な修繕をしないとき
\end{array}
\right.
$$

② 急迫の事情があるとき

（c）費用償還請求（608条）

賃借人が賃借物を使用収益するにあたり、さまざまな費用を支出します。賃貸人は賃借人に賃借物をちゃんと使用収益させる義務があります。したがって、この費用は本来、賃貸人が負担すべきです。そこで賃貸人は、その費用を賃借人に償還しなければなりません。

ただし、費用にも、物を保存・管理するために必要となる費用（必要費）があり、また、物の利用・改良するための費用（有益費）もあります。そこで、必要費・有益費に応じてルールを定めています。

ⓐ 必要費償還義務（1項）

賃借人が**必要費**を支出したときは、賃貸人は**直ちに**その費用を償還しなければなりません。

ⓑ 有益費償還義務（2項）

賃借人が**有益費**を支出したときは、賃貸人は**賃貸借終了の時**において目的物の**価格の増加が現存**している場合に限り、賃貸人は、その選択により、**支出された金額**か、**増価額**のいずれかを償還しなければなりません。

レジュメ	費用償還義務		
	意　義	返還時期	返還額
必要費	物を保存・管理するための費用	直ちに	全額
有益費	物の利用・改良するための費用	賃貸借終了時	支出金額 or 増価額

②　賃借人の義務

> **レジュメ**　**賃借人の義務**
>
> （a）賃料支払義務
> （b）用法順守義務
> （c）目的物保管義務
> （d）契約終了時の付属物収去義務
> （e）契約終了時の原状回復義務
> （f）契約終了時の借用物返還義務

（a）賃料支払義務

ⓐ　原則

　　賃借人が賃料を支払う義務です（601条）。

　　賃料の支払い時期につき、動産、建物および宅地については毎月末に、その他の土地については毎年末に支払う必要があります（614条本文）。ただし、収穫の季節があるものについては、その季節の後に遅滞なく支払う必要があります（614条ただし書）。

ⓑ　減収による賃料の減額請求

　　耕作または牧畜を目的とする土地の賃借人は、不可抗力で賃料より少ない収益しか得られなかったときには、その収益の額になるまでは、賃料の減額を請求できます（609条）。この場合、賃借人は、不可効力によって２年以上連続で賃料より少ない収益しか得られなかったときは、契約を解除することができます（610条）。

ⓒ　賃借物の一部滅失等による賃料の減額等

　　賃借物の一部が滅失その他の事由により使用・収益できなくなった場合、それが賃借人の責任で生じたものでないときは、賃料は、その使用・収益できなくなった部分の割合に応じて、当然に減額されます。

　　たとえば、100㎡の土地を10万円で借りていた場合に、大雨の影響で10㎡の土地ががけ崩れで崩れてしまった場合、崩れてしまった土地

が10分の1ですから、その割合で、10万円の10分の1である1万円が当然に減額されることになります。

　賃借物の一部が滅失その他の事由により使用・収益できなくなった場合、残っている部分だけでは賃借人が賃借をした目的を達成できなければ、賃借人は、契約を解除できます。

（b）用法順守義務（616条、594条1項）

　借主は、契約またはその目的物の性質によって定まった用法に従い、その物の使用および収益をしなければなりません。

（c）目的物保管義務（400条）

　目的物を返還するまでは、善良なる管理者の注意をもって賃借物を保管しなければなりません。

（d）契約終了時の附属物収去義務（622条、599条1項）

　賃借人は、賃借物を受取り後、これに附属させた物がある場合には、賃貸借が終了したときは、その附属させた物を収去する義務を負います。ただし、賃借物から分離できない物または分離に過分の費用を要する場合には、収去義務を負いません。

（e）契約終了時の原状回復義務（621条）

　賃借人は、賃借物を受取り後にこれに生じた損傷がある場合において、賃貸借が終了したときは、その損傷を原状に復する義務を負います。ただし、通常の使用・収益で生じた賃借物の損耗や、賃借物の経年経過の場合や、その損傷が賃借人の責任で生じたといえない場合には、原状回復義務はありません。

| 判　例 | 原状回復の範囲（最判平17.12.16） |

● 判　旨

　賃貸借契約では、物件が消耗することは当然に予定されています。したがって、通常損耗の原状回復義務を建物賃借人に負わせる特約は、賃借人が費用負担をすべき通常損耗の範囲が契約書に明記されているか、賃貸人が口頭で説明し、賃借人がそれを明確に認識して合意の内容としたと認められるなど、明確に合意されていなければなりません。

（ｆ）契約終了時の借用物返還義務（601条）

契約が終了したときには、賃借物を返還する義務があります。

③　不動産賃貸借における賃借人と第三者の関係

> **レジュメ**　**第三者との関係**
>
> （a）不動産賃貸借の対抗力
> （b）不動産賃貸人たる地位の移転
> （c）不動産賃借人の妨害排除請求権

（ａ）不動産賃貸借の対抗力（605条）

　ⓐ　民法上の原則

　賃借権は債権ですから、本来賃借権は賃貸人と賃借人との間の権利となります。だとすれば、特定の賃貸人以外の第三者に対して賃借権は主張できないはずです。しかし、不動産賃貸借が住居のために設定されることが多いため、その賃借権は特に保護する必要があります。そこで、賃貸人以外の者に対しても不動産賃借権を対抗できるようにするための方策が考えられました。それが登記です。**不動産賃借権は登記が第三者に対する対抗要件**です。

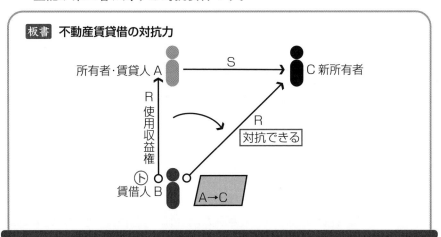

板書　**不動産賃貸借の対抗力**

ⓑ　借地借家法の特則

　民法では、不動産賃借権を登記することができますが、登記するには、賃貸人と一緒に手続きをすることが必要です。不動産賃借権を登記すると、賃借人の地位を確固たるものとしますから、賃貸人は登記したがらず、実際には不動産賃借権が登記されることは稀で、あまり機能しませんでした。そこで、借地借家法によって、**賃借人**だけで**対抗力を備える方法**が規定されました。

（借地の場合）

　建物所有を目的とする土地賃借権を借地権と呼びますが、借地権は登記がなくても、土地上に**借地権者**が**登記されている建物を所有する**ときは、借地権を第三者に対抗することができるとされました（借地借家法10条）。

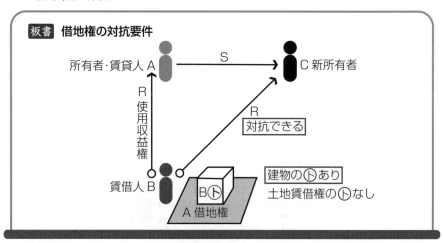

板書 **借地権の対抗要件**

所有者・賃貸人A ─── S ───▶ C 新所有者

R
使用収益権

R
対抗できる

賃借人B

建物の⑦あり
土地賃借権の⑦なし

B⑦
A 借地権

（借家の場合）

　建物の賃貸借は、その登記がなくても、**建物の引渡し**があったときは、対抗力が付与されます（借地借家法31条）。

（ｂ）不動産賃貸人たる地位の移転

　ここでは、賃貸目的物が譲渡された場合に、賃貸人の地位がどうなるのかを考えてみましょう。

<**事例で理解**>

Ｃは土地の新所有者ですが、Ａの賃貸人としての地位を引き継ぐのか
どうかが問題となります。

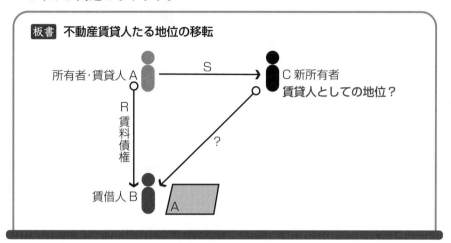

ⓐ　Ｂが賃借権について対抗要件を備えている場合

（原則）

賃貸人の地位はＣに移転します（605条の２第１項）。移転するこ
とにＢの承諾は不要です（605条の３）。なぜなら、賃貸人がＣに変
わったとしても、Ｂは引き続き賃借不動産を使用収益でき、賃料もそ
のまま払えばよく、Ｂに不利益はないからです。

<**事例で理解**>

ただし、ＣがＢに賃貸人の地位を主張して賃料を請求するためには、
賃貸不動産について所有権移転登記をしなければなりません（605条
の２第３項）。

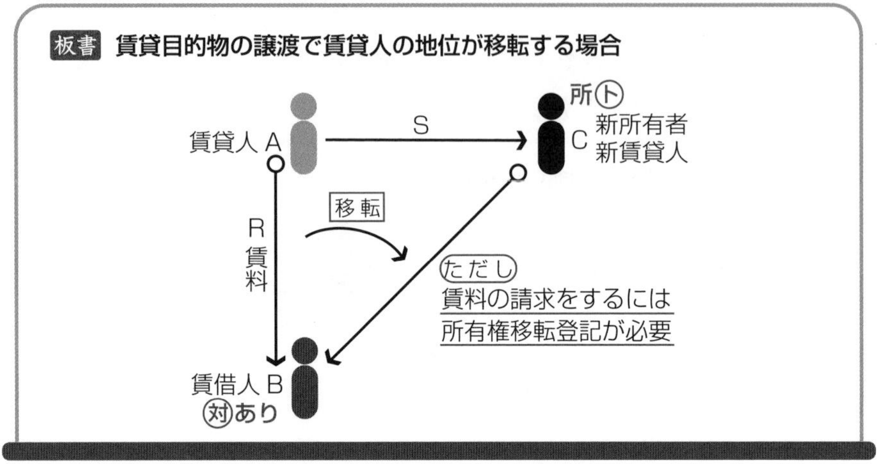
板書
賃貸目的物の譲渡で賃貸人の地位が移転する場合
所㋣
賃貸人 A
S
C 新所有者
新賃貸人
移転
R
賃料
ただし
賃料の請求をするには
所有権移転登記が必要
賃借人 B
対あり

（例外）

＜事例で理解＞

AC 間で、そのまま A を賃貸人にしておく（留保）という合意をし、かつ、当該不動産を C が A に賃貸するという合意をしたときは、賃貸人の地位は C に移転せず、A がそのまま賃貸人となります。この場合、C が賃貸人、A が賃借人かつ転貸人、B が転借人となります。その後、AC 間の賃貸借契約が終了した場合、A の賃貸人の地位が C に移転し、以後は BC 間の賃貸借契約のみが残ります。

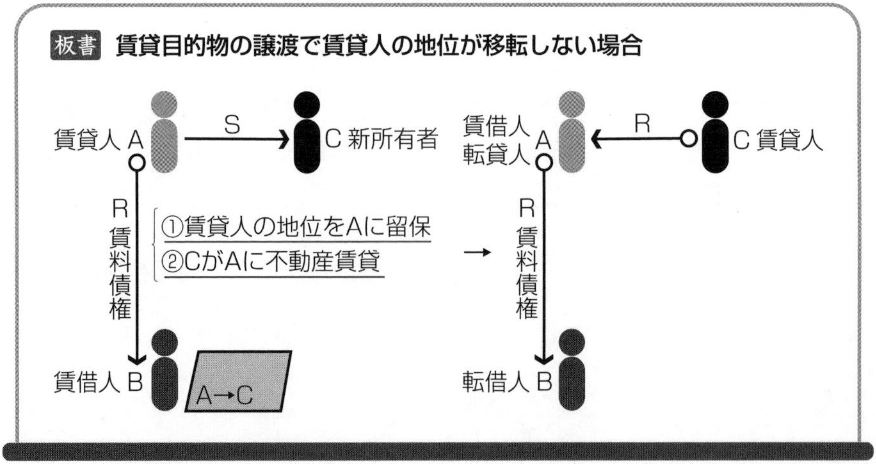
板書
賃貸目的物の譲渡で賃貸人の地位が移転しない場合
賃貸人 A
S
C 新所有者
R
賃料債権
①賃貸人の地位をAに留保
②CがAに不動産賃貸
賃借人 B
A→C
賃借人
転貸人 A
R
C 賃貸人
R
賃料債権
転借人 B

7

契約各論

ⓑ　Bが賃借権について対抗要件を備えていない場合

　　AがCとの合意によって、賃貸人の地位を移転することはできます（605条の３前段）。この場合にも賃借人の同意は不要です。

　　さらにAC間に賃借権を存続させる合意がなければ、賃借人BはCに対して賃借権を対抗することはできません。

（ｃ）第三者が目的物の使用・収益を妨害する場合

ⓐ　Bが賃借権について対抗要件を備えている場合

　　Bは不動産賃借権に基づき、Cに対して妨害の停止を請求できます（605条の４第１号）。Cが目的不動産を占有している場合には、返還請求できます（605条の４第２号）。

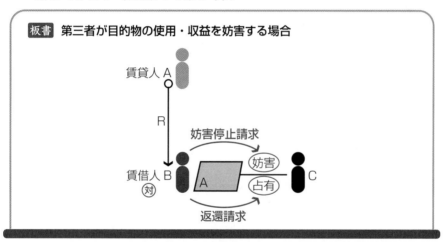

板書　**第三者が目的物の使用・収益を妨害する場合**

ⓑ　Bが賃借権について対抗要件を備えていない場合

　　目的物の占有を有していた場合には占有訴権ができます。

　　占有訴権を行使しない場合には、Aに対する使用収益請求権を被保全権利として、AのCに対する所有権妨害排除請求権の代位行使ができます。

④　**賃借権の譲渡・転貸**

　賃貸人の地位の移転と異なり、賃借人が賃借権を譲渡したり、賃借物を又貸ししたりする場合についてみていきましょう。

（a）承諾ある譲渡・転貸（612条1項）

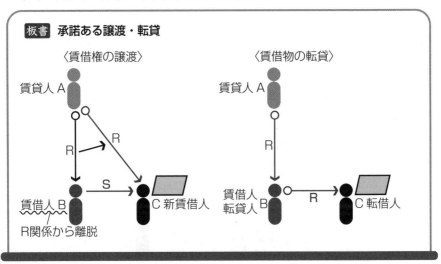

ⓐ　譲渡

　　Bは賃貸借関係から離脱します。Cが賃借人となり、AC間で賃貸借契約が形成されます。

ⓑ　転貸

　　AB間の賃貸借契約は維持し、BC間で転貸借契約が成立します。

＜事例で理解＞

　　AB間では賃料10万円の賃貸借契約が締結され、BC間では賃料15万円の賃貸借契約が締結されました。この場合、直接の賃貸借契約のないAC間の関係はどうなるのでしょうか。

　　まず、CはAに対して転借権を主張できます。しかし逆に、Aは

Cに対して直接の義務は負いませんから、AはCに対して借用物の
修繕義務を負いません。修繕を請求する場合、転貸人Bを通じて行
います。ただし、BのAに対する権利を代位行使できます。

　つぎに、Cは、AB間の賃貸借契約に基づくBの賃料債務10万円を
限度として、Aに対してBCの転貸借契約に基づく賃料債務を直接履
行する義務を負います。したがって、CはAに対して10万円の賃料
支払い義務が生じます。この場合、CがBに15万円の賃料をすでに
支払っていたとしても、それを理由にAからの請求を拒むことはで
きません（613条1項）。

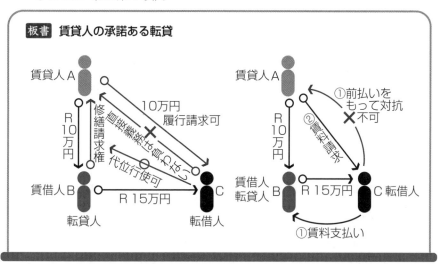

板書　**賃貸人の承諾ある転貸**

　AB間の賃貸借契約が債務不履行によって解除された場合には、A
は、Cに催告することなくBとの賃貸借契約を解除することができ
ます（最判昭37.3.29）。AがCに借用物の返還を請求した時に、Bの
Cに対する債務の履行不能により転貸借契約も終了します（最判平
9.2.25）。

　AB間の賃貸借契約が合意解除された場合には、その解除をCに対
抗できません。したがって、BC間の転貸借契約は存続します（613
条3項本文）。なぜなら、解除を対抗できるとすると、Bは転貸借の

当事者、AはBC間の転貸借を承諾していたにも関わらず、AB間の意思でBC間の転貸借関係を終了させることができることになり、それは誠実な態度とは言えないからです。ただし、解除の当時、AがBの債務不履行による解除権を有していた場合には転貸借関係も終了します（613条3項ただし書）。形式的には合意解除の形をとっていたとしても、Bには解除を拒否する余地はなく、実質的にはAの債務不履行による解除権の行使と同じと言えるからです。

（b）承諾のない譲渡・転貸（612条2項）

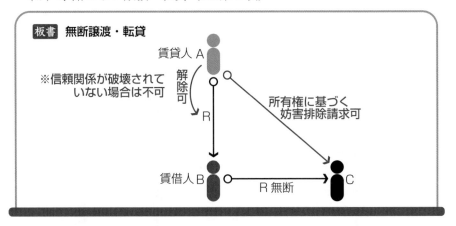

ⓐ　BC間の関係

他人物賃貸借と同様に、BはCに対してAの承諾を得る義務を負います（559条・561条）。承諾が得られなければ、CはBに対して、契約を解除することもできますし、契約に基づく損害賠償請求もできます（542条、415条）。

ⓑ　AB間の関係

AはBC間の契約にかかわらずBに賃料請求できます。無断譲渡・転貸があれば、AはBとの契約を解除できます（612条2項）。

賃貸借契約は、一定期間継続する契約ですので、契約当事者には信頼関係があることが契約の前提です。無断転貸・譲渡は、この信頼関係を損なうので、賃貸人は賃貸借契約を解除できるのが原則です。し

かし、反対に、この賃貸人と賃借人の間の信頼関係が破壊されていない場合には、契約を維持し、解除を認める必要はありません。判例は、信頼関係が維持されているような場合には、無断譲渡・転貸があっても解除権は発生しないとしました。

| 判 例 | **信頼関係破壊の法理（最判昭28.9.25）** |

● **判 旨**

賃借人が賃貸人の承諾なく第三者をして賃借物の使用収益を為さしめた場合においても、賃借人の当該行為が賃貸人に対する背信的悪意者と認めるに足りない特段の事情がある場合においては、612条2項の解除権は発生しないものと解するのを相当とする。

ⓒ AC 間の関係

BC 間の無断譲渡・転貸は、A に対抗できません。C が無断譲受人や無断転借人の場合には、A との関係では不法占拠者となり、A は C に対して所有権に基づく妨害排除請求ができます。

⑤ **敷金（622条の２）**

（a）意義

敷金とは、「賃料債務その他の賃貸借に基づいて生ずる賃借人の賃貸人に対する金銭の給付を目的とする債務を担保する目的で、賃借人が賃貸人に交付する金銭」（１項かっこ書）です。

賃貸借契約は継続的な契約ですので、契約締結後に賃料債権の他、さまざまな債権が生じる可能性があります。その将来発生するかもしれない債権の弁済を確実にするため、あらかじめ、賃借人から一定額の金銭を預かっておくのが敷金ということです。

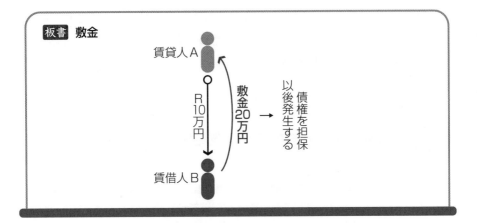

板書　敷金

賃貸人Ａ

Ｒ10万円

敷金20万円 → 以後発生する債権を担保する

賃借人Ｂ

（ｂ）敷金により担保される債務

　賃貸人は、賃借人が賃貸借に基づいて生じた金銭の給付を目的とする債務を履行しないときは、敷金をその債務の弁済に充てることができます（２項前段）。ただし、賃借人の方から、賃貸人に対して、「敷金を今月の家賃に充ててください。」というような請求はできません（２項後段）。なぜなら、賃借人にこのような請求を認めてしまうと、賃借人の方で、そうそうに敷金を債務の弁済に充てさせることで、敷金を消滅させることができてしまい、「万が一のための担保」としての意味がなくなるからです。

（ｃ）敷金の返還時期

　敷金は、以下の時期に返還する必要があります。

　ⓐ　**賃貸借が終了**し、かつ、**賃貸物の返還を受けたとき**（１項１号）。

　ⓑ　賃借人が適法に**賃借権を譲り渡したとき**（１項２号）。

（ｄ）敷金返還の範囲

　賃貸人が賃借人から受け取った敷金の額から、賃貸借に基づいて発生した賃借人の賃貸人に対する債務額を控除して、残額があればその額を返還しなければなりません（１項）。

（e）敷金の承継

　ⓐ　賃貸人が目的物を第三者に譲渡した場合

　　敷金は承継されます（605条の２第４項）。承継を認めても、Bに不
利益にはならないからです。

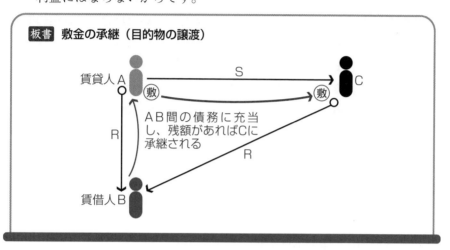

板書　敷金の承継（目的物の譲渡）

賃貸人A

S

C

敷

敷

AB間の債務に充当
し、残額があればCに
承継される

R

R

賃借人B

　ⓑ　賃借人が適法に賃借権を第三者に譲渡した場合

　　敷金は承継されません（622条の２第１項１号）。承継を認めると、
Bは賃貸借関係から離脱するにも関わらず、その敷金が新賃借人C
の債務を担保することとなり妥当とは言えないからです。

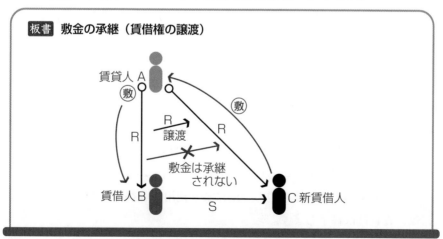

板書　敷金の承継（賃借権の譲渡）

賃貸人A

敷

敷

R

R

譲渡

R

敷金は承継
されない

賃借人B

S

C 新賃借人

（4）賃貸借の終了

①　契約期間の満了

　契約期間が定められている場合には、その期間の経過によって終了します。しかし、契約期間が定められている場合であっても、その一方または双方が期間内であっても解約できる取決めをしていた場合には、契約期間満了前でも、以下の場合のように解約の申入れをすれば、一定期間経過後に契約は終了します（618条）。

②　解約申入れ後の所定期間の経過（617条）

　契約期間が定められていない場合には、賃貸人、賃借人どちらからでも、いつでも解約の申入れができます（1項前段）。この場合には、賃貸借の目的物が何かによって、以下の期間経過で終了します。

　　　土地　　　－1年
　　　建物　　　－3か月
　　　動産・貸席－1日

③　賃貸借契約の更新の推定等

　賃貸借の期間満了後、賃借人が賃借物をそのまま使用・収益していて、それを賃貸人が知っているのに異議を述べていないときには、賃貸人自身、そのまま賃貸借契約を継続していいと思っていることがほとんどのため、**それまでの賃貸借と同一条件**で更に賃貸借を締結したと推定します（619条1項前段）。この場合には、それ以降、各当事者は上記の規定により解約の申入れができます（619条1項後段）。

④　債務不履行解除による終了

　契約の一般原則にしたがい、債務不履行がある場合には解除によって賃貸借契約が終了します。この解除には遡及効はありません。賃貸借契約の解除は将来にむかってのみ効力を生じますので（**将来効**）、いままで受け取った賃料を返還する必要はありません（620条）。

⑤　賃借物の全部滅失による賃貸借の終了（616条の2）

　賃借物の全部が滅失その他の事由により使用・収益できなくなった場合には、賃貸借は終了します。

＜事例で理解＞

　A は A 所有の建物を B に賃貸していました。ところが、地震が起こり、この建物が全壊してしまいました。この場合には、もう使用収益する目的物が存在しないわけですから、契約自体も終了することとしました。したがって、それ以降 B は賃料を払う必要もないですし、A も修繕義務を負うわけでもありません。

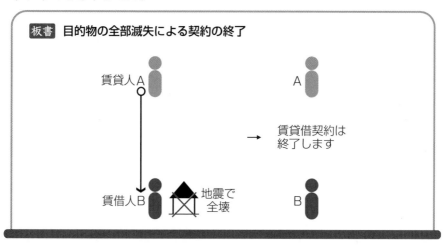

板書　**目的物の全部滅失による契約の終了**

賃貸人 A

A

→ 賃貸借契約は
終了します

賃借人 B　地震で全壊

B

問1　消費貸借契約は書面でする場合には諾成契約となるが、借主は貸主から金銭その他の物を受け取るまでは契約を解除することができる。

問2　使用貸借の貸主は借主が借用物を受け取るまでは、契約を解除することができ、それは書面による使用貸借の場合であっても同様である。

問3　使用貸借の借用物にかかる通常の必要費は借主が負担するが、特別の必要費や有益費は、その価格の増加が現存する場合に限り、借主の選択に従い、その支出した金額または増価額の償還を請求することができる。

問4　使用貸借契約の返還時期を定めなかった場合で、使用および収益を定めたときは、借主がその目的に従って使用および収益を終えたことによって、使用貸借契約は終了する。

問5　使用貸借契約の本旨に反する使用または収益によって生じた損害の賠償および借主が支出した費用の償還は、貸主が返還を受けた時から3年以内に請求しなければならない。

問6　民法上、賃貸借の存続期間は50年を超えることはできないが、更新することができ、その期間は、更新の時から30年を超えることはできない。

問7　賃貸人は、賃貸物の使用・収益に必要な修繕をする義務を負い、賃貸人は賃貸物の保存に必要な行為をするときは、賃借人はこれを拒むことができない。

問8　賃借人が必要費や有益費を支出したときは、賃貸人は直ちにその費用を償還しなければならない。

問9　借地権の対抗要件は、民法上は登記であるが、借地借家法上は借地上に借地権者が登記されている建物を所有することである。

問10　賃借人は、賃貸人の承諾を得なければ、その賃借権を譲り渡し、または賃借物を転貸することができない。

問11　賃貸人が目的物を第三者に譲渡した場合に、賃借人から賃貸人に差し入れられていた敷金は第三者に承継されない。

解答

問1　○　書面でする消費貸借は、当事者の一方が金銭その他の物を引き渡すことを約し、相手方がその受け取った物と種類、品質及び数量の同じ物をもって返還をすることを約することによって、その効力を生ずる諾成契約です（587条の2第1項）。ただし、借主は貸主から金銭その他の物を受け取るまでは、契約を解除することができます（587条の2第2項前段）。

問2　×　使用貸借の貸主は借主が借用物を受け取るまでは、契約を解除することができます（593条の2本文）。ただし、書面による使用貸借の場合には、貸主は、借主が借用物を受け取っていなくても解除はできません（593条の2ただし書）。

問3　×　使用貸借の借用物にかかる費用のうち、通常の必要費は、借主が負担することになります（595条1項）が、特別の必要費や有益費は、その価格の増加が現存する場合に限り、「貸主」の選択に従い、その支出した金額または増価額の償還を請求することができます（583条2項、196条）。

問4 ○ 使用貸借契約の返還時期を定めなかった場合で、使用および収益を定めたときは、借主がその目的に従って使用および収益を終えたことによって、使用貸借契約は終了します（597条2項）。

問5 × 使用貸借契約の本旨に反する使用または収益によって生じた損害の賠償および借主が支出した費用の償還は、貸主が返還を受けた時から「1年」以内に請求しなければならないとされています（600条1項）。

問6 × 賃貸借の存続期間は50年を超えることはできません（604条1項前段）。そして、この期間は更新することができます（604条2項本文）が、その期間は、更新の時から50年を超えることはできません（604条2項ただし書）。

問7 ○ 賃貸人は、賃貸物の使用・収益に必要な修繕をする義務を負います（606条1項本文）。賃貸人は賃貸物の保存に必要な行為をするときは、賃借人はこれを拒むことができません（606条2項）。

問8 × 賃借人が必要費を支出したときは、賃貸人は直ちにその費用を償還しなければなりません（608条1項）が、賃借人が有益費を支出したときは、賃貸人は賃貸借終了の時において目的物の価格の増加が現存している場合に限り、賃貸人は、その選択により、支出された金額か、増価額のいずれかを償還することになります（608条2項）。

問9 ○ 建物所有を目的とする土地賃借権を借地権と呼びますが、借地権は民法上の対抗要件は登記となります（605条）が、借地借家法上、登記がなくても、土地上に借地権者が登記されている建物を所有するときは、借地権を第三者に対抗することができるとされています（借地借家法10条）。

問10 ○ 賃借人は、賃貸人の承諾を得なければ、その賃借権を譲り渡し、または賃借物を転貸することができません（612条1項）。

問11 × 賃貸人が目的物を第三者に譲渡した場合に、賃借人から賃貸人に差し入れられていた敷金は第三者に承継されます（605条の2第4項）。

第3章　役務提供型契約

仕事や労務を提供する契約です。雇用、請負、委任、寄託の4種類が民法に規定されています。「雇用」は、誰かのために労働に従事する契約、「請負」は、誰かからお願いされた仕事を完成させる契約、「委任」は、誰かのために事務処理をする契約、「寄託」は、誰かから物を預かる契約です。

この章では、行政書士試験で重要な「請負」と「委任」について見ていくことにしましょう。

1　請負契約

（1）意義

> ▼第632条〔請負〕
> 　請負は、当事者の一方がある仕事を完成することを約し、相手方がその仕事の結果に対してその報酬を支払うことを約することによって、その効力を生ずる。

典型的には建物を建てる契約です。建物を建てるという仕事の完成をする者を**請負人**、それに対して報酬を支払う者を**注文者**といいます。

請負契約は、注文者が「建物を建ててくれたら報酬を払います」（**有償**契約）、それに対して請負人が「建物を建てます」という意思表示の合致で成立します（**諾成**契約）。請負人は仕事の完成義務、注文者は報酬の支払い義務が発生します（**双務**契約）。

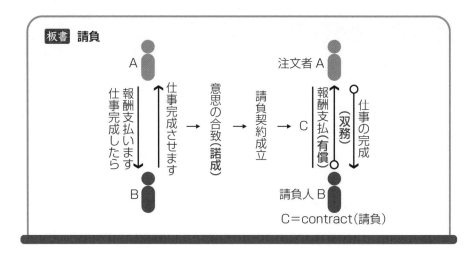

板書 請負

A　報酬支払います　仕事完成したら
仕事完成させます
→　意思の合致（諾成）　→　請負契約成立　→　C
B

注文者A
報酬支払（有償）　（双務）　仕事の完成
請負人B
C＝contract（請負）

（2）注文者の義務（報酬支払義務）

注文者は、報酬支払義務があります。報酬請求権は**契約成立時**に発生しますが、請求できる時期は債権の性質によって異なります。

まず、報酬請求の時期について特約があればそれによります。

次に、完成した目的物の引渡しが必要な場合には、報酬支払は引渡しと**同時履行**になります。

（具体例）新築住宅の建築については、建物の完成時点ではなく、建物の引渡し時が報酬請求時期になります。

さらに、完成した目的物の引渡しが不要の場合には、完成させた後に報酬支払いを請求できます。たとえば、家のリフォームを完成させてから、報酬請求ができます。つまり**後払い**が原則です（633条・624条1項）。

（3）請負人の義務

① 仕事完成義務（632条）

請負人は請負契約の取決めに従い、仕事を完成させる必要があります。ただし、請負人が仕事に着手しないときや、仕事を期日までに完成できないときは、一般的な債務不履行の規定にしたがって、契約の解除ができます（541条、542条）。

　請負人が請け負うのは仕事の完成です。仕事が完成できれば、そのやり方は問われません。したがって、請負人が請け負った仕事を他の者に請け負わせる「下請け」は自由に行うことができます。

② 完成物引渡義務

　契約の目的が物の製作である場合には、完成物を注文者に引き渡す義務が発生します。

③ 完成物の所有権

　たとえば、建物の建築請負契約の目的となる建物は、最終的には注文者が取得しますが、完成前の建物は誰の所有と言えるのでしょうか。

　特約があればそれに従って所有権が帰属しますが、特約がない場合、判例は、請負人の報酬請求権を確実にするため、以下のように解しています。

（ａ）注文者が材料の全部またはその主要部分を提供している場合には、初めから注文者に帰属します。

（ｂ）請負人が材料の全部またはその主要部分を提供している場合には、原則として、目的物の所有権はいったん請負人に帰属し、引渡しによって注文者に所有権が移転します。この場合、通常、引渡しと報酬の支払いが同時履行でなされますから、請負人が報酬を受け取れないということはなくなります。

　これに対して、完成前に注文者がすでに報酬の大半を支払っていた場合も、原始的に注文者に帰属することになります。

（４）仕事完成前の目的物の滅失・損傷の場合の処理

　（具体例）建物完成直前に、地震など、請負人のせいではなく建物が壊れてしまった場合、報酬は請求できるかが問題となります。

① 仕事の完成が可能な場合

　仕事を完成させることができるのであれば、仕事を完成させなければなりません。報酬は仕事を完成させたことに対するものですから、報酬の増額は認められません。ただし、目的物の滅失・損傷について注文者に責任があるのであれば、損害賠償の請求は可能です。

② 仕事の完成が不能な場合

　仕事を完成することができない場合には、完成できなくなった原因が請負人にあるのであれば請負人の債務不履行です。双方いずれの責任でもない場合には、報酬請求はできません（536条1項）。注文者に責任がある場合には報酬請求できます（536条2項）。

③ 注文者が受ける利益の割合に応じた報酬

　請負人が行った仕事の結果のうち、可分な部分の給付で注文者が利益を受けたときは、その部分は仕事の完成とみなします（634条前段）。

　（具体例）Aの土地にBが建物を2棟建てる建築請負契約を締結し、1棟は完成したものの、もう1棟は未完成のまま、建築請負契約が解除されてしまった場合（634条2号）、1棟分は仕事が完成したものとして、請負人は1棟分の報酬を請求できます（634条後段）。

レジュメ　**仕事完成前の目的物滅失**

帰責性	請負人に帰責性あり	注文者に帰責性あり	双方に帰責性なし
仕事完成可能	遅滞により賠償義務	注文者の賠償義務	―
仕事完成不可能	債務不履行	危険負担	
	損害賠償義務 割合報酬請求可能	報酬全額請求可能	割合報酬請求可能

（5）請負人の担保責任（契約不適合責任）

　契約不適合とは、仕事の目的物が請負契約の内容に照らして、種類・品質が適合しないことです。この場合、売買契約の契約不適合責任の規定が準用され（559条）、注文者は請負人に以下の権利を行使できます。

① 追完請求権（559条、562条）

　引き渡された目的物が種類、品質に関して契約の内容に適合しないときは、注文者は、請負人に対し、目的物の修補、代替物の引渡しによる履行の追完を請求できます（562条1項本文）。ただし、請負人は、注文者に不

相当な負担を課するものでないときは、注文者が請求した方法と異なる方法による履行の追完ができます（562条1項ただし書）。

② 報酬減額請求権（559条、563条）

引き渡された目的物が種類、品質に関して契約の内容に適合しないときは、注文者が相当の期間を定めて履行の追完の催告をし、その期間内に履行の追完がないときは、注文者は、その不適合の程度に応じて報酬の減額を請求できます（563条1項）。

ただし、以下の場合には、無催告で直ちに報酬の減額を請求できます（563条2項）。

（a）履行の**追完が不能**であるとき。

（b）請負人が履行の**追完を拒絶**する意思を明確に表示したとき。

（c）契約の性質または当事者の意思表示により、特定の日時または一定の期間内に履行をしなければ契約をした目的を達することができない場合において、請負人が履行の追完をしないでその**時期を経過**したとき。

（d）（a）〜（c）に掲げる場合のほか、注文者が前項の催告をしても履行の**追完を受ける見込みがない**ことが明らかであるとき。

契約不適合が注文者の責任による場合、注文者は報酬の減額請求はできません。

③ 損害賠償請求権（564条、415条）

債務不履行の一般原則にしたがって損害賠償請求できます。

④ 契約の解除権（564条、541条、542条）

注文者は相当の期間を定めてその履行の催告をし、その期間内に履行がないときは、注文者は、契約を解除できます。

⑤ 請負人の担保責任の制限（636条）

注文者の供した材料の性質や注文者の与えた指図で契約不適合が生じた場合には、注文者は、履行の追完請求、報酬減額請求、損害賠償請求、契約解除ができません。ただし、請負人がその材料や指図が不適当であることを知りながら告げなかったときは権利行使できます。

⑥　担保責任の存続期間（637条）

　注文者は、その不適合を**知った時から1年以内**にその旨を請負人に**通知**しなければ、注文者は、その不適合を理由として、履行の追完請求、報酬減額請求、損害賠償請求、契約解除はできません。

　ただし、目的物の引渡し時、引渡しを要しない場合には、仕事終了時に、請負人が契約不適合を知り、または重過失によって知らなかったときは適用しません。

⑦　担保責任に関する特約（559条、572条）

　請負人は、562条1項本文または565条に規定する場合における担保責任を負わない旨の特約をしても、知りながら告げなかった事実や、自ら第三者のために設定しまたは第三者に譲渡した権利については、責任を負います。

（6）請負契約の解除

　請負契約の解除については、まずは債務不履行があれば、一般の541条によって解除できます。その他、請負契約特有の解除があります。

①　注文者による契約の解除（641条）

　請負人の仕事完成前であれば、注文者はいつでも損害賠償して契約を解除できます。

　　（具体例）建築請負契約であれば、請負人は注文者が「建ててほしい」と言うから建物を建てます。しかし、注文者が「もう建物いらない！」と言っている場合にまで、建物を完成させるのは、「注文者がいらない物」を請負人に作らせることになり無駄だからです。

②　注文者について破産手続が開始された場合の解除（642条）

　注文者が破産手続開始の決定を受けたときは、請負人または破産管財人は、契約を解除できます（1項）。報酬がもらえるか分からない状況になっても、請負人に仕事をさせるのは請負人にとって大きな不利益だからです。ただし、請負人による契約の解除は、仕事完成後はできません。仕事は完成し、報酬請求権もすでに発生していて、このような不利益はないからです。

2 委任契約

（1）意義

> **▼第643条〔委任〕**
> 　委任は、当事者の一方が法律行為をすることを相手方に委託し、相手方がこれを承諾することによって、その効力を生ずる。

　典型的には不動産の売買を委託する契約です。不動産の売買を委託する者を**委任者**、委託される者を**受任者**と呼びます。

　委任契約は、委任者が「不動産を売却してください。」とお願いし、それに対して受任者が「不動産を売却します。」という意思表示の合致で成立します（**諾成契約**）。受任者は不動産を売るという事務処理義務が生じます。委任者は必ずしも報酬の支払い義務が発生するわけではありません（**片務**契約・**無償**契約）。ただし、報酬の約定がある場合に限って、受任者は委任者に報酬の支払いを請求できます（**双務契約・有償**契約）。

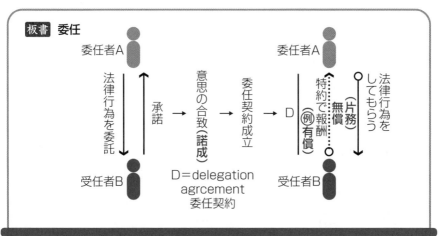

　また、法律行為でない事務の委託をする契約のことを準委任契約といいます（656条）。準委任契約にも委任契約の規定が準用されます。

　委任には、報酬の支払い時期について、事務処理の程度で報酬が発生す

る「履行割合型」と、事務処理が完成した場合に報酬が発生する「成果完成型」があります。

（2）受任者の義務

① 委任事務の処理

　受任者は、委任の本旨にしたがって、善良な管理者の注意をもって、委任された事務を処理しなければなりません（644条）。委任は、法律行為に関する事務処理をお願いするという性質上、委任者と受任者との間に厚い信頼関係が必要とされます。したがって、受任者は報酬の有無にかかわらず、**善管注意義務**が課されます。

　また、委任契約当事者には「わたしはあなたを信じているから、あなたにこの法律行為をお願いします。」という信頼関係があります。ですから、受任者は委任者から依頼された事務処理を自分自身で処理しなければなりません。復受任者の選任は原則として認められません。ただし、本人が「復受任者を選任していいよ。」と認めている場合や、受任者が急病になってしまったけれど、今、どうしても他の人にやってもらわないと委任者に損害が生じてしまう、というようなやむを得ない場合には、例外的に復受任者を選任できます（644条の2第1項）。

　ここで、代理権を有する復受任者を選任した場合には、復受任者は、委任者に対してその権限の範囲内において、受任者と同一の権利・義務を負います（644条の2第2項）。

② 付随的義務

　事務処理にあたり、受任者は以下の義務や責任を負担します。

　（a）報告義務（645条）

　　受任者は、委任者の請求があるときは、いつでも委任事務の処理の状況を報告しなければなりませんし、委任終了後は、遅滞なくその経過や結果を報告しなければなりません。

　（b）受取物の引渡し等（646条）

　　受任者は、委任事務を処理するに当たって金銭やその他の物を受け取

った場合や、果実を収取した場合には、それを委任者に引き渡さなければなりません（１項）。また、受任者は、受任者の名前で取得した権利があっても、委任者のために取得したものであれば、それを委任者に移転しなければなりません（２項）。

（ｃ）金銭消費の責任（647条）

　受任者は、委任者に引き渡さなければならないお金や、受益者の利益のために用いなければならないお金を自分のために使ってしまった場合には、使ってしまった日から後の期間の利息を支払わなければなりません。さらに、お金を渡さなかったことで損害が生じている場合には、損害賠償責任も負います。

（３）委任者の義務

①　無償委任・有償委任いずれにも認められる義務

（ａ）費用前払義務（649条）

　受任者の行う事務処理は委任者のために行いますから、事務処理にかかる費用も委任者が負担すべきものです。したがって、受任者が前払い請求してきたときには、委任者は応じなければなりません。

（ｂ）立替費用償還義務（650条１項）

　受任者は、委任事務を処理するために必要な費用を支出したときは、委任者に対し、その費用と支出後の利息の償還を請求できます。

（ｃ）債務弁済・担保提供義務（650条２項）

　受任者は、委任事務を処理するために必要な債務を負担したときには、委任者に対し、その債務の弁済を請求できます。その債務が弁済期になければ、委任者に対し、相当の担保を提供させることができます。すでに債務を弁済しなければならないことが確定しているわけですから、確実に債権回収できるようにしておくわけです。

（ｄ）損害賠償義務（650条３項）

　受任者は、委任事務を処理するため、自己には過失がないのに損害を受けたときには、委任者に対し、その損害賠償を請求できます。

② 有償委任における義務（報酬支払義務）

委任契約は、原則として無償契約ですが、報酬の特約があれば、委任者は受任者に対して報酬支払義務が発生します（648条1項）。

（a）報酬支払時期

ⓐ 履行割合型（648条2項）

受任者は、委任事務の履行後でなければ報酬請求できません（本文）が、一定期間ごとに報酬支払時期を定められます（ただし書）。

ⓑ 成果完成型（648条の2第1項）

委任事務の履行で得られる成果に対して報酬を支払う特約をした場合、その成果の引渡しが必要なときは、その成果の引渡しと同時に、報酬を支払わなければなりません。つまり、成果物の完成が先で、引渡しと報酬の支払いが同時履行の関係になります。

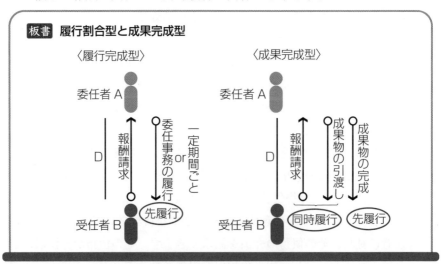

板書 履行割合型と成果完成型

〈履行完成型〉

委任者A

D

報酬請求

委任事務の履行

一定期間ごと or

受任者B

先履行

〈成果完成型〉

委任者A

D

報酬請求

成果物の引渡し

成果物の完成

受任者B

同時履行　先履行

（b）履行の中途で終了した場合の報酬請求

ⓐ 履行割合型

委任者の責任で事務処理できなくなった場合は、危険負担の債権者主義により、受任者は報酬全額を請求できます（536条2項）。

委任者の責任で事務処理できなくなったわけではない場合や、委任

が履行中途で終了した場合は、履行の割合に応じて報酬請求できます（648条3項）。

ⓑ　成果完成型

委任者の責任で事務処理できなくなった場合は、危険負担の債権者主義により、受任者は報酬全額を請求できます（536条2項）。

委任者の責任で事務処理できなくなったわけではない場合や、委任が履行中途で解除された場合は、中途までの部分を成果とみなして、受任者は委任者が受ける利益の割合に応じて報酬を請求できます（648条の2第2項、634条）。

（4）委任の終了

委任契約も契約ですから、債務不履行に基づく解除や、契約一般の終了原因があります。それに加えて、委任者と受任者との間の信頼関係で成り立つ契約という性質上、以下のような終了原因も規定されています。

①　両当事者による任意の解除

当事者の信頼関係に基づく委任契約ですから、お互いのことが信用できなくなり、信頼関係が維持できなくなった場合にまで契約を維持させるのは、当事者双方にとって負担です。そこで、委任者・受任者双方から、いつでも自由に解除できます（651条1項）。

相手方の不利な時期に解除するときは、相手方に生じた損害を賠償しなければなりません（651条2項1号）。また、委任者の利益のみならず受任者の利益のためにも委任がなされた場合に解除する場合にも、相手方に生じた損害を賠償しなければなりません（651条2項2号）。ただし、やむを得ない事由があったときは、損害賠償の必要はありません（651条2項ただし書）。

解除権は将来に向かってのみ効力を生じます（652条、620条）。

②　その他の終了原因（653条）

委任は、委任者の死亡、破産手続開始の決定、または受任者の死亡、破産手続開始の決定、後見開始の審判で終了します。

7

契約各論

③ 委任終了の通知（655条）

　委任が終了したときには、その旨を相手方に通知するかまたは相手方がこれを知っている場合でなければ、委任が終了したことを相手方に対抗できません。つまり、相手方に通知をするまでは、委任契約における義務を負い続けることになります。

第7編　第3章　確認テスト

問1　請負人の報酬請求権は契約成立時に発生するが、報酬請求の時期について特約がなく、完成した目的物の引渡しが必要な場合には、報酬支払は引渡しと同時履行となる。

問2　請負契約に下請負を禁止する特約がある場合には、請負人は下請負契約はできない。

問3　請負が仕事の完成前に解除された場合に、請負人がすでに行った仕事の結果のうち、可分な部分の給付によって注文者が利益を受けるときは、その部分は仕事の完成とみなされ完成した割合に応じて請負人は報酬を請求することができる。

問4　仕事の目的物が、請負契約の内容に照らして、種類・品質が適合しない場合には、有償契約として、売買契約の契約不適合責任の規定が準用される。

問5　注文者の供した材料の性質または注文者の与えた指図によって契約不適合が生じた場合には、注文者は、履行の追完請求、報酬減額請求、損害賠償請求、契約の解除をすることはできないが、請負人がその材料または指図が不適当であることを知りながら告げなかったときはこれらの権利を行使できる。

問6　請負人が仕事を完成する前であれば、注文者はいつでも損害賠償して契約を解除できる。

問7　委任事務を処理するについて費用を要するときは、委任者は、受任者の請求により、その前払いをしなければならない。

問8　委任契約は、特約がなくても報酬請求権は発生する。

問9　委任は、各当事者がいつでもその解除をすることができる。

問10　委任が終了したときには、その旨を相手方に通知した場合のみ、委任が終了したことを相手方に対抗することができる。

7

契約各論

解答

問1　○　請負人の報酬請求権は契約成立時に発生します（632条）。ただし、報酬請求の時期について特約がなく、完成した目的物の引渡しが必要な場合には、報酬支払は引渡しと同時履行になります（633条本文）。

問2　×　請負人が負うのは仕事の完成ですから、どのような形で仕事を完成させるか、その方法は問いません。したがって、請負人が請け負った仕事を他の者に請け負わせるといういわゆる「下請け」は自由に行うことができるとされています。ただし、特約違反（債務不履行）となり、損害賠償責任が生じることになります。

問3　◯　請負が仕事の完成前に解除された場合に、請負人がすでに行った仕事の結果のうち、可分な部分の給付によって注文者が利益を受けるときは、その部分を仕事の完成とみなされ完成した割合に応じて請負人は報酬を請求することができます（634条2号）。

問4　◯　仕事の目的物が、請負契約の内容に照らして、種類・品質が適合しない（契約不適合）場合には、有償契約として、売買契約の契約不適合責任の規定が準用されます（559条）。

問5　◯　注文者の供した材料の性質または注文者の与えた指図によって契約不適合が生じた場合には、注文者は、履行の追完請求、報酬減額請求、損害賠償請求、契約の解除をすることができません（636条本文）。ただし、請負人がその材料または指図が不適当であることを知りながら告げなかったときはこれらの権利を行使できます（636条ただし書）。

問6　◯　請負人が仕事を完成する前であれば、注文者はいつでも損害賠償して契約を解除できます（641条）。

問7　◯　委任事務を処理するについて費用を要するときは、委任者は、受任者の請求により、その前払いをしなければなりません（649条）。受任者の費用の前払請求権です。

問8　×　委任契約は無償契約ですので、報酬の特約がなければ、委任者は受任者に対して報酬を支払う義務が発生しないのが原則です（648条1項）。

問9　◯　委任は、各当事者がいつでもその解除をすることができます（651条1項）。

問10　×　委任が終了したときには、その旨を相手方に通知した場合の他、相手方がこれを知っている場合も、委任の終了を相手方に対抗できます（655条）。

第**8**編

契約に基づかない
債権の発生原因

ここからは、**契約に基づかずに債権が発生する**パターンです。

　債権・債務は、契約が原因となって発生する場合が多いのですが、法の規定によって、当然に債権・債務が発生する場合があります。

　そのような場合として規定されているのが、**事務管理・不当利得・不法行為**の3つです。

　行政書士試験で出題される民法の問題では、事例を素材とする場合が多く、その事例において、当事者間にどのような法律関係があるか読み解くことが要求されます。

　事例の読み解き方としては、

① 　当事者間に契約関係がないか

② 　物権関係はどうか

③ 　契約関係がない場合には

　　・事務管理
　　・不当利得
　　・不法行為

　　が成立しないか

の順に考えていきます。

　この3つの類型が成立するかどうかは、いずれも成立要件に照らし合わせて考えます。したがって、この3つの成立要件を正確に覚えることが大切です。

　それでは、見ていきましょう。

1 意義

事務管理とは、他人の事務を管理することです。

＜事例で理解＞

ＡとＢはお隣同士です。Ｂが旅行で留守にしている間に、台風が来て、Ｂの自宅の壁が壊れてしまいました。それを見つけたＡが、Ｂに頼まれてもいないのに、Ｂの家屋の壁を勝手に修理しました。

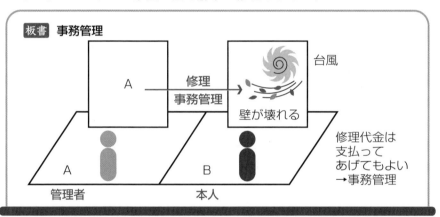

この場合、ＡＢ間で修理の請負契約があるわけではありません。また、Ｂから頼まれたわけでもありませんので、（準）委任契約とも違います。契約がない以上、Ａは修理したけれど、Ｂからは何ももらえないということになるのでしょうか。しかし、もし、何ももらえないとなると、Ａはただ「余計なお世話」をしただけになり、わざわざ人のために何かをしようとは思わなくなります。しかし、社会では多くの人が関わり合いながら、助け合いながら生活しています。誰か困っている人がいたときに、その人を助けた場合には、たとえそれが「余計なお世話」だったとしても、本人

の利益になっている分ぐらいは負担してあげてもいいんじゃないか、ということから認められたのがこの事務管理の制度です。

　これを「社会的相互扶助の理念」といったりしますが、この事務管理の基本的発想は、他人の事務を管理する義務はなくても、一度他人の事務の管理を始めた以上は、依頼された場合と同様に責任を持って事務に当たらなければなりませんが、その代わり、その費用は償還することで、お互いに助け合いながら社会生活を円滑に行うということにあります。

2　成立要件

▼第697条〔事務管理〕
　1項　義務なく他人のために事務の管理を始めた者は、その事務の性質に従い、最も本人の利益に適合する方法によって、その事務の管理をしなければならない。
　2項　管理者は、本人の意思を知っているとき、又はこれを推知することができるときは、その意思に従って事務管理をしなければならない。

レジュメ　事務管理の成立要件

　① 　法律上の義務がないこと
　② 　他人のためにする意思があること
　③ 　他人の事務を管理すること
　④ 　本人の意思および利益に合致すること

---

①　法律上の義務の不存在

　契約のように、法律上やらなければならないという義務がないことが必要です。この点、委任であれば、事務の管理は契約上の債務となります。また、親権であれば、法律の規定に基づいて他人の事務を管理する義務が生じます。したがって、事務管理ではないことになります。

② 他人のためにする意思

　事務管理が成立するためには、他人のためにする意思が必要です。事務管理意思といいます。この意思は、自己のためにする意思が併存していてもかまいません。たとえば、隣家の壁を修理しないと、自宅に崩れてきてしまうときに、それを防止するため壁を修理する場合です。

③ 他人の事務の管理

　事務管理の対象は、法律行為でも事実行為でもよいとされています。

④ 本人の意思および利益への適合

　管理者は、事務の性質に従い、最も本人の利益に適合する方法で事務管理をしなければなりません（697条1項）。また、管理者は、本人の意思を知っているとき、またはこれを推知することができるときは、その意思に従って事務管理をしなければなりません（697条2項）。

3　効果

（1）対内的効果

① 管理者の義務

　管理者は、本人またはその相続人もしくは法定代理人が管理できるまで、事務管理を継続しなければなりません（700条本文）。ただし、事務管理の継続が、本人の意思に反したり、本人の不利になることが明らかなときは、管理を継続できません（700条ただし書）。

　また、管理者は、本人への通知義務（699条）や、委任の規定が準用（701条）されることから、①報告義務、②受取物・果実の引渡義務、③取得権利の移転義務、④金銭消費の責任を負います。

　なお、管理者は、本人の身体、名誉、財産への急迫の危害を免れさせるために事務管理したときは、悪意または重過失がなければ、これによって生じた損害の賠償責任を負いません（緊急事務管理・698条）。たとえば、隣人B宅が火事になっていて、中でBが煙に巻かれているときに、ドアを破ってBを助け出した場合には、ドアを破壊したことによって生じた

損害を賠償する必要はないということです。

急迫の危害がなければ、善管注意義務を負います（698条反対解釈）。

② 本人の義務

管理者は、本人のために有益費を支出したときは、本人に償還請求できます（702条1項）。また、管理者が本人のために有益な債務を負担した場合、本人に対し、自己に代わって、その債務を弁済することを請求できます（代弁済請求・702条2項、650条2項前段）。しかし、管理者が本人の意思に反して事務管理をしたときは、本人が現に利益を受けている限度に限定されます（702条3項）。

なお、本人は、管理者に対して「費用」を弁済する必要はありますが、「報酬」を支払う義務はありません。

委任契約における受任者と、事務管理の管理者の権利義務がごちゃごちゃになりやすいので、まとめておきます。

レジュメ 委任と事務管理（違いのあるところを中心におさえましょう）

		委任契約の受任者	事務管理の管理者
権利	報酬請求権	特約があれば○（648条1項）	×
	費用前払請求権	○（649条）	×
	費用償還請求権	○（650条1項）	有益な費用のみ○（702条1項）
	代弁済請求権	○（650条2項）	有益な債務のみ○（702条2項）
	損害賠償請求権	○（650条3項）	×
義務	善管注意義務	○（644条）	緊急事務管理の場合は×（698条）
	報告義務	○（645条）	○（701条、645条）
	受領物引渡義務 権利移転義務	○（646条）	○（701条、646条）
	金銭消費の責任	○（647条）	○（701条、647条）

○：あり、×：なし

（２）対外的効果

　民法の事務管理の規定は、本人と管理者との関係を規定したものです。したがって、管理者が本人の名でした法律行為の効果は、当然に本人に及ぶものではないとされています（最判昭36.11.30）。

第8編　第1章　確認テスト

問1　事務管理が成立するためには、他人のためにする意思が必要であるが、この意思は、自己のためにする意思が併存する場合には認められない。

問2　管理者は、事務の性質に従い、最も本人の利益に適合する方法で事務管理をしなければならない。

問3　管理者は、本人のために有益費を支出したときは、本人にその償還を請求できる。

解答

問1　×　事務管理が成立するためには、他人のためにする意思が必要です。事務管理意思といいます。この意思は、自己のためにする意思が併存していてもかまいません。

問2　○　管理者は、事務の性質に従い、最も本人の利益に適合する方法で事務管理をしなければなりません（697条１項）。

問3　○　管理者は、本人のために有益費を支出したときは、本人にその償還を請求できます（702条１項）。

1　意義

　不当利得とは、正当な理由がないのに、財産的利益を得て、そのために他人が損失を受けている場合に、その利得の返還を命じる制度です。

＜事例で理解＞

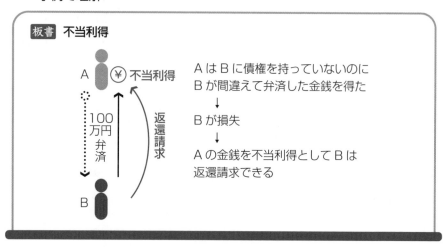

板書　不当利得

A ¥ 不当利得

100万円弁済

返還請求

B

AはBに債権を持っていないのに
Bが間違えて弁済した金銭を得た
↓
Bが損失
↓
Aの金銭を不当利得としてBは
返還請求できる

　AはBから受け取る権利がないわけですから、これをそのまま放置したら、Bにとってはいわれのない損失を被ることになります。そこで、公平の観点から、その返還を請求できる権利を認めました。

　このように、法律上の原因なくBの財産または労務によって利益を受け、そのためにBに損失を及ぼしたA（受益者）は、その利益の存する限度で、これを返還する義務を負います（703条）。これが不当利得です。

　AB間には契約はないので、契約に基づかない債権の発生原因です。

2 　成立要件（703条）

> **レジュメ**　不当利得の成立要件
>
> （１）受益者が他人の財産または労務によって利益を受けたこと
> （２）他人に損失を与えたこと
> （３）利益と損失との間に因果関係があること
> （４）法律上の原因がないこと

＜事例で理解＞

板書の例で当てはめてみると、

- （１）Ａには100万円の受益があります。
- （２）Ｂには100万円の損失があります。
- （３）Ｂの誤った弁済によって100万円の損失が生じています。
- （４）Ａが100万円を持つ法律上の根拠はありません。

Ａには不当利得が成立し、Ｂは100万円を返還請求できます。

3 　効果

> **レジュメ**　不当利得の効果
>
> 善意の受益者　　→　　現存利益の返還
> 悪意の受益者　　→　　利益全部の返還＋利息（＋損害賠償）
> 制限行為能力者　→　　現存利益の返還

受益者Ａは、不当利得の返還義務を負うわけですが、その範囲はＡが善意か悪意かで変わることになります。

＜事例で理解＞

（1）Aが善意の場合

　利得が法律上の原因を欠くことを知らなかった受益者は、現存する利益を返還すれば足ります（703条）。具体例に追加すると、よりありえないケースになりますが、Aは、すでに返してもらっていたのにそのことをうっかり忘れていたという場合です。つまり、不当利得になることを知らなかった場合です。

　この場合には民法は、Aが使ってしまう、たとえば浪費してしまっても仕方がないと考えました。より具体的に、Aが、その100万円の中の50万円を競馬などのギャンブルでスってしまったら、現在Aの手元に残っている残りの50万円だけをBに返せばよいとしています。このように、善意の受益者の返還の範囲は限定されます。

（2）Aが悪意の場合

　利得が法律上の原因を欠くことを知っていた受益者は、受け取った利益に加えて、その利息をつけて返還しなければなりません。なお損害がある場合には、その賠償もしなければなりません（704条）。たとえばAが、しめしめ儲かったなということで、不当利得になることを知っていた場合です。

　この場合には、100万円全額返すのは当然です。それに加えて利息もつけなければなりません。さらに、場合によってBに損害があれば、損害賠償も必要になります。悪意の受益者の返還の範囲は広いのです。

　以上が不当利得の原則論である703条と704条です。

（3）Aが制限行為能力者の場合

　制限行為能力者が返還する場合は、現に利益を受けている限度で返還すれば足ります（121条の2第3項後段）。たとえば、100万円の中の50万円を競馬などのギャンブルでスってしまったら、現在手元に残っている残りの50万円だけをBに返せばよいのです。

民法は、不当利得の場合にも制限行為能力者を保護しています。つまりAが制限行為能力者のときには、たとえ悪意でも、現存利益を返すだけでよいとしています。善意であれば、（1）と同じですので、121条の2第3項後段の意義は、悪意のケースです。

4 不当利得の特則

法政策上、本来ならば成立するはずの不当利得返還請求権が成立しないものとされる場合があります。これらを不当利得の特則といいます。

（1）非債弁済（705条）

＜事例で理解＞

債務の弁済として給付をした者Bは、その時において債務の存在しないことを知っていたときは、その給付したものをAに対して返還請求できません。

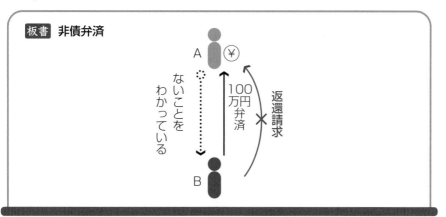

これに対して、Bに知らないことにつき過失があった場合や、強制執行を避けるためやむを得ず弁済をした場合は、Aに対して不当利得返還請求できます。

（2）期限前の弁済（706条）

＜事例で理解＞

債務者Ｂが、弁済期前に弁済した場合には、弁済として給付したものをＡに対して返還請求できません（706条本文）。なぜなら、返してもらったＡは、期限の利益の放棄がなされたと思い、給付物は自分の物として処分するのが通常ですし、これを返還させるのはかわいそうだからです。

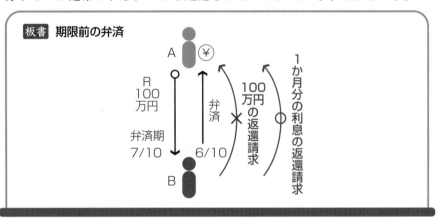

板書 期限前の弁済

ただし、債務者Ｂが錯誤によってその給付をしたときは、債権者Ａは、これによって得た利益を返還しなければなりません（706条ただし書）。つまり、ＡがＢに100万円貸していて、弁済期は1か月後だとします。ところがＢは、弁済期が到来していると勘違いして100万円＋利息を弁済しました。この場合、100万円自体は不当利得ではなく返還請求できません。しかし、1か月繰り上げて返済したのですから、1か月分の利息は返してもらえるということです。1か月1万円の利息を付していたとすれば、1万円は返してもらえるということです。

（3）他人の債務の弁済（707条）

＜事例で理解＞

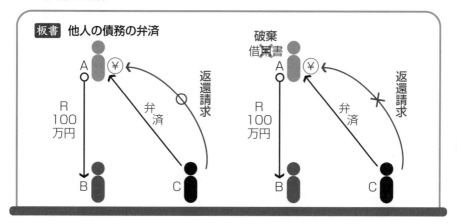

板書　他人の債務の弁済

A　¥
R
100
万円
弁済
返還請求
B　C

破棄
借用書
A　¥
R
100
万円
弁済
返還請求
B　C

　ＡがＢに100万円貸し付けている場合に、債務者でないＣが錯誤によって債務の弁済をした場合、Ｃは給付した物を返還請求できるのが原則です。

　もっとも、以下の場合は、不当利得返還請求できません（707条１項）。

①　債権者Ａが善意で証書を滅失させもしくは損傷した場合

　弁済を受けた債権者Ａが、債務者Ｂから返してもらったと思いこみ、もう借用書はいらないと思って捨ててしまった場合です。

②　担保を放棄した場合

　Ａが借金を返しもらったんだから抵当権はもういらないと思って、抵当権を放棄してしまった場合です。

③　時効で債権が消滅した場合

　Ａが返してもらったと思いこみ、時効の完成猶予の措置をとらず、時効が完成してしまった場合です。

　①②③の場合にＡが不当利得として返還請求しなければならないとすると、最終的に、債務者Ｂから弁済を受けられなくなってしまう可能性が高くなります。①の場合であれば、借用書がなければ、貸し付けの証拠がなくなってしまいます。②の場合であれば、担保を放棄したら、債務者Ｂが弁済しなくても、回収が確実にできなくなってしまいます。③の場合であ

8

契約に基づかない債権の発生原因

れば、債務者Bに消滅時効を援用されたらそれまでです。もともと弁済者Cの間違いによるものなのに、これでは、債権者Aにとって酷な結果になってしまいます。そこで、このリスクを弁済者Cに負担させることにしたのです。

　なお、弁済者Cから債務者Bに対し、「あなたの代わりに返したんだから、その分は返して！」という請求はできます（求償権・707条2項）。

（4）不法原因給付

① 意義

　不法な原因のために給付をした者は、その給付したものを返還請求できません（708条本文）。**不法原因給付**といいます。この趣旨は、「不法に手を汚した人は法は助けない」というクリーンハンズの原則を現実化したものです。

② 要件

（a）不法な原因であること

（具体例）殺人の報酬や賭博のための貸金などです。

（b）給付がなされたこと

　「給付」は、受益者に終局的な利益を与えるものでなければなりません。なぜなら、不法原因給付をできるだけ思いとどまらせ、不法原因給付を抑止すべきだからです。

（c）受益者のみの不法

　不法な原因が受益者のみにあるときは、給付したものを返還請求できます（708条ただし書）。

　　＜事例で理解＞

　賭博のためのお金を借りに来た者が、それを貸主に告げず、「何も聞かずに100万円貸してくれ」と言われて貸したような場合です。このような場合にまで、不当利得として返還請求できないのはかわいそうです。

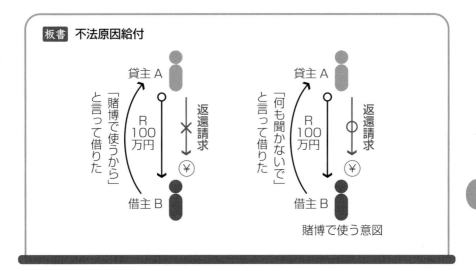

板書　不法原因給付

貸主 A

「賭博で使うから」と言って借りた

R 100 万円

返還請求　✕

借主 B

貸主 A

「何も聞かないで」と言って借りた

R 100 万円

返還請求　○

借主 B

賭博で使う意図

③　効果

（a）給付物の所有権の所在

　不法原因によって給付した物の返還請求ができないことの結果として、その物の所有権は給付された者の所有物になります（最大判昭45.10.21）。なぜなら、こうしないと、給付された者は、返還請求は拒否できるけれども、所有権はないという中途半端な状態に置かれてしまうからです。

（b）返還合意の効力

　不法原因給付の返還の特約は有効です（最判昭28.1.22）。なぜなら、708条は、受領者が保持することを正当と認めるまでの効果はないからです。

第8編　第2章　確認テスト

問1　利得が法律上の原因を欠くことを知らなかった受益者は、現存する利益を返還する必要がある。

問2　悪意の受益者は、その受けた利益のみを返還しなければならない。ただし、損害があるときは、その賠償の責任を負う。

問3　債務の弁済として給付をした者は、その時において債務の存在しないことを知っていたとしても、その給付したものの返還を請求することができる。

問4　債務者でない者が錯誤によって債務の弁済をした場合において、債権者が善意で証書を滅失させもしくは損傷し、担保を放棄し、または時効によってその債権を失ったときは、その弁済をした者は、返還の請求をすることができない。

問5　不法な原因のために給付をした者は、その給付したものの返還を請求することができないが、不法な原因が受益者についてのみ存したときは、給付したものの返還を請求することができる。

8

解答

問1　○　利得が法律上の原因を欠くことを知らなかった受益者は、現存する利益を返還する必要があります（703条）。

問2　×　悪意の受益者は、その受けた利益に「利息を付して」返還しなければなりません。この場合において、なお損害があるときは、その賠償の責任を負います（704条）。

問3　×　債務の弁済として給付（非債弁済）をした者は、その時において債務の存在しないことを知っていたときは、その給付したものの返還を請求することができません（705条）。

問4　○　債務者でない者が錯誤によって債務の弁済をした場合において、債権者が善意で証書を滅失させ、もしくは損傷し、担保を放棄し、または時効によってその債権を失ったときは、その弁済をした者は、返還の請求をすることができません（707条1項）。

問5　○　不法原因給付です。この場合、その給付したものの返還請求はできません（708条本文）。ただし、不法な原因が受益者についてのみ存したときは、返還請求できます（708条ただし書）。

1　意義

　不法行為とは、不法に他人に損害を与えた場合に、加害者（側）にその損害を賠償させる制度です。

＜事例で理解＞

　交通事故のケースが典型です。Bがわき見運転をして、通行人Aにケガをさせたとしましょう。この場合、Aの治療費などについて、被害者Aは加害者Bに対して損害賠償の請求ができます。

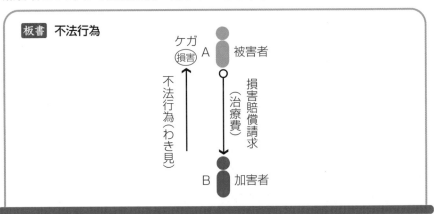

板書　不法行為

　あらかじめAB間で契約を結んでから交通事故を起こすことはないので、加害者Bと被害者Aの間には治療費などについての契約はないはずです。しかし、被害者Aの被った損害が加害者Bによって償われないのなら、明らかに不公平です。そこで、民法は、このような場合にも加害者Bと被害者Aの間に債権・債務の関係が当然に発生するものとして、治療費などの支払債務（損害賠償責任）を加害者Bに負わせました。これが不法行為の制度です。

まず一般不法行為。次に特殊不法行為。最後に効果である損害賠償について、見ていきます。

2　一般不法行為の成立要件

まず、原則となる一般不法行為です（709条）。

加害者の故意または過失による行為を原因として、加害者自らが賠償責任を負う行為です。Bがわき見運転をしてAにケガをさせたので、Bが責任を負うという例です。

> **レジュメ**　**一般不法行為の成立要件**
>
> （1）被害者に損害が発生していること
> （2）損害と加害行為との間に相当因果関係があること
> （3）加害行為が加害者の故意または過失に基づくものであること
> （4）加害行為が違法なものであること
> （5）加害者に責任能力があること

（1）被害者に損害が発生していること

権利または法律上保護される利益の侵害が行われた場合です。

（具体例）治療費が○円かかったなどです。

（2）損害と加害行為との間に相当因果関係があること

単に原因・結果という因果関係があればよいとすると、無限の連鎖になってしまいます。そこで、相当の因果関係というように、通常の原因・結果の関係が必要ということです。

（3）加害行為が加害者の故意・過失に基づくものであること

これは民法の3大原則の1つである過失責任の原則の表れです。過失責任の原則は、故意・過失がなければ損害賠償責任を負わないという原則で

したね。

　故意、つまり、あえて殴ったとか、わざと殴ったなどの場合です。喧嘩の場合は故意になります。過失、つまり不注意でという場合です。わき見運転による交通事故がわかりやすいです。

　なお、加害者の故意・過失は、**被害者側が立証**しなければなりません。**立証責任**は、債務不履行との違いの1つとして最後にまとめます。

（4）加害行為が違法なものであること

　逆に、違法でない場合には不法行為は成立しません。正当防衛や緊急避難として行われた場合は、違法とはいえません。

① 　他人の不法行為に対し、自己または第三者の権利または法律上保護される利益を防衛するため、**やむを得ず加害行為**をした場合には、**正当防衛**が成立し、その者は損害賠償の責任を負いません。ただし、被害者から不法行為者に対する損害賠償請求はできます。

　（具体例）殴りかかってこられたので、その犯人を殴ったという場合です。こういう場合は正当防衛になりますので、損害賠償責任は負わないということです。

② 　他人の物から生じた急迫の危難を避けるため、**その物**を損傷した場合には、**緊急避難**が成立し、その者は損害賠償の責任を負いません。

　（具体例）他人の飼い犬が咬みついてきたので、その犬を殴ったという場合になります。他人の飼い犬といった、**その他人の物を損傷**した場合のみです。Aの飼い犬に襲われたBが、Cの宅敷地に逃げてCのモノを壊した場合に、Bが、Cに対して損害賠償責任を負わないのは、Bの行為が（緊急避難ではなく）正当防衛に当たるからです。

（5）加害者に責任能力があること

　つまり、自己の行為が不法な行為として法律上の責任を生ずることを理解する精神能力が必要です。

　民法上の能力の1つとして、**責任能力**がないと一般不法行為は成立しません。損害賠償責任が生じることがわかるという能力がないと、本人には、

不法行為は成立しません。

　民法で決まっているわけではないのですが、目安として、判例・学説は、おおむね12歳程度の知能と考えています。小学校の６年生くらいの知能です。つまり小学校６年程度の知能があれば責任能力はあるということです。

　したがって、次のようになります。

① 　未成年者のうち責任能力のない者は、損害賠償の責任を負いません。

　（具体例）幼稚園児が友達にケガをさせたとしても、その子自身は損害賠償責任を負わないということです。この場合、代わりに、親などが負うという流れになります。

② 　精神上の障害により責任能力を欠く状態にある間に他人に加えた損害については、賠償の責任はないのが原則です（713条本文）。今度は年齢ではなく、精神障害による場合です。その障害者自身は損害賠償責任を負いません。代わりに、後見人などが負うという流れです。

　　ただし、故意または過失で一時その状態を招いた場合は、免責されません（713条ただし書）。この場合には、その本人が損害賠償責任を負い、免責させません。これを学問上**原因において自由な行為**といいます。

　（具体例）お酒を飲むと必ず病的酩酊の状態、つまり責任無能力になってしまい、必ず人を殴ってケガをさせるということが自分自身でわかっているＡがいたとします。こういうＡは、そもそもお酒を飲んではならないという注意義務があります。にもかかわらず、過失、不注意でお酒を飲んで、病的酩酊になって、人を殴ってケガをさせたとすれば、過失によって、一時的にその状態を招いた場合です。この場合のＡは、原因設定時では自由な意思があったのです。お酒を飲んではいけないと自制できたはずです。よって、実行行為時に責任無能力状態であっても無関係です。Ａに責任を負わせます。

③ 　上記①・②により加害者が免責された場合、その者を監督すべき法定の義務を負う者（親権者・後見人）が賠償する責任を負うのが原則です。監督義務者に代わって監督する者（保育士・教員・医師等）も同じ責任を負います。これが次に説明する監督義務者等の責任です。

8

契約に基づかない債権の発生原因

3 特殊不法行為

次は、Aの故意・過失で、A自身が負うというものではなく、それを修正する特殊な不法行為です。特に使用者責任が重要です。

（1）責任無能力者の監督義務者の責任（714条）

直接の加害者が**責任無能力者**であるため責任を負わない場合、その者を監督すべき法定の義務を負う者が責任を負います。ただし、監督義務者は、その義務を怠らなかったことなどを証明すれば、責任を免れます。

＜事例で理解＞

幼稚園児Bが、友達Cにケガをさせた場合です。Bは責任無能力者ですから損害賠償責任を負いません。監督義務者である親Aが責任を負うということになります。

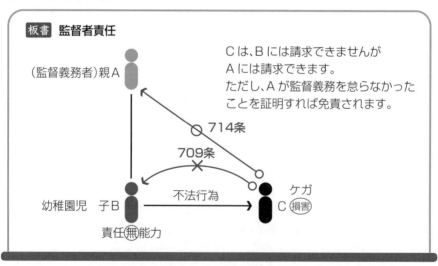

板書 **監督者責任**

（監督義務者）親A

幼稚園児　子B
責任⑩能力

不法行為

ケガ
C（損害）

Cは、Bには請求できませんが
Aには請求できます。
ただし、Aが監督義務を怠らなかった
ことを証明すれば免責されます。

714条
709条

ポイントは、免責がありうることです。親Aが、しっかりBを見ていたんだというように、義務を怠らなかったことを証明できれば、責任を免れます。これは学問上、親自身に過失はないが、無過失責任でもないという**中間責任**といわれる責任です。なお、未成年者でも**責任能力がある**場合に

は、714条は適用されず、未成年者本人が709条の責任を負います。しかし、未成年者である以上、現実には損害賠償できるとはいえず、被害者の救済として不十分です。そこで判例（最判昭49.3.22）は、親に監督義務があり、その義務違反と損害の発生の間に相当因果関係がある場合には、親は一般不法行為責任を負うとしています。

（2）使用者等の責任（715条）

ある事業のために他人を使用する者は、被用者がその**事業の執行**について第三者に加えた損害を賠償する責任を負います。ただし、使用者は、被用者の選任・監督について相当の注意をしたことなどを証明すれば、責任を免れます。それを具体例でみてみましょう。

＜事例で理解＞

Aがトラック事業を営んでおり、Bを運転手として使用しています。Aを使用者といい、Bを使用されるので被用者といいます。そのBが、わき見運転によってCにケガをさせたとします。

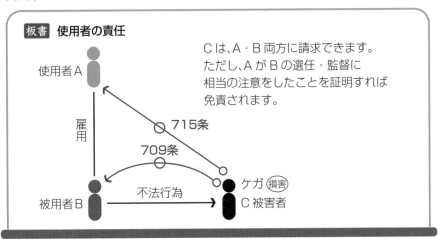

板書 使用者の責任

Cは、A・B両方に請求できます。
ただし、AがBの選任・監督に
相当の注意をしたことを証明すれば
免責されます。

使用者A

雇用

715条
709条

被用者B　不法行為　→　ケガ（損害）
C 被害者

まずBC間を見ます。すると、Bは自らの過失でCに損害を加えたのですから、当然、CはBに対して一般的不法行為の709条で損害賠償請求ができます。これは学習したとおりです。

使用者責任は、ＡＣ間の問題です。Ｃは、Ｂの使用者であるＡにも損害賠償請求ができるのです。715条１項の内容です。使用者が負う責任なので、使用者責任といいます。

Ａは１人でトラック事業をするよりも、Ｂを使用した方が、より多くの利益を得られます。だったら裏返しとして、こういう損害が生じたら、それも負うのが公平だと考えられます。これを**報償責任**（「利益の帰するところに損害も帰する」）といいます。

そして、使用者責任も中間責任というポイントになります。Ａが、しっかりＢを監督していたんだと、もし証明できれば免責されます。なお、実際の裁判では、この免責が認められることはあまりありません。できるだけ被害者を保護するためにです。

事後処理についても確認します。Ａが賠償したとします。すると、悪いのはＢですから、ＡがＢに賠償額を返せと**求償**することはできます（715条３項）。直接の加害者はＢであり、Ａは、代わりに払ったにすぎないからです。求償額は、損害の公平な分担という見地から、信義則上相当と認められる限度です（最判昭51.7.8）。折半というわけではありません。

なお、ＢがＣに賠償した場合には、上記同様の見地から、相当と認められる額をＡに求償できます（最判令2.2.28）。

（3）注文者の責任（716条）

請負人がその仕事につき第三者に損害を加えた場合は、注文または指図について注文者に過失があったときを除き、注文者は責任を負いません。

（具体例）注文者Ａが大工さんである請負人Ｂに家を建ててもらうといったケースです。家の完成はＢだけでやるわけですから、Ａが責任を負うことはないというのが原則です。ただ、大工さんがＡの指図通りに家を建てたところ、その指図がよくなかったために損害が生じたような場合は別です。

（4）土地の工作物等の占有者および所有者の責任（717条）

土地の工作物の設置または保存に瑕疵があり、それによって他人に損害

を生じたときは、第1次的に、工作物の占有者が責任を負います。

　占有者が損害の発生を防止するのに必要な注意をしたことを証明して責任を免れる場合には、第2次的に、その工作物の所有者が責任を負います。工作物の所有者のこの責任は**無過失責任**です。

　土地の工作物の具体例は、建物、家です。

＜事例で理解＞

　Aが所有する家をBに貸しました。よって、家の所有者はAです。家の占有者、つまり家に住んでいる、事実上支配しているのはBです。

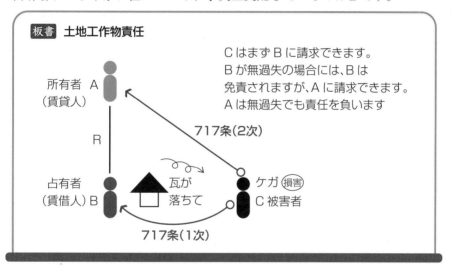

ところが、その家の屋根瓦に欠陥があって、瓦が落ちて、通行人Cにケガをさせてしまいました。

　第1次的、第2次的という順番が大事です。まず第1次的には、現実に支配しているBが損害の発生を防止しやすいだろう、つまり屋根瓦を直しやすいだろうと考えて、第1次的には占有者Bが責任を負うとしています。

　ただし、Bには免責があります。「自分は屋根瓦を直していたんだ」というように、**損害発生防止に必要な注意をしたことを証明すると免責**されます。

　この場合には、第2次的に所有者が責任を負います。そしてポイントは、

この第2次的に所有者Aが負う責任です。たとえ無過失でも責任を負うという厳しい**無過失責任**です。Aは、屋根瓦の取りつけが悪い家という危険な物を所有していたわけです。危険な物の所有者は、その物から発生した責任を負うべきという原理のことを、危険責任の原理といいます。

（5）動物の占有者等の責任（718条）

　動物の占有者またはこれに代わって動物を管理する者は、その動物が他人に加えた損害を賠償する責任を負います。ただし、動物の種類および性質に従って相当の注意をもってその管理をしたことを証明すれば、責任を免れます。

（6）共同不法行為者の責任（719条）

　数人が共同の不法行為によって他人に損害を加えた場合、または共同行為者のうち誰がその損害を加えたかわからない場合には、共同行為者（**教唆者**や**幇助者**も含む）は、各自が連帯してその損害賠償責任を負います。

　（具体例）A・B・C 3人でXを殴ったというような場合です。こういう場合のA・B・Cの責任が共同不法行為者の責任です。

　共同行為者中の誰が当該損害を加えたかがわからない場合、致命傷になったのが誰の暴行かわからないような場合でも、共同行為者は各自が全額の損害賠償責任を負います。

　ポイントは、共同行為者に教唆者や幇助者も含むということです。A・B・C 3人が殴ったという実行行為者を例にしましたが、それ以外の者もいわば同罪ということです。まず、A・B・CにXを殴れとそそのかした者を教唆者といいます。「唆」というのは「そそのかす」という字ですね。次に、A・B・Cに凶器を貸したなど、手助けした者を幇助者といいます。幇助は助けるという意味です。A・B・Cをそそのかした教唆者も、あるいはA・B・Cを手助けした幇助者も合わせて、全員が連帯して損害賠償の責任を負います。

4 効果

不法行為が成立すれば、その効果として損害賠償請求権が発生します。

（1）損害賠償請求の対象

他人の身体、自由または名誉を侵害した場合と他人の財産権を侵害した場合とを問わず、709条によって損害賠償の責任を負う者は、財産以外の損害（精神的損害に対する賠償）に対しても、その賠償をする必要があります（710条）。したがって、精神的苦痛を慰謝するという慰謝料の請求も認められます。

（2）損害賠償の方法

金銭賠償が原則です。お金でというのが原則です。

しかし、特約がある場合や法が特に定めている場合には、原状回復も認められます。

ケースによっては、お金をもらうよりも別の方法の方がよい場合もあります。民法は、原状回復が認められる例として、名誉毀損の場合を規定しています。名誉を毀損された場合には、お金よりも、名誉を回復することの方が大事です。そこで、名誉毀損の場合には、裁判所は、損害賠償に代え、または損害賠償とともに、名誉を回復するのに適当な処分を命じることができます。たとえば、謝罪広告です。事態の真相を告白し、陳謝の意を表明する広告です。

（3）過失相殺

被害者に過失があったときは、裁判所は、これを考慮して、損害賠償の額を定めることができます（722条2項）。

交通事故の例では、被害者の飛び出し事故が典型例です。被害者にも飛び出しという過失があった場合、それを考慮するのが公平だからです。

債務不履行の場合の過失相殺との違いの2点について、後で見ましょう。

（4）請求権者

誰が損害賠償の請求をすることができるかです。

> **レジュメ** 請求権者
>
> ①本人
> ②胎児
> ③父母・配偶者・子

本人は当然なので、その他の2つを押さえましょう。

民法は、**胎児**は、損害賠償請求権については、すでに生まれたものとみなす、と規定しています（721条）。権利能力に関する胎児の例外の1つで、時間の前後によるアンバランスを避けるためのものです。つまり胎児中に、父を殺されたら、生まれた後、加害者に損害賠償請求できることになります。

また、民法は、**生命侵害**の場合には、被害者の父母・配偶者・子も慰謝料を請求することができる、としています（711条）。生命侵害の場合、本人が死亡しているので、一定の近親者に請求を認めています。その死亡した人のお父さん、お母さん、夫ないしは妻、子どもということです。

（5）損害賠償請求権の発生時期

不法行為に基づく損害賠償債務は、催告を待たず、損害発生と同時に遅滞に陥るというのが判例です（最判昭37.9.4、最判昭58.9.6）。

やや難しいテーマですが、催告を待たずに、損害発生と同時、たとえば、交通事故ならその事故の時点で、すでに履行遅滞だ、という判例です。

本来、不法行為に基づく損害賠償債務は、期限の定めのない債務ですので、民法412条3項の原則からは、債務者が履行の請求を受けた時から遅滞になるはずです。つまり、催告した時点からと考えられます。

しかし、判例は、政策的理由から、損害発生と同時としています。現実には、どうしても賠償額は低く抑えられがちです。そこで、少しでも被害

者を保護するという政策的理由から、損害発生の時点から遅滞だとしたのです。そう考えれば、その時からすぐ遅延利息、遅れたという利息分も取れるので、額を多く取れるのです。理論的な理由ではありません。

（６）損害賠償請求権の消滅時効

▼第724条〔不法行為による損害賠償請求権の消滅時効〕
　不法行為による損害賠償の請求権は、次に掲げる場合には、時効によって消滅する。
　　１号　被害者又はその法定代理人が損害及び加害者を知った時から３年間行使しないとき。
　　２号　不法行為の時から20年間行使しないとき。

　不法行為による損害賠償請求権は、被害者またはその法定代理人が、**損害および加害者を知った時から３年**で時効消滅します。**不法行為の時から20年**を経過したときも時効によって消滅します（724条）。

　債権の消滅時効は、権利行使できることを**知った時から５年**、**権利行使できる時から10年**でした。これに対し、不法行為の場合、基本的には契約関係になかった者の関係なので、早期に法律関係に決着をつけたいということで、数字は３年になります。なお、最も長くても、不法行為時から20年で時効消滅します。

　３年の起算点は、被害者またはその法定代理人が、損害および加害者を知った時です。変わったポイントですが、接続詞が大切です。「または」と「および」です。被害者自身、あるいは、その法定代理人のどちらかが知れば請求できますので、これは「または」になっています。対して、損害がたとえば10万円とわかったとしても、加害者がわからなければ請求できません。逆に、加害者はわかっていても、損害がわかっていないと、やはり請求できません。よって、損害および加害者なのです。以上の厳密な理由で「または」と「および」が使われていることに注意しましょう。

> ▼第724条の2〔人の生命又は身体を害する不法行為による損害賠償請求権の
> 　　　　　消滅時効〕
> 　人の生命又は身体を害する不法行為による損害賠償請求権の消滅時効につい
> ての前条第1号の規定の適用については、同号中「3年間」とあるのは、「5
> 年間」とする。

　人の生命・身体を害する不法行為については、被害者またはその法定代
理人が損害および加害者を知った時から5年になります。

---

5 債務不履行と不法行為の比較

　ここで、横断的テーマを扱います。債務不履行と不法行為の違いについ
て、3大相違点をマスターしましょう。

＜事例で理解＞

　AがBに損害賠償請求するという例で見ます。Aが債権者、Bが債務者
です。ちなみに、不法行為の場合でいうと、債権者に当たるのが被害者で、
債務者に当たるのが加害者です。

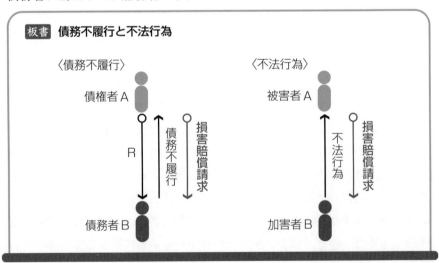

板書 債務不履行と不法行為

〈債務不履行〉　　　　　　　　　　〈不法行為〉

債権者A　　　　　　　　　　　　被害者A

R　債務不履行　損害賠償請求　　　不法行為　損害賠償請求

債務者B　　　　　　　　　　　　加害者B

（１）故意・過失の立証責任

　債務不履行の中の履行遅滞で具体的に考えます。ＡがＢからモノを買い、４月１日に配達してもらう契約だったのに、債務者Ｂが、不注意で、その期限を徒過してしまった場合です。この場合に、故意・過失の**立証責任**を負うのは**債務者**Ｂです。内容は、自分に故意・過失がないことです。よって、債務者Ｂが自分に故意・過失がないことを立証できなければ、Ｂは負けます。

　これに対して、**不法行為**の方はどうでしょうか。通常の民事訴訟の原則どおりです。民事訴訟の原則は、請求する側、主張する側に証明責任を負わせます。したがって、被害者である債権者Ａに、加害者である債務者Ｂに故意・過失があることの立証責任があります。Ｂがわき見運転で通行人Ａをケガさせたという例では、Ａが、Ｂに過失があるということの立証責任を負います。**立証責任**を負うのは**債権者**（被害者）Ａです。内容は、Ｂに故意・過失があることです。

　以上から、完全に真反対になっているのわかりますね。人も逆だし、内容も逆です。

　不法行為の方は民事訴訟の原則どおりなので、特に説明はないのですが、債務不履行の場合は、次のように考えます。債務者Ｂは本来、債務を負担しています。にもかかわらず、それを履行しなかったのだから、自分には故意・過失がないことの立証をさせるということです。

　そして、これは民事訴訟の法諺、法のことわざですが、「立証責任あるところに敗訴あり」といわれます。つまり物事を証明するのは難しいので、立証責任を負っている方が訴訟で負けやすいということです。いちおう、知っておきましょう。

（２）過失相殺の取扱い

　どちらも明文規定があるので、大切です。２点の違いになります。

　まず**債務不履行**から見ます（418条）。確かに債務者Ｂも不注意で期限を徒過しましたが、債権者Ａにも、たとえば、注文があいまいだったなどの

契約に基づかない債権の発生原因

過失があった場合です。

　債務不履行の場合、債権者に過失があったら、裁判所は、必ずそれを考慮します。**必要的な考慮**です。

　そして、損害賠償額を減らすだけではなくて、場合によって、債務不履行責任なしというように責任まで考慮できます。端的な例として、債権者の過失の方が大きい場合には、債務者に責任なしという考慮までできます。

　これに対して**不法行為**の方はどうでしょうか（722条2項）。具体例は、飛び出し事故にします。被害者である債権者Aに過失があっても、それを考慮するかどうかは裁判所の自由です。**任意的な考慮**です。考慮しても、しなくてもよいのです。そして、損害賠償額を減らすことができるだけです。被害者の方の過失が大きくても、加害者Bの不法行為責任なしという考慮はできません。

　より具体的に、飛び出し事故のケースで、過失割合が被害者3、加害者7という、3対7だったら、賠償額100万円であれば、それを70万円にすることはできるということです。

　以上2点が違います。まず、必ずやるのか、裁判所の自由なのか。さらに、責任をゼロにまでできるか否か。逆にいえば、額だけか否かということです。

　覚え方のコツですが、不法行為の場合に、被害者がかわいそうという意識を持ってもらえると覚えやすいと思います。そうすれば、被害者に過失があっても、必ず考慮されるとは限らない、つまり任意的だということ、また、加害者の責任ゼロとはせず、ただ額を減らされるだけだということ、この2点が暗記しやすいと思います。

（3）損害賠償請求権の消滅時効期間

　不法行為の場合は、先ほど見たように、被害者または法定代理人が損害および加害者を知った時から**3年**、生命・身体侵害の不法行為による損害賠償請求権については、これが**5年**となります。また、不法行為の時から**20年**です。

　これに対して、**債務不履行**の場合、明文規定はありませんので、債権の一般原則となる166条1項、167条に従うことになります。したがって、原則は、権利行使することができることを知った時から**5年**、権利行使できる時から**10年**です。また、生命・身体侵害による損害賠償請求権については権利行使できる時から**20年**です。

レジュメ　債務不履行と不法行為の比較		
	債務不履行	**不法行為**
故意・過失の立証責任	債務者に自己の故意・過失がないことの立証責任	債権者（被害者）に債務者（加害者）の故意・過失があることの立証責任
過失相殺の取扱い	必要的考慮 責任と額	任意的考慮 額のみ
損害賠償請求権の消滅時効期間	①権利行使することができることを知った時から5年 ②権利行使できる時から10年 ③生命・身体侵害による場合は権利行使できる時から20年	①被害者または法定代理人が損害および加害者を知った時から3年 ②生命・身体を害する不法行為の場合は①の時から5年 ③不法行為の時から20年

　これで、債務不履行と不法行為という横断問題対策も見て、財産法までが終わりました。1条から724条の2までです。

8

契約に基づかない債権の発生原因

問1　一般不法行為が成立するためには、加害行為が加害者の故意または過失に基づくものであることが必要であるが、加害者の故意・過失については、それがないことについて加害者が立証しなければ、不法行為責任を免れない。

問2　未成年者のうち責任無能力者は損害賠償の責任を負わない。

問3　直接の加害者が責任無能力者の場合には、その者を監督すべき法定の義務を負う者が責任を負うが、監督義務者がその義務を怠らなかったとき、またその義務を怠らなくても損害が生ずべきであったときは、責任を免れる。

問4　未成年者が責任能力を有する場合には、監督義務者の義務違反と未成年者の不法行為によって生じた結果との間に相当因果関係が認められる場合でも、714条が適用できない以上、監督義務者が不法行為責任を負うことはない。

問5　不法行為について使用者責任が成立する場合、第三者に対して損害を賠償した使用者は、不法行為を行った者に対して求償権を取得するが、その範囲は、賠償額を折半にした額である。

問6　請負契約において、請負人がその仕事につき第三者に損害を加えた場合には、注文者は無過失責任を負う。

問7　土地工作物責任については、第一次的に工作物の占有者が責任を負うが、占有者が損害の発生を防止するのに必要な注意をしたときは、所有者がその損害を賠償しなければならない。

問8　数人が共同の不法行為によって他人に損害を加えたときは、各自が分割して、その損害を賠償する責任を負う。共同行為者のうちいずれの者がその損害を加えたかを知ることができないときには、損害を賠償する責任を負わせることはできない。

問9　被害者に対する加害行為と被害者の罹患していた疾患とがともに原因となって損害が発生した場合には、裁判所はこれを考慮して損害の額を定めることができる。

8

契約に基づかない債権の発生原因

問10　人の生命・身体を害する不法行為については、被害者またはその法定代理人が損害および加害者を知った時から3年間行使しないとき、または不法行為の時から20年行使しない時には時効によって消滅する。

解答

問1　×　一般不法行為が成立するためには、加害行為が加害者の故意または過失に基づくものであることが必要です（709条）が、加害者の故意・過失については、それがあることについて被害者が立証しなければ、不法行為責任を追及できません。

問2　○　未成年者のうち責任無能力者は損害賠償の責任を負いません（712条）。

問3　○　直接の加害者が責任無能力者の場合には、その者を監督すべき法定の義務を負う者が責任を負います（714条1項本文）が、監督義務者がその義務を怠らなかったとき、またその義務を怠らなくても損害が生ずべきであったときは、責任を免れます（714条1項ただし書）。

問4　×　未成年者が責任能力を有する場合には、監督義務者の義務違反と未成年者の不法行為によって生じた結果との間に相当因果関係が認められる場合には、監督義務者につき、709条に基づく不法行為が成立します（最判昭49.3.22）。

問5　✕　使用者責任が成立し、使用者が被害者に損害を賠償した場合の不法行為者に対する求償権の範囲は、損害の公平な分担という見地から、信義則上相当と認められる限度となります（最判昭51.7.8）。折半というわけではありません。

問6　✕　注文者は、請負人がその仕事について第三者に加えた損害を賠償する責任を負いません（716条本文）。ただし、注文又は指図についてその注文者に過失があったときは、この限りではありません（716条ただし書）。

問7　○　土地工作物責任については、第一次的に工作物の占有者が責任を負いますが（717条1項本文）、占有者が損害の発生を防止するのに必要な注意をしたときは、所有者が第二次的に無過失責任を負います（717条1項ただし書）。

問8　✕　数人が共同の不法行為によって他人に損害を加えたときは、各自が「連帯して」その損害を賠償する責任を負います（719条1項前段）。共同行為者のうちいずれの者がその損害を加えたかを知ることができないときも、同様の責任を負います（719条1項後段）。

問9　○　被害者に過失があったときは、裁判所は、これを考慮して、損害賠償の額を定めることができます（722条2項）。これを過失相殺と言います。例として本問のように、被害者に対する加害行為と被害者の罹患していた疾患とがともに原因となって損害が発生した場合には過失相殺の規定が類推適用され、裁判所はこれを考慮して損害の額を定めることができます（最判平4.6.25）。

問10　✕　人の生命・身体を害する不法行為については、被害者またはその法定代理人が損害および加害者を知った時から「5年間」行使しないとき、または不法行為の時から20年行使しない時には時効によって消滅します（724条、724条の2）。

第9編

親族

　「家族」というと、親子、兄弟姉妹が真っ先に浮かびますが、ほかにも、おじいちゃん、おばあちゃん、孫、おじさん、おばさん、おいっこ、めいっこも家族と言えそうです。では、**法律上は、どこまでを家族と呼ぶので**しょうか。それを見ていきましょう。

　家族のことを民法では親族といいます。

▼第725条〔親族の範囲〕
　次に掲げる者は、親族とする。
　　１号　６親等内の血族
　　２号　配偶者
　　３号　３親等内の姻族

1　６親等内の血族

　血族とは、生理的に血がつながっている者（自然血族）と、生理的な血のつながりはないけれど、法律的に親子になった養子と養親やその血族（法定血族）を総称したものをいいます。

　親等とは、自分との家族としての近さを表す単位です。３親等より２親等。２親等より１親等が自分と近い関係を表します。たとえば、ひいおじいちゃん（３親等）より、おじいちゃん（２親等）。おじいちゃん（２親等）より親（１親等）が自分とより近い関係にあることになります。

　６親等内の血族は、どのような人を指すか。具体的な図を示してみましょう。

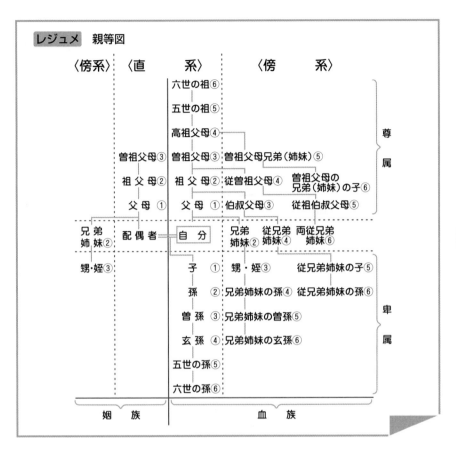

レジュメ　親等図

〈傍系〉〈直　系〉〈傍　　系〉

六世の祖⑥

五世の祖⑤

高祖父母④

曽祖父母③　曽祖父母③　曽祖父母兄弟（姉妹）⑤

祖父母②　祖父母②　従曽祖父母④　曽祖父母の
　　　　　　　　　　　　　　　　兄弟（姉妹）の子⑥

父母①　父母①　伯叔父母③　従祖伯叔父母⑤

兄弟姉妹②　配偶者　自　分　兄弟姉妹②　従兄弟姉妹④　両従兄弟姉妹⑥

甥・姪③　子①　甥・姪③　従兄弟姉妹の子⑤

孫②　兄弟姉妹の孫④　従兄弟姉妹の孫⑥

曽孫③　兄弟姉妹の曽孫⑤

玄孫④　兄弟姉妹の玄孫⑥

五世の孫⑤

六世の孫⑥

尊属

卑属

姻族　血族

9

親族

　この図において、祖父、親、自分、子、孫のように、上下につながっている関係を「**直系血族**」といいます。また、兄弟姉妹やおじ、おば、おい、めい、のように横に広がる関係を「**傍系血族**」といいます。

　自分と生理的な血のつがなりがある親族を「**血族**」、配偶者と配偶者の血族や、血のつながりのない血族の配偶者を「**姻族**」といいます。

　自分より先の世代の者を「**尊属**」、後の世代の者を「**卑属**」といいます。

　ここで注意しなければならないのは、兄弟姉妹のような傍系血族の場合には、図式上、隣にいても、直接つながっているとは考えません（1親等とは考えません）。**親を経由してつながっている**と考えます。

<事例で理解>

いったん親に上がって1親等、そこから下へおりて2親等。つまり、兄弟姉妹は2親等ということになります。

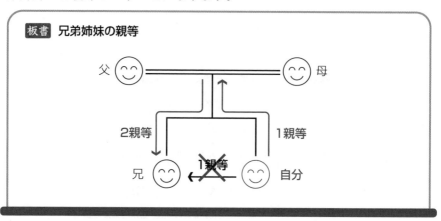

板書 兄弟姉妹の親等

父 — 母

2親等　　　1親等

兄　〜1親等〜　自分

2　配偶者

配偶者とは、血のつながりはありませんが、夫婦の関係にある者をいいます。夫婦は一体としてとらえますので、**等親のない親族**です。

3　3親等内の姻族

したがって、たとえば、自分の配偶者の親は姻族1親等、自分の配偶者の兄弟姉妹は姻族2親等、また、自分の子の配偶者は姻族1親等になります。

第9編　第1章　確認テスト

問1　親族とは、配偶者と 3 親等内の血族と姻族を言う。

問2　親族のうち、父母も兄弟姉妹も、1 親等の親族である。

問3　自分の子の配偶者は姻族 1 親等となる。

9

親
族

解答

問1　✕　親族とは、配偶者と 6 親等内の血族、3 親等内の姻族です（725条）。

問2　✕　親族のうち、父母は 1 親等（726条 1 項）、兄弟姉妹は 2 親等（726条 2 項）の親族となります。

問3　○　自分の子の配偶者は姻族 1 親等となります。

第9編
第2章　婚姻

夫婦関係は、世間では「結婚」ですが、民法では**「婚姻」**といいます。

1 婚姻の成立要件

> **レジュメ**　婚姻の成立要件
>
> ① 婚姻届の受理
> ② 婚姻意思がある
> ③ 婚姻適齢に達している
> ④ 重婚していない
> ⑤ 近親婚でない

① 婚姻届が受理されること（739条）

婚姻届は、受理によって効力を生じます（739条1項、740条）。つまり戸籍簿への記載を必要としません。

届出は、当事者双方および成年の証人2人以上が署名した書面で、またはこれらの者から口頭でしなければなりません。届出がされた場合には、市区町村長は、届出方式および婚姻の実質的要件を満たしていることを認めた後でなければ、受理できません。

② 婚姻意思があること

夫婦となろうとする場合には、その2人の間に、婚姻しようという意思（婚姻意思）が必要です。婚姻意思の内容については、**「届出する意思」**＋**「実質的な夫婦関係を設定する意思」**です（最判昭44.10.31）。つまり、届出の意思だけでは足りませんので、偽装結婚は認められません。

一方当事者による婚姻届の提出（最判昭47.7.25）

● **判　旨**

　　夫婦としての実質的生活関係が存在している場合に、一方が勝手に婚姻届を作成して提出してしまった場合でも、他方がその事実を知ってこれを追認したときには、婚姻は追認により届出のときにさかのぼって有効となる。

届出前に意識を失った場合（最判昭44.4.3）

● **判　旨**

　　婚姻届が一方当事者の意思で作成され、同人がその作成当時婚姻意思を有していて、同人と配偶者との間に事実上の夫婦共同生活関係が存続していたならば、その届書が受理されるまでに一方当事者が完全に昏睡状態に陥り意識を失っても、届書の受理以前に婚姻の意思を失う特段の事情がなければ、届書の受理で婚姻は有効に成立する。

9

親族

③　**婚姻適齢に達していること（731条）**

　男女ともに18歳になっていることが必要です。

④　**重婚でないこと（732条）**

　日本は一夫一婦制です。配偶者のある人が、さらに他の人と婚姻はできません。ここでの婚姻には、事実婚（内縁）は含まれませんので、内縁関係がある人が、他の人と婚姻することは重婚には該当しません。

⑤　**近親婚でないこと（734条〜736条）**

　法律上、近親婚とは、直系血族間、3親等内の傍系血族間、直系姻族間、直系法定血族間での婚姻をいいます。たとえば、自分のおじやおば、めいやおいは、3親等の傍系血族ですから婚姻できません。しかし、いとこ同士は4親等ですから婚姻できます。

　また、養子やその配偶者、直系卑属やその配偶者と、養親やその直系尊属との間では、親族関係の終了後も、婚姻できません。

2 婚姻の無効（742条）

> ▼第742条〔婚姻の無効〕
> 　婚姻は、次に掲げる場合に限り、無効とする。
> 　１号　人違いその他の事由によって当事者間に婚姻をする意思がないとき。
> 　２号　当事者が婚姻の届出をしないとき。ただし、その届出が第739条第２項に定める方式を欠くだけであるときは、婚姻は、そのためにその効力を妨げられない。

　婚姻が無効になるのは、この２つだけです。それ以外は、取消しの原因にはなっても、無効にはなりません。

3 婚姻の取消し

　必ず家庭裁判所に取消しを請求します。

（１）婚姻障害のある場合（744条）

　婚姻の成立要件の③婚姻適齢、④重婚でないこと、⑤近親婚でないこと、を満たさない場合には取消しを請求できます。

　ただし、不適齢者（18歳未満の者）の婚姻届が誤って受理された後、それらの者が婚姻適齢になったときには取消しを請求できません（745条１項）。その場合でも、不適齢者が、適齢に達した後３か月間は、追認をしたときを除き、婚姻の取消しを請求できます（745条２項）。

（２）婚姻が詐欺または強迫による場合（747条）

　婚姻が詐欺や強迫によって婚姻をした場合には、その婚姻の取消しを請求できます。ただし、詐欺を発見し、強迫を免れた後３か月を経過したとき、または追認したときは取消しできなくなります。

（3）取消しの効果

　身分関係は将来に向かって解消されます（748条1項）。今までの婚姻生活が最初にさかのぼって消滅するわけではありません。したがって、婚姻中に産まれた子は嫡出子としての身分を失いません。

4　婚姻の効力

（1）身分上の効力

> **レジュメ**　婚姻の身分上の効力
>
> ①　夫婦同氏
> ②　同居・協力・扶助の義務
> ③　貞操義務
> ④　夫婦間の契約取消権

9

親族

①　夫婦同氏（750条）

　夫婦は、婚姻の際に定めるところに従い、夫または妻の氏を称します。ホットなテーマとして、夫婦別姓を認めるかという問題がありますが、それがこの条文を改正するかどうかという問題です。

②　同居・協力・扶助の義務（752条）

　夫婦は一緒に暮らし、お互いに協力しあい、助け合う義務を負います。特に「扶助」の義務は、自分と同等の生活を保障することです。自分自身が生活して余裕がある場合にはじめて相手方の生活を支えられる、「扶養」よりも強い義務です。

③　貞操義務（770条1項1号）

　夫婦は互いに貞操を守らねばなりません。浮気をしない義務です。

④　夫婦間の契約取消権（754条）

　夫婦間の契約は、婚姻中いつでも夫婦の一方から取り消せます。

　（具体例）夫が妻に「この土地をあげる」と言って贈与契約を締結したとしても、夫婦間の契約はいつでも「やっぱやめた！」と言えることになります。信頼関係のある夫婦関係は、契約でがんじがらめにしなければならない関係ではないからです。

　ただし、その契約をもとに、第三者が絡んでいるような場合には、その第三者の権利を害することはできません。

　（具体例）土地をあげるといわれた妻が、その土地を友達に売却したような場合です。このような場合に、夫が自由に取り消せるとすると、土地を取得できたと喜んでいる友達を害することになるからです。

　さらに、婚姻中であっても、夫婦間の婚姻が破綻している場合には、夫婦間の契約を取り消せません（最判昭42.2.2）。

（2）財産上の効力

　夫婦の財産関係は、夫婦間で自由に契約で定めてもよいとされます（**夫婦財産契約**）が、制約が多くあまり利用されません。

　そのため、一般に夫婦の財産関係は、**法定財産制度**が用いられます。行政書士試験で押さえておかなければならないものこの部分です。

レジュメ　婚姻の財産上の効力（法定財産制）

①　費用分担
②　日常家事債務
③　夫婦別産制

---

①　費用分担（760条）

　夫婦は、婚姻から生ずる費用を、両人の資産、収入その他一切の事情を考慮して分担します。必ずしも折半というわけではありません。

　（具体例）夫が収入が多ければ、夫が払う部分は多くなるでしょうし、妻の資産

が多ければ、妻が負担する部分が多くなるでしょう。

②　日常家事債務（761条）

　夫婦の一方が日常の家事に関する第三者との取引によって債務を負担したときは、夫婦両名が連帯して弁済しなければなりません。

＜事例で理解＞

　Aが行きつけの八百屋でツケで買い物をしました。この場合、AとBは八百屋のツケを連帯して弁済しなければなりません。

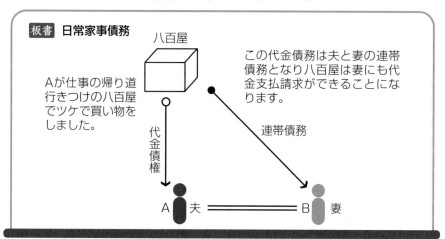

板書　日常家事債務

八百屋

Aが仕事の帰り道
行きつけの八百屋
でツケで買い物を
しました。

代金債権

この代金債務は夫と妻の連帯
債務となり八百屋は妻にも代
金支払請求ができることにな
ります。

連帯債務

A　夫　＝＝＝＝＝　B　妻

9

親族

　ただし、夫婦の一方が第三者に対し責任を負わない旨を予告した場合は、連帯責任を免れます。たとえば、上の例で、あらかじめ妻Bが八百屋に、「Aがツケでした買い物はAの買い物なので、私は支払いしません」と伝えていたような場合です。

③　夫婦別産制（762条）

　夫婦の一方が婚姻前から持っていた財産および婚姻中に自分名義で得た財産は、その者の**特有財産**（夫婦の一方が単独で有する財産）となります。どちらの財産か不明の物は、夫婦の共有と推定されます。

＜事例で理解＞

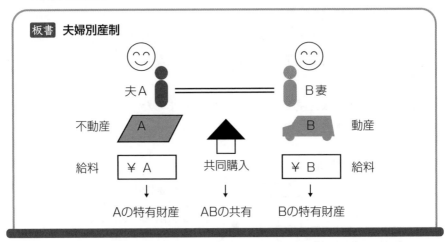

| 板書 | 夫婦別産制 |

夫A　　B妻

不動産　A　　共同購入　　B　動産

給料　¥ A　　　　　　　¥ B　給料

↓　　　　　↓　　　　　↓

Aの特有財産　ABの共有　Bの特有財産

　夫Aが稼いだ給料は夫Aのもの。妻Bが稼いだ給料は妻Bのものということです。こういうと、稼いだ給料を自分のためだけに使ってしまったら、夫婦生活が立ち行かなくなるんじゃないかと思いますよね。でも心配いりません。①で述べたように、夫婦間では、婚姻生活にかかる費用を一切の事情を考慮して負担することになりますから、仮に収入が少ない配偶者がいたとしても、夫婦生活を続けるうえで必要な費用は、収入の多い方に負担してもらうことができるからです。

第9編　第2章　確認テスト

問1　婚姻は、婚姻届が受理され、戸籍簿への記載により効力を生ずる。

問2　夫婦となろうとする場合には、婚姻意思が必要であり、婚姻意思の内容については、届出する意思で足りるとされている。

問3　婚姻適齢は、男女ともに18歳である。

問4　人違いその他の事由によって当事者間に婚姻をする意思がないときは、その婚姻は取り消すことができる。

問5　詐欺や強迫によって婚姻をした場合には、その婚姻は無効となる。

問6　夫婦間の契約は、婚姻中いつでも夫婦の一方から取り消すことができる。

問7　夫婦は、婚姻から生ずる費用について折半で負担することになる。

問8　夫婦の一方が日常の家事に関する第三者との取引によって債務を負担したときは、夫婦両名が連帯して弁済しなければならない。

問9　夫婦の一方が婚姻前から持っていた財産および婚姻中に自分名義で得た財産は、夫婦の共有財産となる。

9
親族

解答

問1　✕　婚姻届は、受理によって効力を生じます（739条1項）。つまり戸籍簿への記載を必要としません。

問2　✕　夫婦となろうとする場合には、その2人の間に、婚姻しようという意思（婚姻意思）が必要とされますが、婚姻意思の内容については、届出する意思に加えて、実質的な夫婦関係を設定する意思が必要となります（最判昭44.10.31）。

問3　○　婚姻適齢は、男女ともに18歳です（731条）。

問4　✕　人違いその他の事由によって当事者間に婚姻をする意思がないときは、その婚姻は無効となります（742条1号）。

問5　✕　詐欺や強迫によって婚姻をした場合には、その婚姻の取消しを家庭裁判所に請求できます（747条1項）。

問6　○　夫婦間の契約は、婚姻中いつでも夫婦の一方から取り消すことができます（754条）。

問7　✕　夫婦は、婚姻から生ずる費用を、両人の資産、収入その他一切の事情を考慮して分担します（760条）。必ずしも折半というわけではありません。

問8　○　夫婦の一方が日常の家事に関する第三者との取引によって債務を負担したときは、夫婦両名が連帯して弁済しなければなりません（761条）。

問9　✕　夫婦の一方が婚姻前から持っていた財産および婚姻中に自分名義で得た財産は、その者の特有財産（夫婦の一方が単独で有する財産）となります（762条）。これを夫婦別産制といいます。

　婚姻の解消原因としては、まず、一方の死亡が挙げられます。この場合、婚姻の効力は将来に向かって消滅します。婚姻で氏を変更した配偶者は、婚姻中の氏をそのまま保有することも、旧姓に戻ることもできます。生存配偶者が姻族関係を終了させる意思表示をすれば、姻族関係は終了します。

　行政書士試験で重要な解消原因は、この死亡による解消よりも、離婚が中心ですので、ここでは離婚を中心に扱います。

1　離婚の形態

　行政書士試験的に重要な婚姻の解消方法が「離婚」です。

> **レジュメ**　離婚の形態
>
> ①　協議離婚
> ②　調停・審判離婚
> ③　裁判離婚

①　協議離婚

　夫婦の協議による離婚であって、**離婚意思の合致**と**届出**によって効力を生じます。ここで離婚意思は、法律上の婚姻関係を解消する意思で足ります。つまり、離婚した後、内縁関係を継続して、実質的な夫婦を続けることを前提に離婚することも可能です。また、生活保護の受給を継続するための方便としてなされた離婚を有効とした判例（最判昭57.3.26）もあります。

②　調停・審判離婚

　家庭裁判所の調停による合意または審判によりなされる離婚です。

③　裁判離婚

　法定の原因がある場合に、夫婦の一方の離婚の訴えの提起に基づいて裁判所が認める離婚です。判決の確定によって効力を生じます。原則として、家庭裁判所の調停後でなければ、訴えは提起できません。

　協議離婚、調停・審判離婚は、当事者の意思によってその形はケースバイケースです。したがって、行政書士試験では、裁判離婚が重要となりますので、裁判離婚について掘り下げておきましょう。

2　裁判離婚（770条）

以下の①〜⑤のいずれか1つが要件となります。

> **レジュメ**　**離婚原因**
>
> ①　不貞行為
> ②　悪意の遺棄
> ③　3年以上の生死不明
> ④　回復の見込みがない強度の精神病
> ⑤　その他婚姻を継続し難い重大な事由があること

①　不貞行為

　（具体例）浮気をすることです。

②　悪意の遺棄

　（具体例）協力・扶助義務等を放棄して見捨てることです。

③　3年以上の生死不明

　（具体例）生きているかどうか分からない状態が3年以上続いていることです。

④　回復する見込みがない強度の精神病

　自分の配偶者がこのような強度の精神病になった場合に、離婚ができず、婚姻生活を続けなければならないとすると、本人の生活が精神的にも肉体的にも過酷な状況を強いることになってしまいかねません。この場合に離

婚できるとすると、残された配偶者がかわいそうではないか、という疑問も生じます。ただし、この点について裁判所は、その後の精神障害者の療養看護まで考慮して認めるかどうかを判断しています。

⑤　その他婚姻を継続しがたい重大な事由があること

（具体例）DV、家庭内暴力や、セックスレス、宗教的な考え方の違い、浪費癖がひどい、嫁姑問題などの家庭内不和などが考えられます。

この点について、重要な判例があります。有責配偶者からの離婚請求が認められるかという問題です。

判　例　有責配偶者からの離婚請求を認めた事件（最大判昭62.9.2）

● 判　旨

有責配偶者からの離婚請求を認める要件として

① 夫婦の年齢および同居期間と比べて別居期間が相当長いこと

② 未成熟の子がいないこと

③ 離婚請求を認めることが著しく社会正義に反すると認められないこと

を挙げている。

9

親族

もちろん、有責配偶者からの離婚請求をなんでも認めると、もう一方の配偶者は「踏んだり蹴ったり」になってしまいますから、原則としては離婚請求は認められず、あくまで例外的に認められるのみです。

3　離婚の効果

離婚が成立すると、以下のような効果が発生します。

① 婚姻の効力は将来に向かって消滅します（遡及効なし）。

② 婚姻によって氏を変更した夫または妻は、離婚によって当然に婚姻前の氏に戻ります。これを**復氏**といいます。しかし、離婚の日から3か月以内に届け出れば、そのままの氏を名乗れます（767条、771条）。

③ 姻族関係は離婚によって自動的に終了します（728条1項）。義理の父

母、義理の兄弟姉妹等との親族関係は切れることになります。
④　婚姻によって氏を変更した夫または妻が系譜を承継していた場合には、系譜承継者を変更しなければなりません（769条、771条、897条1項）。系譜とは、先祖代々からの家系を記載した文書です。
⑤　離婚した者の一方は、相手方に対して財産分与を請求できます。財産分与に関する当事者の協議が不成立または不可能なときは、当事者は家庭裁判所に対して協議に代わる処分を請求できます（768条、771条）。

第9編　第3章　確認テスト

問1　裁判離婚は、判決の確定によって効力を生じるが、原則として、家庭裁判所の調停後でなければ、訴えは提起できない。

問2　有責配偶者からの離婚請求について、夫婦の年齢および同居期間と比べて別居期間が相当長期に渡っている場合には、未成熟の子がいたとしても離婚請求が認められる。

問3　婚姻によって氏を変更した夫または妻は、離婚によって当然に復氏となるが、離婚の日から3か月以内に届け出れば、離婚の際に称していた氏を名乗ることができる。

問4　離婚した者の一方は、相手方に対して財産分与を請求でき、財産分与に関する当事者の協議が不成立または不可能なときは、当事者は家庭裁判所に対して協議に代わる処分を請求できる。

解答

問1　○　法定の原因がある場合に、夫婦の一方の離婚の訴えの提起に基づいて裁判所が認める裁判離婚は、判決の確定によって効力を生じます。原則として、家庭裁判所の調停後でなければ、訴えは提起できません。

問2　×　有責配偶者からの離婚請求を認める要件として、①夫婦の年齢および同居期間と比べて別居期間が相当長いこと、②未成熟の子がいないこと、③離婚請求を認めることが著しく社会正義に反すると認められないことの3つが必要となります。

問3　○　婚姻によって氏を変更した夫または妻は、離婚によって当然に婚姻前の氏に戻ります。これを「復氏」といいます。しかし、離婚の日から3か月以内に届け出れば、離婚の際に称していた氏を名乗ることができます（767条、771条）。

問4　○　離婚した者の一方は、相手方に対して財産の分与を請求でき、財産分与に関する当事者の協議が不成立または不可能なときは、当事者は家庭裁判所に対して協議に代わる処分を請求できます（768条、771条）。

第9編
第4章　実親子関係

　ここでは、親子の関係を扱います。現在では、親のためというよりも、子のための法制度となっています。実の親子の**実親子関係**と、養子縁組によって親子となった**養親子関係**について見ていきましょう。

1 　嫡出子と非嫡出子

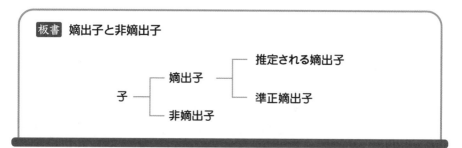

板書 嫡出子と非嫡出子

　嫡出子は、法律上の婚姻関係にある男女を父母として生まれた子のことをいい、さらに、推定嫡出子、準正嫡出子の2つに分かれます。これに対して、婚姻関係にない男女を父母として生まれた子のことを**非嫡出子**といいます。

（1）嫡出子

　法律上の婚姻関係にある男女を父母として生まれた子をいいます。

① 　推定される嫡出子に関する規定

　妻が婚姻中に懐胎した子は、当該婚姻における夫の子と推定されます（772条1項前段）。女性が婚姻前に懐胎した子で、婚姻が成立した後に生まれた場合にも、当該婚姻における夫の子と推定されます（772条1項後段）。

　推定規定の趣旨ですが、婚姻中に懐胎した子は、当該婚姻をしている夫

の子であることがほとんどですから、婚姻中の夫の子と扱うこととしました。また、改正前は、離婚前の夫以外の男性との子を懐胎し、夫と離婚後に生まれた場合に、前夫の子と推定されるのを嫌い、戸籍の届出をせず、無戸籍者となってしまうという問題があったことから、その問題を解消するために、母が前夫以外の男性と再婚し、再婚後に生まれた子は、再婚後の夫の子と推定するとの例外を設けました。

　婚姻の成立の日から200日以内に生まれた子は、婚姻前に懐胎したものと推定されます（772条2項前段）。また、婚姻の成立の日から200日を経過した後または婚姻の解消もしくは取消しの日から300日以内に生まれた子は、婚姻中に懐胎したものと推定されます（772条2項後段）。

9

親族

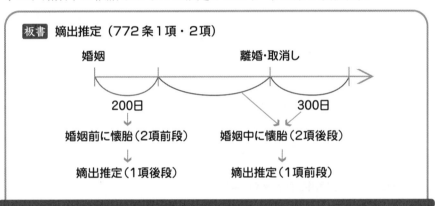

　懐胎してから、子の出生までに2回以上の婚姻をしていたときは、出生に一番近い婚姻における夫の子と推定されます（772条3項）。

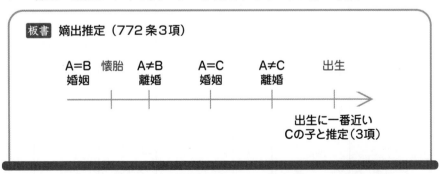

なお、以下に述べる、父の嫡出が否認された場合（774条）には、直近の婚姻の夫との子だという772条3項の推定は働きません（772条4項）。

　以上のような推定を働かせて問題がなければ、特に争いは起こりません。

② 嫡出否認の訴え

　問題は、父や子が父子関係を疑っている場合に、その嫡出性を否定したい場合です。嫡出を否認することができるのは、父、子、母、さらには再婚後の夫の子と推定される子（772条3項）については母の前夫です（774条）。推定を否定したい場合、嫡出否認の訴え（775条）によります。父または母は、子の出生後において、その嫡出であることを承認したときは、それぞれその否認権を失います（776条）。

　嫡出否認の訴えは、777条各号に定める時から3年以内という出訴期間の制限があります。

　　1号　父　父がこの出生を知った時
　　2号　子　その出生の時
　　3号　母　子の出生の時
　　4号　前夫　前夫が子の出生を知った時

| レジュメ | 親子関係を争う訴えの整理 | | | | |

	内　　容	提訴権者	相手方	提訴期間	消滅事由
嫡出否認の訴え	推定される嫡出子につき、父の子との推定を覆す	父	子または親権を行う母	父がこの出生を知った時から3年	父または母は、子の出生後において、その嫡出であることを承認したとき
		子	父	その出生の時から3年	
		母	父	子の出生の時から3年	

					父または母は、子の出生後において、その嫡出であることを承認したとき
嫡出否認の訴え	推定される嫡出子につき、父の子との推定を覆す	前夫	父・子または親権を行う母	前夫が子の出生を知った時から３年	
親子関係不存在確認の訴え	推定される嫡出子以外の子につき、父子関係の存在を否認する	利害関係人	確認を求める当事者、当事者の一方が死亡した場合は検察官	－	－

9
親族

③　準正嫡出子（789条）

　婚姻成立前に生まれ、後に父の認知と父母の婚姻によって嫡出子の身分を取得した子のことです。

（2）非嫡出子

　法律上婚姻関係のない男女を父母として生まれた子をいいます。原則として、母の氏を称します（790条2項）。また、母の親権に服します。ただ、このままだと、法律上、父がいないことになります。そこで、子のために、その子の父を父とする「認知」の制度があります。

2　認知

　血縁はあるが、法律上の親子関係がない父子（子が非嫡出子の場合）間に、法律上の親子関係を発生させる制度です（779条）。

（1）母の認知は不要

　民法は、母も非嫡出子を認知できると定めていますが、非嫡出母子関係は、出産の事実で当然に発生するとされています。

（2）未成年者や成年被後見人も、意思能力があれば単独で認知できます（780条）。

（3）認知は、認知される者の意思は問いません。

　しかし、以下の３つは、認知される者の承諾が必要です。

レジュメ　認知に認知される者の承諾が必要な場合

①　成年の子を認知する場合にはその子の承諾
②　胎児を認知する場合には母の承諾
③　父は死亡した子に直系卑属があるときに限り、死亡した子を認知できるが、この場合には直系卑属が成年であるときは、その者の承諾

---

①　成年の子を認知する場合は、その子の承諾が必要です（782条）。

　（具体例）父が子を認知せず、その子の面倒も見ずに、好き勝手やってきたのに、父が年老いたときに、１人で生活できないからといって、子に面倒を見てもらおうと認知をする。そのように、父が子を食い物にするのを防ぐ趣旨です。

②　父が胎児を認知する場合には母の承諾が必要です（783条１項）。

③　父は、死亡した子に直系卑属があるときに限り、死亡した子を認知できますが、この場合に、直系卑属が成年者であるときは、その者の承諾を得なければなりません（783条２項）。

　これを認めることで、孫に代襲相続させることを可能にします。孫が成年に達していた場合にその者の承諾が必要とされるのは、①と同じように、孫を食い物にするのを防ぐ趣旨です。

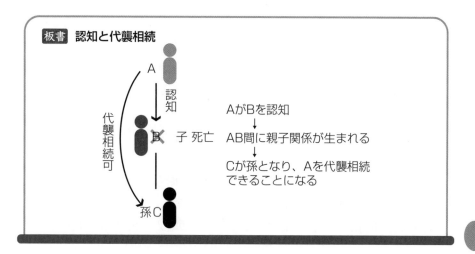

板書 認知と代襲相続

A
認知
代襲相続可
B　子 死亡
孫C

AがBを認知
↓
AB間に親子関係が生まれる
↓
Cが孫となり、Aを代襲相続
できることになる

9

親族

レジュメ 認知の整理

認知の対象			可否	要　件
胎児			可	母の承諾
成年の子			可	その成年の子の承諾
死亡した子	直系卑属がいない場合		不可	—
	直系卑属がいる場合	その直系卑属が成年の場合	可	その直系卑属の承諾
		その直系卑属が未成年の場合	可	—

（4）認知は、戸籍法の定めるところにより、届出をします（781条１項）。
　　父が非嫡出子について嫡出子出生届を出したとしても、嫡出子の出生
届としては無効ですが、この届けを戸籍事務管掌者が受理した場合には、
認知届としての効力を有します（最判昭53.2.24）。自分の子として認め
ているわけですから、嫡出子出生届とみれば無効でも、認知届としてみ
れば有効としても問題ないだろうということです。

（5）遺言でも認知でき、遺言者の死亡時に効力が生じます（781条2項）。

（6）認知は出生時にさかのぼって効力を生じます。ただし、第三者がすでに取得した権利を害することはできません（784条）。

（7）一度なされた認知は取り消すことができません（785条）。

（8）子は、父または母が死亡した場合であっても、死亡の日から3年以内であれば、認知の訴えを提起することができます（787条）。子の父に対する認知請求権は、放棄することができません（最判昭37.4.10）。

（9）子、認知をした者および子の母は、原則的に、所定の起算点から7年以内に限り、認知について反対の事実があることを理由に、認知の無効の訴えを提起することができます（786条1項本文・各号）。

（所定の起算点）

1	子又はその法定代理人	子またはその法定代理人が認知を知った時（1号）
2	認知をしたもの	認知の時（2号）
3	子の母	子の母が認知を知った時（3号）

第９編　第４章　確認テスト

問1　妻が婚姻中に懐胎した子は、夫の子と推定される。

問2　婚姻成立時より300日を経過した後または婚姻の解消・取消しの日から200日以内に生まれた子は、婚姻中に懐胎したものと推定される。

問3　前婚中に懐胎したとしても、母が前夫以外の男性と再婚し、再婚後に生まれた子は、再婚後の夫の子と推定される。

問4　嫡出否認の訴えを提起できるのは父のみであり、父が子の出生を知った時から１年以内に訴訟提起しなければならない。

問5　未成年者または成年被後見人が認知をする場合、後見人の同意が必要である。

問6　父は胎児を認知することができ、この場合には母の承諾を得なければならない。

問7　父が非嫡出子について嫡出子出生届を出した場合、この届けを戸籍事務管掌者が受理した場合には、認知届としての効力を有する。

問8　認知は出生時に将来に向かって効力を生ずる。

9

親族

解答

問1 ○　妻が婚姻中に懐胎した子は、夫の子と推定されます（772条1項）。

問2 ×　婚姻成立時より「200日」を経過した後または婚姻の解消・取消しの日から「300日」以内に生まれた子は、婚姻中に懐胎したものと推定されます（772条2項後段）。

問3 ○　女性が婚姻前に懐胎した子であっても、婚姻が成立した後に生まれた場合には、当該婚姻における夫の子と推定されます（772条1項後段）。

問4 ×　嫡出否認の訴えは、父の他、子、母、再婚後の夫の子と推定される子（772条3項）については母の前夫（774条）が提起できます。また、出訴期間は、父は父が子の出生を知った時（777条1号）、子はその出生の時（同条2号）、母は子の出生の時（同条3号）、前夫は前夫が子の出生を知った時（同条4号）から、それぞれ3年以内です。

問5 ×　未成年者または成年被後見人も、意思能力があれば単独で認知することができます（780条）。

問6 ○　父は胎児を認知することができ、この場合には母の承諾を得なければなりません（783条1項）。

問7 ○　父が非嫡出子について嫡出子出生届を出したとしても、嫡出子の出生届としては無効ですが、この届けを戸籍事務管掌者が受理した場合には、認知届としての効力を有することになります（最判昭53.2.24）。

問8 ×　認知は出生時にさかのぼって効力を生じます（784条）。

第5章　養親子関係

　養親子関係は、当事者間の法律行為や家庭裁判所の審判によって創設される親子関係です。**養子**とは、法律上、養親の嫡出子とみなされた子です。普通養子と特別養子があります。

1　普通養子

（1）縁組の要件

レジュメ　普通養子縁組の要件

① 　養子縁組の意思があること
② 　届出をすること
③ 　養親が20歳に達していること
④ 　養子が養親の尊属または年長者でないこと
⑤ 　後見人が被後見人を養子とする場合
⑥ 　未成年者を養子とする場合
⑦ 　配偶者のある者が縁組をする場合

---

① 　**養子縁組の意思の合致があること**
② 　**届出をすること（799条、739条）**
　なお、真実の親子関係がない親から嫡出子として出生の届出がされても、嫡出子関係は創設されず、また、嫡出子の出生届をもって養子縁組の届出とすることもできません（最判昭25.12.28）。
③ 　**養親が20歳に達していること（792条）**
　20歳に達していれば、養親は独身者でも養子縁組をすることができます。

④　養子が養親の尊属または年長者でないこと（793条）

　自然血族では、自分よりも年上の人が子になることはありえませんので、養親子関係においても、尊属や年長者を養子にできません。

⑤　後見人が被後見人（未成年被後見人および成年被後見人をいう）を養子とするには、家庭裁判所の許可が必要（794条前段）

　親が子を食いものにするのを防止するため、後見人をしている者を養子にする場合には、家庭裁判所にチェックを入れさせるという趣旨です。

⑥　未成年者を養子とする場合

　この場合には、様々なパターンが考えられます。

（a）未成年者を養子とする場合

　家庭裁判所の許可が必要です（798条本文）。子を食い物にするのを防ぐため、家庭裁判所のチェックを入れます。

（b）自己または配偶者の直系卑属を養子とする場合

　家庭裁判所の許可は不要です（798条ただし書）。

（具体例）配偶者の連れ子を自分の養子とする場合や、自分の孫を、自分の子とするような場合です。このような場合には、すでに養親と養子の間に信頼関係が形成されていたり、養親が愛情をもって接することが大いに考えられるため、家庭裁判所のチェックは不要とされます。

（c）養子となる者が15歳未満であるとき

　その法定代理人が、これに代わって縁組の承諾ができます（**代諾縁組**：797条1項）。

（d）養子となる者の父母で親権を停止されているものがいる場合

　その者の同意も必要です（797条2項後段）。親権が停止されているとしても、親子関係ができれば、様々な義務を負担するからです。

⑦　配偶者のある者が縁組をする場合

（a）配偶者のある者が未成年者を養子とするには、配偶者とともに養子縁組をします（**夫婦共同縁組**：795条本文）。なぜなら、夫婦の一方の子であり、他方の子でないというのは、法律関係がいたずらに複雑化することにもなりかねないからです。

　　　ただし、配偶者の嫡出子を養子とする場合は、配偶者とは実の親子
　関係がすでにありますし、また、配偶者が意思表示できない場合には、
　それでできないとすると養子関係を構築する機会を奪ってしまうこと
　になるため、単独でできます（795条ただし書）。
（ｂ）配偶者のある者が縁組をするには（養子・養親のどちらになる場
　　合も）、その配偶者の同意が必要です（796条本文）。
　　　ただし、配偶者とともに縁組をする場合や、配偶者が意思表示でき
　ない場合は、同意は不要です（796条ただし書）。

（２）縁組の効果

①　養子が嫡出子となるのは、**縁組の日から**です（809条）。
②　養子、養親、その血族間には、養子縁組の日から、血族間と同一の親
　族関係を生じます（727条）。
③　普通養子の場合には、養子縁組が成立したとしても、実の血族の関係
　はそのまま続くことになります。つまり、実親、養親両方の相続ができ
　るということです。
④　養子は、原則として、養親の氏を称することになります（810条）。
⑤　未成年の養子は、養親の親権に服することになります（818条２項）。

（３）離縁

①　縁組の当事者は、協議や裁判で離縁できます（811条１項、814条）。
　縁組当事者の一方が死亡した後の離縁を「死後離縁」といいますが、そ
　れをする場合には、家庭裁判所の許可が必要です（811条６項）。
②　養親が夫婦の場合、未成年者と離縁するには、原則として夫婦が共に
　しなければなりません（811条の２）。
③　離縁により、養子縁組によって創設された法定嫡出子関係や法定血族
　関係はすべて消滅します（729条）。養子は原則として縁組前の氏に復し
　（816条）、養子が未成年の場合は、実親の親権が復活します。

9

親族

2 特別養子

　普通養子制度は、未成年者・成年者を問わず、幅広く利用されていますが、もっぱら子の幸せのためだけの養子制度として、**特別養子制度**が創設されました。子が幸せになるための養子制度ですから、どうすれば子が幸せになれるかを考えれば、制度が理解しやすくなります。

（1）縁組の要件

> **レジュメ**　**特別養子縁組の要件**
>
> 原則は以下のとおりですが、例外があります。
> ①　養親となる者には配偶者がなければならず、かつ、夫婦がともに養親とならなければなりません。
> ②　養親は、25歳以上でなければなりません。
> ③　養子となる者は、原則として、審判申立て時に15歳未満でなければなりません。
> ④　養子となる者の父母の同意がなければなりません。
> ⑤　養子となる者の父母による監護が著しく困難または不適当であることその他特別の事情がある場合で、子の利益のために特に必要があると認めるときでなければなりません。
> ⑥　養親となる者による6か月以上の試験養育期間を経ることが必要です。
> ⑦　養親となる者の請求により、家庭裁判所の審判によって成立します。

①　養親となる者には配偶者がなければならず、かつ、原則として夫婦がともに養親とならなければなりません（**夫婦共同縁組**：817条の3第1項・2項本文）。

　ただし、夫婦の一方が他の一方の嫡出子または特別養子の養親となる場合は、この限りではありません（817条の3第2項ただし書）。

②　養親は、原則として、**25歳以上**でなければなりません。

　　ただし、夫婦の一方が25歳以上なら、他方は20歳以上でかまいません（817条の 4 ）。

③　養子となる者は、原則、**審判申立時に15歳未満**でなければなりません。

　　ただし、15歳に達する前から養親候補者が**引き続き養育**していて、やむを得ない事由により15歳までに**申立てできない場合**は、15歳以上でも**審判確定時**に**18歳未満**であれば養子になれます（817条の 5 ）。

　　養子となる者が審判時に15歳に達している場合は、その者の同意が必要となりますし、15歳未満の者についても、その意思を十分に考慮しなければなりません（817条の 5 第 3 項）。

④　原則として、養子となる者の**父母の同意**が必要です。

　　ただし、父母が意思表示できない場合や、父母による虐待・悪意の遺棄その他養子となる者の利益を著しく害する事由がある場合は、同意は不要です（817条の 6 ）。

⑤　養子となる者の父母による監護が著しく困難または不適当であることその他特別の事情がある場合で、子の利益のために特に必要があると認めるときでなければなりません（817条の 7 ）。

⑥　養親となる者による 6 か月以上の**試験養育期間**を経ることが必要です（817条の 8 ）。

⑦　養親となる者の請求により、家庭裁判所の審判によって成立します。この際、家庭裁判所の許可は不要です（817条の 2 ）。

（2）縁組の効果

①　原則として、普通養子の場合と同様の効果が生じます。

②　養子と実方の父母およびその血族との親族関係は、原則として特別養子縁組によって終了します（817条の 9 ）。

（3）離縁

①　原則として、離縁は認められません（817条の10第 2 項）。子が放り出されることになると、子の幸せを望むべくもなくなるからです。

9

親族

② ただし、養親による虐待・悪意の遺棄その他特別養子の利益を著しく害する事由があり、かつ、実父母が相当の監護をできる場合において、養子の利益のため特に必要があるときに限り、家庭裁判所は、養子・実父母・検察官の請求で離縁させることができます（817条の10第1項）。

③ この場合、養子と実父母およびその血族との間においては、離縁の日から、特別養子縁組によって終了した親族関係と同一の親族関係を生じます（817条の11）。

レジュメ 普通養子と特別養子のまとめ		
	普通養子	**特別養子**
成立要件	①縁組意思の合致 ②届出 ③家庭裁判所の許可（後見人が被後見人を養子とする場合、未成年者を養子とする場合に必要） ④法定代理人の同意（養子が15歳未満の場合、代諾縁組）	①養親となる者の請求 ②家庭裁判所の審判 ③実父母の同意
試験養育期間	不要	6か月以上
養親の資格	①20歳以上 ②単身者でも可	①原則、25歳以上 ②原則、婚姻中で、夫婦がともに縁組すること
養子の資格	①養親の尊属でないこと ②養親より年長者でないこと	原則：審判請求時に15歳未満 例外：15歳に達する前から養親候補者が養育＋やむを得ない事由により15歳までに申し立てできない場合は、審判確定時に18歳未満であればよい。ただし、養子となる者が15歳に達している場合はその者の同意必要

戸籍上の記載	「養子」	「長男」など、養子とわからないような記載がなされる
実親子関係	継続 親権が養親に移動	断絶
離縁	自由	家庭裁判所が、一定の要件を満たし、養子の利益のために特に必要である場合に限って認める

9

親族

第９編　第５章　確認テスト

問1　真実の親子関係がない親から嫡出子として出生の届出がされている場合には、これもって養子縁組の届出があったものとされる。

問2　独身者の場合には普通養子縁組をすることはできない。

問3　普通養子縁組をする場合、未成年者を養子とするには、家庭裁判所の許可が必要であり、このことは、自己または配偶者の直系卑属を養子とする場合でも同様に要求される。

問4　普通養子縁組をする場合、養子となる者が15歳未満であるときは、その法定代理人が、これに代わって縁組の承諾をすることができる。

問5　養子は縁組の日から嫡出子の身分を取得する。

問6　普通養子縁組の当事者は、協議や裁判で離縁できる。

問7　離縁によって、養子縁組によって創設された法定嫡出子関係および法定血族関係はすべて消滅する。

問8 特別養子縁組をする場合、養親となる者には配偶者がなければならず、かつ、原則として夫婦がともに養親とならなければならない。

問9 特別養子縁組をする場合、養子となる者は、原則として6歳未満でなければならないが、以前から引き続き監護されていた場合は、8歳未満でもできる。

問10 特別養子縁組をする場合、養親となる者による1年以上の試験養育期間を経ることが必要である。

問11 特別養子縁組をする場合、養子と実方の父母およびその血族との親族関係は、そのまま継続することになる。

問12 特別養子縁組の場合、原則として、離縁は認められない。

解答

問1 × 判例（最判昭25.12.28）は、真実の親子関係がない親から嫡出子として出生の届出がされている場合、事実上親子同様の関係が持続されてきたものであるとしても、これによって嫡出子関係が創設されるわけではなく、また、嫡出子の出生届をもって養子縁組の届出があったものとすることもできないとしています。

問2 × 20歳に達していれば、養親は独身者でも普通養子縁組をすることができます（792条）。

問3 × 普通養子縁組をする場合、未成年者を養子とするには、家庭裁判所の許可が必要です（798条本文）。ただし、自己または配偶者の直系卑属を養子とする場合には、家庭裁判所の許可は不要です（798条ただし書）。

問4　○　普通養子縁組をする場合、養子となる者が15歳未満であるときは、その法定代理人が、これに代わって縁組の承諾をすることができます（代諾縁組：797条１項）。

問5　○　養子が嫡出子の身分を取得するのは、縁組の日からです（809条）。

問6　○　普通養子縁組の当事者は、協議や裁判で離縁できます（811条１項、814条）。

問7　○　離縁によって、養子縁組によって創設された法定嫡出子関係および法定血族関係はすべて消滅します（729条）。

問8　○　特別養子縁組をする場合、養親となる者には配偶者がなければならず、かつ、原則として夫婦がともに養親とならなければなりません（夫婦共同縁組：817条の３第１項・２項本文）。

問9　×　特別養子縁組をする場合、養子となる者は、原則として15歳未満でなければなりませんが、15歳に達する前から養親候補者が引き続き養育していて、やむを得ない事由により15歳までに申し立てできない場合は、15歳以上でも審判確定時に18歳未満であれば養子になれます（817条の５）。

問10　×　特別養子縁組をする場合、養親となる者による６か月以上の試験養育期間を経ることが必要とされます（817条の８）。

問11　×　養子と実方の父母およびその血族との親族関係は、原則として特別養子縁組によって終了します（817条の９）。

問12　○　特別養子縁組の場合、原則として、離縁は認められません（817条の10第２項）。

9

親族

第9編

第6章 親権・後見・保佐・補助・扶養

1 親権

親権とは、親が未成年の子に対して有する種々の権利義務をいいます。

（1）親権者
① 共同親権者

実親子関係では、その父母が親権者となります。父母の婚姻中は父母が共同して親権を行います（818条1項・3項本文）。子が養子となったときは、養親が親権者となります（818条2項）。共同親権の場合、父母の一方が共同名義で法律行為等をしても原則として有効となります。相手方が悪意の場合に無効となります（825条）。

② 単独親権者

父母の一方が死亡したり、親権を喪失した場合等には、他の一方が単独で親権を行使します（818条3項ただし書）。非嫡出子は、原則として母が単独親権者です。

父母が離婚する場合は、その一方だけが親権者となります（819条1項・2項）。協議離婚の場合には、協議で親権者を定めますが、協議が不調・不能の場合は、家庭裁判所がいずれか一方を親権者とします。裁判離婚の場合には、裁判所が父母の一方を親権者と定めます。子の出生前に父母が離婚した場合には、母が親権者です。ただし、子の出生後に、父母の協議で父を親権者にできます（819条3項）。

（2）親権の内容
① 子を監護・教育する権利と義務（820条）

親権者は、子の利益のために、子の監護・教育をする権利を有し、義務

を負います。

② 　子の人格の尊重等（821条）

③ 　子の居所指定権（822条）

④ 　職業（営業）許可権（823条）

⑤ 　子の財産管理権または財産上の行為の代理権（824条）

　この場合、親権者は、自己のためにするのと同一の注意義務を負います（827条）。

⑥ 　利益相反行為

　親権を行う父または母とその子との利益が相反する行為（利益相反行為）については、親権者は子の代理や、子の行為への同意もできません。この場合、親権者は、家庭裁判所に、特別代理人を選任するように請求しなければなりません（826条１項）。

　利益相反行為にあたるか否かは、親権者が子を代理してなした行為自体を**外形的客観的に判断**します（最判昭42.4.18）。

レジュメ　利益相反行為	
○　利益相反行為に該当するもの	×　利益相反行為に該当しないもの
①親権者が、自己の財産を、子に対して有償で譲渡する行為 ②親権者が、自らが債務者となって銀行から借り入れを行うにあたって、子の所有名義である土地に抵当権を設定する行為（最判昭37.10.2） ③親権者が、他人の金銭債務について、連帯保証人となるとともに、子を代理して、子を連帯保証人とする契約を締結し、また、親権者と子の共有名義の不動産に抵当権を設定する行為（最判昭43.10.8） ④親権者が、共同相続人である数人の子を代理して遺産分割協議をすること（最判昭49.7.22）	親権者が、その子の所有する不動産を第三者の債務の担保に供する行為（最判平4.12.10） ※相反するのは第三者と子の利益であり、親権者と子との利益が相反するわけではない

9

親族

（3）親権の効果

親権者が子を代理して利益相反行為をなした場合、その行為は無権代理行為となります。したがって、子は、成年に達した後に、利益相反行為を追認できます（最判昭46.4.20）。

2　後見

未成年者に対し親権を行う者がないとき、親権者が財産管理権を有しないとき、精神上の障害により事理を弁識する能力を欠く常況にある者に後見開始の審判があったときに開始します（838条）。

（1）未成年後見人

未成年後見人を**複数選任**することもできます。

未成年者に対して最後に親権を行う者または親権を行う父母の一方が管理権を有しないときの他の一方は、遺言で、未成年後見人を指定することができます（839条）。この指定後見人となるべき者がないときまたは未成年後見人が欠けたときは、家庭裁判所は、一定の者の請求により、未成年後見人を選任します（840条）。

未成年後見人がある場合においても、家庭裁判所は、必要があると認めるときは、一定の者の請求によりまたは職権で、さらに未成年後見人を選任できます（840条2項）。

（2）成年後見人

家庭裁判所は、後見開始の審判をするときは、職権で、成年後見人を選任します。成年後見人が欠けたときは、家庭裁判所は、一定の者の請求によりまたは職権で、成年後見人を選任します（843条1項・2項）。成年後見人が選任されている場合においても、家庭裁判所は、必要があると認めるときは、一定の者の請求によりまたは職権で、さらに成年後見人を選任できます（→**複数選任**できます）（843条3項）。

法人も成年後見人となれます（843条4項）。

（3）後見監督人

　未成年後見人を指定することができる者は、遺言で、未成年後見監督人を指定することができます（848条）。

　家庭裁判所は、必要があると認めるときは、一定の者の請求によりまたは職権で、成年後見監督人を選任することができます（849条）。

3 保佐・補助

（1）保佐人と補助人

　保佐・補助は保佐・補助開始の審判によって開始します（876条、876条の6）。

　家庭裁判所は、保佐・補助開始の審判をするときは、職権で、保佐人・補助人を選任します（876条の2第1項、876条の7第1項）。

　保佐人・補助人も、複数選任できます（876条の2第2項、876条の7第2項、843条3項）。

（2）保佐監督人と補助監督人

　家庭裁判所は、必要があると認めるときは、一定の者の請求によりまたは職権で、保佐監督人・補助監督人を選任できます（876条の3第1項、876条の8第1項）。

（3）代理権付与

　家庭裁判所は、被保佐人・被補助人の申立てまたは同意を要件として、当事者等の申し立てた特定の法律行為について、保佐人・補助人に代理権を付与することができます（876条の4、876条の9）。

4 扶養

（1）扶養の意義

扶養とは、自力で生活を維持できない者（要扶養者）に対して、一定の親族関係にある者が行う経済的給付をいいます。

（2）扶養の当事者

直系血族および**兄弟姉妹**は、法律上当然に、互いに扶養義務を負います（877条1項）。特別の事情があるときは、直系血族および兄弟姉妹を除いた3親等内親族間にも、家庭裁判所が扶養の義務を負わせることができます（877条2項）。

（3）扶養の順序

同一の要扶養者に対して扶養義務を負う者が数人いる場合、その順序は原則として当事者の協議に委ねられます。協議が調わない場合や協議できない場合は、家庭裁判所が順序を定めます（878条）。

第9編 第6章 確認テスト

問1 実親子関係では、その父母が親権者となり、父母の婚姻中は父母が共同して親権を行う。

問2 父母が離婚したとしても、父母が共同して親権を行う。

問3 未成年後見人の選任は1人に限られる。

問4 法人が成年後見人になることはできない。

問5 直系血族及び兄弟姉妹は、法律上当然に、互いに扶養義務を負う。

問6 扶養をする義務のある者が数人ある場合において、扶養をすべき者の順序について、当事者間に協議が調わないとき、または協議をすることができないときは、家庭裁判所が、これを定める。

9

親族

解答

問1 ○　実親子関係では、その父母が親権者となります。父母の婚姻中は父母が共同して親権を行います（818条1項・3項本文）。

問2 ×　父母が離婚する場合は、その一方だけが親権者となります（819条1項・2項）。

問3 ×　未成年後見人の選任に人数の制限はありません。したがって、複数選任することができます。

問4 ×　法人も成年後見人になることができます（843条4項）。

問5 ○　直系血族及び兄弟姉妹は、法律上当然に、互いに扶養義務を負います（877条1項）。

問6 ○　扶養をすべき者の順序については、原則当事者間に協議で定めるが、協議が調わないとき、または協議をすることができないときは、家庭裁判所が定めることになります（878条前段）。

相続

ここからは相続法です。

ある人が亡くなった時に、その人の財産をどうするか。誰に引き継がせるのがよいのか、そのルールが相続法です。そして、原則として、その財産は、配偶者や子のような、亡くなった人と一定の関係にある者に引き継がれていくことになります。

1　相続総則

（1）相続の開始原因とその時期

相続の開始原因は**死亡**のみです（882条）。

死亡には、自然死はもちろん、失踪宣告による死も含まれます。

（2）包括承継

相続人は、被相続人に属した一切の権利義務を包括的に承継します。

①　借金も相続

プラス財産だけではなく、マイナスの財産も引き継ぎます。つまり、借金があればそれも引き継ぐことになります。

②　占有権も相続

占有権も相続します。

（具体例）ある人から土地を賃借している人が死亡した場合、その人が賃借権に基づいて占有していた土地の占有権を引き継ぐことになります。現実に支配していなくても死亡と同時に引き継ぎます。

③　生命侵害に対する損害賠償請求権と慰謝料請求権も相続

不法行為によって被害者が即死した場合でも、瞬間的に被害者に損害賠償請求権が発生・帰属して、それが相続されます（大判大15.2.16）。

　不法行為により精神的苦痛による損害（慰謝料）を被った場合に、その損害を請求する前に、被害者が死亡しても、相続できます。

> ### 判　例　生命侵害に対する慰謝料の相続（最大判昭42.11.1）
>
> ● **判　旨**
>
> 　他人の不法行為によって財産以外の損害を被った者は、損害の発生と同時に慰謝料請求権を取得し、この慰謝料請求権を放棄したものと解しうる特別の事情がない限り、これを行使することができ、当該被害者が死亡したときは、同人が生前に請求の意思を表明しなくても、当然に慰謝料請求権は相続される。

（3）相続されないもの

　被相続人の一身に専属する権利は相続されません。

　（具体例）生活保護法の保護受給権や扶養請求権です。これは、被相続人個人の法的地位に基づいて発生するもので、その人以外が請求できる性質のものではないからです。

10

相続

2 | 相続人

（1）相続人となりうる者

　相続人となりうる者は、被相続人の**配偶者**、**子**、**直系尊属**および**兄弟姉妹**です（887条1項、889条1項、890条前段）。

（2）胎児

　胎児は、相続については、すでに生まれたものとみなされますので、相続人となりえますが、死産の場合には相続できません（886条）。

（3）代襲相続

　代替わりの相続制度です。

（具体例）相続が開始する前に、相続人である子が**死亡**、**欠格**、**廃除**によって相続権を失っている場合には、その相続人の子（**代襲相続人**）が相続する制度です（887条2項、889条2項）。これは、兄弟姉妹が相続人だった場合にも認められます。

レジュメ　代襲相続		
代襲原因	被相続人の子・兄弟姉妹が ①相続開始以前に死亡（被相続人との同時死亡の場合も含む） ②相続欠格によって相続権を失ったこと ③廃除によって相続権を失ったこと ※ 相続放棄は代襲原因ではありません	
代襲者	相続人が子の場合	・その者の子 ・代襲者である子についても代襲原因がある場合には、その者の子（再代襲あり）
	相続人が兄弟姉妹の場合	その者の子（再代襲なし）

　相続放棄の場合は、代襲相続は認められません。

　代襲相続人の相続分ですが、被代襲者（死亡した者、欠格事由に該当した者、廃除された者）の相続分を受け取ることになります。代襲相続人となる直系卑属が複数いる場合には、法定相続の規定（900条）に従って相続分が定まることになります。

　＜事例で理解＞

　被相続人 X が死亡し相続が開始する前に、相続人である子 A が死亡し、A の嫡出子 C・D が代襲相続人となった場合、C・D は A が相続したであろう相続分を 2 等分して相続することになります。

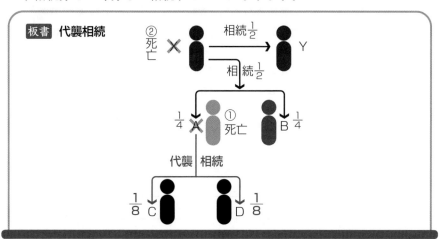

10

相続

（4）相続欠格（891条）と廃除（892条～895条）

相続欠格も廃除も、相続権を失わせる制度です。

レジュメ　相続欠格と廃除

	相続欠格	廃除
要件	欠格事由に該当するとき ①故意に被相続人または相続について先順位もしくは同順位にある者を死亡するに至らせ、また至らせようとしたため、刑に処せられた者 ②被相続人の殺害されたことを知って、これを告発せず、または告訴しなかった者 ③詐欺・強迫によって被相続人の遺言の作成、撤回、取消し、変更を妨げた者 ④詐欺・強迫によって被相続人に相続に関する遺言をさせ、また、その撤回、取消し、変更をさせた者 ⑤相続に関する被相続人の遺言書を偽造、変造、破棄、隠匿した者	遺留分を有する推定相続人（相続が開始した場合に相続人になるべき者）が、 ①被相続人に虐待または重大な侮辱を加えたとき ②推定相続人に著しい非行があったとき
手続	格別の手続は不要	家庭裁判所に請求
効果	相続人の資格を喪失 受遺能力も喪失	相続人の資格を喪失 受遺能力は喪失しません
取消し	なし	被相続人はいつでも廃除の取消しを家庭裁判所に請求可能 遺言による取消しも可能

（5）相続財産の保存（897条の2）

相続が開始すれば、相続の段階にかかわらず、いつでも、家庭裁判所は、相続財産の管理人の選任その他の相続財産の保存に必要な処分をすることができます。これにより、共同相続人による遺産共有の場合や相続人がわからない場合でも、保存に必要な処分ができます。

3　相続分

被相続人の財産をどのような順位、割合で相続するか違いがあります。

ここで、「順位」という概念は、「相続人となるかどうか」で出てくる概念です。相続人が確定すると、その相続人の間で、それぞれがどれだけ相続するかという「相続割合」の話が出てきます。

レジュメ 相続の順位					
順　位	（1）原則		（2）子孫がいないとき		（3）直系尊属もいないとき
相続人	配偶者	子	配偶者	直系尊属	配偶者	兄弟姉妹
法定相続分	1/2	1/2	2/3	1/3	3/4	1/4

① 　配偶者は原則として常に同順位

同順位というのは、配偶者がいれば、常に相続人になるということです。他に相続人がいれば、その人と共同相続人になります。

② 　グループ内（兄弟姉妹間等）では、原則として平等に相続

同順位の相続人が複数人いた場合には、その者で平等に相続することになります。

③ 同父母の兄弟姉妹は異父母の兄弟姉妹の2倍相続

相続分

Xが1200万円残して死亡した場合 ◯ が相続人

1. 配偶者のみ

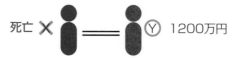

死亡 X 　 Y 1200万円

2. 配偶者と子（子全員で $\frac{1}{2}$、それを人数で割った割合）

　（1）子が1人　　　　　　　　　（2）子が2人

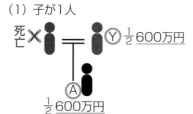

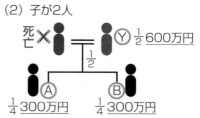

3. 配偶者と直系尊属（親全員で $\frac{1}{3}$、それを人数で割った割合）

　（1）親が1人　　　　　　　　　（2）親が2人

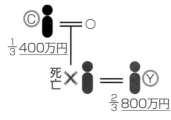

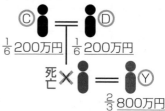

4. 配偶者と兄弟姉妹（兄弟姉妹全員で $\frac{1}{4}$）

　（1）姉が1人　　　　　　　　　（2）同父母の姉1人、異父母の弟1人

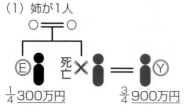

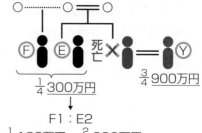

4　特別受益（903条・904条）

　相続人が被相続人から**遺贈・生前贈与**を受けた場合、それを相続財産に加えて相続分を算定します。遺贈・贈与を受けた相続人は、その算定額から贈与・遺贈分を控除して、残額がある場合にのみ相続を受けることができます（903条1項）。

　配偶者の居住用不動産がある場合には、婚姻関係が20年以上の配偶者に対して居住用不動産が遺贈ないし生前贈与された場合には、被相続人は特別受益の規定を適用しない旨の意思を表示したものと推定します（903条4項）。

5　寄与分（904条の2）

　共同相続人中に、相続財産の維持・形成に**特別に貢献した者**がいる場合に、その相続人に対しては、相続分の他、その貢献に見合う財産を取得させ、遺産分割における共同相続人間の実質的な公平を図る制度です。

（1）寄与分の要件

　相続人であることと、被相続人の事業に関する労務の提供または財産上の給付、被相続人の療養看護その他の方法により被相続人の財産の維持または増加について特別の寄与をした者であることが必要です。

（2）評価と額の算定

　被相続人が相続開始の時において有した財産の価額から共同相続人の協議で定めます。協議が調わない場合には寄与をした者の請求により家庭裁判所が定めます。

　額の算定については、まず、その者の寄与分を控除したものを相続財産とみなします。その上で、寄与した者自身の相続分に寄与分を加えた額をその者の相続分とします。

10

相続

6 遺産分割

　共同相続をした場合に、相続後、共同相続財産を相続分に応じて分割し、各相続人の単独所有とすることを遺産分割といいます。

（1）遺産分割における相続分

① 原則－具体的相続分

　個々の相続人の相続分は、法定相続分・指定相続分について、特別受益や寄与分によって修正して算出される額（具体的相続分）によって分割します。

② 例外－期間経過後は法定相続分・指定相続分

　具体的相続分による遺産分割には時間的な制限がなく、長期間放置していても、遺産分割を希望する相続人に不利益が生じないため、相続人が早期に遺産分割の請求をしないことが多々ありました。相続開始後遺産分割がないまま長期間経過すると、生前贈与や寄与分に関する書証等が散逸し、関係者の記憶も薄れ、具体的相続分の算定が困難となり、スムーズな遺産分割ができなくなる恐れがありました。そこで、**相続開始から10年を経過した後にする遺産分割は、具体的相続分ではなく、法定相続分・指定相続分によること**とされました（904条の3本文）。

③ 例外の例外－具体的相続分

　相続開始の時から10年を経過し、法定相続分・指定相続分による分割を求めることができるにもかかわらず、**相続人全員が具体的相続分による遺産分割に合意した**ケースでは、具体的相続分による遺産分割が可能です。

　また、以下の場合には、相続開始の時から10年経過後も具体的相続分により分割します（904条の3ただし書）。

　　（a）10年経過前に、相続人が**家庭裁判所に遺産分割請求**したとき（1号）

　　（b）**10年の期間満了前6か月以内**に、遺産分割請求をすることができないやむを得ない事由（たとえば、被相続人が遭難して死亡していたけれども、その事実が確認できず、遺産分割請求をすることができな

かった場合など）が相続人にあった場合において、当該事由消滅時から６か月経過前に、当該相続人が**家庭裁判所**に**遺産分割請求**をしたとき（２号）

④　経過措置

　これらのルールは、**改正法施行日**（令和５年４月１日）前に被相続人が死亡した場合の遺産分割にも適用されます。また、相続開始から10年経過していても、改正法施行時から５年経過するまでは、具体的相続分での分割ができます。

（２）遺産分割の方法

　遺産分割の方法には、**指定、協議、審判**があります。

① 指定による分割

　被相続人が、遺言で遺産分割の方法を定めて、もしくは、これを定めることを第三者に委託するような方法です（908条１項後段）。

② 協議による分割

　共同相続人は、被相続人が遺言で禁じた場合や、共同相続人が不分割の契約をした場合を除いて、いつでも、その協議で遺産分割できます（907条１項）。この協議は、内容的には、共同相続人全員が納得できるのであれば、どのような分割もできます。遺産分割請求権には消滅時効はありませんが、10年経過により、分割内容に（１）のような制約が生ずる場合はあります。

　　（具体例）相続人が４人いた場合、その中の１人が遺産をすべて独占するような遺産分割協議も有効ですし、不動産はすべて配偶者Ａに相続させる、との遺言がある場合でも、共同相続人４人全員の合意があれば、甲地を法定相続分の割合で分割することもできます。

③ 審判による分割

　共同相続人の協議が調わないとか、協議できないという場合には、分割を家庭裁判所に請求できます（907条２項）。

10

相続

（3）分割方法の指定・分割禁止（908条）

① 遺言による分割方法の指定・分割禁止（1項）

被相続人は、遺言で、遺産の分割の**方法を定め**、またはこれを定めることを第三者に委託することができます（前段）。

判 例 ┃ **「相続させる」趣旨の遺言（最判平3.4.19）**

● **判 旨**

　遺言書において、特定の遺産を特定の相続人に「相続させる」趣旨の遺言者の意思が表明されている場合、特段の事情がない限り、遺贈と解すべきではなく、遺産の分割の方法を定めた遺言と解すべきとしている。

被相続人は、遺言で、相続開始の時から**5年を超えない**期間を定めて、遺産の**分割を禁止**することができます（後段）。

なお、分割の禁止は、遺産の一部または全部についても、相続人の一部または全員に対してもできます。

② 契約による分割禁止（2項）と更新（3項）

共同相続人は、**5年以内**の期間を定めて、遺産の全部または一部について、その**分割を禁止する契約**をすることができます（2項本文）。ただし、その期間の**終期**は、相続開始時から**10年**を超えることはできません（2項ただし書）。

不分割の契約は、**5年以内**の期間を定めて**更新**することができます（3項本文）。ただし、その期間の**終期**は、相続開始時から**10年**を超えることができません（3項ただし書）。

③ 家庭裁判所による分割禁止（4項）と更新（5項）

不分割の契約がなされた場合に、特別の事由がある場合には、家庭裁判所は**5年以内**の期間を定めて、遺産の全部または一部についてその**分割を禁止**できます（本文）。ただし、その期間の**終期**は、相続開始から**10年**を超えることができません（ただし書）。

　家庭裁判所は、5 年以内の期間を定めて**更新**することができます（5項本文）。ただし、その期間の**終期**は、相続開始から**10年を超える**ことが**できません**（5 項ただし書）。

（4）遺産分割の効力（909条）

　遺産分割すると、相続開始の時にさかのぼって効力が生じます（遡及効・909条本文）。ただし、第三者の権利を害することはできません（909条ただし書）。たとえば、分割前に、相続人の相続分に差押えをした者がいる場合には、差押債権者の権利を害することはできません。

（5）遺産分割協議の瑕疵（910条）

　分割協議に参加すべき相続人を除外していた遺産分割は無効です。ただし、相続開始後、認知により相続人となった者が遺産分割請求をしようとする場合には、他の共同相続人がすでにその分割その他の処分をしたときは、価額のみによる支払請求権を有することになります。

（6）共同相続人の担保責任

　各共同相続人は、他の共同相続人に対して、売主と同じく、その相続分に応じて担保責任を負います（911条）。また、各共同相続人は、その相続分に応じて、他の共同相続人が遺産分割により受けた債権につき、その分割の時における債務者の資力を担保します（912条 1 項）。さらに、弁済期未到来の債権や、停止条件付きの債権については、各共同相続人は、弁済をすべき時における債務者の資力を担保します（912条 2 項）。

7　相続の承認・放棄

（1）単純承認（920条、921条）

　相続人が被相続人の権利義務をすべて承継することを**単純承認**といいます。次の事由があると、単純承認をしたものと扱われます。

（2）限定承認（922条〜937条）

　相続人が、被相続人の債務および遺贈の弁済を相続財産の限度でのみなすという留保つきで相続の承認をすることを**限定承認**といいます（922条）。要は、マイナス財産を、プラス財産の限度で相続することです。いうなれば、自分にマイナスが生じない限度で相続するということです。ただし、以下のようなルールを守らなければなりません。

①　限定承認は（相続放棄した者を除き）共同相続人全員でします（923条）。

②　熟慮期間内に家庭裁判所に対して限定承認をする旨を申述すること
　　（924条）。

（3）相続の放棄（938条〜940条）

　相続の開始によって生じた不確定な相続の効力を拒絶する単独の意思表示のことを**相続の放棄**といいます。つまり、「一切相続しない」という意思表示です。

①　熟慮期間内に家庭裁判所に対して相続を放棄する旨を**申述**しなければ
　　なりません（相続開始前にはできません）（938条）。

②　相続放棄がなされると、その者はその相続に関して初めから相続人と
　　ならなかったものとみなされます（**遡及効**・939条）。

③　相続を放棄した者は、相続の放棄の時に現に占有している相続財産を
　　相続人または、相続財産の清算人に対して**引き渡すまでの間、自己の財**

産におけるのと同一の注意をもって、その**財産を保存**しなければなりません（940条1項）。

（4）相続の承認（単純承認と限定承認）・放棄をするには行為能力が必要です。

（5）相続の承認・放棄がなされれば、熟慮期間内であっても撤回できません（919条1項）。

たとえば、相続を知った時から1か月後に相続を放棄した場合、それで放棄の効力は確定します。熟慮期間が2か月残っているからといって「やっぱり放棄しないで承認します」とは言えません。

ただし、制限行為能力、錯誤、詐欺、強迫等による取消しまたは無効を主張することは認められます（919条2項）。

レジュメ	相続の承認・放棄		

	単純承認 （920条）	限定承認 （922条）	放棄（938条）
家庭裁判所 への申述	不要	必要	必要
相続人が 複数の場合	単独でなしうる	共同相続人全員が共同して行う必要がある（923条）	単独でなしうる
効果	無限に被相続人の権利義務を承継する	相続財産の限度で物的有限責任を負う	相続開始時に遡及して相続人ではなかったものとみなされる（939条）

8 同時死亡の推定

死亡の先後が不明のときは同時に死亡したものと推定され、それらの者の間で相続は発生しません（32条の2）。代襲相続は生じえます。

10

相続

たとえば、親Ｘと子Ａが乗っていた船舶が沈没し、ＸＡが死亡しましたが、どちらが先に死亡したかわかりません。この場合、相続関係が不明なら、同時死亡となり、ＸＡ間では相続が生じないことになります。

　ただし、代襲相続は生ずるので、Ａに子がいれば、代襲相続されます。

第10編　第1章　確認テスト

問1　相続の開始原因は自然死のみであり、失踪宣告による死は含まれない。

問2　生活保護法の保護受給権や扶養請求権など、被相続人の一身に専属する権利は相続されない。

問3　相続人となりうる者は、被相続人の配偶者、子、直系尊属および兄弟姉妹である。

問4　相続開始から10年が経過した場合に遺産分割をするときは、法定相続分・指定相続分に従って分割を行うのが原則である。

問5　共同相続人は、被相続人が遺言で禁じた場合でなければ、いつでも、その協議で遺産分割できる。

問6　遺言書において、特定の遺産を特定の相続人に「相続させる」趣旨の遺言者の意思が表明されている場合、特段の事情がない限り、遺贈と解される。

問7　限定承認は、相続を放棄した者を除き、共同相続人全員でしなければならない。

問8　相続人が相続を放棄する場合、自己のために相続の開始があったことを知った時から 3 か月以内にしなければならない。

問9　相続の承認・放棄がなされれば、熟慮期間内であれば、撤回することができる。

解答

問1　×　相続の開始原因は死亡のみです（882条）。この死亡には、自然死はもちろん、失踪宣告による死も含まれます。

問2　○　生活保護法の保護受給権や扶養請求権など、被相続人の一身に専属する権利は相続されません。

問3　○　相続人となりうる者は、被相続人の配偶者、子、直系尊属および兄弟姉妹です（887条 1 項、889条 1 項、890条前段）。

問4　○　相続開始より10年が経過すると、原則として、法定相続分・指定相続分に従って分割されます（904条の 3 本文）。

問5　×　共同相続人は、被相続人が遺言で禁じた場合でなく、また、共同相続人が不分割の契約をしたのでもない場合には、いつでもその協議で遺産分割できます（907条 1 項）。

問6　×　遺言書において、特定の遺産を特定の相続人に「相続させる」趣旨の遺言者の意思が表明されている場合、特段の事情がない限り、遺贈と解すべきではなく、遺産の分割の方法を定めた遺言と解すべきとされています（最判平3.4.19）。

問7　○　限定承認は、相続を放棄した者を除き、共同相続人全員でしなければなりません（923条）。

問8　○　相続人は、自己のために相続の開始があったことを知った時から 3 か月以内に、相続について、単純もしくは限定の承認または放棄をしなければなりません（915条）。

問9　×　相続の承認・放棄がなされれば、熟慮期間内であっても、これを撤回することはできません（919条 1 項）。

10

相続

第10編
第2章　遺言

遺言（いごん、ゆいごん）とは、一定の方式で表示された死者の生前の最終意思として法的効果を与えられる単独の意思表示です。

1　遺言できる事項

遺言は、相手方のない**単独行為**です。したがって、方式に従って意思表示をすれば、遺言者の死後に効力を生ずることになります。そのため、遺言でできることは、法律で特に許されたものに限られます。

（具体例）認知（781条2項）・相続人の廃除（893条）・遺産分割の禁止（908条）等、民法に定める事項が認められますし、また、包括遺贈や特定遺贈もできます（964条）。

法定の事項にあたらない内容の遺言は、無効です。

（具体例）受遺者の選定や、受遺者に対する遺贈額の割当てについて、第三者に一任した遺言は無効です。

2　遺言の能力

15歳に達した者は、単独で遺言をすることができます（961条）。

また、制限行為能力者も単独で遺言をすることができます（962条）。なぜなら、制限行為能力者の制度は、制限行為能力者の財産を保護し、路頭に迷わないようにする制度ですが、遺言の効力は遺言者の死後にのみ生じますので、亡くなった遺言者を、制限行為能力者の制度によって保護する必要はないからです。

遺言者は遺言をする時に意思能力＝遺言能力は必要です（963条）。

なお、成年被後見人が遺言をするには、事理弁識能力を一時回復した時

に、医師２人以上の立会いが必要となります（973条１項）。

3 遺言の方式

遺言は、遺言者の真意を確保し、作成後に変造されたり、偽造されたりすることを防止するため、厳格な**要式行為**とされています（960条）。

遺言の種類は、普通方式が３種類、特別方式が４種類です（967条）。

（１）普通の方式

① 自筆証書遺言（968条）

遺言の全文・日付・氏名を自書、押印して行います。したがって、作成年月日のないものや、日付を特定できない「令和７年８月吉日」という記載をした自筆証書遺言は無効となります（最判昭54.5.31）。

> ▼第968条〔自筆証書遺言〕
> １項　自筆証書によって遺言をするには、遺言者が、その全文、日付及び氏名を自書し、これに印を押さなければならない。
> ２項　前項の規定にかかわらず、自筆証書にこれと一体のものとして相続財産（第997条第１項に規定する場合における同項に規定する権利を含む。）の全部又は一部の目録を添付する場合には、その目録については、自書することを要しない。この場合において、遺言者は、その目録の毎葉（自書によらない記載がその両面にある場合にあっては、その両面）に署名し、印を押さなければならない。

自筆証書遺言について、遺言に添付する**財産目録**はパソコンやワープロなどによる記載も許されます。また、通帳のコピーや不動産の登記事項証明書等を目録として添付することもできます。

② 公正証書遺言（969条）

証人２人以上の立会いの下、遺言者が遺言の趣旨を公証人に口授し、これを公証人が口述筆記、公正証書にして行う方式の遺言です。

10

相続

③ 秘密証書遺言（970条）

封印した遺言書を公証人に提出して行う方式の遺言です。手話通訳により秘密証書遺言をすることもできます（972条）。

なお、遺言者が署名押印すれば、遺言書の「全文」と「日付」は自書の必要はありません（970条1項1号）。自筆証書遺言と異なります。

秘密証書遺言としては要件を欠く遺言でも、自筆証書遺言の方式を備えていれば、自筆証書遺言として有効となります（971条）。

（2）特別の方式

試験的にはレアなので、どのような遺言なのかだけ見ておきます。

① 死亡危急者遺言（976条）

疾病その他の事由によって死亡の危急に迫った者が遺言をしようとするときは、証人3人以上の立会いで、その1人に遺言の趣旨を口授して、遺言をすることができます。

② 伝染病隔離者遺言（977条）

伝染病のため行政処分によって交通を断たれた場所にいる者は、警察官1人と証人1人以上の立会いで、遺言書を作ることができます。

③ 在船者遺言（978条）

船舶中にいる者は、船長または事務員1人と証人2人以上の立会いで、遺言書を作ることができます。

④ 船舶遭難者遺言（979条）

船舶が遭難した場合において、当該船舶中に在って死亡の危急に迫った者は、証人2人以上の立会いで、口頭で遺言をすることができます。

（3）その他の規定

① 遺言の証人・立会人

自筆証書遺言では証人・立会人は不要ですが、他の方式では証人または立会人の立会いが必要です（974条、982条）。未成年者その他一定の親族等は、遺言の証人・立会人にはなれません（974条）。

②　共同遺言の禁止

遺言は、2人以上の者が同一の証書ですることができません（975条）。

（具体例）夫婦で一緒に遺言を作りたいといっても、同じ証書で遺言をすることはできないということです。

4　遺言の効力

（1）遺言の効力発生時期（985条）

遺言は、遺言者の死亡の時から効力が発生します（985条1項）。

ただし、遺言に停止条件を付した場合は、その条件が遺言者の死亡後、その条件が成就した時から効力が発生します（985条2項）。

（2）遺贈

①　遺贈の意義

遺贈とは、遺言によって遺産の全部または一部を無償で他人に贈与する単独行為です。

遺贈には、遺産の全部または一定割合を示してなす**包括遺贈**（たとえば、遺産の5分の1を遺贈するという場合）と、特定の具体的な財産を指定してなす**特定遺贈**（たとえば、遺産の中の甲建物を遺贈するという場合）の2種類があります。

レジュメ　包括遺贈と特定遺贈

	包括遺贈	特定遺贈
意義	遺産の全部または一定割合を示してなす遺贈	特定の財産の遺贈
承認・放棄	a）熟慮期間内にしなければなりません b）家庭裁判所への申述が必要です	a）自由にできます b）家庭裁判所への申述は不要です
撤回	不可	不可

② 承認または放棄の催告

遺贈義務者（遺贈の履行をする義務を負う者）その他の利害関係人は、受遺者に対して、相当の期間を定めて、その期間内に遺贈の承認または放棄をすべき旨の催告をすることができます（987条前段）。この場合、受遺者がその期間内に遺贈義務者に対してその意思を表示しないときは、遺贈を承認したものとみなされます（987条後段）。

③ 負担付遺贈

負担付遺贈とは、受遺者に一定の義務を課する内容を持つ遺贈です。

受遺者は、遺贈の目的の価額を超えない限度で、負担した義務を履行する責任を負います（1002条1項）。

（3）遺言の執行

遺言の執行とは、遺言の内容を実現するため、登記の移転や物の引渡しなどの法律行為・事実行為をすることです。

① 検認

検認とは、遺言書の保存を確実にして後日の変造や隠匿を防ぐ証拠保全手続のことをいいます。遺言書の保管者は、相続の開始を知った後は、遅滞なく、これを家庭裁判所に提出して、その検認を請求しなければなりません（1004条1項前段）。また、遺言書の保管者がない場合に、相続人が遺言書を発見した後も同様です（1004条1項後段）。

公正証書遺言は、偽造変造のおそれがなく検認不要です（1004条2項）。

② 遺言執行者

遺言執行者とは、遺言の執行のために特に選任された者のことです。

5　遺言の撤回

（1）撤回自由の原則

遺言者は、いつでも、遺言の方式に従って、その遺言の全部または一部を撤回できます（1022条）。遺言者は、その遺言を撤回する権利を放棄で

きません（1026条）。

　なお、撤回する遺言と撤回される遺言の方式が同一である必要はなく、公正証書遺言を自筆証書遺言で撤回してもかまいません。

（2）撤回の擬制（法定撤回）

　撤回するという意思が明示されなくても、以下のような部分については、撤回する意思があると考えられるため、撤回したものとみなします。

① 　前の遺言と後の遺言が抵触する部分（1023条１項）

② 　遺言が遺言後の生前処分その他の法律行為と抵触する部分（1023条２項）

③ 　遺言者が故意に遺言書・遺贈の目的物を破棄した部分（1024条）

　故人の直近の意思を尊重しようとする趣旨です。

（3）撤回の効果

　撤回された遺言は、その撤回の行為が、撤回され、取り消され、または効力を生じなくなるに至ったときであっても、その効力を回復しません（1025条本文）。

　ただし、撤回行為が錯誤、詐欺または強迫による場合は、撤回された遺言が復活します（1025条ただし書）。また、遺言者が遺言を撤回する遺言をさらに別の遺言をもって撤回した場合は、遺言書の記載に照らし、遺言者の意思が当初の遺言の復活を希望するものであることが明らかなときは、当初の遺言の効力が復活します（最判平9.11.13）。

10

相
続

第10編　第2章　確認テスト

問1 　遺言は20歳に達した者でなければ、単独で遺言をすることができない。

問2 日付を「令和7年8月吉日」と記載をした自筆証書遺言も有効である。

問3 公正証書遺言とは、証人3人以上の立会いの下で、遺言者が遺言の趣旨を公証人に口授し、これを公証人が口述筆記し、公正証書にして行う方式の遺言をいう。

問4 秘密証書遺言としては要件を欠く遺言でも、自筆証書遺言の方式を備えていれば、自筆証書遺言として有効となる。

問5 遺言は、2人以上の者が同一の証書ですることができる。

問6 遺言者は、いつでも、遺言の方式に従って、その遺言の全部または一部を撤回できる。

解答

問1 × 15歳に達した者は、単独で遺言をすることができます（961条）。

問2 × 日付を特定できない「令和7年8月吉日」という記載をした自筆証書遺言は無効となります（最判昭54.5.31）。

問3 × 公正証書遺言とは、証人「2人以上」の立会いの下で、遺言者が遺言の趣旨を公証人に口授し、これを公証人が口述筆記し、公正証書にして行う方式の遺言です（969条）。

問4 ○ 秘密証書遺言としては要件を欠く遺言でも、自筆証書遺言の方式を備えていれば、自筆証書遺言として有効となります（971条）。

問5 × 遺言は、2人以上の者が同一の証書ですることはできません（975条）。

問6 ○ 遺言者は、いつでも、遺言の方式に従って、その遺言の全部または一部を撤回できます（1022条）。

第3章 配偶者の居住の権利

配偶者の居住権を保護するための制度です。

1 配偶者居住権

（1）意義（1028条1項）

被相続人の配偶者は、被相続人の財産に属した建物に**相続開始の時に居住**していた場合、遺産分割または遺贈により、居住建物の全部について**無償**で使用及び収益をする権利（**配偶者居住権**）を取得できます。

（2）存続期間（1030条）

配偶者居住権の存続期間は、原則として、配偶者の**終身**の間です。

（3）設定登記義務（1031条1項）

居住建物の所有者は、配偶者居住権を取得した配偶者に対し、配偶者居住権の設定の登記を備えさせる義務を負います。

（4）譲渡禁止等（1032条2項・3項）

配偶者居住権は譲渡が禁止され、居住建物の増改築や賃貸の場合には所有者の承諾が必要となります。

2 配偶者短期居住権

被相続人の配偶者が**配偶者居住権を取得しない場合**でも、相続開始時に、被相続人所有の建物に無償で居住していた場合は、遺産分割により当該建物の帰属が確定するまでの間など一定の期間（最低6か月）、その居住建

10

相続

物を**無償**で使用することができます（1037条）。これを**配偶者短期居住権**といいます。

第10編　第3章　確認テスト

問1　配偶者居住権の存続期間は、原則として10年である。

解答

問1　×　配偶者居住権の存続期間は、原則として、配偶者の終身の間です（1030条）。

1　遺留分の意義

　相続では、故人の意思が優先されますが、相続制度は、残された親族の生活を守るため、被相続人の財産を分配しようとする機能もあります。

　（具体例）Aが亡くなった時に、配偶者とまだ幼い子がいるにも関わらず、その財産をすべて寄付してしまうと、残された配偶者と子は、食べることにも事欠くかもしれません。

　そうならないようにするシステムが遺留分です。

　ただし、故人の意思が最優先ですので、推定相続人に異論がなければ、遺言通りの効果が発生し、推定相続人が遺留分の請求（**遺留分侵害額請求**）をした場合には、遺留分を侵害する額に相当する金銭の支払いを請求できます。

2　遺留分の範囲

（1）遺留分権利者

　遺留分権利者は、**配偶者、相続人たる子、直系尊属**です。兄弟姉妹は遺留分権利者ではありません（1042条）。

（2）遺留分の割合

> **レジュメ** 遺留分の割合（1042条）
>
> ①　直系尊属のみが相続人である場合は、被相続人の財産の3分の1
> ②　それ以外の場合は、被相続人の財産の2分の1

　たとえば、相続人が子のみで、相続分が200万円なら、遺留分は2分の

10

相続

1の100万円となります。

（3）遺留分算定の基礎となる財産

① 相続開始前1年間にした贈与（1044条1項）

　贈与は、相続開始前の1年間にしたものに限り、その価額が遺留分算定の基礎となる財産に算入されます。ただし、当事者双方が遺留分権利者に損害を加えることを知って贈与をしたときは、1年前の日より前にしたものも、その価額が算入されます。

② 共同相続人の特別受益分（1044条3項）

　相続開始前の**10年間**のもので、婚姻もしくは養子縁組のため、または生計の資本として受けた贈与の価額に限り、その価額が遺留分算定の基礎となる財産に算入されます。ただし、当事者双方が遺留分権利者に損害を加えることを知ってなされた特別受益分は、10年前の日より前にしたものも、その価額が算入されます。

---

3 遺留分侵害額請求

　遺留分権利者およびその承継人は、受遺者または受贈者に対し、遺留分侵害額に相当する金銭の支払いを請求できます（1046条1項）。

　＜事例で理解＞

　被相続人の財産が1000万円だった場合に、遺言で800万円をボランティア団体に遺贈しました。相続人は子1人です。

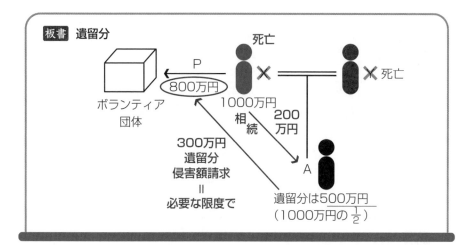

板書 遺留分

死亡

P
800万円

ボランティア団体

1000万円
相続

200万円

死亡

A

300万円
遺留分
侵害額請求
＝
必要な限度で

遺留分は500万円
$\left(1000万円の\frac{1}{2}\right)$

この場合、遺贈がない場合の相続分は1000万円、遺留分はその２分の１の500万円です。遺贈は800万円ということは、200万円は子に相続されることになります。遺留分である500万円に達するためには、あと300万円ですから、遺留分の侵害額は300万円、その額が請求額になります。

4　遺留分の放棄

　相続開始前の遺留分の放棄は、家庭裁判所の許可を受けたときに限り、効力が認められます（1049条１項）。

　共同相続人の１人がした遺留分の放棄は、他の各共同相続人の遺留分に影響を及ぼしません（1049条２項）。

　なお、相続開始後の遺留分の放棄は、家庭裁判所の許可は不要です。

レジュメ　相続の放棄と遺留分の放棄

	相続の放棄	遺留分の放棄
相続開始前	放棄できない	家庭裁判所の許可を受けたときに限り放棄できます

相続 開始後	自己のために相続の開始が あったことを知った時から3 か月以内なら放棄できます	自由に放棄することができ ます
効果	初めから相続人とならなかっ たものとみなされます →他の相続人の相続分が増加 　します	他の各共同相続人の遺留分 に影響を及ぼしません →他の推定相続人の遺留分 　は増加しません

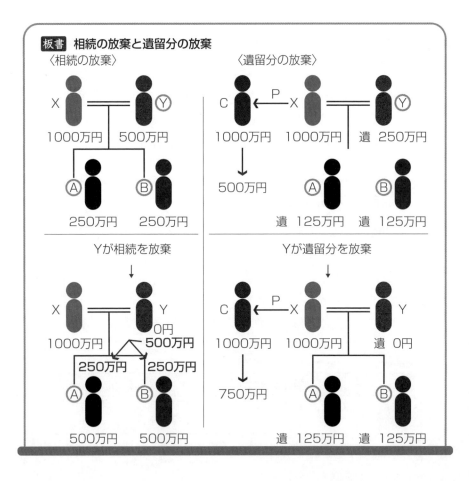

板書 相続の放棄と遺留分の放棄

第10編　第4章　確認テスト

問1　遺留分権利者は、配偶者、相続人たる子、直系尊属、兄弟姉妹である。

問2　遺留分の割合は、被相続人の財産の2分の1である。

問3　相続開始前に遺留分を放棄しても、家庭裁判所の許可がなければ、その効力は生じない。

10

相続

解答

問1　×　遺留分権利者は、配偶者、相続人たる子、直系尊属です。兄弟姉妹は遺留分権利者ではありません（1042条1項柱書）。

問2　×　遺留分の割合は、直系尊属のみが相続人である場合は、被相続人の財産の3分の1、それ以外の場合は、被相続人の財産の2分の1となります（1042条1項2号）。

問3　○　相続開始前に遺留分を放棄しても、家庭裁判所の許可がなければ、その効力は生じません（1049条1項）。

1　特別の寄与の意義

　被相続人に対して**無償**で療養看護その他の労務の提供により被相続人の財産の維持または増加について特別の寄与をした被相続人の親族（**特別寄与者**）は、相続の開始後、相続人に対し、特別寄与者の寄与に応じた額の金銭（**特別寄与料**）の支払いを請求できます（1050条1項）。

2　特別寄与料の支払い

　原則として、特別寄与料の支払いについては、当事者間の協議で定めます。協議が調わないときや協議できないときは、特別寄与者は、家庭裁判所に対して協議に代わる処分を請求できます（1050条2項本文）。

　ただし、特別寄与者が相続の開始および相続人を知った時から**6か月**を経過したとき、または相続開始の時から**1年**を経過したときは、請求できません（1050条2項ただし書）。

3　特別寄与料の額

　特別寄与料の額は、被相続人が相続開始の時において有した財産の価額から遺贈の価額を控除した残額を超えることができません（1050条4項）。相続人が数人ある場合には、各相続人は、特別寄与料の額に法定相続、代襲相続、遺言などの規定により算定した当該相続人の相続分を乗じた額を負担することになります（1050条5項）。

第10編　第５章　確認テスト

問1 特別寄与者が相続の開始および相続人を知った時から１年を経過したとき、または相続開始の時から３年を経過したときは、請求できない。

解答

問1 ×　特別寄与者が相続の開始および相続人を知った時から６か月を経過したとき、または相続開始の時から１年を経過したときは、請求できません（1050条２項ただし書）。

INDEX（用語索引）

MEMO

MEMO

＜執筆者紹介＞

小池昌三（TAC 行政書士講座講師）

　TAC 行政書士講座専任講師。駒澤大学大学院法曹養成研究科修了。法務博士（専門職）。ビジネス法務エグゼクティブ®（商工会議所認定）。宅地建物取引士有資格者。行政書士有資格者。

　法令科目から政経・文章理解に至るまで行政書士試験全科目を幅広く講義する実力派講師。暗記にかたよらない思考型の講義と40字記述式指導に定評があり、「わかりやすさ」と「熱さ」で受験生の支持を得ている。宅地建物取引士試験やビジネス実務法務検定試験®など行政書士試験以外の法律系資格にも造詣が深く、大学の学内講座や企業研修の講師も務める。

　行政書士試験ブログ「小池昌三の《燃えていこうぜ》」（https://ameblo.jp/shozo-law/）

　小池昌三の twitter（@TAC_skoike）

行政書士 しっかりわかる講義生中継 民法 第3版

2020年 3 月24日 初 版 第 1 刷発行
2024年11月11日 第 3 版 第 1 刷発行

編 著 者	T A C 株 式 会 社	
		（行政書士講座）
発 行 者	多 田 敏 男	
発 行 所	TAC株式会社 出版事業部	
		（TAC出版）

〒101-8383
東京都千代田区神田三崎町 3-2-18
電 話 03（5276）9492（営業）
FAX 03（5276）9674
https://shuppan.tac-school.co.jp

印 刷	株 式 会 社 光 邦	
製 本	株 式 会 社 常 川 製 本	

© TAC 2024 Printed in Japan

ISBN 978-4-300-11486-5
N.D.C.327

行政書士講座のご案内

出題可能性の高い予想問題が満載

全国公開模試

2025年 合格目標

TACでは本試験さながらの雰囲気を味わえ、出題可能性の高い予想問題をそろえた公開模擬試験を実施いたします。コンピュータ診断による分野別の得点や平均点に加え、総合の偏差値や個人別成績アドバイスなどを盛り込んだ成績表（成績表はWebにて閲覧）で、全国の受験生の中における自分の位置付けを知ることができます。

TAC全国公開模試の 3大特長

1 厳選された予想問題と充実の解答解説

TACでは出題可能性の高い予想問題をこの全国公開模試にご用意いたします。全国公開模試受験後は内容が充実した解答解説を活用して、弱点補強にも役立ちます。

2 全国レベルでの自己診断

TACの全国公開模試は全国各地のTAC各校舎と自宅受験で実施しますので、全国レベルでの自己診断が可能です。

※実施会場等の詳細は、2025年7月頃にTACホームページにてご案内予定です。お申込み前に必ずご確認ください。

3 本試験を擬似体験

本試験同様の緊迫した雰囲気の中で、真の実力が発揮できるかどうかを擬似体験しておくことは、本試験で120%の実力を発揮するためにも非常に重要なことです。

高い的中率を誇る問題が勢揃い！

2025年9月・10月 実施予定！

ご注意　2025年合格目標TAC行政書士講座の「全国公開模試」がカリキュラムに含まれているコースをお申込みの方は、「全国公開模試」を別途お申込みいただく必要はございません。

※上記のご案内は2024年10月時点の予定です。本試験日程やその他諸事情により変更となる場合がございます。予めご了承ください。

TAC出版 書籍のご案内

TAC出版では、資格の学校TAC各講座の定評ある執筆陣による資格試験の参考書をはじめ、資格取得者の開業法や仕事術、実務書、ビジネス書、一般書などを発行しています!

TAC出版の書籍

*一部書籍は、早稲田経営出版のブランドにて刊行しております。

資格・検定試験の受験対策書籍

- ❂日商簿記検定
- ❂建設業経理士
- ❂全経簿記上級
- ❂税　理　士
- ❂公認会計士
- ❂社会保険労務士
- ❂中小企業診断士
- ❂証券アナリスト

- ❂ファイナンシャルプランナー(FP)
- ❂証券外務員
- ❂貸金業務取扱主任者
- ❂不動産鑑定士
- ❂宅地建物取引士
- ❂賃貸不動産経営管理士
- ❂マンション管理士
- ❂管理業務主任者

- ❂司法書士
- ❂行政書士
- ❂司法試験
- ❂弁理士
- ❂公務員試験(大卒程度・高卒者)
- ❂情報処理試験
- ❂介護福祉士
- ❂ケアマネジャー
- ❂電験三種　ほか

実務書・ビジネス書

- ❂会計実務、税法、税務、経理
- ❂総務、労務、人事
- ❂ビジネススキル、マナー、就職、自己啓発
- ❂資格取得者の開業法、仕事術、営業術

一般書・エンタメ書

- ❂ファッション
- ❂エッセイ、レシピ
- ❂スポーツ
- ❂旅行ガイド (おとな旅プレミアム/旅コン)

2025年度版 行政書士試験対策書籍のご案内

TAC出版では、独学用、およびスクール学習の副教材として、各種対策書籍を取り揃えています。
学習の各段階に対応していますので、あなたのステップに応じて、合格に向けてご活用ください！

※装丁、書籍名、刊行内容は変更することがあります

入門書

『みんなが欲しかった！
行政書士
合格へのはじめの一歩』
A5判
● フルカラーでよくわかる、本気でやさしい入門書！資格や試験の概要、学習プランなどの「オリエンテーション編」と科目別の「入門講義編」を収録。

基本書

『みんなが欲しかった！
行政書士の教科書』
A5判
● こだわりの板書でイメージをつかみやすい、独学者のことを徹底的に考えた最強にわかりやすいフルカラーの教科書。分冊で持ち運びにも便利。

問題集

『みんなが欲しかった！
行政書士の問題集』
A5判
● 過去問題8割、オリジナル問題2割で構成された、得点力をアップする良問を厳選した問題集。

総まとめ

『みんなが欲しかった！
行政書士の最重要論点150』
B6判
● 見開き2ページが1論点で構成された、試験によく出る論点を図表で整理した総まとめ。

判例集

『みんなが欲しかった！
行政書士の判例集』
B6判
● 試験によく出る重要判例を厳選して収録。最重要判例には事案を整理した関係図付き。

過去問

『みんなが欲しかった！
行政書士の5年過去問題集』
A5判
● 過去5年分の本試験問題を、TAC講師陣の詳細な解説とともに収録。各問題に出題意図を明示。

一問一答式

『みんなが欲しかった！
行政書士の肢別問題集』
B6判
● 選択肢を重要度ランクとともに体系的に並べ替え、1問1答式で過去問題を攻略できる問題集。

記述対策

『みんなが欲しかった！
行政書士の40字記述式問題集』
A5判
● 解法テクニックと過去＋予想問題を1冊に集約した、40字記述式対策の1冊。多肢選択式問題も収録。

書籍の正誤に関するご確認とお問合せについて

書籍の記載内容に誤りではないかと思われる箇所がございましたら、以下の手順にてご確認とお問合せをしてくださいますよう、お願い申し上げます。

なお、正誤のお問合せ以外の**書籍内容に関する解説および受験指導などは、一切行っておりません。**
そのようなお問合せにつきましては、お答えいたしかねますので、あらかじめご了承ください。

1 「Cyber Book Store」にて正誤表を確認する

TAC出版書籍販売サイト「Cyber Book Store」の
トップページ内「正誤表」コーナーにて、正誤表をご確認ください。

CYBER TAC出版書籍販売サイト
BOOK STORE

URL:https://bookstore.tac-school.co.jp/

2 **1**の正誤表がない、あるいは正誤表に該当箇所の記載がない
⇒ **下記①、②のどちらかの方法で文書にて問合せをする**

★ご注意ください★

お電話でのお問合せは、お受けいたしません。

①、②のどちらの方法でも、お問合せの際には、「お名前」とともに、
「対象の書籍名(○級・第○回対策も含む)およびその版数(第○版・○○年度版など)」
「お問合せ該当箇所の頁数と行数」
「誤りと思われる記載」
「正しいとお考えになる記載とその根拠」
を明記してください。

なお、回答までに1週間前後を要する場合もございます。あらかじめご了承ください。

① ウェブページ「Cyber Book Store」内の「お問合せフォーム」より問合せをする

【お問合せフォームアドレス】

https://bookstore.tac-school.co.jp/inquiry/

② メールにより問合せをする

【メール宛先　TAC出版】

syuppan-h@tac-school.co.jp

※土日祝日はお問合せ対応をおこなっておりません。
※正誤のお問合せ対応は、該当書籍の改訂版刊行月末日までといたします。

乱丁・落丁による交換は、該当書籍の改訂版刊行月末日までといたします。なお、書籍の在庫状況等により、お受けできない場合もございます。
また、各種本試験の実施の延期、中止を理由とした本書の返品はお受けいたしません。返金もいたしかねますので、あらかじめご了承くださいますようお願い申し上げます。

(2022年7月現在)